D1622638

JUAN MANUEL CACHO BLECUA

Amadís:
heroísmo mítico cortesano

CUPSA EDITORIAL   MADRID

279650

cupsa/universidad de zaragoza
DEPARTAMENTO DE LITERATURA ESPAÑOLA

Dirección: VÍCTOR GARCÍA DE LA CONCHA

© Juan Manuel Cacho Blecua, 1979

Cupsa Editorial, Cristóbal Bordiu, 35, 2.º (207), Madrid-3

Diseño de colección: Hans Romberg. Montaje: Agustín Vidal

ISBN.: 84-390-0109-6

Depósito Legal: M-7.724-1979

Impreso en España

Compuesto en Fernández Ciudad, S. L., Pje. de la Fundación, 15. Madrid-28

Estampación: AGRESA - Políg. Ind. Las Fronteras - C/. Torrejón, nave 8
            Torrejón de Ardoz (Madrid)

SUMARIO

INTRODUCCION 11

I. NACIMIENTOS EXTRAORDINARIOS 16

Virginidad, soltería y amor, 17.—Estructuras narrativas paralelas: procreación de don Florestán, 25.—Repetición de modelos: Norandel, 28.—La madre maga y las marcas de nacimieno, 29.—La génesis del monstruo, 31.

II. ABANDONO Y EDUCACION 38

La exposición del héroe en las aguas, 38.—Persistencia y debilitamiento del tema, 43.—El rapto del niño, 45.—La educación del héroe en la corte, 46.—Los libros como educadores, 49.—Lo sobrenatural en la crianza, 50.—Educación, niñez y comportamiento, 54

II. PROFECIAS Y SUEÑOS 57

Predicción del futuro héroe: a) Amadís, 57.—b) Galaor, 60. c) Esplandián, 61.— Las profecías: su carácter apriorístico y estructurante, 63.—Recreación literaria del sueño profético, 65.

IV. LA INVESTIDURA 75

La investidura como rito iniciático, 75.—La amada transformadora de la energía del héroe, 78.—La intervención de la maga en la iniciación, 83.—La divinización de la investidura, 86.—El acercamiento a la familia y la defensa del amor, 89.—La iniciación sexual, 93.—El héroe asexuado, 98.

V. LOS RECONOCIMIENTOS 101

La adquisición del nombre, 101.—La anagnórisis como negación del engaño, 107.—La anagnórisis y el secreto del nombre, 114.—El reconocimiento desdramatizado, 116.

VI. EL DESCENSO A LOS INFIERNOS 118

Encantamiento, engaño y deslealtad, 119.—El héroe como Salvador, 125.—La risa: superioridad y distensión narrativa, 127. Los poderes del héroe frente a la magia, 129.

VII. EL CABALLERO ANDANTE Y LA CORTE 133

La corte paterna, espacio de ociosidad, 135.—El suicidio como antítesis de la integración del caballero en la corte, 137.—

La corte aglutinadora de la caballería, 142.—Caballería y viaje, 143.—Caballería y humildad, 145.—La corte de Lisuarte y el clan familiar, 147.

VIII. LA CORTE AMENAZADA O LA REAFIRMACION DE LA CABALLERIA   151

Carácter y aventura, 154.—Utopía y engaño, 157.—El héroe al encuentro de su personalidad, 163.—El restablecimiento del poder regio, 165.

IX. LA CULMINACION AMOROSA DEL HEROE   170

El servicio amoroso, 170.—Amor y aventuras, 173.—Amor y retórica, 175.—El amor codificado, 180.—Amor y muerte, 188. Diálogos amorosos y estructuras narrativas, 189.

X. LA RUPTURA AMOROSA: LOS CELOS   191

Amor y castidad, 193.—Glorificación de la fortaleza y de la lealtad, 198.—Cortesía y amor cortés, 203.—Los celos y el acrecentamiento del amor, 207.—La perfección amorosa del héroe, 211

XI. MUERTE DE AMADIS Y ADQUISICION DE UN NUEVO NOMBRE   214

Cambio de nombre, cambio de personalidad, 214.—El sueño iniciático, 219.—El renacer de los sentidos, 225.—La carta taumatúrgica, 229.

XII. EL RENACER DE LA CABALLERIA Y EL AMOR   234

Lo anticaballeresco anticristiano, 236.—El paraíso amoroso, 241.—La incorporación a la corte, 246.—La forma bipartita del relato, 250.

XIII. LA RUPTURA ENTRE LA CABALLERIA Y EL REY   254

Presentación ilusionista, 254.—Amor a primera vista y ruptura de los códigos corteses y narrativos, 258.—La fortuna, 261.—El enfrentamieno bélico, 269.—La obediencia amorosa, 271.—Nuevo ciclo de aventuras, 273.

XIV. EL CENIT DE AMADIS COMO CABALLERO ANDANTE   275

El viaje a tierras extrañas, 275.—La lucha contra la bestia, 280.—Verosimilitud, escritura y escultura, 286.—El ingenio frente a la bella, 292.—El regreso, 294.

XV. EL RAPTO DE ORIANA
Y LA RECONCILIACION   297

La injusticia regia, 297.—Ideología, narración y matrimonio secreto, 306.—La superioridad de la amada, 313.—Superioridad del héroe y transgresión de códigos corteses, 318.—La plenitud del amor, 323.

XVI. EL DECLINAR DE AMADIS   327

Matrimonio, amor y aventuras, 327.—Profecía, sabiduría y desengaño, 331.—Adversidad, tiempo y nostalgia, 341.

XVII. LAS DIFERENTES REDACCIONES   347

La hipotética versión primitiva, 347.—Personajes, 347.—Ideología, 349.—Las técnicas narrativas, 352.—La redacción primitiva, 357.—La segunda redacción, 361.

XVIII. LA INTERVENCION DE MONTALVO   366

La posible existencia de varios manuscritos, 366.—La abreviación, 374.—La amplificación, 381.

XIX. LAS CONTRADICCIONES
DEL PROLOGO Y EL LIBRO IV   389

La muerte del héroe, 389.—Prólogo y retórica, 394.

XX. LA UNIDAD DE LA NOVELA   401

Relato genealógico, 401.—Clímax y anticlímax, 404.

CONCLUSIONES   407

BIBLIOGRAFIA   417

INDICE DE SIGLAS   441

AMADIS:
HEROISMO MITICO CORTESANO

A María Jesús

INTRODUCCIÓN

En un estudio sobre el *Amadís de Gaula* parece casi obligado comenzar con el célebre diálogo cervantino entre el cura y el barbero:

> Parece cosa de misterio ésta; porque, según he oído decir, este libro fue el primero de caballerías que se imprimió en España, y todos los demás han tomado principio y origen de éste; y así, me parece que, como a dogmatizador de una secta tan mala, le debemos, sin escusa alguna, condenar al fuego.
> —No, señor —dijo el barbero—; que también he oído decir que es el mejor de todos los libros que de este género se han compuesto; y así, como a único en su arte, se debe perdonar.

Es igual que las palabras del cura sean inexactas, porque en el fondo subyace una parte de la verdad del problema. El libro se considerará modelo de un género medieval, que en el siglo XVI alcanza su apogeo y esplendor[1]. Pero el *Amadís* no fue tan sólo paradigma de una forma literaria, sino que también se convirtió desde muy pronto en una obra cuya incidencia en la sociedad puede notarse hasta en mínimos detalles.

---

1. F. Curto Herrero, en una beca de la Fundación March, *Estructura de las novelas españolas de caballerías* (1500-1600), estudió cómo el libro contiene en sí ese *modelo narrativo virtual* que fijó las líneas esenciales del género en su comienzo.

De todos es sabido la influencia de la novela como manual de cortesanía, el gran número de ediciones que ha alcanzado en los más diversos idiomas, el hecho de que fuera lectura de Carlos V o de Francisco I durante su cautiverio en Madrid, etc. Asimismo, desde muy pronto el nombre del héroe se utilizó como denominación de diferentes perros, cuyos dueños, nobles o no [2], se hacían eco de su popularidad. Incluso los perros falderos y los galanteadores sumisos se llegaron a llamar «amadisillos» o «amadizitos», según el *Guzmán* (II, III, VI), aunque la palabra pronto dejó de utilizarse.

La gran importancia del libro como fenómeno cultural europeo y su clara ascendencia sobre multitud de libros de caballerías, en especial sobre el *Quijote*, quizás ha servido más para conocer datos externos a la propia obra que para adentrarse en un análisis interno de sus peculiaridades artísticas. A esto hay que añadir dos aspectos que prácticamente han polarizado la atención de la crítica: la autoría y las fuentes. El primer problema ha tenido distintos tratamientos según autores y épocas. Desde N. de Herberay hasta Jameson o más recientemente E. Reali han postulado la existencia de un *Amadís* originariamente francés, intentándolo demostrar con los argumentos más variopintos. También se ha pensado en un origen gallego, e incluso se llegó a decir que había sido escrito por un moro, si bien quizás las disputas más enconadas se han establecido entre los defensores de una autoría castellana y los de su origen portugués, con postulados que han trascendido, a veces, lo puramente literario. En nuestro trabajo, el problema sólo nos interesa de una forma complementaria. El enigmático don Alfonso de Portugal (posiblemente, en la realidad, hermano bastardo del rey don Dionís)

---

2. El artículo de S. GILI GAYA «Un recuerdo de "Amadís de Gaula" en el archivo municipal de Lérida», *Ilerda*, XI (1953), 113-117, señala cómo una bruja leridana poseía en 1598 un perro llamado Amadís.

se convierte en personaje novelesco y plantea por vez primera en la literatura española un problema de sumo interés. Un lector manifiesta en la propia creación su desacuerdo con la obra y obliga a conducir la novela por otros derroteros narrativos.

Por otra parte, los antecedentes del texto han sido rastreados abundantemente y Grace Sara Williams[3], hace ya más de medio siglo, les dedicó buena parte de su esfuerzo. Las aportaciones de J. Michels, J. M. Gil-Vázquez[4], B. Matulka, M. R. Lida de Malkiel, J. B. Avalle-Arce, P. Bohigas, E. B. Place, etc., han abierto algunos nuevos caminos, aunque todavía falte un estudio de conjunto.

Ahora bien, en muchas ocasiones es difícil precisar una fuente exacta, a pesar de los indudables paralelismos de nuestra novela con el *Lancelot* o el *Tristán*, por ejemplo, porque muchos temas de estas obras retoman motivos de creaciones anteriores y tienen una clara conexión con aspectos mítico-folklóricos. Adentrarse en el mundo del folklore, de los mitos o de los temas artúricos puede ser una labor casi inabarcable, pese a lo cual no hemos dudado, por lo menos, en acercarnos a ellos con una única salvedad: nos interesan en cuanto forman parte interna del *Amadís*, ya que nos parece prioritario averiguar su sentido, su estructura, para precisar con mayor claridad sus deudas y originalidad, tema de un trabajo diferente.

Las investigaciones más recientes de F. Weber de Kurlat, A. Durán, Y. Russinovich, Antonio Prieto, Francisco Curto, etc., se han encaminado en esta misma dirección, aunque todavía falte un estudio detallado, tarea que hemos pretendido realizar. Nues-

---

3. «The *Amadís* Question», *R Hi*, XXI (1909), 1-167. Su trabajo, en conjunto, no ha sido superado.

4. J. M. GIL VÁZQUEZ, *Un precedente del «Amadís de Gaula»*, Cádiz, Escuela de Artes y Oficios, 1936, en un librito de difícil acceso, establece relaciones entre el poema anglodanés *King Horn* y el *Amadís*, por las similitudes de algunos elementos, como los amores, los sueños, el anillo, etc.

tro propósito ha consistido fundamentalmente en examinar buena parte de los episodios del *Amadís* bajo el mayor número posible de puntos de vista metodológicos, teniendo en cuenta que la novela armoniza y combina en diferentes personajes distintas versiones del mito heroico (nacimiento extraordinario, predicción profética, abandono, etc.). A su vez, las principales aventuras de un héroe, Amadís, vertebran la novela y sirven de hilo conductor a nuestro trabajo. Un análisis de este tipo obliga a un lector no especializado a recordar con gran esfuerzo una serie de personajes, situaciones, motivos, etc., por lo que pedimos excusas, pero tampoco podíamos resumir una obra tan compleja sin extendernos con exceso[5]. No obstante, estas dificultades quedan aminoradas por la mención de numerosos episodios, bien conocidos por todos. Finalmente, como el análisis de la novela y su estructura afecta al problema de las sucesivas redacciones, hemos considerado casi un deber plantear al final una parte de estos temas que implícitamente subyacen a lo largo de nuestros comentarios[6].

Sólo nos resta agradecer las múltiples ayudas recibidas, cuya extensa enumeración sería prolija, porque hemos aprovechado con bastantes modificaciones una parte de un estudio más extenso que administrativamente se convirtió en tesis doctoral. En especial quisiéramos dar las gracias a M.ª del Pilar Palomo, Víctor G. de la Concha, Francisco Rico, Alicia Yllera, Francisco Curto y otras personas cuyos lazos familiares nos eximen de nombrarlas. Esperamos en un

5. El resumen detallado de D. Duque Merino, *El argumento de Amadís de Gaula*, Madrid, Biblioteca Universal, 1918, ocupa unas 150 pp.

6. Utilizamos siempre para el *Amadís* la edición de E. B. Place, Madrid, C.S.I.C., vol. I, 1959; vol. II, 1962; vol. III, 1965, y vol. IV, 1969, y todas nuestras citas remiten a ella. Los dos primeros números romanos señalan libro y capítulo, y los arábigos, las páginas y líneas. En cuanto a *Las Sergas de Esplandián* utilizamos la edición de P. Gayangos, *Libros de Caballerías*, Madrid, B.A.E., t. XL, 1963.

futuro haber contraído muchas más deudas, pues nuestro objetivo ha sido realizar un trabajo de investigación, algo siempre inacabado e imperfecto y más en una obra como el *Amadís*. Si hemos contribuido a aclarar algunos aspectos de un libro que pareció «cosa de misterio», nos daremos por satisfechos.

I. NACIMIENTOS EXTRAORDINARIOS

Uno de los motivos más reiterados en todas las culturas es, sin duda, el nacimiento extraordinario del héroe. Antes de ser proyecto de vida se producen una serie de manifestaciones que lo determinan para acometer las más diversas hazañas. «Para la mentalidad primitiva y arcaica todos los trances de la vida están dotados de sacralidad. Estos trances son en último análisis tres: vivir, engendrar y morir. Están íntimamente compenetrados entre sí y hallan su expresión en el sentido misterioso de la sangre (vida), en el sentido misterioso de la muerte y en el sentido misterioso de la fecundidad» [1]. En su procreación o en su nacimiento suelen darse unas circunstancias similares en los relatos más diversos. Otto Rank [2] destaca como características su descendencia de padres de la más alta nobleza, habitualmente reyes, mientras que para Lord Raglan [3] el arquetipo del

1. A. ÁLVAREZ MIRANDA, *La metáfora y el mito*, Madrid, Taurus, 1963, p. 13.
2. *El mito del nacimiento del héroe*, Buenos Aires, Paidos, 1971, p. 79.
3. Lord Raglan, «The Hero of Tradition», artículo recogido y editado por A. Dundes, *The Study of Folklore*, Prentice-Hall, Englewood, Cliffs, N. J., 1965, p. 145: «1. His mother is a royal virgin 2. His father is a king, and 3 often a near relative of his mother...» También, según nota el editor, páginas 142-143, J. G. von Hahn había concebido unas características del héroe muy parecidas. Los tres primeros puntos

héroe tradicional responde, en sus inicios, a tres aspectos: *a)* nacimiento de virgen real, *b)* padre rey, y *c)* relación de parentesco entre los progenitores.

Algunos personajes de nuestra novela (Amadís, Galaor, Florestán, Norandel, Talanque, Mameli, Esplandián, y en signo contrario, el Endriago), están ya marcados por su nacimiento con algunos de los rasgos reseñados.

Sus madres son hijas de reyes: (Amadís, Galaor, Norandel, Esplandián) o de conde (Florestán); de sobrinas de maga (Talanque o Mameli) o de giganta (Endriago). Sus padres son reyes (Amadís, Galaor, Norandel, Florestán, Talanque) o hijos de reyes, a su vez futuros soberanos (Esplandián, Mameli) o gigantes (Endriago). En todos los casos, su genealogía es destacada e ilustre; resultan descendientes de personajes importantes dentro de la narración, por su actuación y por su *status*.

VIRGINIDAD, SOLTERÍA Y AMOR

Las explicaciones de la virginidad materna divergen. Según Yolanda Russinovich de Solé, «es sagrada, no tanto por su inviolabilidad, sino por tratarse de un estado de mayor receptividad de los dioses, procreadores de la mayoría de los héroes antiguos. El fenómeno de la procreación misterioso en sí, no es percibido como un acto humano, sino más bien como evento milagroso que se atribuye a una divinidad»[4].

------

corresponden a algunos nacimientos de nuestra novela. «1. The hero is of illegitimate birth. 2. His mother is the princess of the country. 3. His father is a good or a foreigner.» Y. Russinovich de Solé en «El elemento mítico-simbólico en el *Amadís de Gaula:* Interpretación de su significado», *Th*, XXIX (1974), 129-168, analiza la obra a partir de los postulados de Lord Raglan.

4. Art. cit., pp. 137-138. Su excelente trabajo adolece, a nuestro juicio, de un planteamiento apriorístico que nos hará diverger de su estudio en numerosas ocasiones. Según ella «visto retrospectivamente el *Amadís de Gaula* quizás no sea una novela en el sentido tradicional de la palabra

Para Campbell[5], en las mitologías que enfatizan
más el aspecto maternal que el aspecto paternal
del creador, este ser femenino original llena el
escenario del mundo en principio, jugando los pape-
les que en las otras son asignados a los varones».
Y ella es virgen porque su esposo es lo «Desconocido
Invisible», condiciones que no se dan en nuestra
novela, porque los padres tienen un papel bien activo, y no son ni mucho menos lo Desconocido Invisible. En este sentido, en el *Amadís* prevalece la ascendencia paterna sobre la materna[6]. Narrativamente
tienen poca importancia Elisena, las sobrinas de Urganda, la hija del rey Egido, la hija del conde de
Clara, etc. Tanto es así que estas últimas se identi-
fican por el padre y su título y no por ellas mismas[7].

---

sino una exteriorización del ordenar de la fantasía que, sin
ser arte propiamente dicho, es, sin embargo, el material del
cual el arte se nutre», pp. 129-130.

5. J. CAMPBELL, *El héroe de las mil caras. Psicoanálisis
del mito*, México, F.C.E., 1972, p. 268.

6. No obstante, los principales personajes de la novela
(Amadís, Galaor, Agrajes) están relacionados por un parentesco matrilineal, quizás restos de sustratos históricos y
míticos adaptados a unos nuevos contextos sociales. Este
fenómeno, sorprendente, incide claramente en la dinámica
de la novela. Los héroes son descendientes de caballeros
andantes y el espacio donde nacen y se educan siempre está
relacionado con la madre. Sin embargo, *Las Partidas* de Alfonso X, II.ª, t. XXI, l. III, señalan la preeminencia del linaje paterno: «Pero la mayor parte de la fidalguía ganan los
omes, por honra de los padres. Ca maguer la madre sea
villana, e el padre fidalgo, fijodalgo es el fijo que dellos nasciere: e por fijosdalgo se puede contar, mas non por noble.
Mas si nasciere de fijadalgo, e de villano, non tuvieron por
derecho, que fuesse contado por fijodalgo: porque siempre
los omes el nome del padre ponen siempre delante quando
alguna cosa quisieren dezir.» Remitimos a la ed. incluida en
Los códigos españoles concordados y anotados, glosa de Gre-
gorio López, Madrid, Imprenta de la Publicidad, 1848. El
Tractat de Cavallería de Pedro III, ley X.ª, repite los mismos
términos de Alfonso X, cosa natural pues «fou traduït tot
sencer de la Segona Partida d'Alfons X de Castilla especial-
ment del seu títol XXI». P. BOHIGAS, *Tractats de Cavalleria*,
Barcelona, Ed. Barcino, 1947, p. 29.

7. Según G. Duby, «Strutture di parentela e nobiltà. Francia del Nord, XI-XII secolo», recogido en *Terra e nobiltà nel
Medio Evo*, Torino, Società Editrice Internazionale, 1974, pá-

Se puede alegar que la argumentación de la virginidad se relaciona con la ascendencia doble del héroe, divina y humana. El progenitor, dios o rey, representa un modo o grado de existencia superior respecto al resto de los mortales [8], pero nos parece erróneo apurar hasta el máximo unos esquemas prefijados.

El origen divino también sobrevive parcialmente, según la tesis de Yolanda Russinovich, ya que el héroe nace de madre soltera: «Este motivo es, sin embargo, reinterpretado, probablemente por Montalvo, al sobreponer el matrimonio secreto o al menos la promesa de él, en un intento de conformarlo a la tradición cristiana» [9]. A nuestro juicio, la maternidad de mujer soltera habría que relacionarla con los códigos amorosos y las estructuras narrativas de la

gina 181, «la consciencza genealogica appare nel momento stesso che la richezza ed il potere (di un conte, di un castelano o di un semplice cavaliere) assumono decisivamente un andamento patrimonialc e cominciano conseguentemente ad entrare in gioco regole di succesione che favoriscono i figli a spese delle figlie, i primogeniti a spese degli ultimigeniti e che quindi valorizzano contemporaneamente la branca paterne e la primogenitura». Véase para España S. de Moxó, «De la nobleza vieja a la nobleza nueva. La transformación nobiliaria castellana en la baja Edad Media», C H, 3 (1969), p. 6.

8. Desde un punto de vista sociológico esta doble ascendencia divina y humana puede estar relacionada con el carácter de la realeza. Según J. A. Maravall, «El pensamiento político español del año 400 al 1300», recogido en Estudios de Historia del Pensamiento Español, Madrid, Ediciones de Cultura Hispánica, 1967, p. 31, en España la concepción del rey como lugarteniente de Dios se encuentra explícitamente a partir del siglo XIII. Para A. PELAYO, Speculum regum, texto y traducción portuguesa de M. Pinto de Meneses, Lisboa, Instituto de Alta Cultura, 1955, p. 110, los reyes «sunt praecellentes et superiores in temporali dignitate». Son superiores pero no dioses. El arquetipo mítico se adecúa a unas circunstancias históricas. Compárese por el contrario el nacimiento de Merlín, Roberto el Diablo, el propio Arturo, etcétera. Don Juan Manuel, en el Libro de los estados, ed. de R. B. Tate y J. R. Macpherson, Oxford, Clarendon Press, 1974, p. 240, relacionaba el nacimiento de virgen con la divinidad: «Lo primero que por esta manera fue la nasçencia de Jhesu Cristo encubierta al diablo; ca si él viera que Jhesu Cristo de virgen nasçia et non de desposada, luego sopiera que él era el Fijo de Dios...»

9. Art. cit., p. 138.

novela. Los héroes no son producto de una virgen, excluyente de lazos emotivos con la figura masculina, sino todo lo contrario. Ellos son fruto del amor-pasión que culmina en la unión sexual de los amantes. Amadís será el primero de los descendientes surgidos de la unión entre Perión y Elisena y a su nacimiento se subordinan los primeros capítulos de la novela. Esta comienza por una etopeya de la genealogía materna del futuro héroe.

> Este rey [Garinter] ouo dos fijas en vna noble dueña su muger, y la mayor fue casada con Languines, rey de Escocia [...] La otra fija, que Helisena fue llamada, en grand quantidad mucho más hermosa que la primera fue. Y como quiera que de muy grandes príncipes en casamiento demandada fuesse, nunca con ninguno dellos casar le plugo, antes su retraymiento y santa vida dieron causa a que todos beata perdida la llamassen, considerando que persona de tan gran guisa, dotada de tanta hermosura, de tantos grandes por matrimonio demandada, no lo era conueniente tal estilo de vida tomar (I, 11, 18 y ss.).

La genealogía indica claramente la posición del autor, que describe las cualidades de Elisena, adornada de las mejores condiciones: hermosura y honestidad [10]. Es un retrato basado en unas acciones y cualidades anteriores a su amistad con Perión y, por tanto, previas a los acontecimientos novelescos. El autor

---

10. Esta característica de la honestidad, mejor que la de la soltería, podría corresponder a sustratos arquetípicos. Según A. M. Hocart, *Mito, ritual y costumbre. Ensayos Heterodoxos*, Madrid, Siglo XXI, 1975, pág. 195, «el matrimonio sagrado forma parte de muchos rituales. Otros, en cambio, imponen la castidad más estricta. Las dos reglas parecen totalmente opuestas entre sí; sin embargo, y por paradójico que pueda parecer, tenemos buenas pruebas de que la castidad ritual no es en realidad sino una forma de matrimonio sagrado». «La mujer del rey o del dios nunca puede estar disponible para otro hombre», p. 196. En cualquier caso, estos fenómenos están debilitados y pueden explicarse también por otros códigos menos atemporales, recreados artísticamente.

la presenta desde fuera como hija del rey, sin que
intervenga en la acción. Por el contrario, Perión quiere dar nuevas a Garinter y vence a dos vasallos de
éste, «muy soberbios y de malas maneras», que le
atacan. Al regresar ambos reyes a la villa se encuentran con un ciervo e intentan darle alcance. No lo-
gran su propósito porque lo mata un león, al que da
muerte el futuro padre de Amadís[11].

La genealogía materna del héroe se ha presentado
de una manera estática, casi contemplativa, por la
vida retirada del rey Garinter y su hija. Esta no
quiere casarse con nadie y su actitud es retraída. Su
padre observa las acciones de Perión sin intervenir.
Sin embargo, la ascendencia paterna se caracteriza
por la acción hábil y valerosa, traducida lingüísticamente en un ritmo rápido. No se destacan los antepasados de Perión —se dan por supuestos y es rey—
sino su actividad bélica y cinegética. Todo lo anterior
sirve para presentar a un personaje, cuyas relaciones
con Elisena se convertirán en el resorte principal de
los primeros episodios. Aunque los amores entre la
pareja se desarrollan con una rapidez asombrosa, hay
una serie de preparativos normales y codificados[12].
Se produce un enamoramiento a primera vista y unas
palabras galantes de Perión motivadas por la recogida de un anillo:

11. El tema cinegético parece anunciar el amoroso. No se
trata de la enigmática tarea de cazar el ciervo blanco, comienzo del *Erec et Enide,* ni del halcón perdido como en el
Cligés o la *Celestina,* etc. Narrativamente, el motivo sirve
para ensalzar a Perión. Sin embargo, la identificación de rey-
león, cierva-mujer parece demostrable e incluso en la misma
novela se detecta simbólicamente en una profecía de Urganda la Desconocida en el libro II.

12. J. Ruiz de Conde, *El amor y el matrimonio secreto en
los libros de caballería,* Madrid, Aguilar, 1948, ha señalado
las características del amor cortés en nuestra novela. Véase
también P. Le Gentil, «Pour l'interpretation de l'Amadis»,
Melanges à la memoire de Jean Sarrailh, París, 1966, II, páginas 47-54; O. Green, *España y la tradición occidental,* Madrid, Gredos, 1969, vol. I, pp. 130-138, etc. Casi todos los
críticos del *Amadís* directa o indirectamente han tratado del
amor. A nosotros nos importa menos sus características que
su funcionamiento novelesco.

Pues alçadas las mesas, la reyna se quiso acojer
a su cámara, y leuantándose Helisena cayóle de
la halda vn muy hermoso anillo, que para se lauar
del dedo quitara, y con la gran turbación no tuuo
acuerdo de lo allí tornar, y báxose por tomarlo;
mas el rey Perión, que cabe ella estaua, quísogelo
dar, así que las manos llegaron a vna sazón, y
el rey tomóle la mano y apretósela.
Helisena tornó muy colorada, y mirando al rey con
ojos amorosos le dixo passito que le agradeçia
aquel seruicio.
—¡Ay, señora —dixo él—, no será el postrimero,
mas todo el tiempo de mi vida será empleado en
vos seruir! (I, 13, 169 y ss.).

El relato cobra un sentido proyectivo, y está condicionado por la última frase. La polisemia ha resultado
auténtica ambivalencia: el servicio, la ayuda prestada por Perión y agradecida por la doncella a través
de sus palabras, se torna en un auténtico servicio
amoroso; el rey después tendrá ocasión de cumplirlo
a lo largo de su vida. El tono afectivo de todo el
fragmento se detecta en una kinésica [13], el apretón
de manos, la mirada y en una conversación íntima,
«le dixo passito», marcada por el diminutivo. Los
sentimientos de la doncella se muestran contenidos
y descritos indirectamente. La explosión sentimental
de Perión se traduce en una réplica corta, vibrante,
activa. De la misma manera que se había presentado
a un personaje indirectamente, a través de su genealogía, ahora casi sucede otro tanto. La contención
pasiva de la doncella en el diálogo se convierte en
discurso indirecto, mientras que Perión, activo en
el combate y la caza, se manifiesta de idéntica forma
en la conversación.

13. El estudio sistemático de los gestos, con una extensa
bibliografía, se va introduciendo poco a poco en la crítica
española. Véase F. POYATOS, «Paralenguaje y kinésica del
personaje novelesco», *R Occ*, XXXVIII (1972), 148-170, y del
mismo autor, «Del paralenguaje a la comunicación total»,
recogido en *Doce ensayos sobre el lenguaje*, Madrid, Publicaciones de la Fundación Juan March, 1974, pp. 157-173.

Por otra parte, si el tono narrativo tiene este carácter afectivo, también contribuye a ello el objeto del servicio, el anillo, futuro símbolo de la acción con unas connotaciones amorosas muy claras [14]. Sin embargo, se intenta buscar una motivación a este hecho con todo lujo de pormenores. No ha habido incitación, sino excitación de Elisena causada por no «tener acuerdo para tornar el anillo a su dedo», que se había quitado para lavarse las manos. La secuencia es completamente lógica, con las motivaciones suficientes para dar verosimilitud a una acción relatada con un «tempo» narrativo rápido, a pesar de la acumulación de detalles. Elisena, gracias a Darioleta, logra eliminar los obstáculos que se interponían entre los dos amantes y concierta la cita. El autor no se detiene en analizar estos amores porque le interesa más su culminación y consecuencias: el nacimiento de Amadís.

Tras diez días de estancia de Perión:

> Elisena quedó con mucha soledad y con grande dolor de su amigo, tanto que si no fuera por aquella donzela a que la esforçaua mucho, a gran pena se pudiera sufrir, mas hauiendo sus fablas con ella algún descanso sentía. Pues assí fueron passando su tiempo fasta que preñada se sintió, perdiendo el comer, el dormir y la muy hermosa color (I, I, 21, 230 y ss.).

El dolor del amigo, en la concepción cortés del amor, se refiere a un dolor de ausencia, pero curiosamente, aunque la interpretación pueda ser subjetiva, es también un dolor de presencia, un presagio de este otro dolor. El primer contacto, el simple apretón

---

14. F. PIERCE, *Amadís de Gaula*, Boston, Twayne, 1976, página 136, señala cómo «the ring is another object of clear symbolical meaning in the *Amadís*». Para E. PRESSMAR, «Notas sobre el significado de los anillos», *TB*, 6 (1976), p. 74, «el anillo como el círculo es la línea sin principio ni fin: una figura perfecta que expresa uno de los símbolos primordiales más antiguos del hombre. Por tanto, la figura del anillo puede representar la eternidad, la alianza sempiterna».

de manos, había iniciado los servicios de Perión. Esta última parte de la secuencia se cierra con una donación, hecha a través de Darioleta, causa indirecta del éxito:

> —¡Ay mi amiga, yo vos la encomiendo como a mi propio coraçón! Y sacando de su dedo vn muy hermoso anillo de dos que él traýa, tal el vno como el otro, ge lo dio que le leuasse y traxiesse por su amor (*Ibídem*, 21, 224 y ss.).

El mismo objeto sirve para comenzar sus amores y consolidarlos con el regalo del futuro padre.

El matrimonio secreto [15] entre la pareja puede ser una adición posterior a la redacción primitiva, pues el relato y los obstáculos de Elisena no se ven allanados por esta circunstancia. No obstante, la soltería de la madre funciona como desencadenante del abandono del niño. No creemos que el motivo responda a un debilitamiento de la virginidad, como algo sobrehumano en la procreación. En la génesis de Amadís se superponen distintos aspectos del amor cortés. Existe un amor-pasión muy característico de las novelas artúricas. «Il semble aussi que dans les romans arthuriens l'enchantement amoureux doive une part de sa nature à la féerie. Si l'amour de la fée est prompt, soudain, s'il ne connaît guère un temps de cristallisation et ne s'attarde pas à parcourir le pays du Tendre, il est aussi un amour total. Entendons par là qu'il n'a rien de platonique et que le plaisir physique s'ajoute sans longue attente aux félicités du coeur» [16]. A su vez, y a diferencia de la literatura del Sur francés, este tipo de amor se concilia con la moral tradicional, y guarda las exigencias de la ley social y de la religión [17]. No aparece de ninguna manera in-

---

15. Véase para el tema el libro citado de J. Ruiz de Conde.
16. J. FRAPPIER, «Le concept de l'amour dans les romans arthuriens», recogido en *Amour courtois et table ronde*, Genève, Droz, 1973, p. 50.
17. Véase J. FRAPPIER, «Vues sur les conceptions courtoises dans les littératures d'oc et d'oïl au XIIᵉ siècle», recogido en la ob. cit., pp. 13-14.

compatible con el matrimonio. Galaor nacerá tras el casamiento público entre los dos amantes, el Endriago será producto de un amor incestuoso entre personas casadas. Cada uno de los héroes posee en su nacimiento o en su procreación unas peculiaridades diferenciales y, a su vez, semejantes a los demás.

ESTRUCTURAS NARRATIVAS PARALELAS:
  PROCREACIÓN DE DON FLORESTÁN

El propio rey Perión, antes de su casamiento con Elisena, se encontró un día en casa del conde de Selandia. Al llegar la noche, después de acostarse «adormecióse luego, y no tardó mucho que se halló abraçado de vna donzella muy hermosa, y junta la su boca con la dél» (I, XLII, 330, 40 y ss.). El rey no quiere concederle su amor sin antes enterarse de quién es y al conocer su identidad rechaza las propuestas amorosas. Aun así, ella toma su espada y amenaza con suicidarse si el rey no acepta sus proposiciones; éste, lógicamente accede «y sacando la espada de la mano, la abraçó amorosamente y cumplió con ella su voluntad aquella noche, donde quedó preñada, sin que el rey más la viesse» (*Ibídem*, 331, 106 y ss.). Este será el origen de don Florestán. Perión no quiere satisfacer los deseos de la mujer sin saber su personalidad y cabe sospechar que no hubiera puesto tantos obstáculos si se hubiera tratado de otra persona de distinto rango social y sin ninguna relación con su anfitrión. Se dramatiza el episodio, pues la hija del conde está dispuesta a todo para satisfacer sus deseos. No es el hombre quien busca la seducción sino la propia mujer. La situación se invierte respecto al origen de Amadís, ya que Perión auxilia a la dama acostándose con ella[18]. En

---

18. Como dice PH. MÉNARD, *Le rire et le sourire dans le roman courtois en France au Moyen Age (1150-1250)*, Genève, Droz, 1962, p. 214, «il était d'ussage que les jeunes filles de la bonne société ne prissent point l'initiative de déclarer leur amour à un homme [...] Pour une jeune fille, declarer la

ambos casos la iniciativa la lleva la doncella. Elisena recurre a Darioleta [19]. Al concertar la cita una criada se dulcifica el comportamiento de la futura madre de Amadís, aunque el acto amoroso se consuma en casa del propio padre de la doncella, hecho que puede suponer una agravante en cuanto a calificación moral, como señalaba Juan de Valdés [20].

A pesar de las semejanzas aparentes, la diferencia fundamental radica en los comportamientos de la pareja. En la procreación del Doncel del Mar había un acuerdo mutuo entre los protagonistas sin que mediara ninguna amenaza. En este segundo caso la coacción de uno de ellos altera todo el código cortés. En ambas relaciones físicas el rey está desprevenido. Momentáneamente se sobresalta en casa de Garinter (la primera situación); lo habían despertado de un sueño y no sabía quiénes eran las personas que penetraban en su habitación; ahora, en cambio, se asusta por encontrarse ya abrazado a una persona desconocida.

En estas ocasiones se destaca, desde el punto de vista de Perión, la hermosura de las damas acogidas en su cuarto:

> El rey quedó solo con su amiga, que a la lumbre de tres hachas que en la cámara seýan la miraua paresciéndole que toda la fermosura del mundo en ella era junta (I, I, 19, 87 y ss.).

---

première ses sentiments, c'était manquer à la réserve de son sexe, braver les convenances, prêter à rire.»

19. Perión había iniciado las relaciones y había confesado su amor por Elisena a su propia criada. Darioleta allana todas las dificultades, lo que hace diferente una situación de otra. Este tipo de confidente-sirvienta es normal, pues «au Moyen Age l'amoureux utilise toujours les services de ses proches et de ses domestiques». PH. MÉNARD, ob. cit., página 214.

20. «Descuido creo que sea el no guardar el decoro en los amores de Perión con Elisena, porque no acordándose que a ella haze hija de rey, *estando en casa de su padre*, le da tanta libertad y la hace tan deshonesta, que con la primera plática la primera noche se la trae a la cama», *Diálogo de la Lengua*, ed. de J. M. LOPE BLANCH, Madrid, Castalia, 1969, página 172.

> El rey la cató a la lumbre que en la cámara hauía,
> y vio que era la más hermosa mujer de quantas
> viera (I, XLII, 331, 49 y ss.).

Pero si los dos episodios son prácticamente idénticos, hay unas ligeras divergencias. Elisena no es solamente mirada por el rey Perión. La hermosura femenina es alabada por la criada [21]: «abriéndole el manto católe el cuerpo y dixo ryendo: —Señora, en buena hora nasció el cauallero que vos esta noche aurá, y bien dezían que ésta era la más hermosa donzella de rostro y de cuerpo que entonces se sabía (I, I, 18, 11 y ss.). Ya no se trata de una belleza genérica, sino de una exaltación del cuerpo femenino en cuanto apetecible para una posesión física [22].

La luna, astro de fertilidad [23], en su casi plenitud de potencia presidirá las relaciones de los amantes

21. El tema del desnudo es un motivo cómico. Véase E. R. Curtius, *Literatura europea y Edad Media Latina*, México, F.C.E., 1976, t. II, pp. 615 y ss. En este caso se trata de una sonrisa maliciosa, ya que no hay un desnudo involuntario.

22. El motivo es semejante al de *Tirante el Blanco*, ed. de Martín de Riquer, Madrid, Espasa-Calpe, 1964, t. III, p. 180, en la escena entre Placer de Mi Vida y Carmesina. Sin embargo, en este caso la superioridad de la novela valenciana es manifiesta. El tema también aparece en *La Celestina*, auto VII, ed. de J. Cejador y Frauca, t. I, Madrid, Espasa-Calpe, 1968, pp. 248 y ss. En el *Amadís* sólo se esboza, mientras que en el *Tirant* y *La Celestina* está al servicio de la caracterización de unos personajes singulares y vitales, no estereotipados como Darioleta. La sirvienta de Elisena se convirtió en Francia en figura proverbial. Véase E. Baret, *De l'Amadis de Gaule...*, París, 1873 [Genève, Slatkine Reprints, 1970], p. 174.

23. Véase A. Álvarez Miranda, ob. cit., pp. 55-56; M. Eliade, *Tratado de historia de las religiones*, Madrid, Ediciones Cristiandad, 1974, t. I, pp. 188 y ss., etc. Cuando Elisena y Darioleta salieron a la huerta «el lunar hazía muy claro» (I, 1, 19, 9 y ss.). En la *Celestina*, ed. cit., t. II, auto XIX, p. 180, la luna, vida y muerte en un mismo símbolo, se muestra «clara», antes del desenlace trágico. Este carácter misterioso de la luna incluso ha llegado hasta casos extremos. La procreación por el satélite no es un hecho insólito dentro de determinadas tradiciones. Según E. Renardet, *Vie et croyences des gaulois avant la conquête romaine*, París, Editions A. J. Picard, 1975, p. 146, «au XVe siècle un mari accusa sa femme d'adultère pour la simple raison qu'elle se trouva enceinte

que se tornarán vida. Esta cronología lunar se convertirá, por obra del arte cervantino, en una auténtica parodia, cuando por ejemplo la hija del ventero
pide ayuda a don Quijote: «A cuyas señas y voz
volvió don Quijote la cabeza, y vio, a la luz de la luna,
que entonces estaba en toda su claridad, cómo le
llamaban del agujero que a él le pareció la ventana
[...] y luego en el instante se le representó en su loca
imaginación que otra vez, como la pasada, la doncella
fermosa, hija de la señora de aquel castillo, vencida
de su amor, tornaba a solicitarle» [24]. La luna no va
a jugar sólo el papel subconsciente que le atribuimos,
sino uno más simple y prosaico: los personajes se
pueden ver con un mínimo de claridad gracias a la
luminosidad de la noche. Esto no invalida la sugerente interpretación anterior, amén de que lo nocturno
favorece los encuentros amorosos en todas las literaturas.

Los preparativos de los amores entre Elisena y
Perión son, pues, mucho más atractivos, con más amplitud de detalles y sugerencias que los posteriores,
aunque coincidan en algunos puntos. Con la procreación de Florestán, se multiplica la gama de actuaciones masculinas y femeninas relacionadas con
el amor, y se nos presenta desde otra perspectiva: la
mujer incapaz de resistir los impulsos eróticos y decidida incluso a darse muerte con tal de conseguir
su voluntad.

REPETICIÓN DE MODELOS: NORANDEL

Tampoco Lisuarte se libra de un acontecimiento
semejante en sus consecuencias; además, su forma de

---

alors qu'il était parti pour un voyage fort lond. Le tribunal de
Grenoble le débouta parce que son épouse prouva qu'elle
s'était promenée une nuit de pleine lune, ce qui pouvait fort
bien provoquer la fécondation». D. DEVOTO, *Textos y Contextos*, Madrid, Gredos, 1974, pp. 17 y ss., analiza temas
paralelos.
  24. Citamos por la edición de Martín de Riquer, Barcelona, Juventud, 1971, t. I, cap. XLIII, p. 445.

actuar tiene puntos de contacto con las relaciones
de Amadís y Oriana. Muerto el rey Egido y cercada
su hija en un castillo, interviene Lisuarte salvando
la situación, de modo que «ganando vos la gloria de
tan esquiua batalla, a mí posistes en libertad, y en
toda buena ventura. Pues, entrando vos, mi señor,
en el castillo, o porque mi hermosura lo caussase, o
porque la fortuna lo quiso, seyendo yo de vos muy
pagada, debaxo de aquel fermoso rosal, teniendo sobre nos muchas rosas y flores, perdiendo yo las
mías, que hasta entonces poseyera, fue engendrado
esse donzel» (III, LXVI, 695, 275 y ss.).

Si reducimos el eisodio a un esquema narrativo,
los resultados no dejan de ser los utilizados en otras
ocasiones: un paciente (la infanta Celinda) ante un
peligro máximo (acrecentado por la muerte de su
padre, por negarse a aceptar en casamiento a otra
persona), se ve salvado por un auxiliar (Lisuarte.
Tras esto, puede considerarse la unión sexual casi
como una recompensa, sin que exista ningún proceso
en sus amores. Como dice J. Frappier «enfin, n'hési-
tons pas à le répéter, dans combien d'autres romans
bretons en vers et en prose, les exploits du chevalier
en quête d'aventure auront pour récompense ou pour
relais un "déduit d'amour" avec une demoiselle appa-
remment très proche parente des fées!» [25].

LA MADRE MAGA Y LAS MARCAS DE NACIMIENTO

En la obra también se producen otros nacimientos
con carácter mucho más cotidiano que todos los
anteriores. Nos referimos a la génesis de Talanque
y Mameli. Durante la batalla entre Lisuarte y el rey
Cildadán, éste y Galaor, son recogidos por unas doncellas extrañas y conducidos a unos lugares insólitos,
que después resultan ser de Urganda la Desconocida.
En su curación intervienen las sobrinas de estas
«muy fermosas donzellas, fijas del rey Falangrís,

25. J. FRAPPIER, «Le concept de l'amour...», art. cit., p. 50.

hermano que fue del rey Lisuarte, que en vna hermana de la misma Urganda, Grimota llamada, quando mancebo las ouiera (II, LIX, 503, 323 y ss.) [...] en la qual visitación se dio causa a que dellos fuessen preñadas de dos fijos: el de don Galaor Tanlanque llamado, el del rey Cildadán Maneli el Mesurado, los quales muy valientes y esforçados caualleros salieron, assí como adelante se dirá *(Ibídem*, 331 y ss.). Lo maravilloso en este caso ha sido cómo dos doncellas han recogido a Galaor y Cildadán del campo de batalla para conducirlos a unos lugares extraños pertenecientes a Urganda. La paradoja se produce porque en un espacio extraordinario, con unas connotaciones misteriosas, se origina la procreación más cotidiana de toda la novela. El amor de la maga, aducido por Frappier, ha llegado a su culminación, por la relación de las madres con Urganda la Desconocida.

En los demás casos, se han narrado las circunstancias excepcionales de sus amores, súbitos, repentinos. La atracción y los impulsos, fueran del hombre o de la mujer, han sido irresistibles. Esta ocasión, propicia para destacar las cualidades de la mujer-maga, atrayente y seductora del hombre, se ha convertido en la más anodina de toda la novela. Pero ahora, a diferencia de situaciones anteriores, sí podemos detectar con mayor precisión restos del arquetipo heroico. La condición de sus madres, magas, confiere a su embarazo unas connotaciones misteriosas, relacionadas con lo casi sobrenatural. Estos dos personajes, Mameli y Talanque, sólo tendrán cierta importancia en la narración como compañeros de Esplandián en *Las Sergas*. Son las únicas personas cuya ascendencia materna no es regia o de alta nobleza. En los episodios anteriores todo se había desarrollado como hechos extraordinarios, pero explicables por unas relaciones humanas. Por vez primera lo numinoso, por la condición de las madres, por el lugar nunca hallado, ha hecho acto de presencia. En el nacimiento de Esplandián sucederá algo semejante. El niño, «muy apuesta criatura», «tenía debajo de la teta derecha vnas letras tan blancas como la niue, y so la teta ysquierda siete letras tan coloradas como brasas biuas» (III, LXVI, 700, 664).

El nacimiento de los demás héroes ha sido normal, y lo excepcional se ha circunscrito a las relaciones entre sus progenitores o a la condición de éstos. El nuevo héroe posee desde su llegada al mundo «algo que las otras criaturas no han» (Ibídem, 660). En el pecho lleva escrito su nombre [26] y el de su amada. Lo sobrenatural, intuido en Talanque y Mameli, ha adquirido carta de naturaleza en el hijo de Amadís y Oriana. La mediación de la divinidad y, por tanto, la doble ascendencia del héroe puede confirmarse. El motivo de la mujer soltera, a nuestro juicio, tiene otras explicaciones.

LA GÉNESIS DEL MONSTRUO

Estas señales extraordinarias distinguen y diferencian al pequeño de todos los demás. Sólo hay una persona de caracteres similares: el Endriago. Su padre «con su braueza grande y esquieza fizo sus tributarios a todos los más gigantes que con él comarcauan. Este fue casado con una giganta mansa de buena condición; y tanto quanto el marido con su maldad de enojo y crueza fazía a los christianos matándolos y destruyéndolos, ella con piedad los reparaua cada que podía». (III, LXXIII, 793, 81 y ss.)

Dentro de las situaciones típicas de estos matrimonios o de las relaciones familiares, no hay posibilidad de cambios sustanciales, dados los caracteres poco matizados de los personajes. Los padres del héroe caballeresco muestran unas condiciones sobresalientes en casi todos sus aspectos. Como esto sucede con los amigos de Amadís, o de Esplandián, no se crea ningún problema con las posibles tachas de su nacimiento. Sin embargo, no todos los personajes

---

26. Se trata de un motivo folklórico. Véase S. Thompson, *Motif-Index of Folk Literature*, Bloomington, Indiana University Press, 1966, Motivo T 563.

de la narración cuentan con estas características.
Hay unos casos intermedios, en los que la actuación
de dos personas se puede ver compensada. Una de
ellas muestra un talante agresivo, la otra dulcifica
los comportamientos. La situación inicial de los
familiares del Endriago parecía equilibrada y a la
«esquiveza» del gigante «se oponía la mansedumbre
de la mujer». Pero la caracterización de uno de los
personajes como contrario a los cristianos suele ser
ya una nota definitiva en sus consecuencias. De las
relaciones entre marido y mujer, ambos con distinta
condición, nacerá una hija que «tanto la natura la
ornó y acreçentó en hermosura que en gran parte
del mundo otra mujer de su grandeza ni sangre que
su ygual fuesse no se podía hallar» *(Ibídem*, 793,
93 y ss.).

Cabría esperar en una novela como el *Amadís*, en
la que la hermosura suele ser factor indispensable
para otra serie de cualidades, particularmente en la
mujer, que todo estuviera compensado. «Mas como
la gran hermosura sea luego junta con la vanagloria,
y la vanagloria con el pecado, viéndose esta donzella
tan graciosa y loçana, y tan apuesta y digna de ser
amada de todos, y ninguno, por la braueza del padre,
no la osara emprender, tomó por remedio postrimero
amar de amor feo y muy desleal a su padre» *(Ibídem*,
793, 98 y ss.). En ningún caso precedente se había
producido esta equiparación y la serie de encadena-
mientos estilísticos e ideológicos consecuencia de
la hermosura. Había sucedido todo lo contrario, aunque quizás pueda tener otra explicación relacionada
con el contexto de todo el fragmento. La hermosura
se puede unir a la vanagloria, si no está adornada
de otras cualidades. Dentro de la obra, la belleza,
por decirlo con términos machadianos, necesita lo
otro, la otredad, o más concretamente «el otro» para
que pueda alcanzar una culminación de su esencia.
En último término, la hermosura en sí misma no significa nada; está destinada a que otros la admiren.
En todos los episodios anteriores no existe ningún
obstáculo; las mujeres hermosas lo son en cuanto

que se admiran y tienen su correspondiente caballero andante. Casi nos atreveríamos a decir que la hermosura de la mujer está vista desde una perspectiva masculina. La mujer agraciada lo es por ser la amiga de algún caballero con cualidades homólogas a las suyas. Esta falta de «lo otro» acarrea todo el posterior conflicto. La vanagloria no puede satisfacerse en sí misma; necesita de alguien que la aliente y la alimente.

Dadas estas circunstancias no reprimidas, es decir, la equiparación de hermosura y vanagloria, «muchas vezes, syendo leuantada la madre de cabe su marido, la hija veniendo allí, mostrándole mucho amor, burlando riendo con él, lo abraçaua y besaua. El padre luego al comienço aquello tomaua con aquel amor que de padre a fija se deuía, pero la muy gran continuación y la gran fermosura demasiada suya, y la muy poca conçiencia y virtud del padre dieron causa que aquel malo y fco desseo della ouisse affecto». *(Ibídem,* 793-94, 108 y ss.). A la hija no se le atribuye otra mala condición que la de ser hermosa y por ella tener el defecto de la vanagloria. El narrador elude otras explicaciones complementarias.

Por vez primera nos encontramos ante un conjunto de valores morales que no están explícitamente aclarados en el propio contexto del episodio. Pero si comparamos este pasaje con el comienzo del libro, los resultados no pueden ser más significativos. Tras el repentino enamoramiento de Elisena el narrador apostilla lo siguiente:

> Por donde se da entender que ansí las mugeres apartando sus pensamientos de las mundanales cosas, despreciando la grand fermosura de que la natura las dotó, la fresca juuentud que en mucho grado la acrescenta, los vicios y deleytes que con las sobradas riquezas de sus padres esperauan gozar, quieren por saluación de sus ánimas ponerse en las casas pobres encerradas, ofresciendo con toda obediencia sus libres voluntades, a que subjetas de las agenas sean, veyendo passar su tiempo sin ninguna fama ni gloria del mundo, como

saben que sus hermanas y parientes lo gozan, assí
deuen con mucho cuytado atapar las orejas, cerrar
los ojos, escusándose de ver parientes y vezi-
nos [...], porque con las fablas, con las vistas su
sancto propósito dañan... (I, I, 19-20, 108 y ss.).

La mujer durante la Edad Media estaba destinada
principalmente a dos actividades: casarse o hacerse
monja. Los temas de la mal casada o de la mujer
que no quiere profesar, abundan dentro de la lírica,
sobre todo en la de tipo tradicional. El problema
surge cuando es necesario reprimir los instintos para
aplacar el deseo de tener una vida como las demás.
Por ello deben evitarse, según el autor, todo tipo de
contactos, a fin de prevenir el pecado.

En la procreación del Endriago, la situación em-
peora todavía más. Para que se dieran estas relaciones, existía un elemento en discordia: la madre, la
única persona con cualidades positivas. De esta manera «seyendo el gigante auisado de sus falsos ydolos,
en quién él adoraua, que si con su fija casasse, sería
engendrado vna tal cosa en ella la más braua y fuerte
que en el mundo se podría fallar, y poniéndolo por
obra, aquella malauenturada fija que su madre más
que a sí mesma amaua, andando por vna huerta con
ella hablando, fingiendo la fija ver en vn pozo vna
cosa estraña y llamando a la madre que lo viesse,
diole de las manos, y echándola a lo hondo, en poco
spacio ahogada fue» (III, LXXIII, 794, 153 y ss.).

El encadenamiento estilístico anterior se hace extensivo al fondo ideológico del episodio. El deseo
ilícito, reprobado dentro de la moral de todas las
épocas [27], se encuentra asociado a circunstancias
también negativas. En cualquier caso, los hechos
futuros son consecuencia del pecado primero. El
autor insiste en la creencia de unos ídolos falsos que

27. ÁLVARO PELAYO, en su ob. cit., dedicada a Alfonso XI,
página 268, destaca el incesto como pecado de los príncipes,
emperadores, etc., «Item infamia quae ex contactu incestuoso
contracta est [...] non tollitur per dispensationem, quae fit
ut rema[g]neat in matrimonio.»

le auguran un hijo sobresaliente en muchos de sus rasgos. Padre e hija deciden matar a la madre y cometen un asesinato rodeado de múltiples agravantes, por su parentesco, por la cualidad moral de la víctima y por el engaño. El resultado de la unión entre padre e hija [28] no puede ser más señalado en sus consecuencias. El hijo es un auténtico monstruo con rasgos completos de animal y cuya máxima holganza consistía en «matar hombres y las otras animalías biuas» (Ibídem, 795, 223 y ss.). Por si esto fuera poco, según el maestro Elisabat «la fuerça grande del pecado del gigante y de su fija causó que en él entrasse el enemigo malo, que mucho en su fuerça y crudeza acreçienta» (Ibídem, 795, 242). En Endriago posee todas las cualidades primeras señaladas por Lord Raglan. La descendencia regia puede ser equivalente en sus funciones al linaje de gigantes. En ambos casos se trata de seres cuyas cualidades, se sobreentiende, son superiores a las otras personas. Incluso se puede ir más lejos. Los gigantes en este caso son el vehículo humano excepcional para la pro-

28. El tema del incesto es un motivo folklórico muy extendido. En algunos romances más actuales se relaciona con D. Rodrigo; véase D. Devoto, «Un no aprehendido canto», Abaco, I, Madrid, Castalia, 1969, pp. 40 y ss.; a Carlomagno también se le atribuye, según J. C. Payen, Le motif du repentir dans la littérature française médiévale (Des origines à 1230), Genève, Droz, 1967, p. 137; en el Libro de Apolonio su presencia es constante. Véase A. D. Deyermond, «Motivos folklóricos y técnica estructural en el Libro de Apolonio», Fil, XIII (1968-69), pp. 121-148. Los ejemplos se podrían continuar casi ad infinitum. Para J. G. Frazer, La rama dorada, México, F.C.E., 1974, p. 386, «en los países donde la sangre real se transmitía solamente a través de las mujeres y, en consecuencia, el rey subía al trono sólo en virtud de su casamiento con una princesa heredera, la cual era el verdadero soberano, parece que con frecuencia ocurría que un príncipe se casara con su hermana la princesa real, al objeto de obtener con su mano la corona que de otro modo iría a otro hombre, quizá extranjero». Sin embargo, S. Thompson, ob. cit., sólo da el motivo A 1337.0.7 como resultado de unión incestuosa entre hermano y hermana, por el que nace un monstruo. Recordemos la «perra ladradora» de la Demanda del Santo Grial..., Madrid, N.B.A.E., 1907, pp. 301 y ss., aunque es una variante más del tema.

creación de un ser concebido a instancias de la divinidad. El carácter pagano de los ídolos adquiere todo su sentido en un contexto cristiano por la intervención diabólica. El parentesco de los progenitores, motivo de algunos héroes tradicionales, se convierte en cualidad negativa y destacada. Lo numinoso, lo sobrenatural se ha presentado ya en la procreación del monstruo. En Mameli y Talanque quedaba intuido por su ascendencia de magas; en Esplandián se hacía evidente por sus marcas de nacimiento extraordinarias; el Endriago supone la culminación de este ciclo. La divinidad ha tenido parte activa en la génesis del monstruo, antítesis de Esplandián.

Todos estos episodios manifiestan una nota esencial apreciable en cuatro niveles diferentes, de acuerdo con los personajes:

    a)   Procreación de Amadís.
    b)   Procreación de Esplandián.
    c)   Procreación de Florestán, Norandel, Mameli, Talanque.
    d)   Procreación del Endriago.

Los dos primeros se diferencian del resto en ser consecuencia de unos amores progresivos. Incluso tienen la salvedad de un matrimonio secreto entre los dos protagonistas. Sin embargo, el grupo *c)* es resultado de relaciones espontáneas, sin ninguna continuidad. Las circunstancias primeras de enamoramiento recíproco tampoco se dan, ni muchísimo menos la justificación de matrimonio secreto. No obstante, en todos los casos hay un mínimo de disculpa moral en cuanto a la actuación de los hombres. Perión es inducido durante su juventud; Lisuarte tiene también la misma atenuante, aunque se dice textualmente que su hijo es fruto del pecado (III, LXVI); Galaor y Cildadán se encuentran convalecientes de unas heridas y ociosos. Si nos fijamos en la funcionalidad posterior vemos que sólo tiene una justificación clara don Florestán, mientras que en los otros casos se trata de posteriores compañeros de Esplandián.

Aparte de esta oposición, también se puede establecer otra diferente entre el grupo *a)* Amadís y *b)* Esplandián. Amadís es fruto de un amor repentino sin que el autor se detenga en analizarlo, mientras que Esplandián es consecuencia del creciente amor entre Oriana y Amadís. (Ya hemos explicado las razones posibles en cuanto a estructuras narrativas y ritmo rápido en el primer caso. El autor no se podía detener morosamente en los amores de Perión y Elisena.) Por el contrario, Esplandián es el fruto más depurado de todos los hijos tenidos por los protagonistas de nuestra novela. Antes de su nacimiento se encuentra ya en condiciones favorables para ser superior a los demás. No obstante, todos estos personajes, unos más que otros, son producto de unos amores entre personas cuya pasión se puede considerar dentro de unos límites «normales» en la concepción de la época. A ellos se contrapone el nacimiento incestuoso del Endriago, contra quien deberá luchar Amadís en el libro tercero. Con este personaje, encarnación del pecado, se han subvertido todos los amores comentados y la lucha de Amadís contra el monstruo será la oposición a una determinada forma de amar, antitética a la suya.

II. ABANDONO Y EDUCACION

LA EXPOSICIÓN DEL HÉROE EN LAS AGUAS

El niño, después de su nacimiento, en multitud de mitos heroicos es arrojado a las aguas en un recipiente [1]. El motivo se ha reinterpretado como una hostilidad latente entre hijo y padre. «La influencia creadora de esta tendencia a representar a los padres como primeros y más poderosos oponentes del héroe, podrá apreciarse plenamente si se tiene presente que toda novela debe su origen, en general, al sentimiento de verse relegado, esto es, a la supuesta hostilidad de los padres» [2]. La explicación psicológica del tema presupone un enfrentamiento familiar cuyas tensiones se invierten en el mundo de la ficción. En multitud de relatos se motiva el abandono por una profecía vaticinadora de futuras desgracias causadas por la criatura.

En nuestra novela no se manifiesta esta estructura. La motivación del abandono de Amadís se origina por

1. Constituye uno de los motivos folklóricos más abundantes en la literatura. Para las mitologías clásicas, véase M. R. LIDA DE MALKIEL, «El cuento popular hispanoamericano y la literatura», recogido en *El cuento popular y otros ensayos*, Argentina, Losada, 1976, p. 15. Una amplia recopilación de los principales nacimientos con estos caracteres se encuentra en OTTO RANK, ob. cit. Corresponde al motivo S 141 y S 331 del índice de Thompson.
2. OTTO RANK, ob. cit., p. 91.

la llamada «ley de Escocía», de evidentes conexiones con el mundo artúrico[3]:

> porque en aquella sazón era por ley establecido que qualquiera muger por de estado grande y señorío que fuesse, si en adulterio se fallaua, no le podía en ninguna guisa escusar la muerte (I, I, 21, 243 y ss.).

Las consecuencias de los amores entre Perión y Elisena se convierten dramáticamente, y sin ninguna transición, en peligro. Se ha pasado a unas relaciones de causa a efecto. El clímax narrativo se acentúa de forma trágica si se conoce su embarazo. La doncella, instigadora de la cita, actúa de nuevo como auxiliar. Elisena se retira a una cámara apartada, con la excusa de poder llevar una vida recogida, como hasta entonces lo había hecho. La etopeya de Elisena, vir-

---

3. B. MATULKA, *The Novels of Juan de Flores and Their European Diffusion. A Study in Comparative Literature*, New York, 1931 (Genève, Slatkine Reprints, 1974), pp. 55-56, rastrea diferentes códigos donde el adulterio es castigado con la muerte, en textos babilónicos, hebreos, sajones, irlandeses, galeses o españoles. Dentro de estos últimos se puede ver en el *Baladro del Sabio Merlín*, ed. de Pedro Bohigas, Barcelona, Selecciones Bibliófilas, 1957, t. I, cap. II, p. 37. En el *Carlos Maynes*, ed. de A. Bonilla, Madrid, N.B.A.E., 1907, página 505a, «e quando vio al rey tan bravo, e con talante de fazer matar la rreyna, dio muy grandes bozes al rrey, e dixo que la rreyna devía ser quemada, como muger que era provada en tal traiçión». En la *Demanda*, ed. cit., pp. 136-137. En la *Leyenda del cavallero del cisne*, ed. de E. Mazorriaga, Madrid, Librería General de Victoriano Suárez, 1914, página 57, cap. XVII, «e las cortes ayuntadas fallaron e acordaron que diesen plazo a la condesa Isomberta, e que diese quien lidiase por ella, que la quemasen: ca esta era la justicia que fazían en aquella tierra a toda duenna que culpada fuesse en tal pleyto como este». En el Amadís, el tema parece provenir del *Tristán*, según WILLIAMS, art. cit., p. 61. Los textos publicados por K. PIETSCH, *Spanish Grail Fragments. El libro de Josep Abarimatia-La Estoria de Merlín-Lançarote*, Chicago-Illinois, Modern Philologie Monographs of the University of Chicago, 1924-1925, t. I, p. 60, lin. 24, proporcionan el fragmento más expresivo: «En aquel tiempo era costumbre que si fallada fuesse la mugier en adulterio, sy non fuesse mugier que se diese por puta conocida, que feziessen della justicia.»

tuosa y honesta, tiene en estos momentos su funcionalidad. Sirve de pretexto para apartarse del mundo, en un sentido distinto y paradójico respecto a su
actuación precedente. Si antes se retraía por su ejem-
plaridad, ahora debe hacerlo por su transgresión
social, aunque no moral.

Para evitar el peligro de muerte era imprescindible
desprenderse del niño nacido. Darioleta idea preparar
un arca donde no pueda entrar el agua y quepa la
espada olvidada de Perión. En el momento del nacimiento, «la donzella tomó tinta y pergamino, y fizo
vna carta que dezía: "Este es Amadís Sin Tiempo[4],
hijo de rey." Y sin tiempo dezía ella porque creya
que luego sería muerto, y este nombre era allí muy
preciado porque así se llamaua vn santo a quien
la donzella lo encomendó. Esta carta cubrió toda
de cera, y puesta en vna cuerda ge la puso al cuello
del niño. Elisena tenía el anillo que el rey Perión

---

4. A. Bonilla y San Martín: «Notas sobre dos leyes del
Fuero de Navarra en relación con el *Amadís de Gaula*», en
Homenaje a D. Carmelo de Echegaray, San Sebastián, Imprenta de la Diputación de Guipúzcoa, 1928, pp. 672-675, equi-
para sin tiempo a sin edad, que jurídicamente representa al
niño menor de siete años. Estamos de acuerdo con J. Scudieri Ruggieri en su artículo «Per un studio della tradizione
cavalleresca nella vita e nella cultura spagnola medioevale»,
en *Studi di letteratura spagnola*, Roma, Fac. di Magistero
e Fac. di Lettere dell'Università di Roma, 1964, p. 47, nota 64,
cuando dice que «si potrebbe suporre, efettivamente, l'uso
dell'antica espressione, ma svuotata di ogni allusione giuridica, a significare non: non ancora in età adatta a... ma
piuttosto: incapace, e quindi, indifeso piccolo, piccolisimo.
Proposta, questa, quale è però sempre possibile oporre una
spiegazione generica di «sin tiempo» come attributo di chi
non ha vissuto tempo (e ciò si addice a un neonato), non
possiede, per così dire, tempo (vissuto)». La misma autora,
en «A proposito di "Amadis Sin-Tiempo", *C N*, XXVIII
(1968), p. 263, con nuevos textos jurídicos señala que «si può
anche suporre che nella formulazione originaria e antica
fosse stata usata a indicare la condizione di un neonato di
non ancora veintiquattro'ore di vita e non battezzato, —e
pertanto giuridicamente incapace— propio la locuzione «sin
tiempo» riferita, quindi, al tempo vissuto dal momento della
nascita e troppo breve per ottenergli la capacità giuridica.»

le diera quando della se partió, y metióla en la misma cuerda de la cera, y ansí mesmo poniendo el niño dentro en el arca le pusieron la espada del rey Perión que la primera noche que ella con él durmiera la echó de la mano en el suelo, como ya oýstes, y por la doncella fue guardada, y ahunque el rey la falló menos, nunca osó por ella preguntar, porque el rey Garínter no ouiesse enojo con aquellos que en la cámara entraua». «Esto así fecho, puso la tabla encima tan junta y bien calafeteada que agua ni otra cosa allí podría entrar, y tomándola en sus braços y abriendo la puerta la puso en el río y dexóla yr; y como el agua era grande y rezia, presto la passó a la mar, que más de media legua de allí no estaua» (I, I, 23-4, 401 y ss.). En opinión de Ch. Kerényi, «l'eau originelle, en tant que corps maternel, sein maternel et berceau, est une image réellement mythologique, une unité significative et représentative qui ne peut être décomposée plus avant. L'image apparaît aussi dans la sphère du christianisme; elle est particulièrement nette dans la ainsi dite controverse religieuse à la court des Sassanides» [5].

Este abandono en el arca, en el cuerpo materno, desde una interpretación psicológica, equivale al propio nacimiento representado por su opuesto [6]. «La criatura es abandonada a la naturaleza, al mar "fuente de todo lo que existe", como le llamara Homero. Según Yolanda Russinovich, «a pesar del abandono humano como fruto del mundo del instinto, de la misma naturaleza, ésta lo acoge. No obstante su significancia e importancia inicial, encarna el principio más fuerte de la creación, el instinto vital, y por ende el triunfo del mismo, por su incapacidad de proceder de otra manera. Pero la criatura representa un proceso hacia la independencia y existencia individual para lo cual una diferenciación de sus orígenes es indispensable, proceso denotado a través del abandono y la

5. C. G. Jung et Ch. Kerényi, *Introduction a l'essence de la mythologie*, París, Payot, 1953, p. 64.
6. O. Rank, ob. cit., pp. 88-89.

separación. Su acogida e inmersión en el mar, el símbolo más común de la noche originaria, el inconsciente, pueden concebirse como una representación figu-
rada de la existencia preindividual y preconsciente del
niño. Su separación del mar, como el amanecer o el
principio del yo, la personalidad consciente» [7]. Amadís al ser separado de su madre, indefenso, simbólicamente posee una serie de objetos que le protegen
y anuncian su ventura, a pesar de la suposición de
Darioleta: es arrojado a las aguas que le conducirán
al mar, y las aguas, de la misma manera que el mar,
pueden tener un significado ambivalente; pueden
ser la noche originaria, fuente de la vida o de la
muerte [8].
La posible pluralidad de significados se hace unívo-
ca en este caso por los distintos símbolos que confluyen en el episodio. «El contacto con el agua implica siempre regeneración; de un lado, porque la
disolución va siempre seguida de un "nuevo nacimiento", de otro, porque la inmersión fertiliza y
aumenta el potencial de vida y de creación. El agua
confiere un "nuevo nacimiento" por un ritual iniciático; por un ritual mágico, cura; por rituales fu-
nerarios, garantiza un renacimiento *post mortem*.
Al incorporar en sí todas las virtualidades, el agua
se convierte en el símbolo de la vida» [9].
Por otra parte, Amadís es abandonado en un arca,
confeccionada con cuatro tablas. El receptáculo puede simbolizar ese poder renovador causa de que
nada se pierda y todo pueda renacer, equivalente al
vientre materno [10], como muy bien se puede despren-

7. Art. cit., p. 138.
8. En el *Génesis* el agua y el viento anteceden a los otros
elementos, según H. GASTER, *Mito, leyenda y costumbres en
el libro del Génesis*, Barcelona, Barral, 1976, p. 9. Para el
agua como motivo ambivalente, véase A. R. FERNÁNDEZ Y
GONZÁLEZ, «De la imagen y el símbolo en la creación literaria», *TB*, 4 (1974), p. 117.
9. M. ELIADE, ob. cit., t. I, p. 223.
10. Esta identificación se puede encontrar en los *Castigos
e documentos para bien vivir ordenados por el rey don Sancho IV*, ed. de A. Rey, Bloomington, Indiana University, 1957,

der de los mismos textos bíblicos, cuya representación más conocida es el arca de Noé. «El arca o casa embreada, en que Noé flota sobre las aguas, es designada en el Antiguo Testamento con la misma palabra (Tebah) que el receptáculo en que fue abandonado Moisés» [11]. La espada es sustancialmente el elemento de defensa, pero también el de la virilidad prolongada, y el objeto sobre el que ha jurado el rey Perión «en razón del casamiento» de Elisena; el anillo simboliza la continuidad. De todo ello podemos deducir que el abandono del héroe en el mar constituye su renacer, y no por un único símbolo de las aguas [12].

En resumen, Amadís sin Tiempo es arrojado al mar, signo del renacer o del nacimiento, en un arca, cuyas connotaciones son similares, y protegido por unas señas de identidad (espada, anillo) que redondean esta multiplicidad de símbolos marcados por una circunstancia determinante: al ser arrojado a las aguas, es arrojado a su propio destino, a su propio renacer del «yo», que se puede individuar, a través de la separación, aunque para lograrlo deba conocer su personalidad.

PERSISTENCIA Y DEBILITAMIENTO DEL TEMA

En el caso de Esplandián, las circunstancias son diferentes a las de su padre. Tras su nacimiento, el niño había sido colocado en una canasta para que la Doncella de Dinamarca lo llevara a criar a un mo-doncella de Dinamarca lo llevara a criar a un monasterio cercano como hijo suyo. En el camino se para en una fuente, con lo que de nuevo encontramos el simbolismo de las aguas. El niño es abandonado

_____

página 56, «la primera porque lo tiene nueve meses encerrado en su vientre; e los naturales así (la) llaman "arca en que la criatura anda guardada".»

11. O. RANK, p. 90.

12. También deberemos notar que es recogido en el nacimiento del día «A esta sazon el alba amanecía» (I, I, 24, 435 y ss.).

en el tronco de un árbol y es muy significativo que en casi todas las teogonías primitivas se explique el fluir constante de la energía vital del mundo a partir del árbol cosmogónico [13]. Por los bramidos de una leona, el niño queda solo y el animal lo recoge «y conoçiendo ser vianda para sus hijos, se fue con él, y esto era ya a tal sazón que el sol salía» (III, LXVI, 702, 782) [14]. Los elementos simbólicos han variado, si bien de nuevo nos encontramos ante un niño desasistido, ahora por la propia peripecia narrativa. En una lectura literal el peligro para él es inminente, pero la fuente, el árbol, el león [15] y el sol [16] son símbolos de renovación y regeneración.

13. L. Bonilla, *Los mitos de la humanidad*, Madrid, Prensa Española, 1971, p. 75. Para M. Cruz Hernández, *El pensamiento de Ramón Llull*, Madrid, Fundación Juan March, Editorial Castalia, 1977, p. 126, «El árbol es la vida». La representación plástica del «árbol de la vida» empieza con los inicios de la «cultura urbana», fruto de la «revolución agraria del período neolítico». J. G. Frazer, ob. cit., especialmente en las pp. 142 y ss., destaca su importancia, reiterada por multitud de críticos.

14. Según Alfonso X, en la *General Estoria*, Primera Parte, ed. de A. G. Solalinde, Madrid, 1930, p. 556, «el león a por natura de seer piadoso al quise e omilla, e all omne que se echa antel en tierra nol faze ningún mal, e que quando mal quiere fazer, quel faze mas ayna alos varones que alas mugieres, e alos moços nunca va si non con gran arrequexamiento de fambre». Indudablemente se trata de un motivo folklórico que se encuentra desde la leyenda de San Eustaquio, el *Libro del Cavallero Zifar*, ed. de Ch. Ph. Wagner, Ann Arbor, University of Michigan, 1929 (Kraus Reprint Co., New York, 1971), p. 85, hasta el *Tirant*, ed. cit., t. I, p. 120. Corresponde al motivo R 13.1.2 de Thompson.

15. El león, según los *Bestiaris*, ed. de S. Panunzio, Barcelona, ed. Barcino, 1963, pp. 13 y ss., puede resucitar a sus hijos muertos al cabo de tres días, por lo que se compara con Jesucristo. Véase L. Reau, *Iconographie de l'Art chrétien*, París, P.U.F., 1955, t. I, p. 109. Sin embargo, también puede representar al demonio. Para Zaniah, *Diccionario esotérico*, Buenos Aires, Ed. Kier, 1974, p. 270, es símbolo de los dioses solares, y posee la fuerza y el elemento masculino. Véase la nota 11 del capítulo I.

16. Para el sol, M. Eliade, ob. cit., t. I, pp. 156 y ss.

EL RAPTO DEL NIÑO

En el caso de Galaor existe una diferencia radical con los anteriores. Amadís es abandonado por propia voluntad de la madre, Esplandián por unas circunstancias extrañas, mientras que Galaor es raptado por un gigante cuando tenía dos años y medio [17].

El jayán a la hora de cogerlo «llegando a él tendió el niño los braços riendo, y tomóle entre los suyos, diziendo: Verdad me dixo la donzella, y tornóse por donde viniera, y entrando en vna barca se fue por la mar» (I, III, 37, 270 y ss.).

Si Amadís había sido arrojado voluntariamente a las aguas, Galaor es llevado a ellas sin que su madre pudiera impedirlo. El mismo tema —las aguas— reaparece en los tres abandonos y significará el comienzo de sus vidas marcadas desde el principio por un acontecimiento extraordinario [18]. Los tres héroes en su separación de los padres se encuentran con unos obstáculos que deberán superar. La aventura comienza ya desde su propio nacimiento, y en su abandono deseado —Amadís— o fortuito —Esplandián y Galaor.

---

17. El rapto por un gigante corresponde al motivo R II.3 de Thompson. El tema se encuentra en el *Fernán González*, aunque el raptor es un carbonero; véase I. P. KELLER, «El misterioso origen de Fernán González», *NRFH*, X (1956), 41-44, especialmente las pp. 42-43, y J. B. AVALLE-ARCE, «El *Poema de Fernán González:* Clerecía y Juglaría», recogido en *Temas hispánicos medievales*, Madrid, Gredos, 1974, páginas 64-82.

18. Como dice M. ELIADE, ob. cit., t. II, p. 22, «un niño "expuesto", abandonado a los elementos cósmicos (aguas, vientos, tierra), es siempre como un desafío lanzado a la faz del destino. El niño confiado a la tierra o a las aguas es, desde ese momento, socialmente un huérfano y está expuesto a la muerte, pero al mismo tiempo tiene probabilidades de lograr una condición distinta de la humana. Protegido por los elementos cósmicos, el niño abandonado se convierte en héroe, rey o santo».

LA EDUCACIÓN DEL HÉROE EN LA CORTE

Según el arquetipo mítico, el niño suele ser recogido y salvado por animales o personas de inferior categoría a la suya [19]. Amadís es rescatado por un caballero, Gandales; su mujer había tenido recientemente un hijo, por lo que su marido le encomienda su crianza: «la qual hizo darle la teta de aquella ama que a Gandalin, su hijo, criaba» (I, I, 24, 465). Desde un principio quedan hermanados el futuro caballero y su escudero, en una conjunción casi indisoluble. Para Lázaro Carreter [20] se produce la ley épica del apareamiento o de los gemelos, como la había denominado Axel Olrik [21]. Es innegable la relación entre ambos, pero los dos personajes no aparecen en el mismo papel como los gemelos auténticos (Rómulo y Remo) o sin serlo (Hänsel y Gretel). En cualquiera de los casos, su hermano de leche no tendrá una personalidad caballeresca independiente a la de Amadís más que a partir del libro IV y aparecerá como fiel e inseparable escudero de su amo. Este sobresale por sus cualidades excepcionales como suele ser habitual en todos los héroes. Cuando tenía cinco años la mujer de Languines pudo comprobar desde unas ventanas su personalidad. El niño destacaba por su manera de vestir, su hermosura y acción, cualidades intrínsecas de una persona superior, dentro de una axiología medieval.

La primera acción de Perión era presenciada por un testigo excepcional, el rey Garinter. Ahora se produce un hecho similar. Jugaban con los arcos y Amadís deja el suyo para beber agua. Un doncel mayor lo toma para tirar con él, con la desaprobación de Gandalín, al que «empuxó rezio». El héroe

---

19. LORD RAGLAN señala cómo el héroe es acogido por padres adoptivos en tierras lejanas. Art. cit., p. 145, «reared by foster parents in a far country».
20. F. LÁZARO CARRETER, «*Lazarillo de Tormes» en la picaresca*, Barcelona, Ariel, 1972, p. 81.
21. A. OLRIK, «Epics Laws of Folk Narrative», recogido en *The Study of Folklore*, ed. de A. Dundes ya citada, p. 136.

recupera su arco, golpea al adversario y le hace huir, por lo que el ayo quiere castigar al niño, quien humildemente dice:

> —Señor, más quiero que me vos hiráys que delante de mí sea ninguno osado de hazer mal a mi hermano —y viniéronle las lágrimas a los ojos (I, II, 32, 549).

En toda la acción, presenciada por la reina, se pueden distinguir tres aspectos diferentes:

a) La valentía de Amadís al enfrentarse con un muchacho mayor.
b) Su amor por Gandalín, y su ayuda, semejante en episodios posteriores, al socorrer al desvalido.
c) La aceptación humilde del castigo antes que ver a su pretendido hermano en peligro, lo que implícitamente conlleva bondad y generosidad.

Ha castigado al contrincante por su comportamiento con Gandalín, quien a su vez le había intentado ayudar. Hay una reciprocidad de acciones, una defensa del débil y un comportamiento generoso, comienzo e indicio de las restantes aventuras. Ante los ojos del testigo se ha encarecido la figura del pequeño y los reyes de Escocia quieren llevarlo consigo para criarlo; la única condición que impone el Doncel del Mar es la compañía de Gandalín. El espacio narrativo se traslada de lugar, y la educación de Amadís puede ser digna de su condición, a la que se acomoda por sus acciones. Destaca por su afición a la caza, gusto guerrero y actividad lúdica preparatoria de etapas posteriores.

Para Rubió y Balaguer «en la vida familiar española se reserva a los hijos importante papel, que trasciende no poco a los textos históricos y aun a los literarios. Tal vez sea exacta, refiriéndose a Francia y a los Países Bajos, la aseveración de Huizinga de que ni la literatura sagrada ni la profana conocen realmente al niño en la última Edad Media. De Es-

paña no puede esto afirmarse, ya que nos quedan
interesantes testimonios escritos no sólo de interés
por la crianza y la pedagogía infantiles, sino, lo que
es mucho más raro, de tentativas de interpretación
psicológica del niño. Finke, con todo el peso de su
autoridad y experiencia de investigador formidable,
dice taxativamente que en ningún archivo de Europa,
como en el de la Corona de Aragón, pueden hallarse
tantas noticias de carácter personal sobre los niños.
Paralelamente me atrevería a afirmar que en pocas
literaturas medievales nos sería dado sorprender,
como en las letras hispánicas, tanta ternura afec-
tuosa hacia los niños, expresada tan sencillamente
y sin énfasis ninguno» [22]. El tema merecería quizás
un estudio monográfico, aunque el papel desempeñado por la figura del niño durante la Edad Media y
en la literatura española, en nuestra opinión, no deja
de ser puramente secundario [23]. En nuestro libro no
faltan los detalles de ternura, pero la educación y
la niñez de Amadís son tan rápidas como su crecimiento. Los dos aspectos más importantes corresponden a su afición a la caza cuando «el noble medieval, fue guerrero de profesión, fue cazador por afición y por necesidad. La caza fue de hecho su mejor
escuela para entrenarse en el manejo de las armas,
el más suculento de los platos de su mesa, y su

22. J. Rubió y Balaguer, *Vida española en la época gótica.
Ensayo de interpretación de textos y documentos literarios*,
Barcelona, Ed. Alberto Martín, 1943, p. 183.
23. Para J. Lods, «Le theme de l'enfance dans l'épopée
française», *C C M*, III (1960), p. 62, «el niño es un auténtico
héroe épico, sin que sea necesario forzar o estilizar los rasgos constitutivos de su naturaleza. Se podría quizás hasta
decir que los hombres son héroes épicos en la medida en
que guardan algo de su adolescencia». Véase también Ph. Ménard, «Le thème comique du «nice» dans la chanson de geste
et le roman arthurien, *B R A B L*, XXI (1965-66), 177-193,
página 193: «Le protagoniste du conte n'est plus un adoles-
cent exceptionnel comme tant d'autres. Il reflète, au contraire, l'image que la sensibilité médiévale se fait quotidienne-
ment de l'enfance: âge ignorant et fou, ridicule et plaisant».
Ambos estudios son complementarios.

deporte favorito» [24] Y el otro dato más significativo
es el cariño de la reina; no lo quiere apartar de sí,
como si fuera y cumpliera las funciones de su auténtica madre. Amadís parece, desde su más tierna infancia, ser un caballero por quien tienen predilección
las mujeres, sean reinas o doncellas. Por el contrario,
no se alude apenas a su ingenio, tratado como algo
tópico y esteriotipado. Y ya, finalmente, el último
detalle narrado, antes de pasar a las aventuras propiamente dichas del héroe, supone un gran salto
temporal; se localiza cuando el Doncel del Mar contaba doce años, si bien «en su grandeza y miembros
parescía de quinze» (I, IV, 39-40, 45 y ss.). Corresponde al inicio de sus amores. La reina le aconseja
servir a Oriana, quien le ayudará en su investidura.

La niñez de Amadís «transcurre vertiginosamente,
porque el narrador le interesaba llegar deprisa al
momento en que asuma su función de caballero. Los
informes que, de esa época de su vida, nos proporciona, son sumamente magros: el episodio del arco, a
los siete años, para que resplandezca su hermandad
con Gandalín, y pueda cumplirse una ley épica, la
del apareamiento; su marcha con el rey Languines [...]la adolescencia está, aunque tan prematura-
mente, alcanzada, y, con ella, su acceso a la categoría
de héroe activo» [25]. Son unos años que no interesan
para casi nada, pues todo depende de su posterior
vida activa, comenzada al conocer a Oriana.

LOS LIBROS COMO EDUCADORES

La educación de Galaor es distinta por las condiciones de su raptor. Dentro de estas circunstancias
se elige un maestro-guía que lo pueda formar, función que recae en la figura del ermitaño, poseedor
de unas condiciones más apropiadas para la educa-

24. M. Ríu, *La vida, las costumbres y el amor en la Edad
Media*, Barcelona, Editores de Gassó Hns., 1959, p. 192.
25. F. Lázaro Carreter, ob. cit., p. 81.

ción. Si la infancia de Amadís transcurría vertiginosamente, en el caso de Galaor los datos son todavía más escasos. Pasa de los dos años y medio, cuando ya comenzaba a andar, a los dieciocho:

> Don Galaor, que con el hermitaño se criaua [...] hízose valiente de cuerpo y membrudo; y siempre leýa en vnos libros que el buen hombre le daua de los fechos antiguos que los caualleros en armas passaron; de manera que quasi con aquello como con lo natural con que nasciera fue mouido a gran deseo de ser cauallero (I, V, 54, 395 y ss.).

Hay un determinismo que impulsa a Galaor a dedicarse a las armas, por su propio nacimiento, aparte de la educación libresca recibida. Galaor no podía seguir la vida de la corte, aunque tiene un sustituto que le puede proporcionar modelos para «trazar su proyecto de vida».

Los libros se convertirán en sus maestros, pues su lectura no se plantea como ocio y diversión. Constituyen también su propio aprendizaje para una vida, desconocida para él por el espacio donde vive [26].

LO SOBRENATURAL EN LA CRIANZA

Esplandián es también recogido por un ermitaño en circunstancias más excepcionales. Nasciano, des-

---

26. Véase R. MENÉNDEZ PIDAL, *Los godos y la epopeya española*. «*Chansons de geste» y baladas nórdicas*, Madrid, Espasa-Calpe, 1956, pp. 30 y ss. Según J. A. MARAVALL, «La cortesía como saber en la Edad Media», recogido en la ob. cit., p. 265, «la erudición literaria, libresca, es una herencia de la antigüedad como ha observado Curtius, con raíces en la Persia sasánida, y que influyó tanto sobre árabes como sobre cristianos occidentales. De ahí que del campo de la cultura cristiana medieval sea propio incluso haberse acentuado la importancia de las letras y de los libros, como en ninguna otra zona cultural, para la consecuencia de ese saber práctico y, en conexión con él, para el logro de un comportamiento virtuoso».

pués de decir misa, rescata al niño de la boca de la leona diciéndole:

> —Vete, bestia mala y dexa la criatura de Dios, que la no fizo para tu gobierno (III, LXVI, 702, 802).

Parece un auténtico milagro de la divinidad. El animal no ha herido al pequeño y además lo amamanta. A los diez días el ermitaño lo entrega a su hermana para que lo críe hasta que sepa hablar. Se educa después con el religioso en compañía de un sobrino suyo llamado Sargil. Sus distracciones consisten en cazar con la leona en compañía de su amigo: «Assí passaua su tiempo debaxo de la doctrina de aquel santo hombre» (III, LXX, 757, 68).

Como sucedía con su padre, también es observado por un rey —Lisuarte, su abuelo— cuando acosa a un ciervo con la leona. Al comienzo de la novela, Perión había matado a un león que a su vez había hecho lo mismo con un ciervo. La escena es paralela, casi simétrica. La diferencia estriba en que Esplandián no mata a la leona, sino que ésta obedece sus órdenes. Los hechos no pueden ser más excepcionales, como corresponde al héroe más extraordinario de la obra. Lisuarte solicita quedárselo bajo su custodia y el ermitaño se despide con las siguientes palabras:

> —Criatura de Dios, que por El me fuyste dado a criar, El te guarde y defienda y te faga hombre bueno al su santo servicio (III, LXXI, 780, 549).

La crianza del niño parece estar marcada por el signo de la divinidad, motivo reiterado en el texto. Por su condición de héroe ha tenido aventuras desde su mismo nacimiento, superando todas las dificultades, como su padre y su tío. En su sino está señalada la protección divina en la figura de un «hombre bueno» encargado de su crianza.

Amadís había tenido una educación caballeresca y cortesana en casa de Gandales y Languines; Galaor

se destacaba por las enseñanzas del gigante y las li-
brescas de un ermitaño, cuya religiosidad quedaba
menos patente; Esplandián se ha educado con un
hombre casi santo del que los lugareños pensaban
que se alimentaba del «celestial manjar». El comportamiento posterior de cada uno parece tener relación con su educación. Amadís sobresaldrá por su
cortesía; Galaor por su carácter donjuanesco, cortés,
pero dominado por los instintos; Esplandián por ser
caballero casi dedicado al servicio de Dios. También
poseerá otras cualidades, relacionadas con sus diferentes amas. Es criado con la leche de una persona
humana, una oveja y la leona. Por la crianza de la
leona será «tan fuerte, tan brauo de coraçón que a
todos los valientes de su tiempo porná en sus fechos
de armas gran escuridad»; por la oveja «será manso,
mesurado, humildoso, y de muy buen talante, y so-
frido más que otro hombre que en el mundo aya.
Y de la criança de la su tercera ama [la mujer] será
en gran manera sesudo y de gran entendimiento, muy
católico, y de buenas palabras» (III, LXXI, 776, 240
y ss.).

Los animales [27] de su crianza tiene un carácter
simbólico y a la agresividad del león, se opone la

---

27. La crianza por los animales es también un claro motivo folklórico; corresponde al B. 535 de Thompson. En el
Caballero del Cisne, ed. cit., p. 27, los niños son alimentados
por una cierva. Según O. RANK, ob. cit., p. 108, «así como la
proyección sobre el padre justifica la actitud hostil por parte del hijo, de modo similar el descenso de la madre a la
categoría de animal tiene por objeto reivindicar la actitud
del hijo que la niega». Sea cual fuere la interpretación de
este fenómeno, en la novela los animales confieren a Esplandián unas cualidades superiores al resto de los héroes. Además, hay una negación implícita de los progenitores, pues
a los caballeros, a su padre, los superará, «los porná en
gran escuridad». Se anuncia la victoria de Esplandián sobre
Amadís. En relación con la madre «será muy católico», mientras que Oriana no había dado ninguna muestra específica
de religiosidad. En cualquier caso, como dice M. R. LIDA DE
MALKIEL, *Dido en la literatura española. Su retrato y su defensa*, London, Tamesis Books, 1974, p. 50, «se ha observado
que la maternidad no ocupa en la atención medieval todo el
espacio que absorbe en la contemporánea; las numerosas

mansedumbre de una sencilla oveja, representación de la mesura[28]. Reúne en sí todas las cualidades que le pueden hacer un perfecto caballero. Además, ha sido amamantado también con leche humana, proporcionada por una hermana del ermitaño. Su etopeya es perfecta.

El Endriago también tiene una infancia casi sobrenatural. Una de las amas encargadas de criarlo muere al darle de mamar; otras dos deben sufrir el mismo camino y durante un año los dioses mandan alimentarlo con la leche de sus ganados; al cabo de este tiempo mata a su madre y su padre muere indirectamente por su culpa; la isla queda despoblada[29]. Su

---

obras de la época que legislan sobre la conducta y deberes femeninos [...] nada dicen sobre este punto». «Antes del siglo XVIII, el siglo de los derechos del hombre, todo lo que concierne a la maternidad es indecorosamente antipoético, y sólo admisible como materia cómica», *Ibídem*, p. 51.

28. En un principio el texto dice que «el niño muy buen fue gouernado de la leche de la leona y de vna cabra, y vna oveja que pariera vn cordero» (III, LXVI, 702, 839 y ss.). El autor se preocupa por dar cierta verosimilitud a estos episodios fantásticos. La leona también podía amamantarlo porque lo hacía con sus cachorros. En el caso de Amadís, tiene asegurada su lactancia porque lo podía cuidar la nodriza que alimentaba a Grandalín, recién nacido. Ahora bien, a la hora de predecir las características de Esplandián, la cabra queda relegada por los valores que encarna. Según L. REAU, ob. cit., p. 109, «la chèvre est, comme le bouc, l'image du démon, de l'Impureté». Por el contrario, la oveja para B. Latini, *Li Livres dou Tresor*, ed. de F. J. Carmody, Genève, Slatkine Reprints, 1975, p. 159, es «une simple beste, plaine de pais». J. FERNANDO ROIG, *Simbología cristiana*, Barcelona, Juan Flor, 1958, p. 114, señala cómo la mansedumbre está representada por la oveja y el ciprés.

29. Según JEAN CAZENEUVE, *Sociología del rito*, Buenos Aires, Amorrortu editores, 1972, pp. 71-72, «las reglas matrimoniales constituyen uno de los elementos esenciales de la estructura de las sociedades primitivas. Para que la existencia humana goce de alguna estabilidad es necesario que el cuerpo social —del mismo modo que la naturaleza— esté regido por normas sólidas. De manera que el incestuoso es un ente impuro en igual medida y por la misma causa que el animal monstruoso o el fenómeno *measa*. El incesto es un acto numinoso que amenaza con turbar la regularidad universal» y desencadenar calamidades tales como «temblores de tierra, lluvia o sequía excesivas, y ante todo la esterilidad del suelo».

infancia no puede ser más excepcional, en cuanto estaba dispuesta por los tres diferentes ídolos. Es la antítesis de Esplandián con el que guarda notables paralelismos. El monstruo es producto del amor incestuoso. Esplandián es el resultado del amor depurado de dos personajes que reúnen las cualidades más excelsas. Los dioses confirman la naturaleza del monstruo. El ídolo con figura de hombre lo ha realizado a su semejanza, con el albedrío de los hombres, para que pueda naturalmente matar a sus enemigos mortales, los cristianos. El siguiente, con naturaleza de león, le ha proporcionado la fortaleza y bravura de los leones, y el tercero lo hace con «alas y vñas y ligereza sobre quantas animalias serán en el mundo» (III, LXXIII, 796, 333).

Lo numinoso y sobrenatural se ha destacado en estos dos últimos casos. La doble ascendencia del héroe, casi debilitada y ausente en Galaor y Amadís, ha determinado de manera decisiva las características del Endriago y Esplandián.

EDUCACIÓN, NIÑEZ Y COMPORTAMIENTO

Amadís y Galaor desarrollan sus actividades excepcionales dentro de un marco verosímil y humano. Galaor es el único con una enseñanza libresca descrita en la novela. El autor parece haber querido justificar las cualidades del héroe, motivando sus posibles conocimientos. El gigante, representación de las fuerzas inconscientes, indómitas, ha quedado marginado en su educación, contrarrestada por la presencia del ermitaño, diferente al de Esplandián. La actuación de Galaor se caracterizará por esta doble vertiente: su falta de control en relación con la sexualidad y su cortesía. Ambas quedan explicadas dentro de la propia novela. Los héroes, en consecuencia, están condicionados por su propia educación y naturaleza puestas de manifiesto en los primeros años de su vida.

El tiempo de la niñez es rápido [30] y sólo se indica para atestiguar algunos hitos en la vida de los personajes. Incluso podríamos decir que su existencia no implica apenas cambios, como sucede en la mitología de los niños divinos. «Le fait curieux de telles actions enfantines et juvéniles réside en ceci, que le dieu y figure déjà dans la plénitude de sa stature et de sa puissance et que, para cela même, le mode de penser biographique —c'est à dire la tendence à penser en âges de la vie comme étant autant de degrés d'une evolution— est proprement exclu» [31].

Amadís mostrará su esencia heroica en la defensa de Gandalín. Sus acciones posteriores seguirán un curso parecido, aunque su impulso primordial se potenciará con la presencia de Oriana. En el caso de Galaor, su vida hasta los dieciocho años transcurre de forma anodina. Por el contrario, el Endriago y Esplandián harán buenas las palabras de Kerényi. La presencia de lo sobrenatural preside sus acaeceres desde su nacimiento hasta su crianza. Su evolución es mínima y sólo se detectará en su crecimiento. Como señala Jung [32], hay una paradoja sorprendente en los mitos de la infancia: por una parte el niño se encuentra indefenso ante enemigos poderosos y está amenazado constantemente de destrucción, y por otra posee unas fuerzas que sobrepasan la medida humana. La afirmación del mito está estrechamente ligada con el hecho psicológico de que el pequeño es insignificante, «nada más que un niño», y a su vez es divino.

Este mayor o menor grado de lo sobrenatural explica los distintos comportamientos. En todos ellos, no hay duda alguna, nos encontramos con seres extraordinarios y superiores al resto de los mortales. Pero el aspecto más humano de Amadís y Galaor les

---

30. Como dice S. Thompson, *El cuento folklórico*, Caracas, Universidad Central de Venezuela, 1972, p. 442, «ya que los héroes de la mayoría de estas aventuras tienen una corta niñez, poco sabemos sobre ella».
31. C. G. Jung y Ch. Kerényi, ob. cit., p. 37.
32. *Ibidem*, p. 113.

llevará a buscar sus perdidas señas de identidad, necesarias para su propia consolidación como individuos. Su abandono, educación y crianza no revisten los caracteres del Endriago y Esplandián. Son extraordinarios dentro de una cierta verosimilitud narrativa. Los otros casos sólo pueden explicarse como manifestaciones de la divinidad en dos sentidos opuestos: positivo para Esplandián, y negativo para el Endriago [33].

---

33. J. Stevens, *Medieval Romance...*, London, Hutchinson, 1973, pp. 96 y ss., distingue varias categorías dentro de las aventuras o sucesos extraordinarios. Siguiendo su clasificación podríamos decir que estos últimos hechos corresponden a lo milagroso, lo maravilloso controlado por Dios. Los anteriores no pertenecen ni a lo exótico ni a lo misterioso, inmotivado e inexplicable, ni a lo estrictamente mágico. Son fenómenos excepcionales, dentro de unos límites narrativos y unas convenciones aceptadas.

III. PROFECIAS Y SUEÑOS

PREDICCIÓN DEL FUTURO HÉROE: A) AMADÍS

En los relatos de tipo tradicional, al nacimiento o presentación del héroe suele seguir una secuencia destinada a predecir su futuro, salpicado de obstáculos y cualidad excepcionales [1]. El *Amadís* no se sustrae a tal carácter. Urganda la Desconocida es la encargada de transmitir esta revelación:

> —¡Ay, Gandales, si supiessen muchos altos hombres lo que yo agora, cortar te yan la cabeça!
> —¿Por qué? —dixo él. —Porque tú guardas la su muerte (I, II, 28, 237 y ss.).

La profecía [2] es completamente ambigua. El personaje carece de unos referentes que puedan aclarar tanto a él como a los lectores el sentido de estas frases misteriosas. Sólo se puede deducir su relación con la muerte de algunos hombres. De rechazo, si tienen las mismas inclinaciones que la doncella, su cabeza puede estar en peligro. Por tanto, hay dos motivos generadores de la aventura: conocer la información de una manera más certera, y cerciorarse

1. Véase S. THOMPSON, *Motif-Index*, motivos M 300 y M 399.
2. Para algunos aspectos de la profecía medieval, véase J. GIMENO CASALDUERO, *Estructura y diseño en la literatura castellana medieval*, Madrid, José Porrúa, 1975, pp. 103-141.

de que ésta no será difundida. El primero de ellos
se resuelve cuando Urganda se encuentra en peligro
por el ataque de un caballero. Ante la petición de
auxilio, Gandales la socorre y lucha contra su adversario; el combate se interrumpe por la intervención
de la propia maga, que obliga a obedecer a su contrincante. La secuencia es extraña, y la clave puede
estar en unas frases preliminares a la lucha, pronun-
ciadas por el mismo caballero: «por engaño me trae
perdido el cuerpo y el alma» (II, 29, 268). Se convierte repentinamente en enamorado[3]. Acata la voluntad de Urganda, al tiempo que obliga a marcharse
a otra doncella que lo acompañaba bajo la amenaza
de cortarle la cabeza: «La donzella vio que su amigo
era encantado, [...] y fuese luego» (I, II, 29, 314). En
esta presentación, aparecen claros varios motivos: a)
los poderes de encantamiento de la doncella misteriosa; b) su amor por un caballero, al que tiene encantado; c) la contrariedad que supone para otra
mujer, al parecer su rival. Si Urganda tiene tales poderes, es lógico pensar que alcancen también a unos
conocimientos de hechos futuros. Por ello Gandales
no quiere dar por terminada la batalla hasta que le
aclare sus palabras enigmáticas.

Como compensación a la ayuda prestada y la promesa de guardar silencio, ella le dice lo siguiente:

> Dígote de aquel que hallaste en la mar que será
> flor de los caualleros de su tiempo; éste fará es-
> tremecer los fuertes; éste començará todas las
> cosas y acabará a su honrra en que los otros falles-
> cieron; éste fará tales cosas que ninguno cuydaría

3. Como dice J. FRAPPIER, «Le concept de l'amour...»,
art. cit., p. 45, «on sait que le thème de la feé amante attirant
mystérieusement à elle un mortel élu est fort répandu dans
les contes irlandais et gallois. Il se retrouve avec une symé-
trie à peu près parfaite dans les lais et les romans arthuriens. Mais non sans composer avec la civilisation courtoise».
La diferencia establecida con este tipo de pasión radica en
que entre las personas carentes de cualidades sobrenaturales
nace recíprocamente, mientras que la maga debe utilizar los
medios a su alcance para tener su enamorado.

que pudiessen ser començadas ni acabadas por cuerpo de hombre. Este hará los soberuios ser de buen talante; éste aurá crueza de coraçón contra aquellos que se lo merecieren, y ahun más te digo, que éste será el cauallero del mundo que más lealmente manterná amor y amará en tal lugar qual conuiene a la su alta proeza; y sabe que viene de reyes de ambas partes (I, II, 30, 344 y ss.).

Ha demostrado sus poderes mágicos al tener bajo su dominio al caballero que la «desama» y al transformarse [4] después de revelar a Gandales su identidad. Se ha manifestado como personaje capaz de ejecutar una serie de actos, y también de predecir unos acontecimientos futuros. Por el mero hecho de ser anunciados por este personaje casi deben ser, y lo son, extraordinarios.

A diferencia de otras profecías, aquí no se presagia ningún hecho concreto, sino aspectos generales que marcarán la pauta de toda la actividad de Amadís; de ellos sólo vamos a entresacar dos hechos. Gandales descubre la calidad social del niño. Conoce su categoría desde los primeros momentos y de acuerdo con ella educará el futuro héroe.

Por otra parte, todos los episodios posteriores de la novela se adaptan a lo profetizado, excepción hecha de un motivo fundamental para la estructuración de la obra: «éste començará todas las cosas y acabará a su honrra en que los otros fallescieron». Amadís no logra culminar con éxito varias aventuras, que o bien han sido intercaladas por un refundidor, o Urganda predice unos hechos incumplidos en algunas de sus circunstancias. Los fracasos de Amadís corresponden a triunfos de su hijo, y están en función de ensalzar al protagonista de *Las Sergas*. En consecuencia, parece razonable pensar en una posible refundición,

---

4. Como señala J. STEVENS, ob. cit., p. 101, «witches, wizards, warlocks, whose habitat is our day-to-day human world belong here too- Merlin, Morgan le Fay, and their kind. They are the operators of magic, those whose skills enable them to manipulate the forces of nature in a marvellous manner».

como más adelante nos ocuparemos de analizar. Además, todos los vaticinios de Urganda tienen su entero cumplimiento; resulta muy extraño que éste, de carácter general y situado en los comienzos, no ofrezca las mismas características.

Los dos aspectos nos hacen pensar que:

   a) Las derrotas de Amadís y sus aventuras inacabadas son refundiciones posteriores.
   b) El héroe en una primera redacción no moría a manos de su hijo.

B) GALAOR

En cuanto a Galaor, hemos visto cómo un gigante se apoderaba del niño. A la hora de cogerlo «llegando a él tendió el niño los braços riendo, y tomóle entre los suyos diziendo: Verdad me dixo la doncella, y tornóse por donde viniera, y entrando en vna barca se fue por la mar (I, III, 37, 270 y ss.).

La información es de nuevo enigmática, pues tampoco tenemos ninguna explicación para estas palabras del jayán. Ignoramos de quién se trata, y qué doncella le ha dicho estas frases, aunque posteriormente el narrador esclarece la secuencia.

El gigante, con ciertas cualidades positivas, había realizado el rapto de Galaor porque al ir a vengarse de Aldabán, un gigante que mató a su padre, se encontró con una doncella que le dijo:

> Esso qu tú quieres se ha de acabar por el hijo del rey Perión de Gaula, que aurá mucha fuerça y ligereza más que tú. Y yo le pregunté si dezía verdad.
> —Esto verás tú —dixo ella— en la sazón que los dos ramos de vn árbol se juntaran, que agora son partidos (I, III, 38, 342 y ss.).

Gandales ha cometido una fechoría para encontrar una persona predestinada a ayudarle; está desposeído de su herencia, y quiere vengar la muerte de su pro-

genitor; Galaor, de la misma manera que su hermano, tiene su futuro profetizado y deberá superar una
prueba concreta. Son personas privilegiadas superiores a casi todo el resto de los mortales, aunque
su andadura sea humana.

C) ESPLANDIÁN

Urganda también interviene para profetizar las
acciones de Esplandián. Poco después de ser encontrado el niño, Lisuarte recibe una carta de Urganda
la Desconocida en la que dice: «... y los sus grandes
fechos en armas serán empleados en el seruicio del
muy alto Dios, despreciando él aquello que los caualleros deste tiempo más por honrra de vana gloria
del mundo que de buena conciencia siguen, y siempre
traerá a sí en la su diestra parte, y a su señora en la
siniestra[5]. Y ahún más te digo, buen rey, que este

---

5. E. B. PLACE en su edición, t. III, p. 944, interpreta estas
frases como que Esplandián no permitirá que le domine su
señora. «Si esto no es de Montalvo, quien desaprobaba el
servicio caballeresco a las damas [...], patente es que el
autor de Y [una redacción intermedia] lo desaprobaba también». Su comentario nos parece erróneo en todos los sentidos. En primer lugar, las letras tienen un carácter simbólico. Para F. PIERCE, Amadís de Gaula, ob. cit., p. 133, «one
should again note the use of bright and contrasting colors
in situations related to magic and mystery». El nombre de
Esplandián está escrito en rojo y el de Leonorina en blanco.
Ambos colores, rojo y blanco, simbolizan, a nuestro juicio,
el futuro amoroso de Esplandián. El rojo equivale a su
amor, a su pasión, mientras que el blanco es sinónimo de
su pureza, de su castidad. Véase G. FERGUSON, Signos y símbolos en el arte cristiano, Buenos Aires, Emecé, 1956. La equiparación entre colores y símbolos es normal en la novela sentimental; véase D. CVITANOVIC, La novela sentimental española, Madrid, Prensa Española, 1973. R. LAPESA, La obra literaria del Marqués de Santillana, Madrid, Insula, 1957, señala
unos colores y símbolos equivalentes. Este tipo de represen-
taciones simbólicas llegan a trascender a la vida cotidiana
como destaca J. HUIZINGA, El otoño de la Edad Media, Madrid, Rev. de Occidente, 1967, en especial el cap. XIV. Además, las letras rojas, en el lado izquierdo, no representan el
dominio de Esplandián sobre la amada, sino que están situa-

donzel será ocasión de poner entre ti y Amadís y su linaje paz que durará en tus días, lo qual a otro ninguno es otorgado» (III, LXXI, 776, 255 y ss.). La maga señala, como en el caso de su padre, los elementos caracterizadores de las hazañas de Esplandián. Lo profetizado se realizará en el cuarto libro y en el final de *Las Sergas*, cuando Leonorina descubra su propio nombre en el pecho de su amado. No sólo él tiene una marca que lo caracteriza y distingue frente a los demás como un ser elegido, sino que en su propio pecho, junto al corazón, está escrito el de su amada. Su distinción sobrepuja a la de todos [6].

La profecía no señala el combate entre padre e hijo, como un hito de su carrera, lo que nos hace suponer que o bien pertenece a una primera redacción o a una de las últimas. Teniendo en cuenta que los acontecimientos profetizados se refieren al libro IV y al final de *Las Sergas*, podemos suponer que se debe a alguna refundición, cuando ya estaba diseñada la continuación de la novela. Esto no implica que en una refundición intermedia Amadís muriera a manos de su hijo [7]. Por último, indicaremos que en

---

das en el lado del corazón. El refundidor, o Montalvo, no están condenando un amor cortés, sino las relaciones sexuales implícitas en el comportamiento amoroso de los otros héroes, lo que es ligeramente distinto.

6. El diferente comportamiento amoroso de Esplandián lo ha señalado acertadamente J. AMEZCÚA, «La oposición de Montalvo al mundo del Amadís de Gaula», *N R F H*, XXI (1972), 320-337. El artículo es complementario del libro de F. G. OLMEDO, *El Amadís y el Quijote*, Madrid, Editora Nacional, 1947, y del artículo de S. GILI GAYA, «*Las Sergas de Esplandián* como crítica de la caballería bretona», *B B M P*, XXIII (1947), 103-111. A nuestro juicio, todos estos hechos no son invención de Montalvo como bien arguye E. Place. El los pudo reelaborar, pero desde un principio se detecta una diferente postura del narrador hasta en los detalles más insignificantes. Si aceptamos la intervención del medinés en esta parte, implicaría su total responsabilidad en la recreación del mito. Véase E. B. PLACE, «¿Montalvo, autor o refundidor del *Amadís* IV y V?», *Homenaje a Rodríguez Moñino*, Madrid, Castalia, 1966, II, pp. 77-80.

7. La muerte de Amadís la dedujo García de la Riega al comentar el verso de Pedro Ferruz *Que le dé Dios santo poso*. «La piadosa frase del último verso, que sólo se dedica

el caso del Endriago, el vaticinio no sucede después del nacimiento, sino con anterioridad. Al padre le habían advertido los dioses cómo sería el fruto de los amores con su hija (III, LXXIII, 794, 153).

LAS PROFECÍAS: SU CARÁCTER APRIORÍSTICO Y ESTRUCTURANTE

La novela, con este sistema de predicciones, caracteriza a los personajes más importantes desde un principio. Sin embargo, la profecía sobre Galaor posee un carácter distinto. No se señalan los rasgos diferenciales del personaje, sino lo referente a un episodio concreto. A su vez, el Endriago sólo supone un hito en la carrera de Amadís. Esplandián y su padre serán los únicos personajes cuyo futuro esté determinado en sus aspectos esenciales. De la multiplicidad de personajes cuyos nacimientos poseían rasgos del arquetipo heroico, sólo tres conservan unos trazos del esquema general. El autor no ha obrado de una manera mecánica. Cada uno de ellos posee una nota peculiar, distintiva en el caso de Esplandián, porque sus marcas de nacimiento suponen la revelación de su nombre. No lo deberá adquirir tras penosas aventuras. Su dependencia respecto al mundo exterior es mínima. En cierto modo, se puede bastar por sí mismo para hacer posible su individuación e incluso se llega a la determinación de la amada, cuyo nombre también lleva escrito en su cuerpo. Leonorina será posible, en cuanto enamorada, por la existencia del propio héroe. El autor señala siempre alguna nota original del pequeño. Se reiteran hechos

a los difuntos, se refiere directa y gramaticalmente al protagonista», *Literatura galaica. El Amadís de Gaula*, Madrid, Imprenta de Eduardo Arias, 1909, pp. 102-3. M. R. Lida de Malkiel lo mostró de forma definitiva en «El desenlace del *Amadís* primitivo», recogido en *Estudios de literatura española y comparada*, Buenos Aires, Eudeba, 1969, pp. 149-156.

paralelos a los de su padre [8], siempre con ventaja para Esplandián. El mito llega a divinizarlo, deján-dole desposeído de peculiaridades más humanas.

No obstante, en todos los casos, las profecías su-ponen dos hechos fundamentales. Narrativamente se organizan de antemano los materiales novelescos y los héroes lo son por estar predestinados a realizar unas hazañas singulares. Su destino está señalado *a priori*. Su carácter más o menos sobrenatural su-pone unas diferencias importantes, pero no llegan a ser radicales. Son seres elegidos para las aventuras destinadas a ellos. El apriorismo implica una con-cepción cerrada y esquemática de una realidad nove-lesca, que don Quijote invalidará [9]. Los libros de caballerías, y en especial el *Amadís*, equivalen para don Quijote a las profecías de Urganda. Constituyen su determinación con unas divergencias sustanciales, propias de la novela moderna. Son modelos que in-tentará imitar por un acto de voluntad propia. Ade-más, su confrontación con una realidad vital le lleva-rá al fracaso. No era el elegido porque se trataba de un ser humano. El haberlo reconocido a través de una acumulación de experiencias le hace asumir su condición. A pesar de esto, el *Amadís* no deja de ser una novela [10], algo más que una sarta de aventu-

---

8. El emparejamiento entre caballero y escudero, desde su niñez, señalado en el caso de Gandalín-Amadís se vuelve a reiterar. Sargil, sobrino del ermitaño, será el escudero in-separable de Esplandián. Incluso esta especie de hermana-miento viene señalada en ambos casos por la crianza con la leche de una misma mujer.

9. Véanse los acertados comentarios de J. B. Avalle-Arce, «Tres comienzos de novela», recogido en *Nuevos deslindes cervantinos*, Barcelona, Ariel, 1975 y ampliado en *Don Quijote como forma de vida*, Madrid, March-Castalia, 1976.

10. El problema de denominaciones es bastante complejo. La palabra exacta correspondería a la inglesa *romance*. Se-gún A. DEYERMOND, «The Lost Genre of Medieval Spanish Literature», *HR*, 43 (1975), p. 233, «the quest, separation adventure, dealing with combat, love, the quest, separation and reunion, other-world journeys, or any combination of these. The story is told largely for its own sake, though a moral o religious [...] connotations are very often present. A commentary on the meaning of the events is normally

ras de carácter mítico, aunque su sustrato principal
lo constituya este armazón folklórico y literario [11].

RECREACIÓN LITERARIA DEL SUEÑO PROFÉTICO

Otra de las posibles variantes del mito del héroe
se puede producir cuando «durante la preñez, o con
anterioridad a la misma, se produce una profecía

given, with special attention to the motives of the characters,
and description are fairly full. The audience aimed at is
generally more cultured than the audience for the epic». Casi
todas las características se ajustan a nuestra obra. Si emplea-
mos la palabra novela es porque no encontramos otra adecuada.

11. J. B. AVALLE-ARCE en «Para las fuentes de Tirant lo
Blanch», recogido en *Temas hispánicos medievales*, ob. cit.,
página 234-235, contrapone el *Amadís* con el *Tirant*. «Amadís
cumple a la letra con el tradicional canon heroico: hijo de
reyes, nacimiento subrepticio, abandonado en frágil barca.
Y por aquí se sigue hasta encumbrar al protagonista a héroe
tradicional. Pero cuando Tirant aparece en su obra lo hace
ya en edad viril, dispuesto a iniciarse en la vida. Se atiende,
pues, al hombre y se discrimina con celo del sino heroico,
para el cual son imprescindibles las circunstancias de nacimiento, como estudios citados de Raglan y Rank hacen
bien claro». Incluso llega a afirmar (p. 234) que *Tirant lo
Blanc* «es la primera novela española, así, a la llana, sin calificativos; lo que vino antes del *Tirant*, eso es otra cosa,
porque muy ancha le viene la designación «novela». D. ALON-
SO, «*Tirant-Lo-Blanc*, novela moderna», recogido en *Primavera temprana de la literatura europea*, Madrid, Guadarrama,
1961, p. 207, señala cómo el *Tirant* es distinto de las novelas
de caballerías. «Es... otra cosa: habría que inventar la palabra». M. de Riquer aporta metodológicamente una solución
aceptable a efectos expositivos. Distingue entre libros de
caballerías (similares al *Amadís*) y novelas caballerescas (al
estilo del *Tirant*), entre otras publicaciones en *Caballeros
andantes españoles*, Madrid, Espasa-Calpe, 1967, pp. 10-11.
Ahora bien, aparte de una tradición, de unos procedimientos narrativos, habrá que tener presente el cambio de mentalidad: la diferencia de siglo y medio entre la primera redacción del *Amadís* y la del *Tirant* se dejan notar. Esfuerzo
frente a cálculo, magia frente a ingenios mecánicos, etc., corresponden a cosmovisiones diferentes. Sin embargo, *Tirant*
no deja de ser un héroe y no un personaje de novela moderna. Otro problema distinto es que sus acciones anuncien
comportamientos menos heroico-tradicionales, y un poco
más humanos. Aceptamos plenamente las palabras de M. de

bajo la forma de un sueño u oráculo que advierte
contra el nacimiento, por lo común poniendo en peligro al padre o a su representante» [12].

La prevención contra el nacimiento estaba atesti-
guada en el *Amadís* por la ley de Escocia, en la que
se ponía en peligro a la madre y no al padre. No obstante, el rey Perión tiene un sueño premonitorio y
misterioso que parece, a primera vista, ponerle en
peligro. Pese a sus componentes folklóricos, el autor
ha sabido manejarlo con maestría.

Elisena y Darioleta habían tramado todas las circunstancias del nacimiento sin comunicarlo absolutamente a nadie. Por tanto, el narrador quiere contar
con otra perspectiva diferente: la del padre desconocedor de una serie de hechos. Para que este punto
de vista poseyera algún resorte verosímil era necesario que Perión tuviera algunos indicios de que algo
extraño y ajeno a él pudiera estar ocurriendo.

El autor se vale de un sueño premonitorio [13] anterior a los contactos íntimos entre la pareja. Antes
de que Elisena entrara en su cámara, en «aquella
sazón ya cansado y del sueño vencido adormecióse, y
soñaua que entrauan en aquella cámara por vna puerta falsa y no sabía quién a él yua, y le metía las
manos por los costados, y sacándole el coraçón le
echaua en un río. Y él dezía: ¿por qué fezistes tal

Riquer en su ed. cit., t. I, p. VIII: «*Tirant* no era aún la novela moderna, pero había en él muchos elementos, más aún,
elementos esenciales, de lo que había de ser la novela moderna».

12. O. Rank, ob. cit., p. 79.

13. Profecía y sueño son elementos equiparables dentro de
la estructura del relato. Según H. Braet, «Fonction et importance du songe dans la chanson de geste», *M A*, LXXVII
(1971), p. 406, «el rêve-programme [...] embrasse lui aussi une
grande période de la vie du héros. Dès l'Antiquité, les histo-
riographes ornaient leurs oeuvres de songes présidant l'ave-
nir d'une lignée, la carrière d'un futur souverain ou d'un
prince de l'Eglise». Las predicciones de Urganda cumplían
esta función. Ahora la desempeña desde otra perspectiva el
sueño.

crueza? No es nada esto, dezía él, que allá vos queda otro coraçón que vos yo tomaré, ahunque no será por mi voluntad» (I, I, 18-19, 35 y ss.)

La situación es inconcreta, desdibujada, sin ningún referente que nos pueda remitir a una realidad [14]. Hay un plural «entrauan», aunque después sea una única persona la que se dirige a él. Si lo relacionamos con el ambiente anterior al sueño, las circunstancias son similares. Han sido dos personas quienes se han dirigido a la cámara del rey, pero solamente una de ellas ha tomado parte activa. Entran en su cámara por una puerta falsa, de la misma manera que Darioleta y Elisena han logrado penetrar en la habitación por una puerta cubierta con unas cortinas. Las coincidencias son notables, si bien el autor se ha valido de un recurso para poder dar una información falsa. La persona activa indeterminada corresponde al género masculino, «él dezía». Tenemos, pues, unos detalles coincidentes con lo sucedido en la novela y un falso testimonio. Se provocan unos estímulos asociativos, y a la vez, disociadores. Se hace más atractiva y misteriosa la narración del sueño, sin que poseamos unas claves interpretativas.

14. Macrobio, cuya importancia en relación con los sueños fue decisiva en la Edad Media, distingue entre *Somnium, Visio, Oraculum, Insomnium, Visum*. El primero de ellos corresponde, según C. S. Lewis, a unas «truths veiled in an allegorical form... Every allegorical dream-poem in the Middle Ages records a feigned *somnium*». *The Discarded Image*, Cambridge, Cambridge University, 1964, pp. 63-64. Arnau de Vilanova enumera siete grados diferentes. El tercero «es cuando aparece el futuro no confusamente ni a través de la forma contraria a la cosa venidera, sino que es designado a través de una metáfora adecuada», *De la interpretación de los sueños*, cap. I. Selección y traducción J. F. Ivars, Barcelona, Labor, 1975. (Sentimos no poder citar otra edición.) El *somnium* se convierte, pues, en recreación literaria y artística, aparte de su carácter folklórico. Por otra parte, en la tradición bíblica, en las novelas artúricas, en la épica los sueños adquieren una importancia fundamental. F. de P. Canalejas, *Los poemas caballerescos y los libros de caballerías*, Madrid, 1878, señaló algunos aspectos que no aportan nada al tema.

Este sueño de Perión parece presagiar una fechoría [15] determinada en el hecho de que ficticiamente le arrebaten el corazón. En el contexto anterior se relacionan el corazón y el amor:

> Buena donzella ¿qué es lo que queréys?
> —Daros de vestir —dixo ella.
> —Esso al coraçón auía de ser —dixo él—, que de plazer y alegría muy despojado y desnudo está (I, 14, 245 y ss.).

Por la acción siguiente, el corazón puede recobrar la alegría, pero por lo deducido del sueño es un motivo de tristeza: satisfacción e insatisfacción están presentes en las significaciones ambivalentes de la palabra. También hay que tener en cuenta que el corazón, centro vital del amor, puede ser centro de la regeneración y por algo se asimila al sol [16].

Tras la marcha del rey, nosotros, lectores conocedores de su sueño, podemos tener unas referencias mayores de su significado. Al finalizar el capítulo podemos enterarnos cómo Elisena, a través de Darioleta, arroja a su hijo al río. Si equiparamos corazón a hijo, nos encontramos ante el mismo espacio onírico, el río, y, considerando la involuntariedad del agente, podemos sospechar que todos los datos presagiados coinciden con lo narrado, si bien desconocemos el desenlace de la segunda parte del sueño.

El autor ha manejado con gran habilidad unos resortes narrativos para que el lector siga con sumo

---

15. Utilizamos la palabra en el sentido de V. PROPP, *Morfología del cuento*, Madrid, Fundamentos, 1971, p. 42; *El agresor daña a uno de los miembros de la familia o le causa prejuicios*. Algunos elementos anteriores del relato también coinciden con las funciones de Propp. Existía una prohibición (ley de Escocia) que se ha transgredido, etc. No obstante, no queremos forzar los esquemas de la novela para su adaptación a un esquema apriorístico.

16. Véase F. RICO, *El pequeño mundo del hombre*, Madrid, Castalia, 1970, pp. 224-25. R. M. WALKER, *Tradition and Technique in «El libro del cavallero Zifar»*, London, Tamesis Books, 1974, pp. 166-171, estudia los diferentes sentidos que tiene la palabra en el *Cavallero Zifar*.

interés todos los aconteceres. El enigma parece que se va a resolver pronto, pues Perión quiere que tres clérigos le descifren el sueño. Los tres religiosos hablan uno a uno con el rey, con resultados dispares [17]. El primero lo hace de forma diferente a nuestra suposición, ya que relaciona la premonición con algún suceso del reino; el segundo, le dice unas palabras vagas, que se acercan a unos hechos no futuros, sino pasados, y realizados por «aquél que más te ama», con lo que la gradación y el interés se van intensificando, por las dos circunstancias coincidentes. El tercero, el más sabio, quiere hablar a solas con el rey. Después de sonreírse de las otras interpretaciones señala la verdadera: las «manos en los costados» es el ayuntamiento entre Perión y Elisena, y el corazón hijo o hija que tendrán de estas relaciones; el río, el lugar donde será arrojado el recién nacido. Queda la última parte del sueño que, según Urgán el Picardo, equivale a que tendrán otro hijo y lo perderán involuntariamente.

Las suposiciones quedan confirmadas. Sólo falta la realización de la segunda parte, y la comprobación de su veracidad por parte del rey. Previamente Urgán ha aclarado que los sueños son cosa vana y por tal hay que entenderlos. Se ha producido una progresión evidente, en la que han operado también unos componentes temporales muy curiosos. El sueño lo interpretan cuando Perión regresa a su reino. Por tanto, es posterior al embarazo de Elisena y anterior al nacimiento de su hijo. Todo lo cuenta Urgán el Picardo como hecho futuro, y con una sutil distinción genérica no dice si será hijo o hija el producto de su ayuntamiento. A pesar de la aclaración, el rey debe comprobar los hechos, y esperar a que se produzca la segunda parte del sueño.

17. A. MARTÍNEZ ARANCÓN en *La profecía*, Madrid, Editora Nacional, 1975, p. 37, señala cómo «la profecía es siempre equívoca, pero nunca errónea. La adivinación es inequívoca, pero puede ser un error».

Si la interpretación ha sido la correcta, según los datos anteriores, destacan dos centros de interés: saber cuándo Perión puede tener noticias de los hechos y cuándo se produce la segunda parte. La exégesis ha acrecentado todavía más la expectativa de los lectores y del propio personaje. Se ha suministrado una nueva información, el segundo hijo, que antes solamente vislumbrábamos.

Poco después una doncella, «más garnida de atauíos que fermosa», le dice al rey las siguientes palabras:

> —Sábete, rey Perión que quando tu pérdida cobrares, perderá el señorío de Yrlanda su flor (I, II, 28, 212 y ss.).

El hecho de pronunciarse estas palabras tras la explicación del sueño sirve de contrapunto. La «pérdida» de Perión, por los datos sugeridos, puede relacionarse con su hijo abandonado. De la segunda parte de la profecía, sin embargo, no tenemos ningún referente concreto, y solamente podemos buscar las connotaciones de la palabra en el mismo texto. Estas aparecen relacionadas con un tipo de persona cuyas cualidades sobresalen de los demás: «aquel que hallaste en la mar que será flor de los caualleros de su tiempo» (I, II, 30, 344 y ss.). Siguiendo este hilo interpretativo se puede imaginar la pérdida del mejor caballero de Irlanda. La frase constituye una antítesis: «cuando tu pérdida cobrares, perderá». Se juega con la recuperación y la pérdida [18]. Frente a la desesperanza producida por los datos del sueño, se alza la esperanza de la profecía.

Si en la ensoñación todo eran indicios negativos y constaba de dos partes, en la frase pronunciada también las hay, de distinto signo:

---

18. Las palabras de la magia son eminentemente «poéticas» por su ambigüedad y procedimientos. Nos parecen esclarecedores los comentarios de F. Rico, «Brujería y literatura», recogido en *Brujología*, Madrid, Seminarios y Ediciones, 1975, pp. 97-117. Véase también el planteamiento de E. Trías, *Metodología del pensamiento mágico*, Madrid, Edhasa, 1970.

a) Un proceso de mejoría, la recuperación de la pérdida.

b) Un peligro para el señorío de Irlanda.

Pero ¿qué referencias tenemos del señorío de Irlanda? En el momento de la frase ninguno. De nuevo, se produce una expectación, una tensión originada por unos significantes, indescifrables en su significado ni siquiera aproximado. La suspensión sigue en pie y más adelante Elisena pierde a su padre. Su reino es atacado, y llama al rey Perión para que pueda evitar el peligro. Lo hace y se casa públicamente con ella. A partir de entonces, su marido quiere obtener más información sobre el sueño; consulta a un ermitaño, con resultados negativos, aunque le dice unas nuevas palabras enigmáticas:

> pero quiero que sepáys lo que vna donzella al tiempo que a esta tierra venistes me dixo, que me parescía muy sabia, y no lo puedo entender: Que de la pequeña Bretaña saldrían dos dragones que ternían su señorío en Gaula, y sus coraçones en la Gran Bretaña, y de allí saldrían a comer las bestias de las otras tierras, y que contra vnas serían muy brauos y feroces, y contra otras mansos y omildosos, como si vñas ni coraçones no tuuiessen, y yo fue muy marauillado de lo oyr. Pero no porque sepa la razón dello (I, III, 36, 207 y ss.).

De nuevo nos encontramos ante una de las técnicas empleadas en toda esta parte de la novela con más insistencia. El rey recaba un tipo de información o simplemente se la proporcionan. Salvo en el caso de los clérigos, le indican unas frases sin referentes explicables en su sentido literal, y cuyos indicios, cada vez en mayor grado, brindan unas noticias nuevas. El misterio no se descubre, si bien al personaje y a nosotros, lectores, se nos proporcionan unas informaciones misteriosas. La expectación continúa en aumento y también en progresión dinámica.

Los dos corazones del sueño corresponden a sus dos hijos, y pueden ser similares a dos dragones.

Este síntoma es mucho más consistente si pensamos
que la reina Elisena procede de la Gran Bretaña, del
mismo lugar de donde salen los dragones, y que
Perión es rey de Gaula, donde tendrán su señorío,
aunque falta un dato complementario desconocido:
los corazones los tendrán en la Gran Bretaña.

Tras este intento fallido, el rey procede de una
forma mucho más simple preguntándole a su mujer
y la «reyna que esto oyó ouo tan gran vergüença que
quisiera su muerte, y nególe diziendo que nunca
pariera. Assí que el rey no pudo aquella vez saber
lo que quería» (I, III, 36, 235 y ss.). Se llega a una
situación límite, en la que todo se debe resolver,
pues Elisena ha negado la veracidad de los hechos.
Sin embargo, como la profecía tenía dos partes, este
clímax se alcanza cuando Perión y Elisena tienen dos
hijos, Galaor y Melicia, y al cabo de dos años y medio, un «jayán» arrebata al pequeño de la compañía
materna, contra su voluntad. Ante este hecho, el rey
se da cuenta de que el sueño profético cuyo significado exacto le habían declarado los clérigos, es cierto [19]. Por ello Brisena le contó «todo lo que del primer
hijo les contesciera, de cómo lo echara en la mar»
(I, III, 37, 303).

De esta forma tan plena de obstáculos se ha podido
enterar el rey de todos los sucesos, con unas técnicas
narrativas muy peculiares. Perión tiene un sueño
premonitorio que no entiende (1.ª fase). Su hijo es
arrojado al mar, con lo que se cumple una parte del
sueño sin que su padre se entere (2.ª fase). El sueño
premonitorio es aclarado por sus propios clérigos,
aunque no tiene ningún dato para comprobar su veracidad (3.ª fase). Una doncella le dice una frase
misteriosa que puede tener relación con la pérdida

---

19. Como dice A. Martínez Arancón, ob. cit., p. 23, «para
el hombre, la profecía sólo es inteligible cuando se realiza:
allí encuentra su significado, y es porque allí se comprende
lo que antes solamente se adoraba. Por eso, en la historia
de la humanidad, una profecía no tiene sentido sino en su
cumplimiento. Éste se liga inexorablemente a aquélla, y
recupera el orden del universo».

sufrida (4.ª frase). El propio rey quiere enterarse preguntándole a un ermitaño, con resultados negativos (5.ª fase). Interroga a su propia mujer y ésta no le dice nada, engañándole (6.ª fase). Se cumple ante sus ojos la segunda parte del sueño, al ser arrebatado su hijo Galaor contra la voluntad de su madre (7.ª fase), quien confiesa lo sucedido a su primer hijo (8.ª fase). Las últimas fases son correlativas, de la misma manera que la tercera y cuarta, que sirven de contrapunto. Las demás están diseminadas a lo largo de la narración y mezcladas con otros procesos, por lo que podemos apreciar una de las técnicas más utilizadas: la suspensión del sentido.

La novela se ha ido amplificando, llenando de obstáculos. Se ha jugado en un doble plano:

a) desde la perspectiva del personaje desconocedor de la casi totalidad de los hechos; y
b) desde la de los lectores, a los que se les suministra unas informaciones diferentes.

Se ha cerrado el ciclo del sueño premonitorio de Perión, pero quedan unos hechos sustanciales para que puedan ser aclarados:

a) la recuperación de la pérdida; y
b) los dos dragones que tienen su corazón en la Gran Bretaña. Nuevos ciclos se abren para que el lector esté interesado en saber y conocer los significados reales de unos significados casi crípticos.

Las profecías y los sueños premonitorios tienen una base mítico-folklórica innegable dentro del arquetipo de héroe tradicional. Los personajes están destinados a la realización de unas hazañas singulares asignadas, a su vez, a ellos [20]. El apriorismo

---

20. Para F. CURTO HERRERO, *Estructura de los libros españoles de caballerías en el siglo XVI*, Madrid, Fundación March, 1976, p. 38, «hay que considerar [...] los vaticinios generales como verdaderos «planes de actuación» impuestos desde el exterior al protagonista y a su grupo».

fija una conducta casi inmutable y paradigmática. No obstante, la creación artística de unos motivos tradicionales se ha llegado a realizar con suma perfección. Las premoniciones sirven de elemento estructurante para una materia dispersa. El sentido de la suspensión y la dosificación de informaciones alcanzan una maestría y habilidad en manos del autor, como casi nunca había sucedido en las letras españolas. Esta será una de sus principales aportaciones.

IV. LA INVESTIDURA

Los héroes han dado muestras de ser excepcionales por las circunstancias de su nacimiento o su infancia. Son personas predestinadas para cumplir las empresas que les están asignadas. Sólo les queda lanzarse al mundo en busca de sus aventuras, pero antes deberán someterse a una prueba que los convierta en caballeros.

LA INVESTIDURA COMO RITO INICIÁTICO

Los ritos de la investidura, de procedencia germánica, suponían en su origen un cambio de clase: pasar de la clase de los adolescentes a la de los adultos por la colocación de las armas. Se trataba de un rito iniciatorio de pasaje en el que lo importante era la edad [1]. Sin embargo, en el contexto medieval, estos actos ya no implican sólo una progresión temporal, sino una llamada dirigida al mejor para ser incorporado a la élite de los defensores [2], porque la sociedad

1. Véase G. Cohen, *Histoire de la chevalerie en France au moyen age*, París, Ed. Richard, 1949, pp. 11 y ss.; M. Bloch, *La sociedad feudal. Las clases y el gobierno de los hombres*, México, UTEHA, 1958, pp. 38 y ss.
2. Véase G. Cohen, ob. cit., p. 13; M. Bloch, ob. cit., p. 38. Como dice G. Duby, «Le origini della cavalleria», recogido en la ob. cit., p. 194, «intutto l'occidente, nel XIII secolo, la cavalleria costituisce un corpo delimitato molto bene e che si insieda propio al centro dell'edificio sociale: si è appro-

estamental tiende hacia el hermetismo y se cierra frente a las personas poseedoras de distintas obligaciones [3]. No admite en su seno más que a individuos formados física y espiritualmente, después de someterlos al rito de la ordenación. Este, poco a poco, se convierte en una ceremonia religiosa, cuando en un principio era exclusivamente militar [4]. Por ella, el caballero recibía los dones o gracias necesarios para el cumplimiento de sus funciones, mediante un rito iniciatorio [5].

La mayor parte de las pruebas iniciáticas conllevan, de manera más a menos transparente, una muerte ritual a la que sigue una resurrección o nuevo nacimiento. Su momento central está representado por la ceremonia que simboliza la muerte del neófito y su vuelta al mundo de los vivos. Pero el que vuelve a la vida es ya un hombre nuevo y asume un modo de ser distinto. Su muerte significa, al mismo tiempo, fin de la infancia, de la ignorancia, de la condición

---

priata della superiorità e dell'eccellenza che precedentement erano legate alla nozione di nobiltà ed in lei si incarnano i valori principali di una cultura».

3. Véase L. de STÉFANO, *La sociedad estamental de la baja Edad Media a la luz de la literatura de la época*, Caracas, Universidad Central de Venezuela, 1966, pp. 81 y ss. La reseña de J. A. MARAVALL recogida en *Estudios del Pensamiento Español*, ed. cit., pp. 453-472, matiza algunos aspectos. Para características más generales, véase L. G. de VALDEAVELLANO, *Curso de Historia de las Instituciones españolas*, Madrid, Rev. de Occidente, 1975, en especial pp. 418 y ss.

4. En este cambio los monjes de Cluny desempeñaron un papel importante. Véase L. de STÉFANO, ob. cit., p. 86; G. DUBY, «Le origini della cavalleria», art. cit., pp. 205 y ss., y en especial P. ROUSSET, «L'ideal chevaleresque dans deux vitae clunisiennes», *Mélanges E. R. Labande*, Poitiers, C.E.S.C.M., páginas 623-633. Caracteres muy generales en R. R. BOGAR, «Hero or Anti-hero: the Genesis and Development of the *Miles Cristianus*», recogido en N. T. BURNS y CH. REAGAN, *Concepts of the Hero in the Middle Ages and the Renaissance*, London, Hodder and Stoughton, 1976, pp. 120-146.

5. Según A. M. HOCART, ob. cit., p. 209, «la ceremonia del *adoubement* [...] conservaba a la perfección el modelo de iniciación o, más bien, el modelo ritual en general, puesto que las ceremonias de iniciación tienen la misma estructura que las demás».

profana [6]. Los jóvenes dejarán a un lado su existencia preparatoria y educacional para convertirse en adultos y emprender un camino de pruebas, todavía más difíciles que las anteriores. Normalmente, en estos ritos la primera fase de la ceremonia corresponde a la separación de las madres con una significación bastante clara. «Se trata de una ruptura, un tanto violenta algunas veces, con el mundo de la infancia —a la vez que el mundo maternal y femenino—, estado de irresponsabilidad y de felicidad infantil, de ignorancia y de asexualidad» [7]. En los nacimientos y el posterior abandono hemos analizado la separación de la madre, aunque había alguna figura femenina que cumplía posteriormente su misión, excepto en el caso significativo de Galaor. Amadís tendrá a su lado en un principio a la mujer de Gandales y posteriormente a su desconocida tía; Esplandián a la hermana del ermitaño y a su propia madre. La ruptura total con el mundo familiar se origina con la muerte de los padres, en el caso del Endriago.

Esta separación quizá corresponda a uno de los tres estados señalados por Van Gennep [8] en lo que denomina rito de pasaje que acompaña a todo cambio de lugar, de estado, de situación o de edad. Se produce una separación, la espera y la incorporación. Esta segunda etapa representa el residuo más numinoso de dichos ritos [9]. La espera puede corresponder a la educación previa de los héroes-niños, pero también a la vela de armas realizada en la Iglesia, como sucede en la investidura de Amadís y de su hijo.

Para Alfonso X «e desque este alimpiamiento le oueren fecho al cuerpo (se refiere al baño previo, cambio de vestimentas, etc.) hanle de fazer otro tanto al alma lleuándolo a la Eglesia, en que ha de recebir trabajo, velando e pidiendo merced a Dios, que le

6. M. ELIADE, *Iniciaciones místicas*, Madrid, Taurus, 1975, páginas 12-13.
7. M. ELIADE, *Iniciaciones místicas*, ob. cit., p. 27.
8. Véase J. CAZENEUVE, ob. cit., p. 109, nota 10. No hemos podido consultar el libro de Van Gennep.
9. *Ibídem*, p. 110.

perdone sus pecados, e que le guíe, porque faga lo mejor, en aquella Orden que quiere recebir»[10]. Dios —lo numinoso— servirá de guía al iniciado descubriéndole los secretos, y dándole su eficaz ayuda.

LA AMADA TARNSFORMADORA DE LA ENERGÍA DEL HÉROE

En las iniciaciones estaba excluido, por regla general, el contacto entre los sexos, mientras que en nuestra novela ocurre todo lo contrario. Oriana, Mabilia y algunas doncellas acompañan al Doncel del Mar en su vigilia. El hecho es más notable cuando no debía ser nada común ni se indica en las fuentes históricas[11]. Claro está que el *Amadís*, aunque tenga

10. *Partidas*, II, tít. XXI, 1. XIII. El baño, cambio de vestiduras, parecen claros residuos iniciáticos correlativos al abandono de un estado previo. En cuanto a la «pescozada», según G. COHEN, ob. cit., p. 145, «c'est aussi l'avis de mon collègue en Sorbonne, le sociologue Griaule, qui y voit le symbole d'une décapitation en vue du changement qu'entraine l'initiation».

11. N. R. PORRO, «La investidura de armas en el *Amadís de Gaula*», *C H Esp*, LVII-LVIII (1973), p. 344. En el artículo se estudia la investidura desde un punto de vista histórico. El antecedente de nuestra novela parece corresponder, en parte, al *Lancelot* de la vulgata, como demostró G. WILLIAMS, art. cit., pp. 70 y yss. Por su parte, N. Porro comprueba «que todas las ceremonias son idénticas y que no corresponden ni a la legislación ni a la costumbre castellana de los siglos XIV y XV, que nunca consideran el calzar espuelas y el beso como partes fundamentales ni dispensadoras de la orden». Estos hechos se pueden explicar mediante la literatura. Por poner un ejemplo, en *Perceval* se dice «La coustoume soloit tex estre/Que cil que faisoit chevalier/Li devoir l'esperon cauchier.../Et li preudon l'espee a prise./Si liçainst et si le beisa. (vv. 1626 y ss.). CHRÉTIEN DE TROYES, *Le roman de Perceval ou le conte du Graal*, ed. de W. Roach, Genève, Droz, 1956. Para J. E. CIRLOT, *Diccionario de símbolos*, Barcelona, Labor, 1969, p. 207, la espuela es «un símbolo de la fuerza activa». Por otra parte, el lado derecho debe tener alguna significación simbólica. A. N. PORRO, art. cit., pp. 335-36, la ceremonia le intrigó porque aparece la novedad de la espuela que se calza, que es la diestra. Piensa que tiene «un valor emblemático: una espuela era suficiente como símbolo de ingreso». Creemos que los *Castigos e documentos*, ed. cit., página 84, nos pueden arrojar alguna luz «En el su pie diestro

numerosos trazos de hechos iniciáticos y correlativos con la realidad histórica, es algo más que estos dos factores. Es una novela y como tal deberemos explicar su excepcionalidad. Amadís siente la llamada a la aventura nada más conocer a Oriana. Con su presencia comienzan las auténticas hazañas de nuestro protagonista, pues hasta entonces el pequeño sólo había sido punto de referencia de diversos episodios. Salvo el incidente que le sirve para presentarse ante Languines —la defensa de Gandalín—, nuestro héroe no actúa como iniciador ni protagonista de los distintos aconteceres. Todo cambia cuando la reina entrega a Oriana al Doncel del Mar para que le sirva:

> Ella dixo que le plazia. El donzel touo esta palabra en su coraçón de tal guisa que después nunca de la memoria la apartó (I, IV, 40, 56 y ss.).

Este amor no confesado es el núcleo generativo de sus hazañas. A partir de entonces quiere hacerse caballero, para que su señora le precie. Su destino está ligado a ella irremisiblemente. En este contexto, como dice Jean Markale, la mujer es el instrumento de la regeneración, de la recreación del segundo hombre, el hombre real que duerme bajo la engañosa apariencia del primero. «Ella es el crisol donde se funde la personalidad del hombre, un hombre al que ella escoge, y su elección es terrible, ineluctable. De

---

el rey tenie un çapato era llamado firmedumbre». Recordemos también que Esplandián tenía su nombre en el lado derecho. De acuerdo con estos textos el significado puede ser más transparente y está relacionado con la diligencia y la firmeza. Además, nos parece sospechoso que en el *Libro del Passo Honroso*, Madrid, Espasa-Calpe, 1970, p. 38, como recuerda la propia autora, se exponga lo siguiente: «si algún cavallero o gentil home de los que a fazer armas vinieren, despues de la una lança o de las dos rompidas por su voluntad non quisiere fazer mas armas, que pierda la arma, o la *espuela derecha*, como si non quisiesse fazer ninguna». En otros casos debía dejar el guante *derecho*. Creemos que se trata de un mismo simbolismo que relaciona lo derecho, con lo recto, lo positivo, etc.

ese modo se convierte en iniciadora, en transformadora de energía» [12].

No es extraño que en todos estos primeros instantes de transformación de Amadís, Oriana ayude a su amigo. No sólo está en la Iglesia haciéndole compañía, sino que a través de Mabilia intercede para que Perión pueda armar caballero a su desconocido hijo. De esta forma Amadís, con un rito iniciatorio, deja a un lado su mundo asexual anterior. Se convertirá plenamente en hombre cuya personalidad está marcada por el sino amoroso. La plegaria durante la noche de vela no puede ser más relevante:

> hizo su oración ante el altar, rogando a Dios que
> assí en las armas como en aquellos mortales
> desseos que por su señora tenía le diesse vitoria
> (I, IV, 45, 431 y ss.).

Las armas y el amor diseñaban su destino en la profecía de Urganda y van unidas en la guía solicitada a la divinidad. La iniciación transforma al joven en caballero, y al niño en hombre; en ambos sentidos solicita la ayuda y la victoria divina. Es igual que en los ritos iniciáticos exista una separación de sexos, o que en las investiduras históricas las mujeres estén ausentes. En el relato era necesaria la presencia de Oriana, como fuerza transformadora de la energía de Amadís. Tampoco debe sorprendernos esta unión de lo religioso y lo profano, cuando en «España, indeleblemente moldeada por su lapso medieval, la intimidad con lo divino es uno de sus más nítidos rasgos, igualmente notables en la literatura y en la lengua» [13].

12. *La epopeya celta en Irlanda*, Madrid, Júcar, 1975, páginas 156-57. El libro es sugerente, pero muy impreciso.
13. M. R. LIDA DE MALKIEL, «La hipérbole sagrada en la poesía castellana del siglo XV», *R F H*, VIII (1949), p. 122. El fenómeno, aunque posee unas connotaciones especiales, no es peculiar de España. Véase R. O. JONES, «Isabel la Católica y el amor cortés», *RLit*, XXI (1962), p. 64. Algunos comentarios de MONTALVO, especialmente en *Las Sergas*, tienen características similares.

Al Doncel del Mar, por otra parte, se le podía plantear un conflicto porque desconocía la identidad de su genealogía y era imprescindible según las *Partidas:* «E por ende fijosdalgo deuen ser escogidos, que vengan de derecho linaje, de padre, e de abuelo, fasta en el quarto grado, a que llama bisabuelos. E esto touieron por bien los Antiguos, porque de aquel tiempo adelante no se pueden acordar los omes. Pero quanto dende en adelante más de lueñe vienen de buen linaje, tanto más crescen en su honra, en su fidalguía» [14]. Le han explicado cómo su padre no es Languines, pero él se tiene por hidalgo «que mi coraçón a ello me esfuerça. Y ahora, señor, me conuiene más que ante cauallería, y ser tal que gane honrra y prez, como aquel que no sabe parte de donde viene, y como si todos los de mi linaje muertos fuessen, que por tales los cuento, pues me no conoscen, ni yo a ellos» (I, IV, 42, 230).

El problema se ha resuelto dejándolo a un lado por razones ideológicas y narrativas. El se había educado en la corte; el corazón, compendio de su valentía, inteligencia, y nos atreveríamos a decir de sus antepasados, se siente inclinado a esta ascendencia ignota que deberá descubrir. Si Amadís hubiera planteado el problema como algo previo a la investidura, la anagnórisis de sus padres hubiera sido diferente. Era mejor dejarlo en suspenso hasta que otras acciones lo descubrieran. Así se crean unas estructu-

14. *Partida*, II.ª, t. XXI, l. II. Para Salvador de Moxó, «De la nobleza vieja a la nobleza nueva. La transformación nobiliaria castellana ...», ar. cit., p. 6, «la concepción familiar es en España, como fuera de ella, esencialmente dinástica, requisito esencial para el mismo concepto de nobleza en su sentido propio, enalteciéndose la memoria de los antepasados por vía de varón al mismo tiempo que la representación originaria común, cuna de la familia, que vinculaba padres e hijos, así como a las ramas laterales con la principal y primogénita, que, a su vez, destaca acentuadamente sobre las demás líneas de la estirpe. Es, a su vez, en esa misma centuria —siglo XII— tal vez aquella en que cesa definitivamente el posible anterior predominio de la sangre femenina en la concepción hereditaria de la nobleza para dar paso a la preponderancia genealógica masculina».

ras narrativas casi irónicas. Mientras demuestra mayor tristeza por desconocer su linaje, llega Perión de Gaula en búsqueda de ayuda.

La casualidad facilita toda la investidura. Amadís deseaba ser armado caballero por su desconocido padre, y momentos antes del rito le habían mandado unos regalos: la cera que contenía su nombre, el anillo y la espada de su progenitor. Oriana se quedará con la cera y, por tanto, conocerá la identidad de Amadís antes que él. La espada será la misma sobre la que había jurado casamiento Perión a Elisena, y será la misma que le imponga ahora a su hijo. No parece casual que el mismo objeto esté presente momentos antes de la procreación del futuro héroe y en esta renovación de su ser. En ambos casos tiene su padre una participación directa. Para Alfonso X [15] la espada tenía las cuatro virtudes: cordura, fortaleza, mesura y justicia, mientras que para Ramón LLull [16], está labrada de modo semejante a la Cruz a fin de designar cómo el caballero debe vencer con la espada, destruir los enemigos de la Cruz, y mantener a la caballería y a la justicia. En cualquiera de los casos es el arma sin la cual no puede concebirse la caballería y en las distintas interpretaciones se manifiesta su poderío.

En la novela, el Doncel del Mar ha sido investido por un rey, su desconocido padre, como sucede con Galaad y Lanzarote [17], de modo que las cualidades

15.   *Partida*, II, t. XXI, l. IV.
16.   *Libro de la orden de Caballería*, en *Obras literarias*, ed. de M. Batllori y M. Caldentey, Madrid, B.A.C., 1948, página 129.
17.   Galaad, a través de una doncella, solicita ser armado caballero por su desconocido padre, en *La Queste del Saint Graal*, ed. de A. Pauphilet, Paris, H. Champion, 1972, pp. 2-3. También se encuentra el mismo motivo en *La Demanda...*, ed. cit., p. 164. Ahora bien, como tantos temas en la épica se pueden encontrar motivos paralelos. Según L. GAUTIER, *La Chevalerie*, París, Arthaud, 1959, p. 131, «entre *pater* et *patrinus*, il y a si peu de différence! Rien n'est donc plus fréquent que de voir, dans les Chansons de Geste, une père adouber son fils». Para B. Martínez Ruiz, «La investidura de armas en Castilla», *CHEsp*, I-II (1944), p. 207, «el padre solía

del iniciador son transferidas con la ceremonia al iniciado. También con la mediación de Oriana, que por vez primera se manifiesta como auxiliar del héroe, éste nace de nuevo, aunque le falta para culminar todo este ciclo algo esencial: buscar a sus padres y conocer su verdadero nombre. A su vez, Perión entrega la espada a su hijo renovando su existencia y dando pie a todo el cúmulo de aventuras posteriores.

Sin embargo, no es el padre quien ciñe la espada, sino el propio héroe, como personaje importante y distinto de los otros. Se ha señalado el paralelismo entre la investidura de Alfonso XI y Amadís [18], aunque no se ha destacado este mismo hecho: ambos se ciñen la espada, si bien los ceremoniales son diferentes [19].

LA INTERVENCIÓN DE LA MAGA EN LA INICIACIÓN

Galaor tenía el mismo problema que su hermano en cuanto a su ascendencia. Su desarrollo narrativo es diferente porque el ermitaño conoce su origen regio y la información elimina los posibles obstáculos, pues una vez enterado de su linaje, tiene la voluntad más decidida para cumplir sus deseos. El gigante, convertido en su auténtico maestro-guía, le puede enseñar durante un año «todas las cosas de armas que a cauallero conuenían» (I, V, 55, 475 y ss.). Está preparado para pasar el umbral de la iniciación, y cum-

---

ser el primer caballero en quien se fijaba el doncel para recibir las armas». La variante novelesca y heroica se produce al desconocerse los familiares.

18. J. Scudieri, «Per uno studio della tradizione...», páginas 48 y ss.

19. Véase *La Gran Crónica de Alfonso XI*, ed. de D. Catalán, Madrid, Gredos, 1977, t. I, pp. 507 ss. Compárese con el *Quijote*, ed. cit., I, III, p. 53, donde la espada es ceñida por la Tolosa y la espuela calzada por la Molinera. Recordemos que en el *Amadís* Mabilia y Oriana desempeñan un papel no en el mismo rito, pero sí con anterioridad. La metamorfosis de las damas no ha podido llegar más lejos.

plir con la tarea que le estaba asignada desde pequeño, causa de su rapto. Sólo falta una condición profetizada por una doncella misteriosa: la tarea se podría cumplir cuando las dos ramas de un árbol, entonces separadas, pudieren juntarse. El árbol puede ser el centro cósmico [20], pero más modestamente, en este caso puede tratarse del árbol genealógico, cuyas dos ramas, los hijos, están alejadas. Estas connotaciones menos vitales, sin su fuerza primigenia, pueden servirnos para aclarar la situación. Galaor y Amadís han salido de un mismo árbol, del que son ramas diferentes. Su reunión es necesaria para que Galaor pueda afrontar su gran prueba iniciática. El hermano de Amadís quiere ser armado caballero por Lisuarte y dirige sus pasos hacia las posesiones del rey. En el camino se encuentra ante un castillo en cuya entrada había un puente muy estrecho. Ve a un caballero que quiere atravesarlo, lo que realiza tras vencer a numerosos contrincantes. No tenemos noticias de su identidad, porque la acción está contada desde el testigo presencial de los hechos, Galaor, que ante la acción del desconocido cambia de parecer:

> —Este quiero que me faga cauallero, que si el rey Lisuarte es tan nombrado, será por su grandeza, mas este cauallero meresce serlo por su gran esfuerço (I, XI, 92, 238 y ss.).

Frente a la grandeza de Lisuarte, se opone el esfuerzo del caballero. Lo adquirido, el *status*, contrasta con la acción personal. El episodio resulta

---

20. Ya hemos señalado la importancia del árbol. Según G. DE CHÀMPEAUX y D. S. STERCKS, O. S. B., *Introduction au monde des Symboles*, Yonne, Zodiaque, 1972, p. 298, «el n'est pas de conception plus répandue que çelle du *cosmos vivant symbolisé por un arbre*. L'art le plus ancièn, les légendes et mythes des peuples les plus divers, l'attestent avec une suffisante profusion». Se trata en esta ocasión de un microcosmos familiar. El tema todavía pervive en algunas cancioncillas de tipo popular: «Bendita sea la rama/que al tronco sale.»

atractivo por la perspectiva utilizada. El caballero de los leones se nos da a conocer por su aventura, sin que tengamos ninguna noticia de su persona. Este punto de vista elegido se había utilizado ya para presentarnos a Perión y al Doncel del Mar. Son situaciones privilegiadas en las que se desconocen los nombres de los que actúan. Sus hechos les otorgan carta de presentación ante los ojos de los testigos, quienes pueden observar sin ser vistos [21].

Ahora bien, en este caso todavía juega un papel mucho más sutil, puesto que los lectores carecemos de datos concretos sobre la personalidad del héroe, completamente enigmática. La comparación y sobrevaloración del desconocido cumple su función al ser la persona destinada a investir al futuro héroe.

Galaor solicita y obtiene este «don» del caballero, para que le evite ir hasta Lisuarte. El caballero de los leones, Amadís, se encuentra ante un dilema. Ha concedido un «don» a Galaor, pero está bastante remiso en su cumplimiento. Lo realiza por consejo de Urganda, presente en la acción [22] y a su vez, la maga concede una espada a Galaor, invisible para todos hasta entonces.

La secuencia, contada desde el punto de vista de Galaor, tiene tres procesos de información diferen-

---

21. E. KOEHLER, «Observations historiques et sociologiques sur la poesie des troubadours», *CCM*, VII (1964), p. 43, relaciona la primera persona utilizada en la *cansó* con los valores de la cortesía y el mundo social de la que nace. «Les valeurs courtoises se manifestent dans la perspective d'un sujet, et ce celui-ci a éprouvé et senti reçoit du fait qu'il s'agit d'une confession le caractère de l'authenticité.» En nuestro caso el problema es parecido. Todavía estamos alejados de la narración autobiográfica, pero el sistema de valores está atestiguado en su autenticidad por el testigo que los presencia y desde el cual se narra el relato.

22. V. PROPP, en *Las raíces históricas del cuento*, Madrid, Fundamentos, 1974, p. 151, señala cómo la imagen de la maga está vinculada a los ritos de iniciación. J. MARKALE, *La epopeya celta en Irlanda*, pp. 92 y ss., relaciona también la educación guerrera recibida de mujeres, de las brujas, con este tipo de ritos iniciáticos. En este caso, sobre todo, la presencia de Urganda es necesaria para la entrega de un don mágico, la espada de Galaor.

tes, recibidos cuando los principales protagonistas están separados:

a) Una información dada al lector sobre la personalidad del caballero de los leones: una doncella de Galaor habla con otra de Urganda. El caballero es Amadís.
b) Información relacionada con Amadís. Urganda la Desconocida le indica que ha investido caballero a su hermano Galaor.
c) Información destinada a Galaor. Su hermano Amadís le ha armado caballero.

Los personajes, al final del proceso, pueden saber la personalidad desconocida de cada uno, pero no tienen posibilidad de volver sobre sus pasos e identificarse. Los hechos son similares a los analizados con anterioridad. Perión sabía la pérdida de su hijo, al que hace caballero sin reconocerlo. Amadís inviste como caballero a su hermano, también sin percatarse de su personalidad. Los personajes buscados han estado en presencia de los otros y no se han reconocido, lo que acrecienta todavía más el interés narrativo. Por otra parte, en esta ocasión, se enlazan varias de las palabras proféticas ya anunciadas. Las dos ramas del mismo árbol están unidas, por lo que Galaor puede emprender la tarea asignada.

LA DIVINIZACIÓN DE LA INVESTIDURA

Los preparativos de la investidura de Esplandián se narran con todo tipo de alardes y en condiciones especiales; tienen lugar dentro de un barco en forma de serpiente ofrecido por Urganda. Como ya dijimos, la investidura del caballero novel significa el paso de un estado a otro, una regeneración de la persona, una muerte que vivifica. Deja un aspecto de su vida, la infancia, para realizarse como caballero. La serpiente posee unas características similares. Aun teniendo en cuenta la polivalencia de los símbolos[23], suele representar la energía, la fuerza pura y sola[24]. Según Luis Bonilla[25] existía ya indudablemente en el sustrato mental de los pueblos semitas la tendencia a un remoto culto ofiolátrico. No tenía nada de maligno. Hacía relación al ritual regenerador consustancial a los orígenes de las mitologías africanas y de Oriente Medio donde suele identificarse, por su analogía fálica, al rito sexual y a la capacidad de rejuvenecimiento. La serpiente es el único animal que tiene la facultad de abandonar su piel vieja por una nueva, como si lograse el eterno anhelo humano de rejuvenecer; en lo sensible y terreno éste es el dilema, no el de la inmortalidad, puesto que con éste se puede envejecer sin término, de forma horrible, contrariamente al anhelo de juventud renovada, de constante energía vital.

La regeneración de la serpiente es la misma del rito iniciático[26], que también encierra algunas sor-

23. Según G. DURAND, *La imaginación simbólica*, Buenos Aires, Amorrortu editores, 1971, p. 124, «el símbolo no solamente posee un doble sentido: uno concreto propio, y el otro alusivo y figurado, sino que incluso la clasificación de los símbolos nos reveló los regímenes antagónicos bajo los cuales se ordenan las imágenes. Más aún: el símbolo no sólo es un doble, ya que se clasifica en dos grandes categorías, sino que incluso las hermenéuticas son dobles: unas reductivas, arqueológicas, otras instauradoras, amplificadoras y escatológicas».
24. J. E. CIRLOT, ob. cit., p. 419.
25. L. BONILLA, ob. cit., pp. 90-91.
26. V. PROPP, *Las raíces históricas...*, ob. cit., p. 330, comenta algunos relacionados con la serpiente. «Una de estas formas consiste en hacer pasar al iniciando por un aparato en forma de animal. Donde ya se construían edificios, este animal monstruoso se representaba mediante una cabaña o una casa de forma especial. Se imaginaba que el iniciando era digerido y luego vomitado como un hombre nuevo. Donde aún no existen edificios, se recurre a otros medios. Así, en Australia, la serpiente era representada por una cavidad sinuosa en el suelo, o por el cauce seco de un río, o se alzaba un techado, colocándole delante un pedazo de árbol desgajado, que representaba a las fauces.» El tema es equivalente al vientre de la ballena de J. CAMPBELL, ob. cit., pp. 88 y ss.

presas. Los caballeros noveles suelen llevar armas
blancas distintivas. En esta ocasión son negras[27],
«conformes a la manzilla y negrura del tu fuerte
y brauo coraçón que por el rey tu abuelo tienes»
(IV, CXXXIII, 1336, 952 y ss.). Todos son rasgos
diferenciales, por el color simbólico de las armas
nuevas con las que va a iniciar su caballería, y porque éstas son entregadas como dones mágicos por
Urganda. Falta la espada, que deberá conquistar en
su primera aventura, gran fracaso de Amadís. Además,
los acompañantes constituyen la élite de los caballeros de su tiempo. Su investidura es más social y
espectacular en todos los sentidos que las puramente
funcionales de otros momentos y de otras personas.
Incluso la capilla está adornada con piedras de gran
valor, las doncellas tañen sus instrumentos y a Urganda le acompañan también dos enanos.

Pero aún queda otro dato importante en una investidura de armas: la persona iniciadora de este
rito. Casi siempre había tenido en las secuencias
paralelas a éstas unas condiciones especiales. Amadís
había sido investido por su padre, Norandel por
Lisuarte, Florestán por su abuelo, Galaor por su
hermano. Como el personaje iniciador debía tener
alguna condición sobresaliente, lo esperado era que
su padre armase caballero a Esplandián. Por consejo
de Urganda lo hace Balán, gigante derrotado por
Amadís. Urganda se encarga de esclarecer este hecho
extraño:

---

27. Según Alonso de Cartagena, *Doctrinal de cavalleros*,
lib. I, t. 3.º, p. 18, «paños de colores señalados establecieron
los sabios antiguos que trajesen vestidos los cavalleros noveles, mientras que fuesen mancebos, assi como colorados o
faldes, o verdes, o morados cárdenos por que les diesse alegría. Mas prietos o los pardillos o otra color fea que les
ficiesse entristecer, no tubieron por bien que los vistiessen.
Esto fizieron por que vestiduras fuesen mas apuestas et ellos
andobiesen más alegres et los gestiesen los corazones para
ser más esforzado». Véase L. T. Villanueva, «Memoria sobre la orden de caballería de la Banda de Castilla», *B R A H*,
LXXII (1918), p. 446.

> —Amigo Balán, [...] la natura te quiso estremar de todos aquellos que de tu linaje fueron en te hazer tan diuerso de sus costumbres, allegándote a conoscer razón y virtud; la qual hasta ahora en ninguno de tus antecessores fallarse pudo; en que se puede dezir que este don o gracia de la diuinal essencia te vino (IV, CXXXIII, 1337, 1058 y ss.).

Para explicar las diferencias de este personaje, respecto a su linaje, se proporcionan tres aclaraciones distintas. En primer lugar, sus cualidades derivan de la virtud y hermosura de su madre; después se achacan a la educación de un sabio griego, y ahora, se explican como una gracia divina. Cada una de ellas se ha utilizado en tres tiempos diferentes, y pueden ser complementarias, o debidas a distintos narradores que las han querido completar. Balán tiene la gracia divina, rasgo definitorio frente a los demás. Por esta razón es el iniciador de este rito, de modo que los hechos de Esplandián «farán estable la gloria que tú alcanças en dar esta orden a aquel tan señalado y auentajado sobre tantos bienes será» *(Ibídem, 1338, 1078 y ss.).*

El hecho de investir a un caballero constituía un honor para el investido. Ahora, la honra es para Balán. Como en tantas cosas de Esplandián se ha vuelto todo al revés para hacerlo diferente. «Sin duda, ésta es, por parte de Montalvo, una inteligente manera de promover la lectura de la continuación del *Amadís*, cuya aparición anticipa durante toda la obra» [28].

EL ACERCAMIENTO A LA FAMILIA Y LA DEFENSA
DEL AMOR

Una vez renovados los héroes y en la búsqueda de su propia personalidad pasarán por múltiples pruebas en las que demostrarán su valentía, fieles a su destino. Dentro de todas ellas y antes del encuen-

28. N. PORRO, art. cit., p. 356.

tro con su familia deberán superar algunos obstáculos, significativos por su función y por ser las primeras aventuras. Amadís, armado caballero, socorre a un marido «que estaua mal llagado y estaua sobre él vna muger que le hazía dar las bozes, metiéndole las manos por las llagas; y quando el cauallero vio al Donzel del Mar, dixo: —¡Ay, señor cauallero, acorredme! Y no me dexéys assí matar a esta aleuosa» (I, IV, 46, 537 y ss.).

Las heridas provenían de la lucha entablada con el amante de su mujer, por lo que la ayuda de Amadís está relacionada con el restablecimiento de la lealtad amorosa y la palabra incumplida de la «dueña». Su marido le había prometido perdonarla si juraba no hacerle «tuerto ni deshonrra». La mujer ha cometido una serie de infracciones antitéticas a la personalidad del héroe. Ha quebrantado la fidelidad debida a su marido al irse con otro caballero. La lujuria ha presidido sus acciones. «Mas, si la justicia y lujuria son contrarias, y la Caballería es para mantener la justicia, luego el caballero lujurioso y Caballería son contrarios; y si lo son, el vicio de lujuria en la Caballería debería ser más esquivado de lo que es»[29].

La lealtad amorosa de Amadís se opone a la acción de la mujer casada y su primera acción caballeresca consiste en restablecer el orden alterado en este sentido. La «dueña» no ha sabido mantener la promesa brindada al marido, e incluso engaña a sus hermanos para que combatan con el Doncel del Mar. La verdad no ha resplandecido en su comportamiento, por lo que será condenada posteriormente por el rey Lan-

---

29. RAMÓN LLULL, ob. cit., p. 120. Los ideales de nuestra novela no concuerdan totalmente con los del autor citado, que representa un ideal heroico cristianizado con unos valores absolutos. Ahora bien, como ilustración de dos mentalidades que diseñan caballeros perfectos, sus textos son complementarios a los de nuestra obra. En el *Amadís* no se alaba el amor adulterino, pero tampoco se desaprueba. En esta ocasión a la lujuria se le superponen otras cualidades negativas y por ello el héroe defiende al marido.

guines a morir quemada. El castigo, pues, no lo realiza el propio Amadís. Queda en manos de la justicia regia, en la corte donde se encontraba su amada.

En resumen, la primera prueba del Doncel del Mar sirve para reforzar dos hechos relativos a su amor: su fidelidad amorosa y el mantenimiento de la palabra otorgada a Oriana. El episodio, significativo por ser el primero, puede adquirir un valor estructural si lo relacionamos con el desenlace posible de una de las versiones del libro. Como es sabido, Oriana se suicidaba tras conocer el infortunio de su marido. La primera aventura es la reafirmación de la fidelidad amorosa de Amadís, al combatir la lujuria y deslealtad. El final, en esta redacción, consistiría en un amor más allá de la muerte, con el suicidio voluntario de Oriana. La antítesis es perfecta y puede apoyar narrativamente este final hipotético.

Amadís, poco después, se encuentra con una doncella que le entrega una lanza y le dice unas palabras proféticas:

> Señor, tomad esta lança, y dígoos que ante de tercero día haréys con ella tales golpes, porque libraréys la casa onde primero salistes (I, V, 49, 13 y ss.).

El Doncel del Mar ignora la identidad de Urganda la Desconocida, aunque después le informe otra doncella. Se ha realizado un don mágico, sin que el receptor sepa la personalidad del donante. Según Propp [30], en este tipo de donaciones se cumplían tres distintas funciones: la función del donante, la reacción y la recepción. Quizá haya un debilitamiento en alguna de ellas, pero parecen claras las tres. Urganda saluda al héroe, éste le responde y acepta el objeto mágico y profético, la lanza, sin pasar previamente ninguna prueba. La tarea anterior a la donación, según el esquema de los cuentos maravillosos, es aquí posterior y representa una de las merce-

---

30. V. PROPP, *Morfología del cuento*, pp. 50 y ss.

des solicitadas por Urganda. Hay, por tanto, una
reciprocidad de ayudas, una de las cuales corresponde a la petición de Urganda de que Amadís arme
caballero a su hermano. La rigidez propuesta por el
formalista ruso y discutida por los críticos [31], no se
aviene en todos sus aspectos a nuestra novela, con
un material folklórico reelaborado artísticamente.
La gran maga otorgaba un objeto mágico, la espada,
para la primera aventura de su hermano en defensa
de las posesiones de su raptor y casi padre, Gandalaz.
Ahora concede a Amadís una lanza con la que ayudará a liberar a Perión. Los dos objetos tienen una
finalidad parecida, pero además se interrelacionan
porque una de las ayudas solicitadas por Urganda
es hacer caballero a Galaor. La trabazón artística
supera los residuos folklóricos de la obra. Además,
la acción de Amadís se inserta en un marco profético,
la predicción de Urganda. El héroe logra vencer a
unos contrincantes que le habían arrebatado a su
acompañante, una de las muchas doncellas existentes
en el relato, y pretendían que ella jurase «no hazer
amor a tu amigo en ningún tiempo si no os promete
que ajudará al rey Abies contra el rey Perión» (I, V,
51, 120 y ss.). En esta situación el héroe debe acometer esta aventura por diferentes motivos. El se dirigía
a ayudar a Perión en lucha contra Abies. Habían
capturado a la doncella, por ir «fuera de sí», pensando en Oriana. Los dos aspectos se entrecruzan.
Amadís combate contra las fuerzas antagónicas de su
personalidad caballeresca y también de sus deseos.
El juramento de no hacer el amor, trasladado a
Amadís, podía suponer no ver cumplidos sus «mortales deseos», para los que solicitaba ayuda divina.
Por otra parte, él también iba a combatir en contra
del rey Abies. Se ve comprometido, por ser indirecto
culpable de la agresión a la doncella, y además puede

---

31. Las críticas han sido abundantes y no vamos a dar
una larga lista bibliográfica. Una de las más lúcidas y «lógicas» puede hallarse en C. Bremond, *Le logique du récit*,
París, Seuil, 1973, donde resume distintas posturas.

estar en juego su amor. El autor ha sabido motivar verosímilmente este episodio al ir Amadís ensimismado, con sus pensamientos puestos en la amada, actitud característica del amor cortés [32].

El Doncel del Mar vence en la batalla, y logra rescatar a su padre, acosado por dos caballeros y diez peones. Su padre lo había renovado al investirlo y ahora el hijo logra darle nueva vida al padre al liberarlo de sus adversarios, cumpliéndose la promesa de Urganda. La separación de la familia se produce de nuevo, sin muestras de hostilidad por ninguno de los miembros, presagiando los hechos futuros, tanto la victoria sobre Abies, como el reencuentro con sus padres.

Además, la defensa de Amadís es complementaria de la acción anterior. La lujuria, de la que hablaba en términos absolutos Ramón Llull en el contexto de la novela habrá que reducirla a los contactos impuestos por la voluntad de alguien. Amadís, al defender a la doncella, está defendiendo la posibilidad de ver cumplidos sus deseos con Oriana, su iniciación sexual.

LA INICIACIÓN SEXUAL

En cuanto a Galaor, su rapto estaba en función de una tarea predestinada para él y profetizada por Urganda. La realiza en compañía de dos doncellas que querían presenciar la acción, pues logra vencer al gigante que había arrebatado las tierras de Gandalaz restituyéndolas a su auténtico dueño, con el beneplácito de los habitantes del lugar. Su aventura consigue varios objetivos:

a) Demuestra su valentía ante testigos presenciales. *b)* Cumple la tarea prometida a Gandalaz y profetizada por Urganda. En parte, recompensa la educación recibida. *c)* Logra poner fin a una transgresión. Dejando aparte la venganza, el auténtico due-

---

32. Véase J. RUIZ DE CONDE, ob. cit., pp. 181 y ss.

ño queda restituido en sus posesiones. *d)* También
los habitantes son beneficiarios de esta acción, pues
el gigante anterior los trataba como extraños y
ajenos [33].

Galaor, en definitiva, ha puesto fin a un desorden
social y ha actuado como si fuera el verdadero hijo
de Gandalaz, vengando la muerte anterior del padre
de éste.

Las doncellas presentes en la acción cumplen dos
distintas funciones. Una de ellas va a la corte de
Lisuarte, donde comunica lo visto y reaviva el deseo
de reconocimiento entre los dos hermanos. La otra
había presenciado la acción por mandato de su señora, sin que sepamos su identidad. Ante la pregunta
de Galaor, solamente queda el misterio por respuesta:

> —Si lo vos queréys saber —dixo ella— seguidme
> y mostrarvosla he de aquí a cinco días (I, XII, 101,
> 186 y ss.).

Las circunstancias misteriosas crean una situación
climática, de interés. Los lectores no tenemos ningún
indicio para poder siquiera imaginar cuáles son los
propósitos.

Su acompañante, de pronto, pide socorro. En un
camino con dos «carreras», Galaor había proseguido
adelante, sin advertir que la doncella no lo seguía.
Como en el caso de su hermano, se motiva el peligro
de uno de sus acompañantes femeninos, por un descuido del héroe. El agresor es un enano, con cinco
peones que castigan a la doncella. Galaor los vence
sin dificultades, aunque el enano, de forma engañosa,
convence a tres caballeros para luchar contra el
hermano de Amadís. A pesar de estas dificultades,
paralelas y antitéticas a las de la primera aventura
del Doncel del Mar, puede proseguir su camino hasta

---

33. Galaor ha puesto fin a un comportamiento tiránico.
A. Pelayo, ob. cit., t. I, p. 148, comenta cómo «est regnum
rectum, quantum ad modum adquirendi, et quantum ad
usum». En este caso el gigante había usurpado las tierras y
su actitud de poder, el «usum», era injusto también.

llegar a una situación enigmática como las anteriores. Para alcanzar su meta debe saltar una pared que le conduce a una huerta. En ella hay un postigo por donde puede penetrar en el alcázar. La acción de un caballero casi nunca se producía a escondidas y durante la noche. Los nuevos datos nos pueden dar la clave: saltar la pared, penetrar en un huerto durante la noche y por una puerta pequeña son claros elementos de un episodio erótico, no guerrero.

La situación amorosa se manifiesta cuando Galaor penetra en una cámara donde había «vna hermosa donzella que sus cabellos hermosos peynava, y como vio a Galaor puso en su cabeça vna hermosa guirnalda» (I, XII, 105, 436). «El uso dado a la guirlanda define más su simbolismo. Los antiguos las colgaban a las puertas de los templos cuando se celebraba una fiesta (símbolo de religación); y coronaban con ellas las cabezas de las víctimas. En este caso, como en el de las coronas usadas por los comensales de los banquetes egipcios, griegos y romanos, es el simbolismo de la flor (belleza efímera, dualismo vida-muerte) el que prevalece» [34]. En el contexto, la guirnalda puede ser el símbolo de la belleza ofrecida a Galaor como la flor más espléndida. Es la incitación, ya realizada en el peinado [35], y culminada con el adorno.

---

34. J. E. CIRLOT, ob. cit., p. 242. En el *Tirant*, ed. cit., t. I, p. 132, se dice lo siguiente: «A la postre venían todas llos, peinarse para alguno, venía a significar destinarle su los rufianes que yvan con ellas, y cada una levava, en la cabeça una guirnalda de flores o de alguna verdura porque fuessen conocidas.»

35. Como dice J. M. ALÍN, *El cancionero español de tipo tradicional*, Madrid, Taurus, 1968, p. 107, «peinarse los cabellos, peinarse para alguno, venía a significar destinarle su amor». Véase en especial las pp. 706 y ss. y 194 y ss. La significación del cabello está clara, incluso, en textos ortodoxos. Para ÁLVARO PELAYO, *Collyrium fidei adversus haereses*, edición latina y traducción portuguesa de M. Pinto de Meneses, Lisboa, 1954, vol. I, pp. 376-378: «Mulieres comam amputantes nisi causa religionis, sed non fictae, errant, quia subiectionis resoluunt, quia viro debet esse subiecta et *capillos in signum subiectionis reservare*.» El subrayado es nuestro.

Los elementos simbólico-eróticos se van aunando,
para dar paso a la culminación final:

> Galaor folgó con la donzella aquella noche a su
> plazer, y sin que más aquí vos sea recontado, por-
> que en los autos semejantes, que a buena con-
> ciencia ni a virtud no son conformes, con razón
> deue hombre por ellos ligeramente passar, tenién-
> dolos en aquel pequeño grado que merescen ser
> tenidos (I, XII, 105, 462 y ss.).

El narrador no quiere relatar el hecho con detalles, y se excusa. De rechazo, la acción de Galaor, que
en su contexto primitivo quizás tuviera un carácter
mucho más lúdico sin la apostilla moralizante, queda
envilecida. Tras acometer hechos que lo han consa-
grado como caballero, ahora realiza uno no «conforme ni con buena conciencia ni con virtud» según la
glosa, presumiblemente de Montalvo. La acción parece gratuita y el autor no ha explicado la presencia de
la doncella cuando el héroe iba a emprender la aventura de Gandalaz. Sin embargo, no puede prescindir
del episodio. El motivo, a nuestro juicio, parece claro.
La investidura de Galaor como caballero se culmina
con su iniciación sexual. Será también su recompensa
como héroe vencedor de una difícil prueba. Jean
Frappier señalaba cómo a diferencia de la dama
altanera de la poesía provenzal «la fée offre son
amour, soit en venant d'un pays lointain, inconnu,
pour rencontrer los héros élu par elle, soit en l'attirant jusqu'à elle par une ruse, un leurre comme la
chasse du blanc cerf ou du sanglier de la même cou-
leur. Alors que l'amour voué par l'amant courtois à
sa dame exige une longue patience, des ménagements
infinis, des alternances de désolation et d'espoir, une
étiquette, un culte, l'amour de la fée est comme une
grâce inattendue, une illumination soudaine, un don
total. Il faut avouer cependant que les fées des contes celtiques, et les fées en général, sont volontiers
capricieuses, volages, libertines (symboles des forces
de la nature, pourquoi seraint-elles asservies aux
lois arbitraires des hommes?). Elles auront une nom-

breuse descendance dans ces pucelles et demoisse-
llies des romans arthuriens, sourtout des romans en
prose, que dans les landes et les forêts semblent à
l'affût de chevaliers errants pour leur offrir sans
beaucoup de façon "le repos du guerrier"» [36]. Ésta
conducta, relacionada con ritos iniciáticos, puede
servir para aclarar el misterioso episodio de Galaor.
El personaje, desde este momento, está perfilado
en su faceta galante, necesaria para resolver satisfac-
toriamente algún momento de peligro.

Por otra parte, las aventuras de los dos hermanos
son paralelas y antitéticas. Amadís, en su primer
episodio, salva a un marido engañado por la lujuria
de su mujer, en un intento de vengar la muerte de
su amante. Posteriormente ayuda a su padre. Galaor,
por el contrario, en su primera aventura devuelve las
tierras a su raptor y casi padre; la segunda culmina
con un hecho amoroso. En él no interviene una
mujer casada ni hay ninguna venganza; los dos protagonistas se muestran de perfecto acuerdo.

AMADÍS	GALAOR
1. Castiga a una mujer que había engañado a su marido. Lucha contra unos caballeros que han recibido una información falsa.	1. Restituye a su amo las tierras enajenadas, y lo puede vengar.
2. Salva a su padre.	2. Culmina una acción amorosa, para cuya finalización ha tenido que luchar también contra unos agresores poseedores de una falsa información.

Las acciones no se han producido siguiendo el
mismo orden. Se han alterado, de la misma manera
que algunos valores. Amadís, el fiel enamorado, lucha contra la lujuria y contra la palabra no cumplida.
Su hermano no pone ningún reparo en obtener bene-

36. J. FRAPPIER, «Le concept de l'amour...», art. cit., p. 47.

ficios amorosos. El diseño artístico ha servido para crear unas situaciones paralelas, casi simétricas [37], a la vez que perfila las características de los personajes.

Si la iniciación equivale a una revelación de lo sagrado, de la muerte, de la sexualidad y de la lucha por la subsistencia, los dos hermanos han tenido ocasión de comprobarlo. La muerte y la sangre han estado presentes en sus primeras aventuras, sobre todo la de Galaor, quien ha tenido ocasión de iniciarse por vez primera en la sexualidad. A su hermano no le ha llegado todavía el plazo oportuno, pero Oriana y sus relaciones con ella, han presidido también sus acciones. Esplandián, por el contrario, seguirá un rumbo diferente que no analizaremos con detalle, porque se desarrolla en *Las Sergas.*

EL HÉROE ASEXUADO

Amadís en sus últimas acciones deja en manos de su hijo dos aventuras: la adquisición de una espada mágica (como la del rey Artur, la de Galaad) y dar muerte a Arcaláus que se había vengado raptando a Lisuarte. Los motivos iniciáticos en este caso están mucho más claros: el lugar, la cueva del tesoro con las serpientes, la embarcación... A pesar de ello, las diferencias con las primeras pruebas de su padre y su tío, son significativas. No existen estas in-

---

37. Según dice F. Lázaro Carreter, ob. cit., p. 91, «todo texto cuyas líneas constructivas ofrezcan un geometrismo visible será sospechoso de poseer un origen folklórico». En nuestra novela las aventuras corresponden a dos personajes diferentes y están contadas mediante la técnica del «entrelacement». Además, los paralelismos y simetrías aparte de ser procedimientos folklóricos, se utilizan constantemente en el arte medieval. El *Poema de Mío Cid,* el *Poema de Fernán González,* el *Cavallero Zifar,* el *Libro de Apolonio,* etc., basan sus estructuras en los paralelismos de unos motivos. En el *Amadís,* la dificultad de ver estas simetrías radica en la práctica de las historias alternadas. En cualquier caso, literatura y folklore, sin duda alguna, se hallan fuertemente enlazados en las obras de la Edad Media.

dicaciones de iniciación sexual por parte del protagonista, y la liberación de su abuelo supone cierta marginación de su padre.

Esta primera aproximación de los héroes separados, respecto a su familia, supone un alejamiento, indicio de la hipotética muerte del padre a manos del hijo. Los héroes habían sido abandonados y para adquirir su personalidad era conveniente un acercamiento a sus orígenes. Amadís y Galaor en sus ritos iniciáticos habían sido renovados por miembros de su propio clan familiar. Esplandián por un personaje ajeno a su linaje.

Las primeras acciones de los dos hermanos suponían también la reciprocidad y recompensa de unas ayudas relacionadas con personas ligadas a su ascendencia (Perión) o a su crianza (Gandalaz). El mismo tema se reitera en las pruebas de Esplandián al liberar a su abuelo, que lo había criado en la corte.

Ahora bien, la liberación del abuelo (Lisuarte) supone la postración del padre (Amadís). La aventura está destinada a un héroe; los inicios de sus empresas se narran a la vez que el ocaso de su progenitor. Todo se hace diferente en este relato, cuya continuación se anuncia. Incluso la renovación de Esplandián, a diferencia de la de sus mayores, no está ligada a la de ninguna mujer impulsora de sus aventuras (Oriana) o iniciadora de la sexualidad (Aldeba). No obstante, la presencia de lo mágico, en este caso asexuado, se hace patente con Urganda la Desconocida. A Galaor le otorgará una espada, un don extraordinario, y a Esplandián la Gran Serpiente y todas sus armaduras, excepto la espada encantada.

Para Amadís, el objeto implica también sus propias señas de identidad que deberá conocer. La investidura del caballero y sus primeras aventuras recrean unos sustratos mítico-folklóricos. Caballería y renovación están aunados en estos episodios. La iniciación a la vida activa, plena, sigue unos diseños artísticos cuyo grado de reelaboración manifiesta distintas actitudes narrativas y vitales. Lo sobrenatural extraordinario distingue a Esplandián. La espada está

asignada a él como héroe superior. En su caso extremo no es necesaria la existencia de una mujer que
imponga su presencia física. Esto sucederá mucho
después. Oriana sirve de acicate para las acciones de
Amadís. Galaor, sin una meta fija, va en busca de
lo desconocido misterioso, atisbado con la presencia
del enano. Lo enigmático, desarrollado incluso como
técnica narrativa, se convierte en su iniciación sexual [38].

38. La realización de una tarea para la obtención de una
princesa es algo muy normal en los relatos folklóricos. Más
extraño nos parece que la propia mujer deba superar, en
cierto modo, una prueba de saber para poderse casar con el
héroe, como sucede con Esplandián.

V. LOS RECONOCIMIENTOS

Los primeros episodios de la novela constituyen una intrincada selva de informaciones que conducen al reconocimiento del héroe. Perión había mandado descifrar su sueño premonitorio y Amadís se siente pesaroso de no poder conocer a los de su linaje. Se crear, así, un doble interés. El hijo debe recobrar su nombre y los padres desean recuperar a su descendiente. En el caso de Elisena se agudiza el conflicto por las contiguas congojas sufridas a causa del rapto de Galaor y las noticias falsas proporcionadas a su marido. Además, una doncella le decía a Perión unas frases misteriosas relativas a la pérdida recobrada y al señorío de Irlanda, del que no teníamos ningún dato. Esta ausencia de referente se contrarresta con un nuevo indicio. El rey de Gaula debe pelear contra Abies de Irlanda. La amenaza existente en la segunda parte de la profecía —perderá el reino de Irlanda su «flor»— adquiere un sentido positivo para Perión. Se supone que la «flor» de Irlanda corresponde a uno de sus principales enemigos.

Amadís, una vez investido, decide ayudar a su desconocido padre, como también lo hace Agrajes. Gaula se convierte de este modo en centro de interés de esta primera parte del relato, la anagnórisis en núcleo estructurante. En su desarrollo de nuevo interviene Oriana. Cuando Lisuarte desea llevarse a

su hija «Oriana que vio que este camino no se podía
escusar, adereçó de recojer sus joyas, y andándolas
recogiendo vio la cera que tomara al Donzel del
Mar y mebrósele dél y viniéronle las lágrimas a los
ojos y apretó las manos con cuyta de amor que la
forçaua, y quebrantó la cera, y vio la carta que dentro staua... (I, VIII, 66, 30 y ss.). El sentimiento se
ha transformado en ritmo con una rápida acumulación de verbos y oraciones copulativas. Se produce
una sensación de ansicdad, desasosiego. La enumeración parece definitiva con cada uno de los elementos
independizados semánticamente por el nexo de la
copulativa, normalmente conclusiva. Al sumarse nuevos miembros en la serie se carece de base para determinar la frase final. La impresión producida esti-
lísticamente, además, se motiva en uno de los tópicos
del amor cortés: el recuerdo. No se trata de un
reflejo, de una mera imitación de clichés. La nostalgia recreada por el autor funciona como definidora
del comportamiento de los personajes y coadyuva
para hacer avanzar el desarrollo de los acontecimientos [1].

1. El funcionamiento del recuerdo, en nuestra obra, podría relacionarse con algunas características del pensamiento mágico, o quizás, por hacerlo más extensivo en el funcionamiento simbólico. Véase 5. G. ERAZER, ob. cit., pp. 33 y ss., y
J. CAZENEUVE, ob. cit., pp. 254-55. Metáfora y metonimia, semejanza y contigüidad adquieren una importancia decisiva.
La rememoración nace en la mayoría de las ocasiones bien
por un objeto, acción, etc., que ha estado en contacto con la
persona recordada: v. gr., la cera, el escudo, las armas, el
paisaje. En otros casos la semejanza entre personajes provoca la asociación de imágenes. Amadís en Constantinopla
al ver a Leonorina, cuya edad era parecida a la de Oriana
cuando él la conoció, inmediatamente se acuerda de su amada, etc. Además una de las principales aportaciones de la
novela radica en la incorporación del material cortés refe-
rido al amor no como telón de fondo sobre el que se desarrollan las aventuras, sino como causa generadora de las acciones. Incluso motiva los gestos, olvido de ponerse el anillo
en el caso de Elisena, zozobra que produce el quebranta-
miento de la cera donde se contenía la carta con el nombre
de Amadís en el caso de Oriana, etc.

Después de enterarse de la personalidad de su amado, ordena a una doncella que se lo transmita. Oriana ha intervenido en la primera renovación incompleta de la investidura y también participa en la adquisición de su nombre. «Muchos enamorados nos han dicho en los libros que el amor les cegó. Para Amadís, la cosa es aún más grande: Amadís va ciego por el mundo hasta que encuentra a Oriana: ni sabe a dónde va, ni sabe de dónde viene. Pero al ver a Oriana elige inmediatamente su camino»[2].

No parece casual que inmediatamente el autor nos cuente una de las múltiples batallas de Amadís, contra un caballero que quería saber la identidad de su dama[3]. La situación es antitética para los dos amantes. Oriana, al saber el nombre de Amadís, reconoce su personalidad, mientras que éste debe mantener el secreto de sus relaciones. Dejando aparte las reglas corteses, Amadís no pronuncia el nombre de su amada, porque hacerlo sería compartir con el contrario su dicha y en parte su amiga. El nombre y su amiga los quiere para sí, excluyendo todo tipo de participaciones. En general, «el ser y la vida del hombre están estrechamente ligados a su nombre de tal modo que, mientras éste se mantenga y sea expresado, a su portador se le puede considerar presente y activo»[4].

No obstante, la anagnórisis, de tan vieja raigambre aristotélica, no se lleva a cabo por la carta. Se realiza a través de un proceso complejo en el que intervienen códigos amorosos. Amadís logra vencer al rey Abies de Irlanda, en combate individual, poniendo fin

2. J. RUIZ DE CONDE, ob. cit., p. 187.

3. El tema del caballero que desea permanecer desconocido, sin decir su nombre tiene evidentes conexiones con éste. Se ha sugerido la procedencia céltica del tema. Para J. PAYEN, *Le rire...*, ob. cit., p. 340, «Il y a peut-être dans la dissimulation du nom quelque trace de vielles croyances magiques: pour les esprits «primitifs» comme le nom représente la personne, celui qui révèle son nom se soumet et se livre d'une certaine manière à la domination d'autrui».

4. E. CASSIRER, *Mito y lenguaje*, Buenos Aires, Nueva Visión, 1973, p. 61.

a las batallas. Ha sido su mayor victoria, y la mayor prueba de todas las realizadas. La doncella de Dinamarca, enviada por Oriana, le entrega la misiva en donde figura su nombre y su ascendencia. Es hijo de reyes y lo ha sabido a través de su dama [5]. A partir de entonces sabe que su «derecho nombre era Amadís». Queda sólo saber quiénes son sus progenitores, identificarlos. El episodio se desencadena de la misma manera que las relaciones entre Perión y Elisena: por un anillo. Melicia, hermana del héroe, se encontraba en una situación apurada. Había perdido el anillo entregado por su padre para su custodia. Amadís le regala el suyo, semejante al anterior, pues era el que su madre le había puesto cuando lo arrojó al mar. La niña se lo devuelve a su padre y más tarde casualmente aparece el otro. Melicia cuenta a Perión cómo se lo había dado el Doncel del Mar. A partir de estos hechos «el rey ouo sospecha de la reyna, que la gran bondad del Donzel del Mar, junto con la su demasiada hermosura, no la ouiessen puesto en algún pensamiento indebido, tomando su espada entró en la cámara de la reyna...» (I, X, 84, 61).

En esta situación el estereotipo del mito heroico se ha trastocado. Perión duda de su mujer, mientras que en los mitos del nacimiento del héroe la actitud hostil hacia sus progenitores se manifiesta especialmente contraria al padre. «Es particularmente probable que los factores eróticos no sean ajenos a este proceso, y por regla general la raíz más profunda —generalmente inconsciente— del rechazo que experimenta un hijo por su padre, o un hermano respecto a otro, está en la puja por lograr la ternura y el afecto de la madre» [6].

En esta ocasión, la tradición literaria ha servido de soporte para la actitud del rey. Su comportamiento corresponde a un auténtico «gilos», aunque no

<hr />

5. Oriana se había quedado con la cera, pero «a él pluguiera más que tomara el anillo, que era uno de los hermosos del mundo» (I, IV, 42, 200). El hecho se explica por el posterior desarrollo de los acontecimientos.

6. O. Rank, ob. cit., p. 93.

se den todas las circunstancias características del motivo: lausengiers, etc. [7].

Ante las amenazas de su marido, Elisena se defiende diciéndole cómo había abandonado al niño, con su espada y anillo. Así tiene un indicio fehaciente de poder reconocer en el Doncel del Mar a su descendiente, comienzo de su total rehabilitación. Se ha producido un encadenamiento de episodios por los celos de Perión hacia su hijo. Lo paradójico de esta situación es que el rival —el Doncel del Mar— sea el vástago recuperado — Amadís. La anagnórisis se ha dramatizado utilizando dos objetos de clara simbología: la espada y el anillo. El anillo, símbolo de la unión, de la circularidad, ha servido para desunir a los amantes, pero a su vez los une de nuevo en una armonía más perfecta, al juntarse los dos objetos anteriormente separados. La espada es el arma ofensiva con la que Perión amenaza a su mujer, como una proyección de su virilidad, agraviada por la posible existencia de un antagonista. La espada reconocida por Perión como «aquel que con ella diera muchos golpes y buenos» (I, X, 84, 106), da pie para el reconocimiento del hijo, descendiente suyo. Los dos elementos tienen una significación sexual que no hará falta recordar por su evidencia, y lo que en un principio iba a representar una ruptura a través de la pérdida del anillo —pérdida también de la indisolubilidad

---

7. Algunos de estos personajes se encuentran también en la poesía árabe. Véase R. MENÉNDEZ PIDAL, *Poesía árabe y poesía europea*, Madrid, Espasa-Calpe, 1963, pp. 56 y ss.; A. R. NYKL, *Hispano-arabic poetry and its relations with the old provençal troubadours*, Baltimore, 1946 (Gènève, Slatkine Reprints, 1974), pp. 371 y ss. Para una excelente bibliografía de todos estos problemas, véase M. DE RIQUER, *Los trovadores*, Barcelona, Planeta, 1975, t. I. En nuestro caso, los temas y motivos proceden de Francia. A. MICHA, «Le mari jaloux dans la littérature romanesque des XIIe et XIIIe siècles», recogido en *De la chanson de geste au roman*, Gènève, Droz, 1976, p. 447, señala cómo «la littérature du Moyen Age qui s'est attachée si souvent à la peinture de l'amour, et du premier émoi amoureux surtout, n'a pas fait une large place à la jalousie...». En esta ocasión el tema se esboza a partir de la posibilidad del incesto.

del matrimonio— se convierte en vínculo de unión. Lo mismo sucede con la espada. En un primer momento tiene una significación fálico-agresiva para el hombre ofendido; después se convertirá en símbolo de la masculinidad, identificada y proyectada en el hijo.

La acción encierra una dificultad para casi todos los personajes. Amadís es el antagonista amoroso de su padre; éste ve menoscabado su honor; Elisena debe confesar su falta[8]. Los resultados, por el contrario, son favorables. Amadís al entregar el anillo a su desconocida hermana, está encontrando su propia personalidad. Él ha sido quien más se ha beneficiado de su generosa acción, invirtiéndose por completo el episodio.

Después, otra de las numerosas doncellas misteriosas aclara la profecía dicha a Perión, sobre la pérdida recobrada, con lo que finaliza todo el ciclo de profecías, palabras misteriosas y sueños de estos episodios. El anillo ha servido para iniciar los primeros contactos entre los padres y para reconocer al hijo. Símbolo de lo redondo ha presidido todos los aconteceres de esta narración cíclica. El Doncel del Mar ahora es Amadís:

> Y fue llamado Amadís, y en otras muchas partes
> Amadís de Gaula (I, X, 85, 178).

Según Cassirer la concepción mítica no enfoca la individualidad humana como algo fijo inmutable. Ve cada fase de la vida del hombre como una nueva personalidad, como un nuevo yo. Esta transformación se manifiesta sobre todo en el cambio de nombre[9].

---

8. El autor incurre en una clara contradicción. Elisena previamente había confesado la verdad. El error es explicable, porque en la primera ocasión la mujer no podía ocultar los hechos anteriores. Ahora sirve para dramatizar la situación.

9. E. Cassirer, ob. cit., p. 60. Para A. Durán, *Estructura y técnicas de la novela sentimental y caballeresca*, Madrid, Gredos, 1973, p. 104, «en la novela francesa, por ejemplo, el héroe sabe en todo momento quién es y quiénes son sus pa-

El antiguo doncel, iniciado como caballero, ha logrado adquirir su propia identidad con su nombre y se ha transformado en persona individualizada, Amadís, no genérica como antes[10]. Ahora sabe quiénes son sus antepasados, y ha reencontrado su ego. Sólo le resta recuperar a su hermano y ponerse en relación íntima con el tú, con Oriana. Una nueva vida comienza para él. El motivo folklórico ha tomado unos rumbos artísticos de la mano sagaz y maestra de un autor que ha sabido dramatizar la agnición a través de unos materiales literarios y unos códigos corteses[11].

LA ANAGNÓRISIS DEL ENGAÑO

El reconocimiento de los dos hermanos se produce de manera y en circunstancias diferentes a las anteriores. Como en el caso de sus padres, uno ha investido como caballero al otro sin conocer su personalidad, aunque gracias a las informaciones posteriores puedan tener noticias de sus lazos de

---

dres; en la novela española, Amadís, como el Caballero del Cisne o los hijos del Caballero Cifar, ignora durante algún tiempo su verdadera identidad». Sus comentarios nos parecen acertados en cuanto a la novela española, pero el tema del desconocimiento de la personalidad y adquisición de un nombre se encuentra, por ejemplo, en el *Perceval* y constituye uno de los resortes más importantes de la novela. Véase R. R. BEZZOLA, *Le sens de l'aventure et de l'amour (Chrétien de Troyes)*, París, Honoré Champion, 1968, y J. FRAPPIER, *Chrétien de Troyes et le mythe du graal*, París, S.E.D.E.S., 1972, pp. 120 y ss.

10. La contraposición viene determinada por su apelativo. El Doncel era del Mar, mientras que ahora se señala su procedencia originaria, Gaula. Encontrarse como individuo para Amadís es reconocerse en su linaje.

11. El reconocimiento por medio del anillo es un tema folklórico muy claro. S. THOMPSON, *El cuento folklórico*, página 102, comenta un cuento donde el reconocimiento se produce por un anillo partido. En su *Motif-Index* el H 94.0.1 corresponde a la *recognition of wife's ring in friend's possesion informs husband of her unfaithfulness* y remite al *Heptamerón*, núm. 8. El problema es parecido al de nuestra novela, aunque no se produce la infidelidad de la mujer. El motivo de la anagnórisis por el anillo es el H 94.

consanguineidad. Galaor sabía que su hermano se
encontraba en la corte de Lisuarte y Amadís conoce
allí la primera aventura de su familiar, por lo que
sale en su busca y encuentra nuevas aventuras en
su camino. La narración se bifurca y relata las hazañas de uno y otro hasta llegar a un punto crucial en
el que combaten ambos de forma sangrienta. Para
ello el autor ha sabido crear un clímax narrativo,
a través, sobre todo, de las aventuras de Galaor. En
su deambular ve a un caballero cerca de una fuente
«mas no tenía cauallo ni otra ninguna bestia, de
que fue marauillado» (I, XXI, 187, 16). Galaor le
ofrece el palafrén de su escudero. Como en otras
acciones desde el comienzo siempre se dan las notas
más destacadas que marcan el tono narrativo y el
leit-motiv de sus comportamientos. Ahora podemos
señalar dos: la maravilla, lo extraño de ver al caballero sin montura y la cortesía de Galaor al ofrecerle
el palafrén. Este asombro inicial se convierte en
algo extraordinario, mágico, por las virtudes asignadas por el caballero a la fuente: «no ay en el mundo
tan fuerte ponçoña que contra esta agua fuerça tenga; y muchas vezes acese beuer aquí algunas bestias
emponçoñadas y luego reuientan, assí que todas las
personas desta comarca vienen aquí a guarescer de
sus enfermedades» (I, XXI, 187, 35 y ss.).

Nos encontramos ante una de tantas fuentes mágicas con características sobrenaturales. El agua, con
su polivalencia religiosa, tiene en la historia «una
gran número de cultos y de ritos acumulados en
torno a las fuentes, los arroyos y los ríos. Cultos
que en primer lugar se deben al valor sagrado que
tiene el agua como elemento cosmogónico, pero también, a epifanías locales a la presencia sagrada en
una corriente de agua o en una fuente determinada» [12]. Para Galaor, el agua reviste el poder purificador de evitarle cualquier contagio ponzoñoso. Camina
hacia la fuente, momento que aprovecha el descono-

---

12. M. ELIADE, *Tratado de historia de las religiones*, t. I,
página 234. Véase S. THOMPSON, ob. cit., motivo H 1151.21.

cido para apoderarse de su caballo: —«Don cauallero, yo me voy, y quedad aquí vos hasta que a otro engañéys» (I, XXI, 188, 63). El prodigio se ha consumado. El engaño y la curación proporcionados por las aguas han surtido el efecto requerido: el caballero ha encontrado cabalgadura, a través del engaño, a través de la maravilla [13]. Las dos notas que marcaban la tonalidad de la narración han quedado invertidas: la maravilla no es tal sino engaño, y la generosidad del héroe se ha convertido en deslealtad del caballero.

Galaor lo sigue, hasta que ve a una doncella; ésta promete conducirlo a la presencia de su burlador si Galaor le otorga un «don». El sistema de dones se ha puesto en relación con el *potlatch*, que en el mundo céltico correspondía a prácticas reales. «Le don est obligatoire, mais il oblige le solliciteur, et tout ce monde féerique qui tourne autour d'Arthur, des chevaliers de la Table Ronde, d'ecuyeurs, de dames et même de démons se trouve entrainé dans une ronde extraordinaire de cadeaux, de services où chacun lutte de générosité et de malice souvent par les armes» [14]. Hay una reciprocidad de ayudas cuya base radica en la solicitud de diversas prestaciones. Galaor tiene una meta fija, mientras que la doncella no especifica cuál es el servicio solicitado. El tema se ha descompuesto en dos fases diferentes [15]: *a)* la solicitud de un don, en este caso como contraprestación de un servicio; *b)* el cumplimiento obligado de la promesa indeterminada.

La primera parte se cumple. La doncella se adelanta y regresa después, aunque el narrador en esta ocasión no utiliza la técnica anterior: «la donzella

13. Como dice PH. MÉNARD, *Le rire et le sourire...*, p. 392, «le merveilleux a également quelque chose de piquant lorsque les prodiges se dissipent».

14. H. HUBERT, *Les Celtes depuis l'époque de la Tène et la civilisation celtique*, París, Ed. Albin Michel, 1974, páginas 210-11.

15. Véase J. FRAPPIER, «Le motif du "don contraignant" dans la littérature du moyen âge», recogido en *Amour courtois et table ronde*, ob. cit., p. 226.

andaua con engaño, quel cauallero era su amigo y fuele dezir cómo lleuaua a Galaor, que le tomasse las otras armas que lleuaua» (I, XXI, 189, 128).

El punto de vista ha variado. Si antes los lectores nos enterábamos del engaño a la vez que los personajes, en esta ocasión se procede de forma contraria, quizás para evitar el mismo procedimiento. Pero el personaje, al fin y al cabo el agente narrativo, no tiene los mismos datos a su alcance. Siempre queda el atractivo de conocer de antemano unos detalles sin saber cómo puede reaccionar el héroe ante el nuevo peligro futuro. Este se acrecienta por el desconocimiento de la trama urdida. El caballero pretende herir a Galaor, que sale airoso de la pelea y hace caer a su adversario. Acude la doncella y le pide clemencia, valiéndose del don concedido. Sin embargo, «Galaor lo huía herido con la saña que tenía, de tal guisa, que no ouo menester maestro. Quando la donzella lo vio muerto dixo: —¡Ay, catiua, que mucho tardé, y cuydando engañar a otro engañé a mí! Desi dixo contra Galaor: —¡Ay, cauallero, de mala muerte seáys muerto!, que mataste la cosa que en el mundo más amaua; mas tú morirás por él, quel don que me prometiste te lo demandaré en parte donde no podrás de la muerte fuyr, ahunque más fuerças tengas. Y si no me lo das, por todas partes serás de mí pregonado y abiltado» (I, XXI, 189, 167).

El esquema seguido ha sido el clásico del burlador burlado. Ante esta nueva situación se explica por qué el narrador ha cambiado de técnica al contarnos de antemano la añagaza tramada. Lo esperado, de acuerdo con la secuencia anterior, era que Galaor hubiera caído en la trampa tendida.

Por otra parte, el «don» prometido se vuelve contra el héroe: «Le roi, le chevalier ou la dame qui se sont endettés d'un don doivent acquitter leur promesse, même si elle contredit leurs principes moraux ou leurs sentiments profonds. On voit qu'il ne s'agit pas seulement de l'idée générale et banale qu'une promesse faite doit être tenue. C'est une coutume assez étrange, une déconcertante contrainte psychologique, etd, dans certains cas, que une forme presque aberrante de la générosité. Tel est, dans sa rigueur authentique, le «don contraignant», qui on peut appeler aussi le «don arthurien», en raison de sa frequence dans le rècits qui appartiennent à matière de Bretagne» [16].

La doncella quiere ponerle en tal peligro que no pueda salir con vida, y así vengarse de su amigo. Por ello sigue los pasos de Galaor, denostándole, hasta que al llegar a una floresta el narrador cambia de agente narrativo para contarnos las hazañas de Amadís. El enigma inicial del engaño queda en pie; Galaor a su pesar debe concederle el «don». Se halla ante un peligro cuando se interrumpe la narración. El centro de interés queda aplazado, y la expectación por la lectura de su punto culminante.

El reconocimiento entre los hermanos se produce cuando Amadís, después de salir del castillo de Briolanja, se encuentra en la floresta de Angaduza con un caballero que quiere cortarle la cabeza a su nuevo escudero, el enano Ardián. El combate parece no tener fin y debe crearse una situación nueva para que los hechos se resuelvan. Se logra gracias a un caballero testigo de la pelea. Le pregunta a la doncella que acompañaba a Galaor quiénes son los dos adversarios.

> aquel que tiene el escudo más sano es el hombre del mundo que más desamaua a Arcaláus, mi tío, y de quien más dessea la muerte, y ha nombre Amadís; y este otro con quien se combate se llama Galaor, y matóme el hombre del mundo que yo más amaua, y teníame otorgado vn don, y yo andaua por gelo pedir donde la muerte le viniesse; y como conoscí al otro cauallero, que es el mejor del mundo, demandéle la cabeça de aquel enano: assí que este Galaor, que muy fuerte cauallero es, por me la dar, y el otro por la defender, son llegados a la muerte, de que yo gran gloria y plazer recibo (I, XXII, 201, 118).

16. *Ibídem*, p. 226.

La aventura ha comenzado de una manera abrupta,
con un único referente sobre la personalidad del
contrincante de Amadís. El narrador había suspendido la acción de Galaor en la floresta denominada
Angaduza a la que llega su hermano. Este mismo
tipo de indicio había servido anteriormente para
crear una falsa pista[17]. La información, de acuerdo
con las técnicas anteriores, no era determinante para
saber la personalidad del adversario ni sus motivos
para acometer la lucha. Esto lo podría haber descrito el autor, pero la narración hubiera perdido el tono
misterioso. No obstante, con la introducción de un
nuevo personaje desconocedor de todo, la doncella
puede explicar los hechos. Ella posee todas las claves
y ha sido inductora. El relato adquiere su completo
sentido. Sirve para aclarar una secuencia con un
comienzo abrupto, como no había sucedido en ninguna ocasión precedente, y sin que apenas mediara
ninguna palabra entre los combatientes; a su vez, se
puede poner punto final a la pelea. Para ello era
necesario que la sobrina de Arcaláus dejase libre
a Galaor del «don» prometido, lo que se consigue
de la manera más efectiva. El testigo la mata, y de
paso se venga de su tío Arcaláus[18]. Así, Galaor no
debe cumplir su promesa. El comportamiento inusi-

17. Previamente el autor había señalado cómo Galaor había liberado a una doncella «y contóle cómo siendo ella hija
de Lelois el flamenco, a quien entonces auía dado el rey
Lisuarte el *condado de Clara* (I, XV, 139, 522 y ss.). El enano
Ardián le había prometido a Amadís llevarle hasta el mejor
caballero que él conocía: «llamándolo le preguntó dónde
venía. El enano le respondió y dixo: —Uengo de casa del
conde de Clara» (I, XVII, 157, 363 y ss.). De la misma manera que en el sueño de Perión, el autor proporciona unas
informaciones que sirven para crear una expectación que
después no se cumple. Posteriormente cambia de técnica.
Este tipo de recursos son semejantes a los cambios del punto de vista adoptado en el relato y demuestran la utilización
consciente de unos procedimientos que siempre crean una
suspensión del sentido.
18. El esquema del burlador burlado, motivos K 1600 —
K 1699 de Thompson, se sigue hasta el final con variaciones
sangrientas. La doncella quería la cabeza del enano y ella
morirá decapitada.

tado se explica por la situación narrativa. El caballero había sido liberado de la prisión por Amadís. Interrumpe el combate y sirve para que se reconozcan los dos hermanos, motivo folklórico y abundante en todo tipo de literatura [19]. Ninguno de ellos se ha mostrado superior, si bien en la descripción de los personajes se hace alusión a sus escudos. El de Amadís es el menos golpeado, por lo que hay una ligerísima superioridad del hermano mayor, sin que se haya convertido en hecho definitivo.

La economía de medios utilizada es notable, frente a la complejidad de todas las secuencias. El punto de vista del narrador se ha ajustado en las diferentes ocasiones a la trama narrativa. El relato se ha contado a través de un autor omnisciente que ha limitado su campo al relatar las acciones desde los propios personajes, Galaor y Amadís. El narrador todopoderoso y conocedor de las distintas acciones ha intervenido sólo para advertir del engaño tramado. Estas perspectivas diversas han servido para crear un clímax narrativo, misterioso y enigmático. Los personajes actuantes, a su vez, tienen unas relaciones entre sí, indicio del engarce artístico de la novela. La doncella era sobrina de Arcaláus, aunque no se explique cómo estaba informada de la enemistad entre su tío y Amadís, desarrollada en un episodio anterior; los combatientes eran hermanos, si bien desconocían su identidad; la promesa otorgada por Galaor implicaba la necesidad de su cumplimiento, motivo del «don contraignant», el testigo del combate estaba en deuda con Amadís, que lo había librado de la prisión de Arcaláus. Su ayuda conllevaba una reciprocidad de servicios, y, a su vez, el castigo de

19. S. THOMPSON, motivo H 1235. El método es similar al desciframiento del sueño tenido por Perión o la propia anagnórisis de Amadís y constituye una de las técnicas empleadas por el autor con bastante habilidad. Se produce una acumulación de informaciones de cara al lector y una sucesión de aventuras vividas por los personajes. La situación se resuelve en el episodio más dramático que hace variar el sentido del relato. Además, la secuencia límite de todo el ciclo siempre tiene algo de misterioso y de inesperado.

una falta cometida por un contrincante suyo, Arcaláus. Se venga de él a través de su sobrina. El tema
de lo mágico, lo maravilloso había aparecido con
este personaje y se renovará en una de las aventuras
de Amadís. Sin embargo, a diferencia de Urganda
los encantamientos de esta familia suponen algún
engaño. La deslealtad preside sus acciones. Por el
contrario, la fidelidad entre los caballeros, su pertenencia a una misma clase teóricamente fraterna, ha
prevalecido sobre la falsedad de la trama engañosa.

El reconocimiento entre ambos se ha dramatizado
al máximo, como la anagnórisis de Amadís y sus padres. Las diferencias fundamentales, aparte del combate, radican en un hecho excepcional. Galaor, antes
que a sus padres, debe reconocer a su hermano, que
había tomado parte en su iniciación guerrera y caballeresca. Los progenitores pasan a un segundo lugar.
Para Galaor lo auténticamente importante es iden-
tificar al miembro de su familia más decisivo en sus
aventuras y al que se ligará durante este primer
libro. El reconocimiento de los padres, presentado
desde el punto de vista de Elisena, sólo se producirá
mucho más adelante, en el tercer libro (cap. LXV).

LA ANAGNÓRISIS Y EL SECRETO DEL NOMBRE

La pelea entre dos hermanos como medio de reconocimiento vuelve a reaparecer en la novela, en la
agnición de don Florestán por Galaor. Agrajes, Amadís y su hermano se disponían a ayudar a Briolanja,
como había prometido el segundo. Combaten en una
floresta contra un desconocido. Agrajes es derrotado,
Galaor también, aunque el narrador le excusa por el
cansancio del caballo. Finalmente, Amadís también es
derribado a tierra, mientras que su contrincante,
aunque cae, puede rehacerse. Una doncella, a cambio
de una promesa, otro nuevo «don contraignant», indica lo que sabe del caballero, sin poder decir su
nombre. Galaor desea saber su identidad. Los dos
hermanos desconocidos combaten y Galaor «allí

temió él más su muerte que en otra ninguna afruenta de quantas se viera, si no es en la batalla que con Amadís su hermano ouo, que de aquella nunca él pensó salir biuo, y después dél a este cauallero preciaua más que a ninguno otro de quantos había prouado» (I, XLI, 326, 434). El paralelismo lo establece el mismo autor a través del personaje [20]. Sólo al final del combate, vencido casi don Florestán, su amiga dice su nombre, oculto porque quería hacer los mismos méritos que sus hermanos antes de darse a conocer. La andadura narrativa ha variado. El reconocimiento no había sido buscado como en el caso anterior; es producto del azar.

«En el pensamiento mítico el yo del hombre, su mismidad y personalidad están indisolublemente unidos con el nombre. El nombre no es un mero símbolo, sino parte de la personalidad de su portador; es una propiedad que debe ser protegida con gran cuidado, y cuyo uso ha de ser reservado exclusiva y celosamente para su dueño» [21]. Florestán debe ganarse un nombre, una fama asociada íntimamente con su personalidad guerrera. Sólo cuando su nombre pueda parangonarse al de su familia, podrá darle difusión. En su caso no se trata de buscar unos orígenes con los que reafirmar una personalidad, sino de consolidar sus hechos para poder manifestar su identidad. El proceso seguido ha sido inverso y paralelo al de los casos anteriores. La adquisición del nombre para Amadís ha estado llena de obstáculos por las amenazas de su padre a su madre. El reconocimiento de los dos hermanos ha puesto en peligro sus vidas, por culpa de una sobrina de Arcaláus. El silencio sobre su nombbre para Florestán podía costarle la vida a manos de Galaor. En todos los casos

20. El paralelismo se puede llevar más lejos. En ambas ocasiones interviene una doncella que proporciona una información si el héroe le concede un don. Además, el encuentro entre hermanos se produce después de que Amadís prometiera restituir su reino a Briolanja en el plazo de un año y cuando se dispone a cumplir la promesa.
21. E. Cassirer, ob. cit., p. 58.

la incorporación de un miembro de la familia se dramatiza al máximo y supone para todos un auténtico riesgo físico. Su renacer a la fama, o al linaje, ha estado en relación con la muerte, de nuevo con sustratos de ritos iniciatorios. Y también, como en el caso de Galaor, el reconocimiento de los padres cobra una menor importancia. Florestán sólo es reconocido en el libro III, y en la anagnórisis se destaca su fama.

Las técnicas suponen una repetición de estructuras narrativas. El encadenamiento es manifiesto: Amadís es reconocido por sus padres, Galaor por Amadís, Florestán por Galaor. En los dos últimos episodios se destaca la lucha entre los hermanos, y la agnición por los padres queda relegada a un segundo plano. Lo importante ha sido la incorporación al clan de caballeros andantes, motivo definitorio de su existencia.

EL RECONOCIMIENTO DESDRAMATIZADO

La anagnórisis de Esplandián reviste unos tonos diferentes. En primer lugar, es reconocido por su madre, cuando Lisuarte le recoge como si fuera su propio hijo (III, LXXI). Su padre puede leer su nombre en el pecho del niño, al vencer a los romanos en la corte de Gran Bretaña (III, LXXIX). Se encuentran de nuevo, en el momento que Nasciano intenta hacer las paces entre Amadís y Lisuarte, y se indica cómo el niño desde el primer día que lo conoció tenía deseos de ir con él para ver sus hazañas y aprender (IV, CXIII). En la reunión de todas las huestes, tras la derrota de Arcaláus, se hace pública la descendencia del pequeño:

> Quando el donzel Esplandián, que el hombre bueno por la mano cabe si tenía, oyó cómo aquellos dos reyes eran sus abuelos y Amadís su padre, si dello le plugo no es de preguntar (IV, CXVIII, 1180, 259).

Las divergencias frente a los demás son sustanciales, aunque conserve algunas estructuras paralelas a las comentadas. La agnición del niño por los padres conlleva un cambio de signo en el discurrir de los aconteceres. La lucha entre el rey Lisuarte y Amadís podrá terminar felizmente gracias a esta circunstancia que consolida los amores entre los padres.

Sin embargo, han variado las motivaciones anteriores. No existen los celos del código cortés, o los combates entre los hermanos. Esplandián, para el refundidor y como había anunciado Urganda la Desconocida, es un elemento de paz. Él no provoca ningún incidente agresivo; al contrario, lo soluciona. Tampoco el reconocimiento se ha producido en una única acción. Se ha ido difiriendo con anagnórisis parciales, sin que se concentre en un único episodio. Por las circunstancias narrativas, la inserción parcial del niño en la familia se había producido con anterioridad. Había estado al cuidado de su madre y en compañía de su abuelo Lisuarte. Tampoco debe hacerse con un nombre, ya que estaba escrito en su pecho desde su nacimiento.

La separación de los padres se producirá en el momento de ser armado caballero. La aventura se invierte. Esplandián recibe la caballería tras su reconocimiento y una de sus tareas especiales dedicadas exclusivamente a él consistirá en reincorporar a un miembro de la familia, su abuelo Lisuarte. La narración ha variado en sus estructuras narrativas y en sus motivos recreados, en función de la gloria del héroe. La concentración dramática de episodios ha dado paso a una mayor dispersión favorecida por la ideología y una concepción mucho más retórica del relato, muy lejana de los primeros reconocimientos. Esplandián casi no necesita incorporarse a su familia para consolidar su personalidad, se basta por sí mismo.

VI. EL DESCENSO A LOS INFIERNOS

Uno de los ritos iniciatorios más frecuentes en múltiples civilizaciones consiste en el *regressus ad uterum*, en el que el iniciado renace en el seno de la Tierra Madre. En algunos casos, el héroe penetra en el vientre de la tierra y la empresa resulta especialmente peligrosa [1]. En este sentido, los mitos y las sagas del Oriente antiguo ofrecen, en algún grado, una estructura iniciática: «bajar en vida a los Infiernos, enfrentarse con los monstruos y demonios infernales, es sufrir una prueba iniciática» [2]. El tema se reitera en las novelas artúricas e incluso Gustavo Cohen manifestaba cómo todas las novelas de Chrétien de Troyes implicaban un descenso del héroe a los Infiernos [3].

En nuestra novela Amadís sufrirá una prueba semejante, rodeada de unas circunstancias excepcionales. Amadís, en busca de su hermano, se encuentra con el enano Ardián, al que le pregunta si ha visto a un caballero llamado Galaor. El enano lo desconoce, si bien le propone conducirlo a donde se halla el mejor caballero «que en esta tierra entró», con la contrapartida de que le otorgue un «don». Amadís acepta el trato de un enano, persona que suele en-

---

1. M. Eliade, *Iniciaciones místicas*, ob. cit., p. 103.
2. *Ibídem*, p. 104. Véase también S. Vierne, *Rite, roman, initiation*, Grenoble, Presses Universitaires de Grenoble, 1973, en esp., pp. 19 y ss.
3. G. Cohen, ob. cit., p. 80.

caminar a los caballeros a una aventura dolorosa, como sucede en *Le Chevalier de la Charrete*[4]. Símbolo ambivalente puede representar los poderes que quedan fuera del campo consciente[5]. El enano se equivoca, pues el mejor caballero no es Galaor, sino Angriote de Estrasvaux, por lo que su ayuda no es de excesivo valor. El misterio se manifiesta en su actuación, ya que no aclara cuál es la promesa solicitada hasta llegar a un castillo. Se quiere vengar de su señor, al que había matado Arcaláus el Encantador. No quiere decir el nombre del adversario, porque piensa que si lo hubiera dicho antes, nadie se hubiera atrevido a concederle el «don». Había llevado a otros caballeros y unos habían recibido la muerte o se encontraban en cruel prisión. La aventura se ensalza porque otras personas no la habían podido terminar y el espacio adquiere unas connotaciones dramáticas. Parece el enano mensajero o anunciador de las fuerzas indómitas o relacionadas con la muerte, ante las cuales se siente impotente. Tiene miedo y quiere dejar a un lado su petición, muestra de su inferioridad física y psíquica.

ENCANTAMIENTO, ENGAÑO Y DESLEALTAD

El castillo está deshabitado y se crea un espacio inhóspito, propicio para la aventura, para lo insólito. La falta de vida aparente y el hecho de ser un espacio interior, sin salida, se puede relacionar con la muerte. Incluso la única entrada que perciben y por la que se introduce el héroe es un lugar muy oscuro «con vnas gradas que so tierra yuan» (I, XVIII, 165, 267). Amadís se dispone a penetrar en este lugar oscuro y profundo, como un auténtico descenso al interior de la tierra:

4. R. Bezzola, ob. cit., p. 37.
5. J. E. Cirlot, ob. cit., p. 193.

y fue adelante que ninguna cosa veya, y tanto fue
por ellas ayuso que se falló en vn llano; y era tan
escuro que no sabía dónde fuesse, y fue assí
adelante, y topó en vna pared, y trayendo las manos por ella dio en vna barra de fierro en que
estaua vna llaue colgada y abrió vn canado de la
red, y oyó vna boz que dezía:
—Ay, Señor Dios, ¿hasta quándo será esta grand
cuyta? —¡Ay, muerte, ónde tardas do serías tanto
menester! (I, XVIII, 165, 299 y ss.).

Una vez abierta la puerta puede pasar el umbral;
oye voces provenientes del espacio en el que se halla,
las voces de la muerte, posiblemente, para renacer.
El héroe desciende por una especie de escalera debajo
del nivel del suelo, normalmente, símbolo de la
apertura a lo infernal. Es el lugar de los tormentos,
donde se desea la muerte que no llega. Además es un
ámbito oscuro, en el que falta la luminosidad, el orden, y por lo tanto propicio para el caos.

Amadís ha sido capaz de franquear el primer paso,
aunque éste no estuviera guardado. Ahora debe dar
otra vez más muestras de su capacidad y valentía;
deberá enfrentarse contra seis guardianes que le
cierran el acceso a la aventura, el paso de su salvación y de la salvación de los otros. Vencidos los
guardianes que le impedían atravesar el umbral de lo
misterioso [6], les hace abrir una cámara pequeña
en donde estaba una dueña, hija de reyes. Al salir
«vieron que gran pieça de la noche era passada y

6. Como dice J. CAMPBELL, ob. cit., p. 81, «la aventura es
siempre y en todas partes un pasar más allá del velo de lo
conocido a lo desconocido; las fuerzas que cuidan la frontera
son peligrosas; tratar con ellas es arriesgado, pero el peligro
desaparece para aquel que es capaz y valeroso». Por su función nos parecen equiparables multitud de pruebas que obs-
taculizan la terminación de una aventura. En cuanto a su
forma puede ser variable. Puede tratarse de una costumbre,
la «coutume» francesa, impuesta por los dueños de un castillo, los guardianes que impiden el paso o las serpientes que
custodian el tesoro, como en la espada destinada para
Esplandián, etc.

el lunar era muy claro; quando la dueña vio el cielo y el aire fue muy leda a marauilla, como quien no lo auía gran tiempo visto» (I, XVIII, 168, 532 y ss.). La oscuridad se ha transformado en luz, aunque sea todavía luz de la luna; el descenso se ha convertido en ascenso, en el cielo que puedan divisar y en otro de los elementos que lo configuran: el aire.

Las palabras de Bachelard sobre Nietzsche las podríamos aplicar a nuestro caso: «el aire es la sustancia misma de nuestra libertad, la sustancia de la alegría sobrehumana. El aire es una especie de materia superada, como la alegría nietzscheana es una alegría humana superada. La alegría *terrestre* es riqueza y gravedad —la alegría *acuática* es blandura y reposo— la alegría *ígnea* es amor y deseo —la alegría aérea es libertad» [7]. La alegría de la libertad se concreta en una primera instancia, en la alegría de una mujer, elemento significativo si tenemos en cuenta que también en esta prisión existían otros seres a los que Amadís, de momento, no ha atendido. Ha bajado a las profundidades, quizás al inconsciente. Lo único que ha sacado al exterior es la compañía de una dueña, hija de reyes, de la misma manera que a él lo arrojó una hija de reyes a los abismos de las aguas, y otra mujer de idénticas circunstancias, Oriana, le ha ayudado en su renovación como caballero (investidura) y como persona (anagnórisis) [8]. Ha logrado momentáneamente descender a los infiernos y subir con una dama, pero le quedan nuevas aventuras en el espacio donde se encuentra:

---

7. G. BACHELARD, *El aire y los sueños. Ensayo sobre la imaginación del movimiento*, México, F.C.E., 1958, p. 170.

8. Para M. L. von FRANZ, «El proceso de individuación», recogido en K. JUNG, *El hombre y sus símbolos*, Madrid, Aguilar, 1966, p. 186, durante la Edad Media «el culto caballeresco a la dama significó un intento para diferenciar el lado femenino de la naturaleza del hombre respecto a la mujer exterior, así como en relación con el mundo interior. La dama a cuyo servicio se consagraba el caballero, y por quien llevaba a cabo sus hechos heroicos, era, naturalmente, una personificación del ánima».

Estando assí oyó dar vnas bozes, y yendo allá
halló al enano que dél se partiera, colgado por la
pierna de vna viga, y de yuso dél vn fuego con
cosas de malos olores, y vio a otra parte a Gandalín, que ahún éste atándolo estauan, y queriéndolo
desatar dixo:
—Señor, acorred ante al enano, que muy cuytado es.
Amadís assí lo hizo; que sosteniéndole en su braço,
con la espada cortó la cuerda, y púsolo en el suelo
y fue a desatar a Gandalín, diziendo:
—Cierto, amigo, no te preciaua tanto como yo el
que te aquí puso (1, XVIII, 168-9, 550 y ss.).

El humor sirve de elemento distensivo, y a la vez
preparatorio para las siguientes acciones. De paso el
héroe señala su dominio de la situación, por la gran
distancia que lo separa de sus servidores, en inferioridad física, degradatoria para ellos. Ni siquiera
están aherrojados en la prisión, ni han sufrido un
daño físico notable, con el que se podían haber
hecho dignos. Su miedo, su falta de valentía y decisión sirven de contrapunto para que Amadís vaya
en busca del principal causante, casi desaparecido
como por ensalmo.

Durante la noche, la «dueña» libertada informa
de las cualidades de su futuro adversario. Ella ama-
ba a Arbán de Norgales del que era mortal enemigo
Arcaláus y no pudiendo vengarse de él, lo había hecho con su amada[9]. «Creyendo que éste era el mayor
pesar que le hazía; y como quiera que ante mucha
gente me tomasse, metióse conmigo en vn ayre tan

9. El encantador se había valido de su magia homeopáti-
ca o imitativa, según las definiciones de J. G. FRAZER, ob. cit.,
página 63. «Procede de la noción de que las cosas que alguna
vez estuvieron juntas quedan después, aun cuando se las
separe, en tal relación simpatética que todo lo que se haga
a una de ellas producirá parecidos efectos en la otra.» Pero
Arcaláus no opera como un mago cualquiera, sino también
dentro de unos códigos anticorteses. El daño realizado a una
enamorada es equivalente al realizado con su caballero. Este
tipo de procesos auguran la futura conducta de Arcaláus en
relación con Oriana.

escuro que ninguno me pudo ver; esto fue por sus encantamentos quél obra» (I, XVIII, 169, 593 y ss.)

Arbán de Norgales había sido compañero de Amadís en casa del rey Lisuarte, escenario de su triunfo ante Dardán y espacio amoroso de su dama. Por el contrario, ahora se encuentra en un lugar inhóspito, deshabitado, sin honra, en el que predomina la deslealtad y el desamor. Arcaláus, del que ya se dan unas referencias concretas de sus actividades, es doblemente peligroso: representa la personificación del odio, de la ruptura de una pareja de enamorados, y la encarnación de los encantamientos. Así pues, Amadís ha sacado de prisión física a una dueña que había padecido dos circunstancias crueles: los tormentos físicos y la separación de su ser querido. Contra todo ello debe luchar el héroe, y su triunfo será la victoria del caballero enamorado que pueda superar hasta la magia.

Una vez llegado el día, aparece Arcaláus que aparte de las virtudes descritas, «era vno de los grandes caualleros del mundo que gigante no fuesse» (I, XVIII, 170, 643 y ss.). Se disponen a combatir y caen en el primer encuentro los dos protagonistas, lo que sucede muy pocas veces. Arcaláus desfallece por los golpes recibidos, pero con sus encantamientos vence a Amadís, que cae amortecido en presencia de la amiga de Ardán.

La mujer de Arcaláus antítesis de su marido, intenta consolar a la dueña, y «estando assí, entraron por la puerta del palacio dos donzellas y trayan en las manos muchas candelas encendidas, y pusieron dellas a los cantos de la cámara donde Amadís yazía; las dueñas que allí eran no las pudieron fablar ni mudarse de donde estauan; y la vna de las donzellas sacó vn libro de vna arqueta que so el sobaco traya y començó a leer por él; y respondíale vna boz algunas vezes y leyendo desta guisa vna pieça, al cabo respondiéronle muchas bozes juntas dentro en la cámara, que más parescían de ciento; entonces vieron cómo salía por el suelo de la cámara rodando vn libro como que viento lo leuasse; y paró a los pies de la donzella; y ella lo tomó y partiólo en quattuor partes, y fue las quemar en los cantos de la cámara donde las candelas ardían; y tornóse donde Amadís estaua, y tomándolo por la diestra mano, le dixo:

—Señor, leuantadvos, que mucho yazéys cuytado» (I, XIX, 173-74, 28 y ss.).

La muerte de Amadís, según la conversación con Arcaláus, dependía de la voluntad divina; ahora, sin embargo, puede salir indemne de su encantamiento. Por vez primera se han empleado unos recursos ajenos a los guerreros para que el héroe estuviera al borde de la muerte. Se ha producido un auxilio mágico. El encantamiento se ha deshecho por otro acto semejante: la intervención de unas doncellas tan misteriosas como la misma acción. En los relatos tradicionales si el hechizo es obra de un poder maléfico, en este caso Arcaláus, aparece casi siempre alguien que actúa providencialmente con su poder de salvación y liberación. Unas doncellas —siempre nos encontramos con un elemento femenino—, le han devuelto su naturaleza. El fuego ha servido de elemento purificador [10], de la misma manera que el libro, «uno de los ocho emblemas corrientes chinos, símbolo del poder para alejar a los espíritus malignos» [11], en un ambiente onírico, encantado, que se describe con el mismo tono que cualquier otra acción del *Amadís*.

Lo realmente maravilloso, al menos para nosotros, es este poder casi mágico de la palabra, que transmite y mezcla los elementos más cotidianos con los elementos más fantásticos, quizás con una voluntad totalizadora a la hora de realizar la novela [12]. Todo

---

10. Véase G. BACHELARD, *Psicoanálisis del fuego*, Madrid, Alianza Editorial, 1966, pp. 170 y ss.

11. J. E. CIRLOT, ob. cit., p. 289.

12. Lo cierto es que para algunos los hechos eran creíbles. Como dice J. A. LEONARD, *Los libros del Conquistador*, México, F.C.E., 1953, pp. 34-35, «si los santos más venerables del siglo XVI padecieron una intensa, aunque temporal afición por las historias caballerescas, no podía esperarse otra cosa

puede ser anormal, pero todo es completamente normal en una novela como el *Amadís* [13]. Además, se han utilizado exactamente las mismas técnicas que en ocasiones anteriores. Si el vencimiento de Amadís se había logrado a través de un encantamiento de Arcaláus, su resurrección se realiza de la misma manera.

Hemos dicho que el libro era uno de los medios para apartar a los elementos malignos, pero el libro es la auténtica vida del héroe caballeresco. ¿Por qué, si no, don Quijote quería que se contasen sus hazañas en un libro? Simplemente para que le dieran vida, en una operación elemental, en la que la letra queda impresa, permanece y vence al tiempo [14]. Amadís se libera y no muere gracias al libro, pero es que si no hubiera sido por un libro, Amadís no hubiera existido.

EL HÉROE COMO SALVADOR

Dejando estos aspectos, el héroe, una vez repuesto, hace huir a todos los hombres de Arcaláus, ya que éste se había dirigido a la corte de Lisuarte para anunciar su muerte. Desciende de nuevo a las

---

de los clérigos menores, cuya inclinación seguramente fue más duradera. Melchor Cano, teólogo notable en su tiempo, informa que conoció a un sacerdote que no sólo estaba familiarizado con los hechos de Amadís y de otros héroes de la Caballería, sino que creía que tales ilusiones eran verdad puesto que se hallaban en letras de molde».

13. Este tipo de fenómenos es bastante habitual en las obras medievales, y, sobre todo, en las de procedencia artúrica. El encantador, y los encantamientos, para una mentalidad ortodoxa del siglo XIV tenían connotaciones específicas. Según A. PELAYO, *Collyrium fidei*, ob. cit., p. 170, «nam quidam eorum incantatores dicuntur, qui arte daemonum verbis peragunt et commendatores se faciunt bestiarum, sicut dicuntur in Hispania...»

14. Como dice M. I. GERHARDT, *Don Quijote. La vie et les livres*, Amsterdam, N. V. a Noord-Hollandsche Uitgevers Maatschappij, 1955, p. 22, «il désire l'immortalité, mais sous cette forme que confière la littérature: l'inmortalité d'un héros de roman».

prisiones para sacar no solamente al enano y a Gandalín, sino a todos los que con ellos estaban, «que
fueron ciento y quinze, y los treynta caualleros; y
todos yuan tras Amadís a salir a fuera de la cueua,
diziendo: —¡Ay, cauallero bien auenturado, que assí
salió nuestro Saluador Jesu Xpo de los infiernos
quando sacó sus seruidores; Él te dé las gracias de
la merced que nos hazes» (I, XIX, 175, 135). El descenso a los infiernos se ha convertido en auténtica
realidad [15], deducida del mismo texto no como frase
metafórica, sino como comparación utilizada en todo
este fragmento. Por primera y casi única vez, Amadís
tiene un paradigma comparativo ejemplar, Jesucristo,
supremo salvador dentro de una mentalidad cristiana. Quizás sea arbitraria la comparación, pero nos
parece relevante que Amadís haya estado semiamortecido, posteriormente resucitado casi taumatúrgica-
mente, para después realizar este descenso que supone la salvación de numerosas personas. Se muestra
con evidencia el aspecto Salvador casi sobrehumano,
que tiene como punto de referencia el descenso de

---

15. Según Álvaro Pelayo, *Collyrium fidei...*, ob. cit., página 364, «allii haeretici liberationem hominum apud inferos
factam Christi descensione non putant». El motivo es, en parte, parecido a la cueva de Montesinos cervantina. M. R. Lida
demostró la deuda de Cervantes respecto a Montalvo en
su excelente artículo, «Dos huellas del *Esplandián* en el
Quijote y en el *Persiles*», *R Phil*, IX (1955), 157-162. El episodio de Amadís no influye en Cervantes, pero sí creemos que
es un antecedente por su temática de la cueva a la que desciende Montalvo, convertido en personaje ficticio en *Las Sergas*. Para el episodio en el *Quijote*, véase J. B. Avalle-Arce,
Don Quijote como forma de vida, ob. cit., y sobre todo
H. Percas de Ponseti, *Cervantes y su concepto del arte*, Madrid, Gredos, 1975, t. II, pp. 407-583, donde estudia de forma
exhaustiva el tema, y resume la bibliografía. Para D. Eisemberg, «*Don Quijote* and the Romances of Chivalry: The Need
for a Reexamination», *HR*, 41 (1973), p. 520 «... The simila-
rities between the Cave of Montesinos adventure in *Don Quijote* and the Cave of Artidón adventure in the *Espejo de
príncipes* are so striking that they suggest that the *Espejo
de príncipes* is, if not the only, at least the primary source
for this important adventure.»

Cristo a los Infiernos [16]. Por ello nada más salir todos al corral «veyendo el sol y el cielo se fincaron de rodillas las manos altas, dando muchas gracias a Dios, que tal esfuerço diera aquel cauallero para los sacar de lugar tan cruel y tan esquiuo» (I, XIX, 175, 147). Amadís también ha servido de intermediario casi divino para realizar esta acción, por lo que dan gracias a él y también a su inspirador en la liberación colectiva más numerosa de toda la narración.

LA RISA: SUPERIORIDAD Y DISTENSIÓN NARRATIVA

Al final se produce la distensión, aunque no se ha logrado acabar la aventura, ya que Arcaláus ha podido marcharse:

> —Enano, ¿quieres que esperemos a Arcaláus y darte el don que me soltaste?
> —Señor —dixo él—, tan caro me cuesta éste que a vos ni a otro ninguno nunca don pediere en quanto biua; y vayamos de aquí antes que el diablo acá lo torne, que no me puedo sofrir sobre esta pierna de que stuue colgado, y las narizes llenas de la piedra çufre que debaxo me puso, que nunca he hecho sino esternudar, y ahun otra cosa peor (I, XIX, 177, 272).

16. La aventura de Lancelot ante la tumba tiene para G. COHEN, *Chrétien de Troyes et son oeuvre*, París, Boivin-Cie., 1931, p. 238, un significado equivalente. «Cette aventure de la tombe ouverte par un chevalier prédestiné jouira d'une singulière fortune et on la retrouvera dans la *Queste del Graal*. Il est possible qu'elle ait un caractère symbolique et qu'elle soit une transposition dans l'ordre chevaleresque de l'histoire même de Jesus ressuscitant Lazare au délivrant les âmes des Limbes». Véase también A. MICHA, «Le pays inconnu dans l'oeuvre de Chrétien de Troyes», recogido en *De la chanson de geste au roman*, ob. cit., p. 788. El tema está relacionado con los viajes al otro mundo, motivo común en multitud de culturas; véase H. PATCH, *El otro mundo en la literatura medieval*, México, F.C.E., 1956; J. MARX, *La legende arturienne et le Graal*, París, P.U.F., 1952 (Genève, Slatkine Reprints, 1974). Incluso se ha pretendido ver influencias orientales. Consúltese P. GALLAIS, *Perceval et l'initiation*, París, L'Agrafe d'Or, 1972. El título es engañoso.

Todo sirve de remate final para este episodio que por la tensión, por la forma de sucederse los acontecimientos imprevisibles y por su misma naturaleza, ha tomado un cariz realmente extraño, misterioso, con la magia como uno de sus elementos componentes. El enano tiene un miedo extraordinario, con lo que se muestra una desproporción entre el «don» solicitado y su comportamiento posterior. Hay un en último término, motivo por el cual se ha producido física, motivo que aprovecha Amadís para demostrar su superioridad [17].

También hay otro registro diferente relativo a la situación del enano. Se pueden hacer válidas las palabras de Bergson cuando señala que «generalmente un personaje cómico lo es en la medida exacta en que se desconoce a sí propio» [18]. El enano no ha sabido exactamente lo que se proponía, no se conocía en último término, motivo por el cual se ha producido el desajuste, la huida ante el peligro al que él mismo había conducido al caballero [19].

Además hay otro rasgo, en cierto modo paralelo al que acabamos de señalar. La situación cómica también depende de determinados incidentes que Bergson ha formulado de la siguiente manera: *Es cómico todo incidente que atrae nuestra atención sobre la parte física de una persona cuando nos ocupábamos de su aspecto moral* [20].

El aspecto moral, aunque conllevaba al físico, suponía el «don» que Ardián había solicitado a nuestro héroe. Al final todo recae sobre el aspecto físico. El enano se ha visto privado de su libertad de movi-

17. Según J. C. FOIX, *Qué es lo cómico*, Buenos Aires, Columba, 1966, p. 19, para Baudelaire «en la risa hay superioridad; ella se produce siempre a expensas de una humillación, sea por visión directa de la misma realidad de la humillación como por visión de su fantasma».

18. H. BERGSON, *La risa. Ensayo sobre la significación de lo cómico*, Buenos Aires, Losada, 1962, p. 21.

19. Como dice PH. MÉNARD, *Le rire...*, p. 158, «si les géants ont trop de brutalité et de sauvagerie pour faire rire, les nains font figure d'avortons dévisoires».

20. H. BERGSON, ob. cit., p. 44.

mientos, al ser atado de una cuerda para recibir su castigo. Su cuerpo se ha comportado mecánicamente, sin poder controlarse, lo que constituye otro de los motivos de la situación cómica. «Las actitudes, gestos movimientos del cuerpo humano son risibles en la exacta medida en que este cuerpo nos hace pensar en un simple mecanismo» [21], que ha hecho posible la incontención del enano, el estornudo, y aún otra cosa peor.

Estos aspectos nos parecen fundamentales, en cuanto que en parte están presagiando y anunciando actitudes de Sancho Panza por varios motivos cómicos: a) comicidad lograda por la cobardía; b) comicidad lograda por el castigo físico; c) comicidad relacionada con algo escatológico, que en el caso de Amadís se evita mencionar y relacionado con un tipo de necesidades involuntarias, producidas por el miedo, e incontroladas.

Aparte de todo ello, en las frases cómicas de Ardián hay algo que se filtra a través de sus palabras. Quiere marcharse antes de que el diablo pueda hacer volver a Arcaláus. Con estas palabras llenas de temor se pone en evidencia algo que desde un principio hemos podido detectar: Arcaláus es equiparado al diablo, o mejor dicho, el diablo actúa como instigador de Arcaláus, aunque no se dé ningún pacto diabólico.

LOS PODERES DEL HÉROE FRENTE A LA MAGIA

La secuencia es acaso una de las más interesantes de toda la novela y en ella confluyen felizmente varios motivos. Amadís emprende una tarea al otorgar un «don» a un enano, del que no sabemos absolutamente nada, a cambio de una información. Ésta con unos indicios no falsos pero sí ambiguos, ha podido crear una expectación que no se ha visto confirmada. El centro de interés narrativo radicaba en la búsque-

---

21. *Ibídem*, p. 30.

da de Galaor, y el caballero presentado por el enano ha sido Angriote. Se prolonga la narración, porque no se ha encontrado al personaje que se esperaba hallar, y además porque ahora Amadís debe cumplir su promesa al enano.

En una acción posterior, en la que Amadís presta ayuda a las doncellas que le habían salvado, nos podemos enterar que habían sido enviadas por Urganda. La ortodoxia queda restablecida. Si la vida de Amadís estaba en manos de Dios, como decía el héroe en su lucha contra Arcaláus, las doncellas enviadas por la maga cumplen también los designios divinos. La magia queda cristianizada sin que el autor intervenga de forma directa para aclararlo. Se han enfrentado los dos poderes diferentes que configurarán las andanzas de Amadís: el agresor fundamental, Arcaláus, y su principal auxiliar: Urganda la Desconocida.

Estos descensos a los infiernos, en carne y hueso, constituyen un elemento peculiar de las iniciaciones heroicas, cuyo objetivo es la conquista de la inmortalidad. Para Mircea Eliade, el sentido de estas empresas está claro: «aquel que consigue realizar tal hazaña no teme ya a la muerte, ha conquistado en cierto modo una especie de inmortalidad del cuerpo» [22]. La victoria de Amadís sobre Arcaláus es la reafirmación de su vida caballeresca, y su triunfo sobre la representación de la maldad y de la muerte.

No creemos que la asunción de parte de la personalidad de Amadís por Arcaláus esté indicada en el intercambio de armas tras la batalla entre ambos [23].

---

22. M. ELIADE, *Iniciaciones místicas*, p. 107.

23. Según Y. RUSSINOVICH, art. cit., p. 145, «la conexión de Amadís con Arcaláus está claramente indicada en el intercambio de armas que ocurre en la primera batalla entre ambos. El significado es claro: la voluntad de poder del héroe, que tanto puede verterse hacia el bien como hacia el mal. En Arcaláus asume proporción universal, manifestándose bivalente, mientras que en Amadís logra encauzarse hacia el bien». Para que este hecho tuviera algún reflejo en la novela, Arcaláus no hubiera cometido el engaño al irse a la corte.

Su sentido nos parece distinto. El hecho de vencer a una persona es vencer también a lo que representa y adquirir la fama correspondiente a sus acciones anteriores. Arcaláus quería saber el nombre de su adversario, porque quería tenerlo en su poder. Frente a otros enemigos, Amadís lo declara y sobre él actuará la fuerza del mago. Se ha apoderado de su nombre, de su fama, de sus actos, y sólo le falta darles una apariencia externa ante los demás. Por ello se pone sus armas y con ellas va hasta la corte de Lisuarte. En cierto modo las armas del guerrero son representativas de su propia personalidad. Tanto vale el guerrero como sus armas en un aspecto puramente mítico. El hombre en cuanto «empleó una herramienta, comenzó a mirarla, no como un mero artefacto, del cual se sabía y reconocía creador, sino como algo independiente, un Ser provisto de poderes propios» [24]. Algo semejante sucede con el guerrero. El caballero está en función de sus armas que forman parte inseparable de su indumentaria, y son instrumento sin el cual no puede ejercer su función. Para la mentalidad mágica o mejor la simbólica, el caballero siempre está en contacto con sus armas, de modo que en una extensión analógica, o por contigüidad, éstas pueden servir para representarlo. Apoderarse de las armas de Amadís no significa intercambiar una personalidad, sino manifestar ante la corte sus poderes. Ha sido el único caballero capaz de vencer al héroe, aunque fuera mediante la magia.

Por ello, la iniciación heroica de Amadís ha sido imperfecta. Al terminar su descenso a los infiernos ha dejado una parte de su personalidad en la lucha contra el adversario. No le queda más remedio que

---

24. E. CASSIRER, ob. cit., p. 67. Según C. BOUSOÑO, *El irracionalismo poético (El símbolo)*, Madrid, Gredos, 1977, p. 251, «la mente, cuando aún no ha adquirido la madurez racional, tiende a vivir desde la emoción, o sea, con frecuencia desde el preconsciente, que confunde la cosa con lo que tiene que ver con ella, por escaso que sea este vínculo de aproximación».

llevar las armas de Arcaláus, armamento que no le corresponde. Cuando logre recuperar sus objetos terminará su camino hacia la inmortalidad.

La tarea ha sido incompleta, por la pérdida de las armas. Ha conocido sus límites ante la magia, que lo ha vencido y dejado semiamortecido, pero también ha aprendido que cuenta con una persona auxiliar que le ayudará en tales trances. La magia no lo ha podido derrotar, al tener los auxilios correspondientes. El auténtico contacto con la muerte o su representación ha acrecentado, reafirmándose en a punto de morir y ha resucitado, reafirmándose en su vida, a través de unos libros mágicos leídos por las doncellas.

VII. EL CABALLERO ANDANTE Y LA CORTE

El caballero andante, una vez investido y puesto en relación con su familia, pretende dos objetivos aparentemente antagónicos: su reinserción en una corte hacia la que se orientan casi todas sus aventuras, y el desarrollo de éstas en lugares diferentes.

En líneas generales, la estructura social de la España cristiana de la Edad Media estuvo caracterizada por la supremacía de unas clases dominantes y privilegiadas, que fundamentaban su situación de dominio y privilegio en el linaje, en la dedicación al ejercicio de las armas como actividad y género de vida superior o «noble», en la participación en el gobierno del Estado y en la posesión de patrimonios territoriales [1].

Tras la anagnórisis, los caballeros del *Amadís* están en condiciones de mostrar su nobleza, ejercitando este género de vida superior, con la continua sucesión de empresas bélicas. No sólo era necesario ser noble, sino también ganar el honor correspondiente a su *status*. Sin embabrgo, el caballero andante, no aspira a participar en el gobierno del Estado ni a obtener, en un principio, unos bienes territoriales Su condición de tal, en una sublimación de la caballería histórica, no le conduce a esa aspiración de

1   Véase L. G. VALDEAVELLANO, ob. cit., p. 314.

consolidar un poder material [2]. Esto último no constituirá la meta del caballero; será la consecuencia
de las actividades dirigidas a la ostentación de su
supremacía [3]. Él trata de mostrar su condición de
elegido, para al final poder participar o ser principal
generadora de múltiples episodios. Los protagonistas,
   Su superioridad reside en la corte, donde figura
la élite de la sociedad, y donde ,en definitiva, se to-
marán las decisiones que atañen al mantenimiento
de la justicia, supremo fin de sus hazañas. Su vida,
en consecuencia, está indefectiblemente puesta en
relación con este espacio. Se crea así una dialéctica
generadora de múltiples episodios. Los protagonistas,
como seres individuales por sus obras, tienen la im-
periosa necesidad de manifestar su sino heroico y
distintivo frente a los otros miembros de la comunidad. La ascendencia sólo puede ser considerada
como reafirmación de sus empresas heroicas. A su
vez, éstas cobran una importancia decisiva como consolidación del linaje. Lo heredado y lo adquirido se
condicionan mutuamente y se autoexplican, pues
el caballero llegará a la cúspide de su estamento
a través de las aventuras. Los hechos realizados

---

2. Como señaló PEDRO COROMINAS, *El sentimiento de realidad en los libros de caballerías*, recogido en *Obra Completa
en castellano*, Madrid, Gredos, 1975, p. 520, «es de creer [...]
que si los autores de los libros de caballerías hacían completa abstracción no sólo del comercio, sino aun del valor que
tiene en el alma humana el sentimiento de la riqueza, no
era sólo porque siendo castellanos a los que principalmente
me refiero, hubiesen vivido en un medio social que no les
había inculcado otra cosa. Es que, además, se nota en ellos
como una concepción estética, una fórmula que les mueve
a obrar así». Dejando a un lado lo del castellanismo sus palabras nos parecen apropiadas.
3. Como dice S. DE MOXÓ, «De la nobleza vieja a la nobleza
nueva...», art. cit., p. 20, «si la riqueza no provocaba por sí
sola la entrada en la nobleza, sí contribuía muy directamente
a destacar a los ricos hombres en el medio nobiliario, y
es que si la fortuna y el género de vida no determina el esta-
tuto de las personas, no cabe duda que influye en él y son
capaces de modificarlo»

demuestran la bondad de una genealogía determinante, pero incompleta sin la acción [4].

Ahora bien, en cuanto individuos de una colectividad, los caballeros deben mostrar a lo largo de la novela la importancia de su función. Sus aventuras no les atañen a ellos solos. Suponen la salvaguarda de una sociedad amenazada por la existencia de continuas transgresiones, eliminadas por los actos caballerescos. La comunidad representada, sobre todo, por la corte regia, respalda y propicia la caballería, que adquiere su completo sentido transpersonal al estar inserta en el lugar donde se dilucidan los principales problemas comunitarios.

LA CORTE PATERNA ESPACIO DE OCIOSIDAD

Así nada mejor para el caballero desconocido que pasar a la fama mediante alguna aventura comprometida. Amadís adquiere su nombre al vencer al rey Abies de Irlanda en el propio reino de su padre. La primera batalla contra las huestes del rey se centra en el héroe. Combate con los personajes más sobresalientes del ejército contrario, mientras que Agrajes y Perión quedan relegados a un segundo plano. Al margen de esto, el combate se decide en una pelea individual entre el rey Abies y el Doncel del Mar.

---

4. Se trata de un sistema aparentemente cerrado. No obstante, los héroes con el abandono sufrido tras su nacimiento pueden proporcionar unos modelos de heroicidad, al tenerse que hacer por sí mismos. Y según dice S. DE MOXÓ, «La nobleza castellana en el siglo XIV», *A E M*, 7 (1970-71), p. 500, «aunque el nacimiento —como factor importante para la caracterización nobiliaria— determina ciertamente la adscripción a cada uno de estos dos grupos nobiliarios, el análisis diferenciativo no descarta una cierta permeabilidad dentro del estamento general nobiliario, puesto que se abría a algunos caballeros— miembros destacados ciertamente del estamento militar— la oportunidad de alcanzar el rango de rico-hombre a través no sólo de servicios excepcionales —principalmente de carácter guerrero—, sino también del desempeño de una función cortesana o administrativa singularmente destacada».

La lucha se presenta con todos los preparativos de fiesta solemne por las armas de los guerreros y la presencia de las huestes y la gente de la villa. Con la victoria del héroe, el espectáculo de presentación puede darse por terminado. Se ha pasado de una pelea colectiva, en la que el elemento más destacado era Amadís, a una lid individual con todas las características de un duelo judicial. El Doncel del Mar, que había partido para Gaula en compañía de Agrajes como uno más de los auxiliares de Perión, se ha convertido en el principal protagonista, solventador de todas las dificultades. Ha demostrado su condición de caballero ante los espectadores y ante sus padres. La recompensa será alcanzar su propio nombre[5]. La anagnórisis ha venido precedida de una exhibición de las cualidades guerreras del personaje. Una vez reconocido y sancionado como el mejor de los actuantes en la batalla, su estancia en Gaula no es operativa para sus aventuras. Como caballero andante el escenario de sus acciones no conviene que sea su propio reino. En él predomina la cualidad de ser hijo de sus padres, mientras que su «energía» le incita a continuas empresas como desconocido que deberá labrarse una fama.

Gaula se había convertido en el espacio narrativo al que remitían los primeros episodios que, incluso, incidían indirectamente en esta pelea. La lucha contra Galpano es el combate contra la lujuria y contra un enemigo de Perión. Lo mismo sucedía en el rescate de su padre en poder de los amigos del rey Amadís. A partir de la agnición, Gaula puede ser espacio de reunión o de información, pero sobre todo de inactividad. En él, Amadís debe permanecer trece meses y medio en menoscabo de su honra por mandato de Oriana. Allí estará Galaor enfermo durante el desarrollo de la batalla entre Lisuarte y Amadís.

5. Para CAMPBELL, ob. cit., p. 125, «la necesidad de que el padre sea muy cuidadoso, y de que admita en su casa sólo a aquellos que han sido completamente probados, queda ilustrada por la desgraciada experiencia del joven Faetón, descrita en la famosa fábula griega».

El reiño de los padres es el lugar de la ociosidad, aunque sea debido a intereses narrativos. Sólo resulta ser un espacio que contribuye a la glorificación del personaje cuando carece de nombre. Las andanzas caballerescas deben estar marcadas por la acción del personaje en busca de la gloria y del honor. En Guala, ambos elementos vienen ya dados por las condiciones del linaje y los héroes difícilmente puedes ser caballeros «andantes».

EL SUICIDIO COMO ANTÍTESIS DE LA INTEGRACIÓN DEL CABALLERO EN LA CORTE

La corte regia, propiciadora de aventuras y nexo de unión de los caballeros, en el primer libro es la de Lisuarte, padre de Oriana, y en ella convergen las principales acciones. Amadís había quedado desairado por un caballero, Dardán el Soberbio, que no había querido darle hospitalidad en su castillo[6]. Ante su actitud, se había comprometido a luchar contra él. Es recogido por dos doncellas, a través de las cuales se entera del apuro de una «dueña». No tenía a nadie que la pudiera defender en duelo judicial contra Dardán y ante Lisuarte. Amadís acepta su defensa y delante de todos vence al caballero. En el combate, presenciado por agentes de la villa, aparte de las principales damas y caballeros, demuestra su valentía, al derrotar a su contrincante, considerado como uno de los mejores caballeros. La pelea despierta tal admiración que el rey piensa poner en la puerta de su palacio «aquel que la victoria ouiere», para ser visto por todos que quisieran ganar honra. Sin embargo, Amadís, había querido ocultar su nombre

---

6. Para H. Dupin, *La courtoisie au moyen âge*, París, Ed. Picard, 1931, p. 26, «assurément, l'accueil et l'hospitalité font partie comme le salut, des moeurs et des traditions de l'humanité, surtout aux époques anciennes [...] Mais cette vertu d'accueil et d'hospitalité a été l'une des plus grandes vertus du moyen âge. Les poètes et les romanciers se plaisent à louer ceux de leurs personnages qui en sont pourvus».

la posibilidad de conducta ética que el ideal da por supuessto, se desvanece al ensoberbecerse el individuo» [8].

El fondo psicoanalítico del problema nos parece acertado en su exposición, pero no se han rastreado las múltiples sugerencias narrativas del episodio. La lucha contra Dardán no es el inicio de la carrera caballeresca del Doncel, como hemos analizado. Además, la soberbia constituye una parte de esta lucha, en la que hay que destacar su antítesis, la humildad, en el comportamiento posterior del personaje. Pero éstas no son las únicas cualidades exhibidas en el combate, aunque sí sean las más sobresalientes. Dardán se había mostrado descortés con el héroe, mientras que éste había sido paciente en sus respuestas. El adversario mantenía una causa injusta. Su amiga le había dicho que «jamás le haría amor si la no lleuasse a casa del rey Lisuarte y dixesse que el auer de su madrastra deuía ser suyo» (I, XIII, 111, 242). Al finalizar la pelea mata a su dama, porque quería convertirse en amiga de Amadís, y después se suicida. Su amada, impulsora de sus actos, no podía tener peores condiciones, al traicionar a su amigo y codiciar unos bienes que no le pertenecían [9]. Todo son circunstancias negativas.

Por el contrario, el héroe ha mantenido la justicia, al defender a una viuda. Se ha comportado en todo momento como caballero paciente, cortés, mesurado. No ha querido matar a su contrincante a pesar de tenerlo vencido. Incluso sobresalen sus condiciones físicas cuando penetra en la ciudad: «Mucho se marauillauan todos de la gran fermosura deste Amadís» (I, XV, 133, 54). No es el comienzo de su carrera caballeresca, sino su entrada en el reino de su amada donde ha de ser admirado en toda su perfección.

---

8. Art. cit., p. 144.
9. En la realidad histórica, «afers de caràcter econòmic, com la possesió de béns, *discussion d'herènciesi* reclamació de deutes, són ben sovint motiu de deseiximentsi de requeriments de batalla». M. DE RIQUER, *Lletres de Batalla*, Barcelona, Barcino, 1963, vol. I, p. 43. El subrayado es nuestro.

y se había retirado a una floresta cercana. El rey retiene a la dueña por quien se había celebrado el duelo, mientras no apareciera su valedor. El héroe se presenta en la villa con el entusiasmo de los habitantes. Previamente, su escudero Gandalín había concertado una cita con su amada. Para darle verosimilitud a su estancia habían decidido presentarlo como vasallo de la reina de Escocia que venía con un mandado para Oriana en busca de Amadís. La reina duda si el caballero vencedor sería hijo de Perión, por lo que llevan al escudero delante de su señor. De esta manera puede ser reconocido.

El episodio, complejo y sinuoso, se desarrolla así por diferentes motivos. Amadís, como caballero andante, cree no haber obtenido suficientes méritos para presentarse ante la corte de uno de los mejores reyes del mundo y, sobre todo, padre de su amada. La presentación por medio de las armas, tras la victoria sobre un enemigo peligroso, puede acercarle al umbral de la fama, y consolidar sus relaciones amorosas. Por otra parte, debe mostrar sus cualidades en sumo grado, entre las que deberá destacar la humildad. «Si la justicia y humildad eran contrarias, la Caballería, que concuerda con justicia, sería contra humildad, y concordaría con el orgullo» [7]. Su virtud se revela en dos sentidos. Lucha contra un adversario, representación de la soberbia, que no se había dignado a ofrecerle la hospitalidad debida a todo caballero, y menospreciaba la gloria que pudiera ganar peleando con él. Por el contrario, Amadís descubre su humildad al no quererse dar a conocer.

Para Yolanda Russinovich, «el encuentro del Doncel del Mar, que comienza su carrera caballeresca con Dardán, o sea consigo mismo, responde a la necesidad de escrutinio de una posible tendencia individual en sí misma de la soberbia, como también de una característica colectiva de la caballería que amenaza a todo caballero y contra la cual ha de luchar para no caer en el yerro de Dardán, ya que

7. R. Llull, ob. cit., p. 120.

Su nombre quedrá grabado en la puerta de Lisuarte,
su acción inmortalizada en el mundo de la fama [10].

Por otra parte, el comportamiento de la amiga de
Dardán es muy semejante al de la mujer casada en
la primera aventura del Doncel del Mar. Es infiel a
su amigo, y será castigada con la muerte. Si Amadís
lucha contra sus fuerzas antagónicas, ante los ojos
de su amada afirma su lealtad.

Con su presentación puede ingresar en la corte,
donde será caballero de la reina. La inspiración y las
órdenes para Amadís provienen de las mujeres, del
mundo femenino, y el hecho tendrá vital importancia
para el desarrollo de la novela. Desde esta perspectiva, Oriana cobra una importancia excepcional. A través de la Doncella de Dinamarca se le había ordenado al héroe que fuera a casa de su padre. El Doncel
del Mar acudirá a la corte por amor, y éste tendrá
un papel decisivo en el desarrollo del combate. Por
unas palabras de la confidente durante la pelea, Amadís queda ensimismado y tembloroso al conocer la
presencia de Oriana. El combate, favorable hasta
entonces para el héroe, se desequilibra por este motivo aprovechado por su contrincante. Sólo unas
nuevas frases de la Doncella de Dinamarca le servirán de vulsivo para combatir con más esfuerzo,
e intentar demostrar su valentía ante su amada [11].

En los duelos judiciales históricos se prohibía de
forma tajante cualquier frase que pudiera alterar
la actitud de los combatientes [12]. Nuestra novela, ale-

---

10. Véase M. R. Lida de Malkiel, *La idea de la Fama en la
Edad Media Castellana*, México, F.C.E., 1952, pp. 261-265.
11. Algunas fuentes del episodio las señaló G. S. Williams,
art. cit., pp. 84-85.
12. En *De Batalla*, obra que en los manuscritos va después de los *usatges de Barcelona* (Pedro Bohigas, ob. cit.,
página 24) se dice lo siguiente: «Con los batayers devran
entrar e. ll camp, a cada cantó del camp estia vna crida,
qui fortment e sovén crit que negú no gus fer, mentre la
batayla-s farâ, negun senyal de paraule ne de fer, ne ab mà
ne ab res; e qui ho farà, aqui matex sia pres per lo veger
e per los armats qui guarden lo camp ab lo veguer, e sie
punit a coneguda dells prohòmens.» Recogido en *Tractats de
Cavallería*, ed. cit., p. 90.

jada de una realidad sublimada por el arte, recrea varios motivos. Amadís reconoce por su forma de hablar a la Doncella de Dinamarca, tema que comienza a tener cierta difusión a partir de las novelas del XIII [13]. A su vez, el amor sirve para acrecentar el dramatismo de la lucha. Puede motivar una inactividad por el ensimismamiento ante la presencia o el recuerdo de la amada, y también impulsa a la realización de los actos más heroicos.

Las consecuencias del amor son utilizadas por el narrador para generar distintas actividades en un mismo episodio. Los comportamientos estereotipados, al estar insertos en el desarrollo de los aconteceres, funcionan como móviles de la acción. Dejan de ser palabras o actitudes aisladas para convertirse de manera hábil en resorte dramático de la secuencia. Como dice E. Köhler, «l'amour et la remme etaint la source des vertues qui assuraient au chevalier sa position prépondérante dans la societé féodale, voire dans l'ordre definif, et lui assignaient sa mission historique» [14]. Por mandato de Oriana, Amadís puede introducirse en esta sociedad cortés, distinguida, tras la demostración de sus cualidades.

Esta inserción en una comunidad, a nuestro juicio, viene representada por su antítesis: el suicidio. La palabra no existía en la Edad Media y el suicidado era considerado como autor de un crimen, no como una víctima [15]. Dardán, al darse muerte, da muestras de su voluntaria marginación y supremo alejamiento del mundo comunitario. La culpa puede recaer en sus vicios y en los de su amiga. En la literatura, el suicidio era un acto funesto que sólo podía dictar

13. Véase U. Mölk, «Reconoistre au parler»: à propos d'un motif dans les chansons de geste et les prémiers romans courtois», *B R A B L*, XXXI (1965-1966), p. 231.
14. *Ideal und Wirklichkeit in der Höfischen Epic*, Tübingen, Max Niemeyer Verlag, 1970. Utilizamos la traducción francesa titulada *L'aventure chevaleresque...*, París, Gallimard, 1974, p. 164.
15. Véase J. C. Schmitt, «Le suicide au Moyen Age, *A*, 31 (1976), p. 4.

un dolor insoportable: la pérdida del ser amado, la
certeza de haberle traicionado, o la pérdida de la
honra. Estos motivos se combinan en el homicidio
de la amiga por «aleve», y en el suicidio posterior de
Dardán. La antítesis y el contraste sirve de pauta
para el episodio. A la desintegración de la sociedad
a causa de su amiga, se contrapone la incorporación
del héroe en la corte por el amor de Oriana. Quizás
también sirva de anuncio premonitorio de un futuro,
todavía lejano, en el que el héroe quedará alejado
del mundo por los celos, y al borde de la *desesperatio* [16].

LA CORTE AGLUTINADORA DE LA CABALLERÍA

En el caso de Galaor la presentación es diferente.
Tras encontrar y reconocer a su hermano, ambos
caminan hacia casa de Lisuarte donde son recibidos
con toda clase de honra y alegría: «a Galaor, porque
le nunca vieran y sabían sus grandes cosas en armas,
por oydas, que auía hecho» (I, XXX, 244, 14). Inmediatamente será caballero del rey, con lo que se establece la oposición patente entre Amadís / caballero
de la reina, Galaor / caballero de Lisuarte, germen
de futuros conflictos. Poco tiempo después podrá poner de manifiesto sus cualidades guerreras, cuando
deba rescatar al rey. Sus acciones ya no sólo las
conocerán de oídas [17].

Agrajes y don Galvanes también tienen ocasión de
mostrar sus virtudes en otro duelo judicial contra
el duque de Bristoya, en el que el primo de Amadís
lleva todo el peso del combate. Estas presentaciones

16. Según los *Castigos y documentos*, ed. cit., p. 44, «por
este pecado se perdieron e se pierden otros muchos omnes e
mugieres, matándose con sus manos por desesperança».
17. El funcionamiento de la fama es análogo al del amor.
La pasión de oídas, de «lonh», en el *Amadís* no tiene ningún
desarrollo, a diferencia del *Esplandián*. La fama de «oídas»
siempre debe ser revalidada delante de los personajes más
importantes.

a través de un modelo contemplado por todos se producen en el caso de Amadís y de Agrajes, cuyas «amigas» pueden ser testigos de los avatares de la pelea. Se trata también de la ratificación de su amor, al ser éste el principal impulso de los amantes [18]. El reino de Lisuarte se convierte así en el centro donde convergen los amores de dos de los principales protagonistas. Sin el amor. la corte hubiera sido imperfecta y no se hubiera servido para aglutinar a los distintos caballeros, o relatar sus hazañas.

CABALLERÍA Y VIAJE

Por otra parte, el caballero siempre va en busca de prez y honra a través de sus aventuras y éstas no siempre se producen en el mismo espacio. Un caballero estático no puede ser un caballero, no sería «andante», y nada mejor que las palabras de Chrétien de Troyes en su *Cligés*, como expresión de estos conceptos fundamentales para un persona que quiera adquirir renombre:

> Nus ne m'an porroit retorner,
> Par proiere ne par losange,
> Que je n'aille an la terre estrange
> Veoir le roi et ses barons,
> De cui si granz est li renoms
> De corteisie et de proesce.
> Maint haut home par los peresce,
> Perdent grant los qu'avoir porroient,
> Se par la terre cheminoient.
> *Ne s'acordent pas bien ansamble*
> *Repos et los*, si com moi sanble,

18. Para E. AUERBACH, *Mímesis...*, México, F.C.E., 1975, página 136, «en el mundo cortesano no pueden ocurrir más que hechos de armas y amores, y ambos son de índole especial. No son sucesos o impresiones que puedan esfumarse con el tiempo, sino que se vinculan por siempre a la persona del caballero perfecto, y pertenecen a su misma definición, de modo que éste no puede hallarse ni por un instante sin aventura de armas y sin cautiverio de amor, y si tal cosa le ocurriera se perdería y dejaría de ser un caballero».

>   Car de nule rien ne s'alose
>   Riches hom qui torz jorz repose,
>   Ensi sont contraire et divers [19].

El renombre, la fama, la cortesía no se adquieren a través del reposo. El tema adquiere gran importancia en la configuración de la novela por las distintas aventuras sucedidas a diversos personajes en su continuo deambular.

> El viaje es, pues, un motivo y hasta un tema novelesco, pero también una estructura, por cuanto la elección de tal soporte argumental implica la organización del material narrativo en una textura fundamentalmente episódica: la propia, precisamente, de esas novelas que acabamos de citar, caracterizadas todas ellas (el *Quijote*, *Tom Jones*, *Pickwick*, *Guzmán de Alfarache*), por la presencia del viaje como resorte y eje estructurador de extensos relatos [20].

El *Amadís*, sin duda, marca un hito dentro de la novela episódica, uno de cuyos resortes generadores es el viaje [21], en el que el héroe siempre encuentra nuevas empresas que le conducen a su punto final, a no tener que viajar, y a no vivir como *caballero andante*.

Antes de llegar a este desenlace, el protagonista debe ganar una fama, reconocida y revalidada por la corte. Ésta se verá reafirmada por las aventuras, a la vez que las hazañas se deben realizar en distintos espacios. Por ello, se proporcionan continuas informaciones que van a parar a la corte. Sin embargo, la revelación de las empresas heroicas no es materia

19. CHRÉTIEN DE TROYES, *Cligés*, ed. de A. Micha, París, Honoré-Champion, 1968, vv. 140 y ss.

20. M. BAQUERO GOYANES, *Estructuras de la novela actual*, Barcelona, Planeta, 1970, p. 30.

21. El tema del conocimiento a través del viaje aparece también en nuestra novela en el libro III, pero no constituye un eje sobre el que se vertebran las acciones. Es más bien un rasgo ornamental y cortesano, a diferencia, por ejemplo, de la importancia que tiene en el *Libro de Alexandre*.

bruta al servicio de la fama. Tiene un tratamiento artístico, en ocasiones sagaz y muy elaborado.

CABALLERÍA Y HUMILDAD

En la primera aventura del Doncel del Mar, después de vencer a sus agresores los envía a casa del rey Languines. Allí pueden relatar las hazañas de este caballero novel, para ellos desconocido. En el mismo lugar hay un escudero que había desviado a Amadís y lo había conducido a un castillo. Cuenta todo lo que sabe, aunque ignora su nombre. Existe la posibilidad de saberlo, pues también se encuentra presente otra doncella que lo había acompañado. El rey desea conocer la personalidad de este misterioso personaje, con resultados negativos; Oriana, por el contrario, «no dudaua quién podría ser». Al cabo de seis días, llega con noticias para Agrajes otra doncella, escarnecida por Galpano y vengada por Amadís. La secuencia había comenzado sin que el Doncel del Mar conociese el destinatario de unas misteriosas noticias de esta dama. Le promete decírselo si la venga. Antes de partir con su encargo, la mujer solicita un don de Amadís quien se lo concede y le debe confesar su identidad. Una vez en la corte, ella puede contar todo lo sucedido e indicar el nombre que con tanto celo había ocultado el Doncel del Mar, mientras que su misión pasa a un segundo plano.

En un mismo capítulo y en el mismo espacio se han contado todas las primeras aventuras, según han sucedido y en una perfecta gradación de misterio ante el desconocimiento de la personalidad del caballero novel. De esta manera, en la corte de Languines se informan de las empresas iniciales del Doncel del Mar. Se juega con dos aspectos antitéticos y contradictorios de la caballería andante. De un lado, el caballero debe ser humilde, como piden las cualidades de un buen cortesano, por lo que no se puede jactar de sus hechos. De otro debe adquirir una nombradía, una fama suficiente para poder ser estimado. Ante esta situación contradictoria, se utiliza uno de los resortes típicos, mediante el cual puede adquirir la fama sin perder la humildad: se descubre la identidad del héroe por un «don» concedido.

De acuerdo con estas premisas, todo el capítulo tiene una perfecta gradación; ha servido para que otros personajes, entre los que se encuentra Oriana, conozcan las hazañas del caballero y éstas a su vez puedan ser divulgadas. Amadís, a su pesar, ha difundido sus acciones a través de unos personajes testigos de su actuación. El escudero no tiene otra funcionalidad que la de contar los hechos; su estancia en la casa de Languines no obedece a ningún otro motivo. Quizás sea el caso más puro de testigo cuya función es la de ser observador y relator de unas hazañas. Los dos casos siguientes tienen la misma similitud entre ellos. Son mensajeros que durante el camino se han encontrado con Amadís. Su misión es doble: llevar los mensajes de los que eran portadores y poder contar las aventuras que no sólo han presenciado, sino que también han padecido. Son testigos, y beneficiarios de las aventuras del héroe. Sus informaciones se pueden considerar como una reciprocidad de dones. Amadís les ha salvado de alguna agresión, y ellos han ensalzado su actividad por el mero hecho de narrarla[22].

Cuando Oriana se traslada, las noticias varían de lugar. A partir de entonces el reino de su padre será el auténtico centro al que se dirigen las informaciones de las aventuras.

Estas informaciones, conformadas artísticamente, también sirven para crear un clima de expectación, como sucede cuando se presenta Arcaláus con las

---

22. Los personajes secundarios, escuderos, doncellas, etc., nunca son gratuitos en el *Amadís*. Todos ellos cumplen alguna función que sirve generalmente para ensalzar las hazañas del héroe o para poner en contacto dos espacios novelescos alejados. En este episodio, la sucesión de informadores indica también el paso del tiempo. Cuando su misión no coadyuva al desarrollo de los aconteceres, su importancia es mínima e incluso no desempeñan ningún papel.

armas de Amadís, o cuando Guilán lleva el escudo del héroe.

En todos los casos estará presente Oriana y será la principal receptora de las malas o buenas nuevas. Se imbrican así dos elementos diferentes: la divulgación de la fama del caballero y la amada como centro de recepción de sus hazañas. Como la amiga y la corte están en el mismo lugar, todo converge hacia él. Incluso la corte del rey se convierte en el principal núcleo de caballeros, porque allí residen sus amadas. Olinda, enamorada de Agrajes, se había trasladado de Noruega a la Gran Bretaña. Allí conocerá Galvanes a su mujer. Además, los principales caballeros, en el primer libro tienen como dirección primordial la casa de Lisuarte.

LA CORTE DE LISUARTE Y EL CLAN FAMILIAR

Después de la guerra de Gaula, Amadís se dirige allí. Sale a la búsqueda de su hermano y regresa con él. Agrajes y su tío Galvanes también encaminan sus pasos hacia el mismo lugar. La corte, en definitiva, se convierte en el punto principal de reunión de caballeros, entre los que destacan tres: Amadís, Galaor y Agrajes. Este último lleva consigo a su tío Galvanes «y ahunque don Galuanes no touiese deudo sino con sólo Agrajes, Amadís y Galaor nunca lo llamauan sino tío, y él a ellos sobrinos, que fue gran causa de acrescentar mucho su honrra y estima» (I, XXX, 249, 358).

Antonio Prieto[23] ha visto acertadamente cómo se superponían los tres principales escenarios de la acción en este primer libro: Escocia, Gaula y Gran Bretaña. La interrelación de los caballeros más importantes está intensificada por su pertenencia a una misma genealogía. Agrajes es primo de Amadís y Galaor; Galvanes tío del primero. Dejando aparte este

23. *Morfología de la novela*, Barcelona, Planeta, 1975, páginas 282-283.

último, cuya unión la establece el mismo texto, se puede ver cómo los nexos quedan ya estructurados desde el principio de la novela, cuando se narra el linaje del rey Garinter.

ESCOCIA	GARINTER	GAULA
LANGUINES-DUEÑA DE LA GUIRNALDA		PERION-ELISENA
AGRAJES-MABILIA		GALAOR-AMADIS

Los personajes se emparejan entre ellos, e incluso afecta a las estructuras narrativas. La pareja de Galaor y Amadís es correlativa a la de Agrajes y Galvanes [24]. Mabilia, sirve de intermediaria entre el reino de Lisuarte y el de Languines. Es la confidente de Oriana y a su vez procede de Escocia. Oriana será la amada de Amadís y residirá en casa de su padre, mientras que Olinda amiga de Agrajes, aunque no posee ninguna vinculación familiar se ha trasladado para vivir con la reina Brisena. Se ha formado un gran clan, cuyos personajes principales proceden de Gaula y Escocia. A su vez, los descendientes de Garinter tienen conexión con Lisuarte a través del mundo femenino, ya sea por su prima o hermana, Mabilia, o por sus amigas, Olinda y Oriana.

Incluso los lazos se han estrechado porque Amadís es caballero de la reina Brisena, mientras que Galaor lo es de Lisuarte. Es la única oposición establecida paralela a su infancia y educación. Oriana convive en sus primeros años con Agrajes, Mabilia y Amadís;

---

24. Las simetrías entre episodios y caballeros son abundantes en la obra. Para AXEL OLRIK, art. cit., pp. 134-135, «two is the maximum number of characters who appear at one time. Three people appearing at the same time, each with his own individual identity and role to play would be a violation of tradition». En la novela pocas veces se quiebra la tradición, pues cuando los caballeros se unen en grupos de cuatro se aúnan de dos en dos y si aparecen tres uno de ellos suele cumplir una función ocasional, pero necesaria. Nos atreveríamos a decir que en el *Amadís* la agrupación de personas se realiza fundamental, pero no categóricamente, a partir del dos como en los relatos tradicionales.

la infancia de Galaor supone un núcleo independiente [25]. Los esquemas se han establecido de forma clara, pues incluso Galaor, frente a su primo y a su hermano, no posee ninguna dama en Vindilisora, norte de sus hazañas. Es el único de la familia que tiene una dependencia vasallática con Lisuarte. El resto permanece al margen.

Casi al finalizar el libro, se ha conseguido una corte utópica, presidida por Lisuarte, empeñado en reunir a los mejores caballeros. A su vez, éstos, aparte de los lazos fraternos de la orden que profesan, tienen unas relaciones de parentesco y unos amores impulsores de sus hazañas.

Como la consanguineidad no puede alterarse sólo caben dos posibilidades de romper el esquema: *a)* una enemistad entre el poder —el rey— y la caballería; *b)* una ruptura por parte de las damas, Oriana u Olinda, que alejará a los caballeros del reino de Lisuarte, y mientras estos hechos no se produzcan, la corte supone, y así se muestra, la culminación feliz de todo el libro.

Cabría hipotéticamente la discordia entre los mismos caballeros, pero los designios narrativos no la permiten, dada la superioridad del linaje de Garinter. Si nos fijamos en las aventuras precedentes a la llegada a la corte, o en ella misma, el resto de los personajes ha tenido una participación poco activa. Galaor y Amadís se habían unido a través de Balays que los acompaña hasta la casa del rey, y cada uno de ellos tiene su correspondiente aventura. Después Balays deja de ocupar un lugar preeminente. Lo mismo ha sucedido con Agrajes, y Galvanes, que acuden en compañía de Olivas para mantener un duelo judicial con el duque de Bristoya. A la hora de realizarse éste, Agrajes lleva todo el peso de la pelea, mientras que la acción de Olivas pasa a un segundo plano. En último término, los descendientes del clan de Garinter realizan las principales empresas heroicas, con una total superioridad sobre los demás.

25. Véase A. PRIETO, ob. cit., p. 283.

El enfrentamiento posible sólo podría darse en el caso que hubiese alguna disensión entre Lisuarte y el linaje de Garinter, lo que acarrearía la hostilidad de los caballeros del rey contra estos últimos. También cabría la posibilidad de que se produjera la alianza de Lisuarte y el mundo femenino, en contra de los caballeros, con lo que se resquebrajarían todas las relaciones establecidas en el primer libro. Sin embargo, la fama, el amor, la caballería y la realeza se combinan armónicamente y llegan en este primer libro a su total apogeo. Sólo circunstancias extrañas pueden alterar este mundo utópico.

VIII. LA CORTE AMENAZADA
O LA REAFIRMACIÓN DE LA CABALLERÍA

Lisuarte, frente a opiniones contrarias, había decidido agrupar en su reino a los mejores caballeros para ser más temido y honrado. Sus paradigmas de actuación corresponden a Alejandro, Julio César, y Aníbal que «seyendo en su voluntad liberales, de dinero muy ricos y muy ensalçados, con sus caualleros en este mundo fueron repartiéndolo por ellos, según que cada vno mereçía» (I, XXXII, 260, 135). Son ideales heroicos [1] dignos de imitación por su liberalidad,

1. Como dice J. A. MARAVALL, *Antiguos y modernos*, Madrid, Sociedad de Estudios y Publicaciones, 1966, p. 213, «si el *Roman de Troie* difundió, sacándola del mundo de los letrados, la historia y la leyenda antiguas, ello no sucedió de repente, sino que fue un fenómeno que tuvo su larga preparación, como tendría también dilatados ecos. El empleo de todo un nutrido anecdotario en la literatura de ejemplos, procedente de la Antigüedad, bien por estar los relatos tomados de fuentes clásicas o por atribuirse a personajes de aquel tiempo, ayudó también en gran manera a divulgar la imagen de unos antiguos griegos y romanos». Habrá que tener en cuenta que el *Roman de Troie* se inserta en lo que G. COHEN, *Chrétien de Troyes...*, ob. cit., pp. 32 y ss., denomina como la «triade clasique» *Thèbes, Eneas, Troie*, cuya influencia será decisiva para los relatos posteriores. Dejando a un lado el mundo francés, en el *Amadís* hay un influjo del ciclo troyano, como apuntó García de la Riega, ob. cit., y señaló M. R. LIDA DE MALKIEL, «El desenlace del *Amadís* primitivo», art. cit., pp. 153 y ss. La mejor bibliografía que conocemos sobre la importancia del tema en España es el muy poco difundido *Ensayo de una Bibliografía de Las Leyendas Troyanas en la Literatura Española*, de A. REY y A. GARCÍA SOLALINDE, Bloomington, Indiana University, 1942.

una de las máximas características de la cortesía[2].
A la generosidad se opondrá la codicia, condenada
asiduamente en todos los tratados. Para Ramón Llull
«la avaricia es un vicio que abate la excelencia del
corazón a someterse a cosas viles; por esto, por falta
de noble corazón, que no los defiende contra la avaricia, son los caballeros codiciosos y avaros, y por
la codicia hacen injurias y tuertos y se hacen súbditos y cautivos de aquellos bienes que Dios ha some-
tido a ellos»[3]. La avaricia somete al caballero a los
bienes materiales y queda dominado por ellos. Por el
contrario, según las palabras de Lisuarte, la generosidad y justicia en la repartición de bienes es señal
de auténtico dominio, no del todo gratuita. La lar-
gueza de los héroes antiguos se vio compensada por
la fidelidad de sus caballeros. La conjunción entre
nobleza y caballería puede ser perfecta.

Las palabras de Lisuarte han desarrollado el lema
inicial de su discurso: «luego bien podemos juzgar
quel buen entendimiento y esfuerço de los hombres
es el verdadero thesoro» *(Ibídem,* 127). El esfuerzo
de los caballeros se da por consabido, pues deben

Por otra parte, el *Amadís* pretende ser ficticiamente historia y los ejemplos corresponden a caudillos modelo de virtudes militares, que el autor podía conocer a través de anec-
dotarios, narraciones históricas o leyendas. La generosidad
de Alejandro puede corresponder a la repartición de sus
territorios, est. 2634 y ss., del *Libro de Alexandre,* ed. de
R. S. Willis, Princeton, 1934 (New York, Kraus Reprint, 1965),
páginas 454 y ss. Según la *Primera Crónica General de España,* ed. de R. Menéndez Pidal, t. I, Madrid, Gredos, 1955,
página 17, Aníbal deja en España a sus hermanos por caudillos. En cuanto a Julio César el mismo texto, ob. cit., página 93, señala cómo «desque uencie alguna grand batalla,
soltaua los caualleros de los oficios que auien, et del seruicio
quel auien a fazer, et dexaua los andar folgando locanos y
muy viciosos, e nunqua los llamaua cavalleros ni uasallos,
mas mansamientre amigos et companneros; e trayelos toda-
uía bien guisados et muchos apuestos, et fazíeles traer a todos muy ricas armas todas cubiertas de oro et de plata».
Los tres serán considerados como emperadores y aparecen
en la lista del canónigo en el *Quijote,* ed. cit., t. I, p. 494.
    2. «S'il est une qualité qui la caractérise éminemment,
c'est la liberalité et la larguesse», H. Dupin, ob. cit., p. 64.
    3. R. Llull, ob. cit., pp. 135-136.

realizar numerosas empresas que requieren un ánimo adecuado. El entendimiento «es la cosa del mundo que mas endereça al ome, para ser complido en
sus fechos, y que mas le estraña de todas las otras
criaturas: e porende los Caualleros, que han de defender a sí, e elos segun dicho auemos, deuen
ser entendidos» [4].

Saber y poder se combinan en la obra y vida de
Alfonso el Sabio, y se convierten en punto de partida
de su cosmovisión. Para Lisuarte también se aúnan
en una declaración expresa de comportamiento. Sin
embargo, no corresponden a componentes básicos
de su personalidad ni funcionan como elementos estructurales de la narración. Se trata de un rasgo
ornamental del autor que ha querido ilustrar la mentalidad del rey con dos de las cualidades convertidas
en tópico, a partir de Virgilio: el binomio, *sapientia-
fortitudo* [5]. Incluso las palabras encierran cierta ironía, porque la corte ideal soñada por el rey se verá
alterada por medio del engaño. La fortaleza de los
personajes reunidos en Vindilisora había sido demostrada en numerosas aventuras y ya no se podía alterar. Los héroes, al incorporarse a la corte, reafirman
su poderío casi inexpugnable. Sólo un personaje,
Arcaláus, podía concebir ciertas esperanzas. Por
medios mágicos había podido vencer a Amadís, y
también ahora vuelve a intentar urdir sus traiciones.

Barsinán acude a las cortes de Londres, inducido
por el Encantador:

> yo prenderé al rey en tal forma que de ninguno
> de los suyos pueda ser socorrido; y aquel día
> auré a su fija Oriana, que vos daré por muger; y
> en cabo de cinco días embiaré a la corte del rey
> su cabeça. Entonces punad vos por tomar la coro-
> na del rey, que seyendo él muerto y su hija en
> vuestro poder, que es la derecha heredera, no
> aurá persona que vos contrallar pueda (I, XXXI,
> 252, 142 y ss.).

4. *Partidas*, II, t. XXI, l. V.
5. Véase E. R. CURTIUS, ob. cit., t. I, p. 252.

De acuerdo con los propósitos señalados el centro de interés se escinde en tres caminos diferentes:

a) la muerte de Lisuarte;
b) el rapto de Oriana;
c) la acción de Barsinán.

No obstante, la actuación del Encantador se podía dificultar con la presencia de Galaor y Amadís. El autor resuelve el posible problema de la forma más expeditiva: ambos deben marcharse para solucionar un conflicto.

CARÁCTER Y AVENTURA

Los héroes no tienen ningún descanso y casi siempre en las novelas artúricas y posteriores hay una doncella que llega a la corte para sacar a los caballeros de su reposo, de su inercia. El tema se repite desde la doncella del *Roman du Graal* de Chrétien hasta la implacable Brunet de Jean-Paul Sartre en *L'âge de raison* [6]. En nuestro caso, una dama solicita que dos caballeros le ayuden a liberar a su padre y a su tío de una supuesta prisión. No supone excesiva contrariedad porque en cinco días pueden regresar. La reina Brisena, ante la solicitud de la doncella, desconocedora de los presentes, elige a Galaor y Amadís para realizar la empresa. Poco después son hechos prisioneros cuando estaban desarmados. Se trataba de un engaño urdido por la señora de Gantasi, porque el rey Lisuarte tenía en su casa al caballero que había matado a Dardán. La dueña les propone liberarlos —no conoce su identidad—, si se despiden de la corte. Los dos hermanos están cerca de la muerte. La señora de Gantasi, Madasima, tenía la intención de saber los nombres de los dos prisioneros; si llegaba a conocer su identidad no habría escapatoria. El padre de la doncella enviada a la corte les propone una posi-

6.   R. Bezzola, ob. cit., p. 181.

ble solución, para remediar en algo el engaño de su hija:

> Vos soys muy hermoso [dice a Amadís], y fazed buen semblante, y llegarvos he a la dueña tanto que le aya dicho que soys el mejor cauallero del mundo; y requerilda de casamiento, o de hauer su amor en otra guisa, que ella es muger que ha su coraçon qual le plaze, y entiendo que por vuestra bondad, o por la fermosura, que muy estremada tenéys, alcançaréys vna destas dos cosas (I, XXXIII, 268, 438 y ss.).

El autor ha sabido plantear con habilidad todos los conflictos externos e internos de la secuencia, en una gradación de los problemas. Los cinco días que teóricamente deberán estar los hermanos fuera de Londres corresponden al plazo prefijado por Arcaláus para cometer sus fechorías. La corte, sin dos de sus mejores caballeros, se puede ver impotente para resolver todas las pruebas. Con estos indicios, los dilemas aumentan sin posibilidad de remediar un desenlace previsible. Amadís, principal protagonista en padecerlos, no sabe ni puede encontrar la salida adecuada. Las dos opciones propuestas atañen de tal forma a su ser, a su amor, que caen fuera del campo de sus actuaciones. Sólo es capaz de aceptar una resignación dolorosa. El amor como impulso físico-espiritual le conduce a acometer las más grandiosas aventuras. La posible deslealtad amorosa le lleva a la postración, como también sucederá en el famoso episodio de Briolanja. Teme a su señora Oriana «más que a la muerte». El problema encuentra la única vía resolutiva en el comportamiento seductor de su hermano con Madasima. Galaor, si una fijeza amorosa, es el máximo representante del amor físico[7], su

---

7. Galaor en este aspecto es un personaje parecido al Gauwain de la leyenda artúrica. Para H. DE BRIEL y M. HERRMANN, *King Arthur's Knights and the Myths of the Round Table*, París, Klincksieck, 1972, pp. 101-2, «in fact, according to the legend, he was handsome and very successful with women [...] However, let us not forget that Sir Gawain

conducta es opuesta y antitética a la de su hermano.
Se acomoda en este sentido a las diferentes situaciones con cierta versatilidad, frente a la afirmación
absoluta de valores de Amadís. Gracias a la actitud
amorosa de Galaor quedan libres de su prisión; pro-
meten apartarse de la corte de Lisuarte y decir la
causa.

La expectativa se mantiene. El lector no sabe si
los héroes llegarán a tiempo para solventar las posibles dificultades de la corte y además queda pendiente «el pleito» prometido a la dueña, que posteriormente se resolverá mediante el ingenio:

> Señor rey, yo me despido de vos y de vuestra
> compaña, como prometido lo tengo y assí lo cum-
> plo, y a vos y a vuestra compaña dexo por Mada-
> sima... Y Amadís fizo otro tanto (I, XXXVIII, 302,
> 365 y ss.).

El final ha quedado suspendido hasta el desenlace
de las otras aventuras y los dos hermanos se vuelven
a reunir inmediatamente con Lisuarte. Madasima no
les había puesto ningún plazo para estar con ella.
El esquema corresponde al del burlador burlado,
del que ya había dado muestras Galaor. Amadís ha
demostrado su lealtad, ha reafirmado su amor y su
carácter, al igual que su hermano.

La acción se había motivado a causa de la primera
hazaña de Amadís ante la corte: la derrota de Dardán. El héroe, indirecto responsable, no ha actuado.
Por el contrario, Galaor ha demostrado una vez más
su ingenio y capacidad de adaptación. Los rasgos de
los personajes están diferenciados y el autor ha sabido motivar la solución de un obstáculo reafirmán-
dolos. En esta secuencia tan elemental ha manejado
los hilos de forma hábil y maestra. El problema se
ha resuelto por el carácter de los personajes y éste

---

one of the oldest characters of the Arturian legends, was also
considered a model of a knightly virtues, namely courage,
loyalty, and smartness». Véase WILLIAMS, art. cit., p. 97. El
modelo concuerda en todos sus aspectos.

ha quedado revalidado con su actuación. En último término, las peculiaridades de los héroes han servido para plantear el conflicto y solucionarlo, es decir, para generar nuevas acciones estructuradas en una perfecta gradación. Los anteriores escarceos amorosos de Galaor se explicaban por su actitud y personalidad [8]. La mayoría de ellos, aunque no tuvieran una motivación clara definían su comportamiento. Se podría pensar en una gratuidad de las acciones y aventuras amorosas por ellas mismas. Dicha gratuidad deja de existir cuando motiva situaciones que hacen avanzar el desarrollo de los aconteceres necesarios para la acción principal.

UTOPÍA Y ENGAÑO

Las aventuras de ésta también se habían iniciado de forma semejante. Al intentar realzar las cortes con los mejores caballeros, el rey revela su condición de tal en el espacio utópico londinense. Su reafirmación de la caballería como componente esencial del poder conlleva la aceptación de las proposiciones más dificultosas que pudieran servir para su ensalzamiento. La doncella que había pedido dos caballeros acudía porque en el reino se encontraban los mejores. Ahora, otra mujer solicita un «don» inconcreto [9] «y allí donde muchos hombres buenos haurá, quiero ver si soys tal que co razón deuáys ser señor

8. Don Quijote se lamentaba de algunas acusaciones hechas a los héroes. «De don Galaor, hermano de Amadís de Gaula, se murmura que fue más que demasiadamente rijoso, y de su hermano, que fue llorón.» Ed. cit., II, II, p. 556. M. de Riquer anota rijoso como el que está a punto de reñir. Claro está que hay muchas clases de riñas, peleas y combates; véase J. COROMINAS, *Diccionario Crítico Etimológico de la lengua castellana*, Madrid, Gredos, 1974, t. IV, pp. 21-22.

9. Según J. MARX, ob. cit., p. 72, un número considerable de episodios comienza de la manera siguiente: un caballero y una dama llegan a la corte de Artur, se presentan al rey y solicitan un don, sin decir cuál; el rey lo concede; la petición se realiza; él tiene el honor de acceder.

de tan gran reyno y tan famosa cauallería» (I, XXIX, 241, 60). Se quiere poner a prueba su condición regia y se demuestra el carácter ornamental de sus afirmaciones, en la combinación de entendimiento y esfuerzo. Los demás personajes temen la petición inconcreta de la doncella. El esfuerzo ha prevalecido sobre el entendimiento.

Por otra parte, tres personajes recién llegados a la corte alaban la promesa del rey de mantener la caballería en su mayor honra. Le ofrecen unos dones mágicos a cambio de que les conceda lo que quieran pedirle o se los devuelva una vez utilizados. Los objetos son una corona extraña y maravillosa por su hermosura y porque «el rey que en su cabeça la pusiere será mantenido y acrescentado en su honrra» (I, XXIX, 242, 159) y un manto, de tal virtud para la mujer casada «que el día que lo cobijare no puede auer entre ella y su marido ninguna congoxa» *(Ibídem*, 243, 205). Se ha intentado captar la benevolencia del rey alabándole y después se ha llamado la atención sobre los objetos destinados a la consolidación de su felicidad.

Las dos técnicas retóricas manejadas con habilidad sirven para que el rey acepte sin ninguna sospecha el compromiso. Suponen la exaltación de su personalidad regia y la manifestación externa de su poderío en la mejor de las cortes posibles. Pero una de las sucintas descripciones de los caballeros ofrece algún indicio de un comportamiento engañoso. El donante «grande y bien hecho, y la cabeça quasi toda cana, pero fresco y fermoso según su edad» (I, XXIX, 241, 105), parece ofrecer cierta fiabilidad por la correspondencia habitual entre las canas, la mesura y la fidelidad [10]. Otro de los acompañantes se descubre el yelmo y «parescía assaz mancebo y hermoso»

10. En un episodio anterior se comenta de un caballero anciano: «Amadís, que el cauallero vio en tal edad que no deuía mentir» (I, XXI, 192, 411). El autor maneja con suma habilidad este tipo de informaciones falsas. De acuerdo con la aventura precedente y los datos esgrimidos, el episodio podría ser favorable para el rey.

(*Ibídem*, 243, 256). Sólo rompe esta primera impresión el tercero que «parescía tan grande y tan des-
mesurado, que no auía en casa del rey cauallero que
le ygual fuesse con vn pie» (*Ibídem*, 259). No se ha
quitado el yelmo, sin explicación alguna ni por parte
del narrador, ni por el propio personaje. Su desmesura y descortesía podrían anunciar elementos des-
favorables para la culminación de la secuencia, y más
teniendo en cuenta que se describen al final del
pacto. Más tarde, el misterio aumenta, pues el rey
quiere utilizar estos objetos extraordinarios. Brisena
no los encuentra y nadie ha podido abrir la arqueta
que los contenía, porque ella guardaba la llave. La
reina explica cómo «esta noche me pareció que vino
a mí vna donzella, y díxome que le mostrasse el arqueta; et yo en sueños gela mostraua, y demandáua-
me la llaue y dáuajela, y ella abría el arqueta, y
sacaua della el manto y la corona, y tornando a cerrar ponía la llaue en el lugar que ante estaua; y
cobríase el manto, y ponía la corona en la cabeça,
pareciéndole tan bien que muy gran sabor sentía yo
en la catar, y dezíame: aquel y aquella cuyo será
reynarán ante de cinco días en la tierra del poderoso
que se agora trabaja de la defender, y de yr conquistar las agenas tierras; et yo le preguntaua: ¿quién
en ésse?; y ella me dezía: al tiempo que digo lo sa-
brás; y desaparecía ante mí, lleuando la corona y el
manto. Pero dígovos que no puedo entender si esto
me auino en sueños o en verdad» (I, XXXI, 254, 266).

Por vez primera en la narración nos encontramos
ante algo inexplicable para uno de los personajes,
con posibilidad de confusión entre la realidad y el
ensueño. La obra ha quedado abierta, novedad extraordinaria en relación con los sueños, y no sabemos
a ciencia cierta qué fenómeno se ha producido.
Tiene un carácter de sueño profético en relación
con hechos anunciados en la novela. Adquiere una
proyección futura y sirve para crear un clima de tensión. Todavía no se ha desarrollado novelescamente
y hay un plazo para que se cumpla, análogo al proyectado por Arcaláus y a la estancia de Amadís y

Galaor fuera de Londres. Si se trata de un sueño
tiene todas las posibilidades de realizarse, como sucedía con el de Perión. No obstante, hay un dato en
contra que destruye, en parte, la hipótesis. En los
sueños anteriores han aparecido personas que actuaban dentro de la ensoñación sin que su acción reper-
cutiera en la realidad como en este caso. El misterio
queda abierto y la expectación acentuada. Posteriormente, descubrimos que uno de los presentes en la
entrega del manto y de la corona era Arcaláus.
Podemos tener la certeza de que ha sido una realidad, como lo llama Brisena, por medio de una intervención mágica.

Se ha dejado que el descubrimiento lo hagamos
los lectores. Como sueño, una vez pasados los acontecimientos, no se ha cumplido; las pretensiones
de Arcaláus y Barsinán han fracasado. Como realidad, ha intervenido Arcaláus, y gracias a la desaparición de los objetos desarrollará su traición. Se ha
dejado una interpretación abierta, y se ha creado un
clímax narrativo, que no se hubiera logrado con otros
componentes. En Cervantes la combinación de sueño
y realidad se convertirá en expresión de su visión
del mundo. En nuestra novela sólo se trata de una
técnica desarrollada con bastante habilidad.

Pero estos procesos son gradualles y de momento
se deja de nuevo otra vez en suspenso la narración.
Los donantes actúan una vez pasados cuatro días
después de la mracha de Amadís y Galaor, solicitando
la corona y el manto a Oriana. El rey se encuentra
ante un dilema de difícil solución. Ha confirmado lo
prometido. En caso de no cumplir lo pactado, que-
brantaría la palabra dada, mientras que si entregaba
a su hija, su actuación sería perjudicial para él como
padre, y Lisuarte, como rey leal, cumple lo prometido.

La oposición interés de estado / interés personal
se soluciona, desde su perspectiva, de la manera
menos afrentosa para él. «Conviene al caballero que
sea amador del bien común, pues por la común uti-
lidad de las gentes fue establecida la Caballería; y el
bien común es mayor y más necesario que el espe-

cial» [11]. El rey, jefe supremo de la caballería, pone en práctica las palabras y da ejemplo de virtudes. Frente al engaño, manifiesta la verdad de la palabra comprometida; frente a la traición la lealtad de su comportamiento. La relación señor-vasallo se consolida con la entrega de Oriana. Es un auténtico ejemplo de regimiento de príncipes; a pesar del peligro su condición y actitud quedan realzadas. Lisuarte es el rey «más leal del mundo», es decir, el mejor de los reyes posibles en una corte amenazada por la deslealtad de los enemigos [12].

Los peligros se acrecientan el día de la entrega de su hija Oriana. La doncella que había obtenido la promesa de ayuda [13], solicita la intervención regia:

> y agora me vengad de vn cauallero que va por esta floresta, que mató a mi padre al mayor aleue del mundo, y forçóme a mí, y encantóle de tal guisa que no puede morir si el más honrrado hombre del reyno de Londres no le da vn golpe con esta lança y otro con esta espada, y la espada diera él a guardar a vna su amiga, cuydando que le mucho amaua; pero no era assí, que muy mor-

11. R. LLULL, ob. cit., p. 139. Según A. PELAYO, *Speculum regum*, vol. I, p. 114, los reyes «debent non proprium commodum aut gloriam tyrannice quaerere, sed bonum subiectae sibi multitudinis regulariter intendere ac procurare, scilicet, bonam et virtuosam vitam, et quae ad ipsam adminiculantur».

12. En esta continua dialéctica de oposiciones la *fidelidad* proporciona quizás la clave de la novela en su aspecto político y amoroso. En todo el transfondo subyace un tipo de relaciones muy características del feudalismo, aunque se le hayan superpuesto otras condiciones históricas. Como dice F. L. GANSHOF, *El feudalismo*, Barcelona, Ariel, 1975, p. 134, «era, en efecto, a la vez, un modo de actuar que denominaba o penetraba todos los actos del vasallo y, en particular las diversas prestaciones objeto de su obligación».

13. El aspecto negativo que acarrea las alteraciones de las cortes radica en la conducta del rey. Según los *Castigos y Documentos*, p. 99, «mucho cae al rey de meter mientes en ante que prometa algo a ninguno, que es lo que promete e que es lo que quiere dar. En esto deues parar mientes en estas cosas que te yo agore diré. Lo primero, quien es aquel a quien lo quieres prometer. La segunda, qual es la cosa quel prometes...». Lisuarte ha concedido un «don contraignant» y como tal, novelescamente no cabe ningún razonamiento.

talmente lo desamaua; y diómela a mí y la lança,
para con que me vengasse dél; y yo sé que si por
vuestra mano no, que el más honrrado soys, por
otra no puede ser muerto; y si la vengança os
atreuierdes hazer, auedes de yr solo... (I, XXXIII,
275-276, 245 y ss.).

El agresor posee todas las notas antitéticas de un
caballero. Se ha comportado como «aleve» y ha forza-
do a una doncella. Por si fuera poco, está encantado
y sólo le puede vencer el más honrado de Londres
con unos objetos determinados. Los tres últimos
elementos nos ponen en contacto con el folklore
y la magia. De la misma manera que Aquiles y Sigfri-
do eran vulnerables en una parte de su cuerpo,
ahora sólo es posible vencer al enemigo con unos
medios específicos utilizados por el mejor. Lisuarte
es el elegido, el más honrado, y la tarea difícil destinada sólo a él se llena de obstáculos y se acerca
al terreno de lo mágico, siempre relacionado con
Arcaláus. Los indicios suministrados por el narrador
se hacen evidentes: «assí anduuieron vn rato por la
carrera; mas la donzella gela hizo dexar y guió por
otra parte, cerca de vnos árboles que estauan donde
entraran los que leuauan a Oriana» (Ibídem, 276,
287).

Las acciones se han aproximado en el tiempo; una
ha sucedido narrativamente tras la otra en algunos
de sus aspectos, y están rodeadas de ciertos halos
mágicos; ahora se unen en el espacio. No obstante,
son simples indicaciones del autor sin comentario
expreso de lo que va a ocurrir. El rey Lisuarte se
enfrenta con el caballero y la lanza se quiebra ligeramente de la misma manera que la espada. Las relaciones establecidas por los indicios se convierten en
reales, y se desarrollan en la propia acción. A pesar
de la lucha, el rey es capturado por Arcaláus y conducido a prisión. La narración, que en un principio
había separado las acciones correspondientes a Oriana y a su padre, ahora se junta para presentar de
nuevo otra bifurcación. Una misma mano había ur-

dido los engaños. Los dones mágicos, corona y manto, y la lucha contra el agresor suponían el mayor ensalzamiento regio. Ahora representan su mayor menoscabo, y el encumbramiento de la traición y el engaño.

EL HÉROE AL ENCUENTRO DE SU PERSONALIDAD

El relato se ha unido para presentar narrativamente la trama del agresor y se bifurca porque su resolución está destinada a Galaor y Amadís. Galaor, caballero del rey, podrá manifestar su lealtad en esta presentación activa en la corte. Para Amadís el problema es más grave, al estar en juego su propia amada y una parte de su personalidad encantada por Arcaláus.

Una vez libres los dos hermanos, e informados de lo sucedido, deciden actuar en su rescate. Amadís se dirige en busca de su amada y su hermano va tras las huellas del rey.

No obstante, la narración se va alargando con pequeños detalles que retrasan el desenlace definitivo. Cuando mayor es la rapidez de Amadís por encontrarse con Arcaláus, mayores obstáculos debe salvar. Los resuelve siempre gracias a unos auxiliares que le proporcionan información o algún elemento indispensable para seguir su marcha: cebada, o incluso un caballo. Estos detalles minuciosos proporcionan bastante verosimilitud al relato, aunque su función sea la de retardar el encuentro por medio de episodios accesorios que amplifican la aventura. Incluso la lucha contra los caballeros se detalla con menos informantes que su búsqueda, si bien la heroicidad del caballero resalta ante los ojos de su amada, que le recompensará cumplidamente por su rescate. Además se produce un hecho excepcional:

La donzella de Denamarcha fue tomar el cauallo de Amadís y vio la espada de Arcaláus en el suelo, y tomándola tráxola Amadís, y dixo: —Ued, señor,

qué fermosa espada. El la cató y vio ser aquella
con que le echaran en la mar, y gela tomó Arcaláus quando lo encantó (I, XXXV, 284, 352).

Como ya hemos dicho, sobre esta espada su padre
juró casamiento secreto con Elisena, y Amadís la
había perdido por el encantamiento de Arcaláus. El
rescate de la amada se trasciende, porque a su vez,
recobrará el instrumento bélico por excelencia, y
parte de su personalidad perdida en el encuentro
con el mago. En cierto modo, la pérdida de la espada
podría interpretarse como una castración de Amadís [14]. Si admitimos esta hipótesis, no tiene nada de
extraño que cuando Amadís venza a Arcaláus, y re-
cupere su instrumento guerrero e incluso viril, se
produzca el primer contacto físico con Oriana. Amadís ha llegado a recobrar de nuevo lo perdido al derrotar a la única persona que por medios extrahuma-
nos había obtenido una victoria parcial sobre él.
A diferencia de su hermano, en las pruebas iniciáticas sufridas ha reprimido su sexualidad. Ahora, tras
el contacto con la muerte, la bajada a los infiernos
en casa de Arcaláus, tras la revelación de lo sagrado
en su investidura, después de la adquisición de su
propio nombre, puede adivinar sus relaciones con
Oriana. Si «sólo llega uno a hacerse hombre al asumir
las dimensiones de la existencia humana» [15], el héroe
completa su individualidad en el contacto interno
con el tú. Su carrera humana ha llegado a la culminación tras numerosas pruebas.

---

14. F. PIERCE, ob. cit., p. 135, señala la importancia de la
espada en el *Amadís*, con algunos presupuestos diversos a
nuestros análisis. «For example, arms, and in particular the
sword (the tradicional simbol of a knight's valor and honor),
come up in the story from time to time in a special way.»
El aspecto subconsciente que planteamos, por supuesto, no
es el único. Recordemos que la espada de Amadís era también uno de los objetos que lo ligaban con su linaje, con su
padre.
15. M. ELIADE, *Iniciaciones místicas*, p. 72.

EL RESTABLECIMIENTO DEL PODER REGIO

Galaor, en la búsqueda del rey, ha contrariado a dos caballeros cuya personalidad desconocemos. Ambos deciden seguir sus pasos porque «o él es el más couarde del mundo, o va acometer algún gran hecho, porque se assí guarda» (I, XXXVI, 289, 128).

La funcionalidad de los obstáculos en el rescate de Lisuarte es doble. Sirve para diferir el enfrentamiento, con lo que la expectación de cara al lector se hace más patente. Además, se intenta contrarrestar el diferente número de acompañantes de Oriana y de su padre. En el primer caso eran cinco personas, mientras que en el último sumaban hasta diez. La desproporción se resuelve con la ayuda de estos dos auxiliares, y también con la actuación del propio rey. La perspectiva de la narración ha mantenido en suspenso la identidad de unos personajes, ajenos en un principio al hecho fundamental, pero después auxiliares de nuestro héroe, en una acción que también les atañía a ellos como caballeros de Lisuarte.

Una vez finalizados los dos procesos, el autor nos describe las hazañas de Barsinán en Londres. Su acción resulta casi intrascendente, pero sirve de acicate para la defensa de la ciudad y de la reina.

Amadís logra conocer los planes de Arcaláus y Barsinán y decide volver. La rapidez de su regreso se plasma lingüísticamente «el más ir de su caballo». Deja rezagados a los demás en una marcha vertiginosa hacia la defensa de la reina, de la que es caballero. A pesar de su cansancio (fruto de su ardor bélico y amoroso) se deshace fácilmente de su adversario. Cada uno de los golpes significa una auténtica desmembración del enemigo:

> y llegando a Barsinán dióle vn encuentro de la
> lança en el escudo, tal que jelo falsó y el arnés,
> y entró el fierro por la carne bien la meytad y
> allí fue quebrada; y poniendo mano a la espada
> diole por cima del yelmo y cortó dél quanto al-
> cançó del cuero de la cabeça; assí que Barsinán
> fue atordido; [...] y cortóle la manga y el braço

con ella cabe la mano; y descendió la espada a la
pierna, y cortóle bien la meytad della; y Barsinán
quiso fuyr, mas no pudo y cayó luego (I, XXXVIII.
299, 157 y ss.).

Las frases poseen una estructuración trimembre,
incluso en su período. Adviértanse las correlaciones
y paralelismos entre «falsar, penetrar, quebrar», «escudo, carne, lanza», «cabeza, mano, pierna», inmerso
todo ello en una gradación ascendente: rotura de la
lanza, aturdimiento de Barsinán, imposibilidad de
la huida.

Amadís actúa con la mayor eficacia gracias a su espada, cargada de connotaciones. Corta tan ligeramente que el héroe no la siente en la mano, porque se
trata de la espada del rey, reparadora de su honra[16].
Ya no es sólo Amadís el personaje de la lucha, ya que
su arma llega a ser coprotagonista. No es de extrañar
la exclamación final a manera de apóstrofe:

—¡Ay, espada!, en buen día nasció el cauallero
que os ouo; y cierto vos soys empleada a vuestro
derecho, que syendo la mejor del mundo, el mejor
hombre que en él ay vos possee (I, XXXVIII,
300, 203).

Podríamos decir con Spieth que «la victoria y la
vida dependen tanto de la acertada dirección y del
poderío de las armas como de su buena voluntad;
y este sentimiento se apodera irresistiblemente del
guerrero en el momento decisivo de la batalla»[17]. Las
armas se convierten en el Dios auxiliador y salvador.
Algunos de los objetos pertenecientes a un individuo
pueden en determinadas circunstancias sustituirlo,
pues son una prolongación de su personalidad. En
este caso, la espada, símbolo del poder, pues «taja
por premia e por justiçia las cabezas de los que mal

16. La mujer de Lisuarte le había entregado la espada de
su marido a Gandalín: «Da esta espada a tu señor, y Dios le
ayude con ella» (I, XXXV, 280, 42 y ss.).
17. *Die Religion der Eweer in Süd togo*, Leipzig, 1911, página 115. Citamos a través de E. CASSIRER, ob. cit., p. 68.

fazen» [18], no ha servido para cortar la cabeza del adversario, pero con ello se ha obtenido la victoria. Un mismo objeto se ha erigido en símbolo de toda la acción con tres secuencias diferentes. La espada entregada por la doncella al rey era el síntoma de su traición y deslealtad; la espada encontrada por la doncella de Dinamarca era el signo distintivo del linaje del héroe y su personalidad definitivamente recuperada; la espada del rey en manos de Amadís es el símbolo de la justicia reparada. Es la representación del mejor hombre del mundo que tiene a su lado a la élite de la caballería.

Una vez vencido el enemigo, Amadís no castiga la falta con sus propias manos; deja la justicia en manos de Lisuarte, como jefe supremo de la corte. Las faltas de los agresores corresponden a una de las peores transgresiones en la axiología medieval: la traición [19]. Además, los adversarios no se han comportado de acuerdo con la esencia de su *ethos* estamental. Un guerrero se debe presentar como tal y su acción primordial deberá consistir en demostrar su actitud bélica. La actitud de los agresores no ha podido ser más inadmisible. Barsinán ha demostrado su falta de preparación para la guerra, sin ninguna cualidad positiva. Con Arcaláus ha urdido el engaño fuera del combate; con el sobrino del encantador será quemado. Su muerte no será la de un guerrero que lucha en el campo de batalla, sino la de un auténtico felón. Ha pecado de codicia, soberbia y traición. El fuego purificará estas faltas, desterrándolas de la corte reafirmada por el rey y sus caballeros.

La lealtad y verdad han prevalecido sobre sus contrarios y la caballería ha demostrado su necesaria función. Reuniendo a los mejores caballeros, el rey

18. *Castigos e documentos*, ed. cit., p. 83.
19. Véase ADALBERT DESSAU, «L'idée de la trahison au moyen âge et son rôle dans la motivation de quelques chansons de geste», *C C M*, III (1960), en especial p. 23. *Los Castigos e documentos*, ed. cit., p. 187, señalan lo siguiente: «La lealtad e la verdat es tal como la buena triaca fina. E la trayçión e la falsedat es tal commo el tosico mortal.»

enaltece la corte en una idílica unión. «Honrrados deuen mucho ser los Caualleros: esto por tres razones: La vna, por nobleza de su linaje. La otra por su bondad. La tercera, por el pro que de ellos viene. E porende los Reyes los deven honrrar, como aquellos con quien han de fazer su obra, guardando e honrrando a sí mesmos con ellos, e acrescentando su poder e su honrra»[20]. La honra resplandece en este espacio utópico regido por el mejor monarca posible y servido por los más leales y esforzados caballeros. Amadís, el principal de su linaje, tiene relaciones con la hija del rey y puede ser el heredero de ese trono, gloria de la caballería.

La corte de Lisuarte, homóloga a la del rey Arturo, es un lugar que conoce una armonía característica del Reino de la Paz y de la aventura, gracias a las virtudes supremas que allí se manifiestan y a los hombres reunidos. En las novelas artúricas, la sociedad real llega a ser una comunidad cortesana mítica. La corte de Arturo, dominada por un rey, parangón de las virtudes caballerescas, simboliza la nueva vida ideal y legendaria. Reemplaza a la de Carlomagno. Este, modelo de virtudes feudales, obraba como intercesor de sus vasallos ante Dios, mientras que Arturo acerca a sus Caballeros a la perfección cortesana. Los vasallos feudales aspiran a la bandición de Carlomagno, los caballeros corteses a la aprobación, a la ratificación de sus actos por Artur[21].

El modelo literario parece evidente en nuestra novela, cuya composición primitiva pudo realizarse en los años propicios para esta exaltación cortesana y caballeresca. Para Jole Scudeiri Ruggieri, entre 1170 y los inicios del reino de Sancho IV, la novela francesa de aventuras y los poemas corteses habían vivido una vida rica en sus consecuencias. «La acción legisladora de Alfonso X, en materia caballeresca, podría ser interpretada como resultado no de una

20.　Alfonso X, *Partidas*, II, t. XXI, l. XXIII.
21.　G. Sh. Burgess, *Contribution a l'étude du vocabulaire prè-courtois*, Genève, Droz, 1970, p. 11.

voluntad de innovación, más bien como un proceso de catalizaciones de elementos culturales y de vida corteses ya adquiridos en España en el curso de los años [22]. El germen existía y su cristalización más relevante fue la Orden de la Banda en tiempos de Alfonso XI. No deja de ser sintomático que las primeras menciones de la novela se realicen en aquella época, prueba inequívoca de su aceptación [23].

22. J. SCUDIERI RUGGIERI, «Per uno studio...», art. cit., página 18.

23. Como es sabido, la primera mención del Amadís se realiza en el *Regimiento de Príncipes*, traducido por Juan García de Castrogeriz. Véase R. FOULCHÉ-DELBOSC, «La plus ancienne mention d'Amadis», *R Hi*, XV (1906), p. 815. No obstante, S. ROUBAUD, «Les manuscrits du *"Regimiento de Príncipes et l'Amadís"*», *M C V*, V (1969), p. 128, a la vista de todos los manuscritos de la obra de Egidio de Colonna cree que «l'allusion amadisienne est, en effect, antérieure o postérieure a 1350 selon qu'elle est due ou non à la plume de Juan García. Si on admet la second hypothèse, elle pourrait ne plus être «la pus ancienne mention d'Amadis», puisque celui-ci figure, comme on sait, dans un «decir» de Pedro Ferrús, ainsi que dans le *Rimado* du Canciller Ayala. composés tous deux dans le dernier tiers du XIVe siècle». Véase también de la misma autora, «Encore sur le *Regimiento et L'Amadís*», *M C V*, VI (1970), 435-438. Por nuestra parte, nos inclinamos por la primera hipótesis.

IX. LA CULMINACIÓN AMOROSA DEL HÉROE

En el *Amadís*, en última instancia, todos los caminos conducen a Oriana, a diferencia de *Las Sergas*, cuyos pasos llevan a Constantinopla y Leonorina. El personaje femenino de nuestra novela se erige en punto de convergencia de las principales acciones porque la obra se inserta en unos códigos en los que la mujer se convierte en el centro primordial de los diversos aconteceres. Amadís se comporta respecto a Oriana como un leal servidor, dentro de una concepción claramente cortés donde el amor se convierte en una metáfora de unas relaciones *vasalláticas* propias de *una época feudal* [1].

EL SERVICIO AMOROSO

Es indudable que el amor como servicio, con todas sus connotaciones, se puede encontrar en las más diferentes literaturas [2], pero no deja de ser menos

1. C. S. LEWIS, *La alegoría del amor. Estudio de la tradición medieval*, Buenos Aires, Eudeba, 1969, p. 11, explica este servicio por razones sociales: «Antes del advenimiento del amor cortesano existía, en toda su intensidad y calor, la relación vasallo-señor; ella constituía el molde en que, por cierto, podía volcarse la pasión romántica.»
2. Véase P. DRONKE, *Medieval latin and the Rise of European Love-lyric*, Oxford, Clarendon Press (University Press), 1965, vol. I. K. WHINNOM, en el prólogo a su ed. de *Diego de San Pedro. Obras Completas. II. Cárcel de amor*, Madrid,

cierto que la ideología amorosa relacionada con nuestra novela [3] nace en unas condiciones históricas concretas [4]. En este contexto, destaca en primer lugar el punto de vista del amante, Amadís, respecto a su amada, a la que cree superior [5]:

> —Ay, *catiuo Donzel del Mar*, sin linaje y sin bien, ¿cómo fueste tan osado de meter tu coraçón y tu amor en poder de aquella que vale más que las otras todas de bondad y fermosura y de linaje? *¡O catiuo!*, por cualquier destas tres cosas no deuía ser osado el mejor cauallero del mundo de la amar, que más es ella fermosa que el mejor cauallero en armas, y más vale la su bondad que la riqueza del mayor hombre del mundo, et *yo catiuo* que *no sé quién so*, que bivo con trabajo de tal locura que moriré amando sin jelo osar dezir (I, VIII, 67-68, 106).

En el soliloquio destaca la disposición trimembre que contrapone linaje a carencia de linaje, hermosura a valentía y bondad a riqueza del mayor hombre del mundo. Esta estructuración lógica está inserta dentro de un período trimembre. Se introduce en primer lugar el protagonista, como corresponde al

---

Castalia, 1972, retoma buena parte de las alegaciones en contra de la existencia de un amor cortés para explicar a Diego de San Pedro. La reseña de J. FRAPPIER, «Sur un procès fait à l'amour courtois», recogido en *Amour courtois et table ronde*, ob. cit., pp. 61-96, sobre el libro *The Meaning of Courtly Love*, de D. W. Robertson, Jr., J. B. Benton, Ch. S. Singleton, W. T. H. Jacksons y Th. Solverstein nos parece esclarecedora. Véase también un buen resumen en J. H. MARTIN, *Love's Fools: Aucassin ,Troilus, Calisto and the parody of the Courtly lover*, London, Tamesis, 1972, pp. 1-21.

3. La propia novela se inserta a través de sus comparaciones con el mundo artúrico.

4. Véase M. de RIQUER, *Los trovadores*, t. I, ob. cit., en esp., pp. 82 y ss.

5. Como dice J. L. VARELA, «La novela sentimental y el idealismo cortesano», recogido en *La transfiguración literaria*, Madrid, Editorial Prensa Española, 1970, pp. 12-13, «amor cortés implica divinización de la amada y del sentimiento amoroso mismo, sea cual fuere el límite impuesto por el argumento o las condiciones genéricas —teatro, poesía, novela— a las relaciones de los protagonistas».

inicio del monólogo, para cerrarse sobre el propio
yo, y desarrollar por comparaciones la superioridad
de la amada, entre los dos comienzos.

El autor ha desarrollado una sutil gradación en
el uso de la primera persona. En un principio hay
un desdoblamiento —cativo Donzel del Mar—, para
volver a insistir en el «cativo», y finalmente el Doncel convertirse en el personaje que está monologan-
do, «que no *sé* quién so». El problema planteado
desde un comienzo de una manera distanciada, Amadís lo interioriza a través del diálogo consigo mismo.
Se pasa de una afirmación, «sin linaje y sin bien»,
a una mayor intensificación «yo cativo que no sé
quién só, que vivo con trabajo de tal locura». De las
tres condiciones, bondad, hermosura y linaje, por
las que considera a Oriana como un ser inalcanzable,
él sólo se siente implicado efectivamente en la tercera. Es el mayor motivo de su preocupación, entre
otras razones porque no conoce su personalidad. La
acción desarrollada en estos momentos consiste en
la búsqueda de su propio nombre y origen. Oriana,
al enviarle la carta favorece su anagnórisis y contribuye a la adquisición de su identidad.

El monólogo se adapta a las circunstancias narrativas de la obra y en su planteamiento están implícitos buena parte de los desarrollos posteriores.
El desconocimiento del linaje, principal tribulación
del héroe, lo sitúa en condiciones de inferioridad
respecto a su amada. Por el contrario, la adquisición
de sus señas de identidad supone la consolidación
de un individuo inserto en una comunidad, con una
ascendencia regia parangonable a la de Oriana. La
anagnórisis de los padres se trasciende a través del
amor. Es necesaria para la afirmación de un personaje individual —Amadís de Gaula— frente a un caballero cuyos orígenes son genéricos —Doncel del
Mar—. Es el principal obstáculo que le puede impe-
dir el acercamiento a su amiga y a través de ella
insertarse en la sociedad cortés que rodea a Lisuarte.

Ahora bien, Amadís al utilizar el «tú» en el soliloquio ha objetivado su razonamiento. La dama posee

unas cualidades extraordinarias por su bondad y
hermosura. Un caballero sólo puede oponer sus hechos de armas o la riqueza. Éste último elemento
lo deberemos considerar no como la acumulación de
dinero, sino como los diversos bienes materiales
inherentes a una condición social, la relativa *al mayor*
hombre del mundo.

AMOR Y AVENTURAS

Desde una perspectiva amorosa las tareas de Amadís parecen claras. A través de sus múltiples aventuras deberá mostrar cómo su amiga le puede im-
pulsar a la ejecución de empresas difíciles. Mediante
estas pruebas podrá manifestar su superioridad para
hacerse merecedor de Oriana. A su vez, al estar en
deuda con ella, alguna de sus aventuras tendrá que
relacionarse con su propia amada, para saldar el
compromiso contraído.

Además, es necesario distinguir entre los distintos
géneros y también las concepciones desarrolladas en
el Norte y Sur francés. «Comme on le sait, les troubadours voient dans la *fin'amor* une source de noblesse et de prix. Pourtant ceux-là mêmes qui appartiennent à d'aristocratiques lignages ne semblent pas
établir de lien entre l'exploit guerrier et le sentiment
amoureux. Au contraire les romanciers d'oïl ne ces-
sent guère d'associer *amour* et *chevalerie*» [6]. Es igual
que Amadís reconozca su ascendencia aristocrática.
El amor conlleva la realización de acciones caballerescas. En cuanto a la riqueza, desde un punto de
vista amoroso y para un caballero andante, puede
implicar la adquisición de algún territorio, bienes,
etcétera, superiores por sus peculiaridades a los de
los demás. La Insola Firme podría ser el elemento
más característico. En consecuencia, el héroe deberá
superar múltiples pruebas para hacerse acreedor al

6. J. FRAPPIER, «Vues sur les conceptions...», art. cit., página 15.

amor, y el desconocimiento de su linaje no será la única.

Sin embargo, según Henry Thomas era una ocasión propicia para que se produjera el enlace en nuestros dos personajes: «Amadís da prueba en distintos encuentros de ser el mejor caballero del mundo, y luchando por el rey Perión mata al rey gigante Abies de Irlanda. Después de la batalla, mediante un anillo, Amadís es reconocido como hijo por el rey Perión, lo cual le brinda una situación magnífica para pedir la mano de Oriana y terminar el libro con una adecuada ceremonia. Pero este final significaría el sacrificio de las nueve décimas partes de la historia...» [7] También A. Duran abunda en la misma hipótesis con otros presupuestos: «Mientras Amadís ignora su identidad, la relación existente entre esa entidad ignorada, sus aventuras y Oriana es suficiente y adecuada para extender bajo todos los miembros de la novela un factor unitario equivalente al graal. Una vez reconocido Amadís por sus padres, la *amplificatio* de la novela provoca que las aventuras del héroe pierdan el valor ético que poseían (dejan de ser pruebas) y por otra parte le arrebata al *entrelacement* el factor unitario imprescindible para conservar la unidad y futuridad de la novela» [8]. Desde que Amadís comienza sus aventuras hasta que sus padres le reconocen, la acción más importante corresponde a su lucha contra Abies, pero tampoco se trata de que determinados hechos le hagan conseguir una honra suficiente para solicitar a Oriana en matrimonio, sino que deben ir, en parte, destinados hacia la misma Oriana, o gente de su corte.

Las palabras de Amadís al recibir la carta de su amada señalan cómo piensa dirigir sus acciones para que puedan servir a su señora de la «merced que le hace». Amadís al recibir la carta exclama: «¡Ay, Dios, señor, y quándo veré yo el tiempo en que seruir

7. *Las novelas de caballerías españolas y portuguesas*, Madrid, C.S.I.C., 1952, pp. 38-39.
8. A. DURÁN, ob. cit., p. 128.

pueda aquella señora esta merced que me haze!» (I, IX, 81, 362 y ss.). Su pensamiento está claramente expuesto para recompensar los servicios de su dama que, por otra parte, le ordena ir al reino de su padre. En definitiva, a nuestro juicio, las aventuras de Amadís antes de ser reconocido como hijo de Perión no son suficientes para terminar la novela con ellas.

AMOR Y RETÓRICA.

Una vez superado el obstáculo de su ascendencia, la superioridad de la amada no deja de manifestarse como pena ante una meta inalcanzable. Camino de la corte de Lisuarte, se desarrolla la misma idea a través de un diálogo del héroe con Gandalín, cuya posición no deja de ser significativa. En las relaciones entre Oriana y su señor está de parte de éste. Si a Amadís le sucede algo desagradable —en nuestro caso concreto estar separado de su dama—, el escudero lo intenta paliar rebajando la figura femenina, para ensalzar la de su amo:

> —Señor, esto es gran malauentura amor tan entrañable, que assí me ayude Dios, yo creo que no hay tan buena ni tan hermosa que a vuestra bondad ygual sea, y que la no hayáys. Amadís que esto oyó, fue muy sañudo y díxole: —Ue, loco sin sentido ¿cómo osas dezir tan gran desuarío?; ¿hauía yo de valer, ni otro ninguno, tanto como aquella en quien todo el bien del mundo es?, y si otra vez lo dizes, no yrás comigo un passo (I, XIII, 115, 516).

El héroe se va a reunir con la hija de Lisuarte y piensa en ella, con los correspondientes suspiros y lágrimas. Antes expresaba sus sentimientos a través del monólogo. Ahora el diálogo se convierte en desahogo, del que sale malparado Gandalín, cuando su intención había sido la contraria. La conversación no puede ser más rápida y señala la antítesis de su planteamiento: *a)* «gran malaventura» frente a «amor tan entrañable», primera afirmación; *b)* «tan buena, y tan hermosa», comparación; *c)* «que lo no hayáis», resultado.

Posteriormente, el Doncel del Mar se afirma en su amor entrañable y rompe la comparación establecida por su confidente, con una acumulación rápida de verbos en su respuesta: «oyo», «fue sañudo», «dixo», análoga a su irritación.

Tomando estos dos ejemplos como los más relevantes, podremos ver que en ambos hay unas propuestas silogísticas trimembres. En la primera, monólogo, se hacía de forma sagaz. El Doncel del Mar sin linaje y si bien para amar a Oriana y ser correspondido de una forma equivalente debe adquirir los tres elementos señalados. Después se pasa a la conclusión íntima e implícita en su argumentación inicial («yo catiuo que no sé quién so»). Su amor se ha convertido en osadía: «¿cómo fueste osado?» En la nueva situación el problema se plantea a la inversa. Desde un principio Gandalín afirma la conclusión: su amo iguala a todos en bondad y no hay ningún obstáculo para obtener a cualquier mujer. De ello deduce su primera afirmación: «no hay tan buena ni tan hermosa que a vuestra bondad ygual sea». La única posibilidad de Amadís es demostrar el sofisma del razonamiento: él no es igual a Oriana, con lo que el diálogo queda completamente zanjado. No hay discusión posible, sino acusaciones que implican para su contrincante una falta: «loco sin sentido, gran desvarío». El campo semántico se circunscribe a términos racionales, no afectivos, para desarticular el silogismo.

En ambas circunstancias se introduce la conclusión casi como premisa; en la primera «¿cómo fuiste osado?» y en la segunda frase inicial de Gandalín. Ahora al convertirse en diálogo se objetiva de manera más racional, para volcarse en la afectividad de Amadís en insulto, y después en amenaza. La actitud amorosa del personaje refleja una misma identidad temática, la superioridad de la amada, adaptada al contexto novelesco. El amor debe ser secreto, según postulan los códigos corteses, pero a su vez tanto Amadís como Oriana tendrán sus respectivos confidentes.

El dolor, la pena por la ausencia, motivará diferentes situaciones. En el soliloquio, el Doncel del Mar puede racionalizar su tristeza gracias a la utilización de la segunda persona[9]. De esta manera, se convierte en diálogo cuyo interlocutor es el propio personaje. El carácter afectivo de sus deducciones está implícito en el desdoblamiento —Doncel del Mar y primera persona, yo. Está conversando con alguien que carece de nombre propio. La angustia se convierte en desazón que puede aflorar a través de la palabra. El amor por Oriana es también la aventura de encontrarse a sí mismo. En la conversación con Gandalín, una segunda persona equivalente al Doncel del Mar, el héroe proyecta sus obsesiones. La locura de su amor, el desvarío, radica en el escudero que no comprende del todo sus desasosiegos. Su fiel confidente es un *alter ego* sobre el que desahoga sus sentimientos. En ambos casos se ha utilizado una técnica similar, a través de una segunda persona, Doncel del Mar o Gandalín.

Desde estas premisas los aconteceres novelescos discurren como un obstáculo que el amante debe superar para igualar o acercarse a la meta inalcanzable[10]; por ello deberá mostrarse digno de conseguir

---

9. Este desdoblamiento es semejante al analizado en algunos textos de la novela moderna por F. YNDURAIN, «La novela desde la segunda persona. Análisis estructural», recogido en *Teorías de la novela (Aproximaciones hispánicas)*, ed. por A. y G. Gullón, Madrid, Taurus, 1974, pp. 199-227.

10. El tema predominante de la temática cortés suele ser la dama «sans merci», poco «accesible amorosamente», según dice M. de Riquer, *Los trovadores*, t. I, p. 86. El motivo predomina en la lírica castellana (véase P. le GENTIL, *La poesie lyrique espagnole et portuguaise à la fin du moyen âge*, Rennes, Plihon, 1949, t. I) y en la novela sentimental. Para J. L. VARELA, art. cit., p. 24, «la dama no concede galardones. Es inasequible, inflexible, cruel; si accediesse, la novela no sería sentimental, ni puramente cortés el amor». Pero, como hemos señalado, J. Frappier ha demostrado las distintas concepciones del amor. Como apunta en su extraordinario

la unión. Esto implica por parte de Amadís una postura de sumisión, y el amor se convierte en una especie de servicio hacia una persona superior, la amada. Él se considera indigno de realizar cualquier proposición a Oriana, y se muestra servicial ante sus peticiones. Pero los dos amantes, desde el primer momento, están satisfechos porque «ella vio que todo señorío tenía sobre él», y Amadís se ha convertido en su servidor. Frente a la actitud de otras damas de la poesía y la novela cortés, Oriana se muestra accesible, y la posible distancia entre los dos parte más del héroe que de su amiga, quien manifiesta con su comportamiento, y a través de las palabras del narrador, un amor instantáneo. El posible perfeccionamiento de las virtudes corresponden a una especie de noviciado que se propone Amadís a sí mismo. La perspectiva es idéntica a la de las novelas artúricas, en las que el amor implica una renovación del ser y un acrecentamiento del valor [11].

Si en un principio no se imaginaba que Oriana lo pudiera amar, pronto tiene ocasión de saberlo por una mensajera suya. Con la confesión expresa de este amor, sólo resta su desarrollo y consumación, pues las dificultades pertenecen a un mundo ajeno a los protagonistas. Amadís, en la segunda conversación con su amada, le pide piedad para su atribulado corazón y ella le contesta que «nunca piensa sino en buscar manera cómo vuestros desseos ayan descanso» (I, XIII, 129, 448).

Ahora bien, las argumentaciones de Amadís frente a su amada, y no consigo mismo, o con Gandalín, son completamente distintas de las analizadas. Aparte del cambio de dialogante, deberemos tener en cuenta que el héroe se ha presentado de incógnito

---

libro *Étude sur la mort le roi Artu, Roman du XIIIe siècle*, Genève, Droz, 1972, p. 292, «en el *Lancelot* en prosa incluso en las partes más teñidas de espíritu caballeresco, no se celebran apenas las quintaesencias del amor cortés ni el culto de la dama inaccesible».

11. J. Frappier, «Le concept de l'amour», art. cit., p. 49.

en la corte venciendo a Dardán. Sus méritos son
mayores y el planteamiento diferente.

En un principio, nuestro héroe se valía de razonamientos externos a él como causa de sus padeci-
mientos amorosos, la inalcanzabilidad de la amada
por su poca dignidad y méritos. En la segunda
ocasión que dialoga con ella, sólo argumenta su
merecimiento como *captatio benevolentiae:*

> Y si yo, mi señora, fuesse tan dino, o mis seruicios
> lo meresciessen, *demandarvos* ya piedad para este
> tan atribulado coraçon antes que del todo con
> las lágrimas desfecho sea; y la merced que os,
> señora, pido no... (I, XIII, 128, 457).

En los tiempos verbales se pasa de un futuro
hipotético dependiente de una condicional a un
presente, «pido». El primero implica una resolución.
La petición se basa en la condición de ser digno o
haber cumplido los servicios. Si en otros textos se
soluciona de una forma lógica, acorde con las premisas planteadas, ahora los presupuestos establecidos de antemano los resuelve el mismo Amadís,
«y la merced que os pido». Del condicional se ha
pasado a la petición presente sin que haya mediado
ninguna respuesta. La condicionalidad era puramente retórica, y estaba destinada a la «captación» afec-
tiva de la amada, con presentación modesta y humilde del amado. En el fragmento precedente había
demostrado la sutileza de su razonamiento. La posible falta de discreción es atribuible a Oriana, por las
consecuencias amorosas mucho más fuertes que
las guerreras en la formulación antitética de caballero invencible vencido por el amor.

Todo es pura retórica para conseguir sus propósitos. La hipotética indiscreción está causada por
Oriana, que lo tiene sojuzgado, mientras que la dignidad o los servicios prestados, ambos atribuibles
a él solo, los da por resueltos. La conversación se
ha transformado en un silogismo de lo más persuasivo porque se parte de la situación inicial confesada.

la completa subordinación y amor hacia su amada. Tras la premisa —el resto es una auténtica *amplificatio*— se plantea el dilema: la merced produce más amor, aunque desde la perspectiva de Amadís no le produzca más descanso. De todo ello se desprende que la no concesión implica la muerte.

La argumentación se ha convertido en un enfrentamiento dialéctico al que Oriana difícilmente puede escapar. Antes, Amadís se había preparado para ello «esforçándose más que para otra afruenta ninguna». De la misma manera que la afrenta de un caballero podía o bien aumentar su dignidad y valor o bien acarrear la muerte, la aventura amorosa conlleva los mismos términos. Amadís dialoga con su amada para no dejarle solución posible; la ha vencido con sus proposiciones. La réplica de Oriana implica el completo sometimiento a su amado.

EL AMOR CODIFICADO

El héroe gana también esta batalla [12], aunque no hay posibilidad de entrega, por circunstancias ajenas. Pero nos podríamos preguntar ¿qué piedad puede solicitar Amadís? En este sentido cabe también una explicación dentro de unos códigos amorosos, cor-

---

12. E. FARAL, *Recherches sur les sources latines des contes et romans courtois du moyen âge*, París, Honoré-Champion, 1967, p. 117, señala cómo «bien qu'elle soit indique dans *l'Encide* (XI, 736), on ne savrait oublier que cette métaphore du combat amoureux [...] revient plus d'une fois chez les poètes érotiques, Catulle, Tibulle, et les autres. Ovide l'emploi avec une particulière fréquence, et il a consacré une élégie tout entière à développer cette idée que l'amant est un combattant, "nocturna proelia gerentem"». En el *Amadís* está esbozado el tema de larga andadura en las letras españolas. Motivos equivalentes podemos encontrar desde el Arcipreste de Hita hasta Luis Martín-Santos, pasando por Góngora, etcétera. En el *Tirant* quizás encuentre uno de sus desarrollos más expresivos y graciosos. Incluso, el fenómeno se puede detectar en los desplazamientos semánticos de algunas palabras, como la antes comentada de rijoso; de «pendenciero» pasa a significar lujurioso, lascivo.

teses o no. Según escritores latinos hay cinco grados de amor: «Gradus amores sunt hii: visus et allo-quium, contactus, basia, factum» [13]. A su vez, un «anónimo autor de un salut d'amor», que se puede fechar entre 1246 y 1265, explica que en el amor hay cuatro «escalones», que corresponden a cuatro situa-ciones en que se encuentra el enamorado respecto a la dama: la de *fenhedor*, «tímido»; la de *prega-dor*, «suplicante»; la de *entendedor*, «enamorado tolerado», y la de *drutz* «amante»». En el primer es-calón el enamorado, temeroso, no osa dirigirse a la dama; pero, si ella le da ánimos para que le exprese su pasión, pasa a la categoría de *pregador*. Si la dama le otorga dádivas o prendas de afecto («cordon, cen-tur'o gan») o le da dinero («son aver»), asciende a la categoría de *entendedor*. Finalmente, si la dama lo acepta en el lecho [...] se convierte en *drutz* [14].

Estas cuatro situaciones, que no habrá que consi-derar como programa lineal del amor cortés, sino como síntesis clarificadora de distintas posiciones del amante, aparecen con frecuencia en la poesía de los trovadores, y se pueden rastrear en nuestra novela. En un principio, el Doncel del Mar se compor-ta como tímido, primera circunstancia, al no atre-verse a manifestar su amor. Oriana lo adopta como

13. Véase M. Riquer, *Los trovadores*, ed. cit., p. 91; E. R. Curtius, ob. cit., t. II, pp. 714 y ss. Según C. Buridan en su traducción francesa de Andreas Capellanus, París, Klinksieck, 1974, p. 214, se distinguen estas cinco etapas o grados a partir del comentario de Donato sobre el *Eunuco* de Plauto. Para A. Capellanus, *De amore*, ed. de A. Pagés, Castellón de la Plana, Sociedad Castellonense de Cultura, 1930, p. 17, «ab antiquo quatuor sunt gradus in amore cons-tituti distincti. Primus in spei datione consistit, secundus in osculi exhibitione, tertius in amplexus fruitione, quartus in totius personae concessione finitur». Utilizaremos a menudo este libro, pues, a pesar de su ambigüedad, la contradicción de la parte final expresa las propias divergencias de la época y es un útil repertorio codificado y ordenado. Aparte, la in-fluencia del texto en obras como el *Libro de Buen Amor*, el *Libro de Arcipreste de Talavera o Corbacho*, *La Celestina*, etcétera, parece evidente y ha sido notada, lo que demuestra la vitalidad de una obra, traducida al catalán en el siglo XIV.

14. M. de Riquer, *Los trovadores*, t. I, pp. 90-91.

su servidor (I, IV, 43-44, 302 y ss.), y da pruebas de su interés y amor al enviarle la carta indicadora de su origen. Amadís puede considerarse satisfecho y en deuda con su amada por los servicios prestados. Su condición de «suplicante» va unida a la realización de una empresa bélica en casa de Lisuarte. A partir de entonces, la dialéctica amorosa del héroe se consolida. Oriana le había regalado un anillo [15] y le había dado palabra de satisfacer sus deseos. Las gradaciones de todos los monólogos y diálogos se hacen evidentes por la reiteración de unas mismas palabras. Recuérdese que en su investidura el héroe solicitaba ayuda y victoria para sus «mortales deseos».

Amadís persigue desde un principio unos fines. Ahora bien, el amor mágico supone la renovación de su ser, aunque no la entrega instantánea, como sucedía con sus padres. La novela se estructura a partir de la dialéctica narrativa entre unas circunstancias que dificultan la culminación del amor (carencia de linaje, ausencia de fama, separación de los amantes), y la progresión creciente de unos deseos. Supone una continua superación de obstáculos cuyo desarrollo vertebra los principales hitos del primer libro.

Posteriormente Amadís, cuando se vuelve a reunir con su amada en la corte de su padre, reitera su planteamiento anterior:

> Señora, de aquella dolorosa muerte que qada día por vuestra causa padezco [...] y si no fuesse, señora, este mi triste coraçón con aquel gran desseo que de seruiros tiene sostenido, que contra las muchas y amargas lágrimas que dél salen con gran fuerça, la su gran fuerça resiste, ya en ellas sería del todo deshecho y consumido, no porque dexe de conocer ser los sus mortales desseos en mucho grado

15. El anillo, según A. Capellanus, era uno de los objetos que podía recibir un amante. *De amore*, ed. cit., p. 169, «Amans quidem a coamante haec licenter potest accipere scilicet: orarium [...] anulum».

satisfechos en que solamente vuestra memoria dellos se acuerde, pero como a la grandeza de su necessidad se requiere mayor merced de la que él merece para ser sostenido y reparado, si ésta presto no viniesse, muy presto será en la su cruel fin caýdo (I, XXX, 247, 199).

El héroe insiste en su equiparación del amor no correspondido con la muerte, y de nuevo nos encontramos con una técnica persuasoria y también propia de una supuesta humildad frente a la amada: la grandeza de sus necesidades es menor que la del merecimiento. La demora de estos reparos no puede diferirse por más tiempo, ya que le conducen inevitablemente a la muerte.

Ahora bien, dentro de los postulados de Oriana, afirmados en su réplica «en la vuestra muerte [no habléis] que el coraçón me fallesce, como quien vna hora sola dela biuir no espero; y si yo del mundo he sabor, por vos que en el biuis lo he», le promete que «si la fortuna o mi juyzio alguna vía de descanso no os muestra, que la mi flaca osadía la fallará, que si della peligro nos ocurriere, sea antes con desamor de mi padre y de mi madre y de otros, que con el sobrado amor nuestro nos podría venir» (I, XXX, 247, 255 y ss.). Los razonamientos de Amadís han sido progresivos. Cada uno de ellos significaba mayor proximidad a la muerte si no se cumplían sus deseos, y a su vez, la actitud de Oriana ha ido afianzándose cada vez más en sus respuestas. En una primera conversación admite que sea su servidor, después le aconseja templanza, aunque le insinúa que siempre piensa en buscar «cómo vuestros desseos ayan descanso» (I, XIII, 129, 487), para llegar a la promesa que le puede suponer el desamor de sus amistades o familiares. La entrega ya es total y sólo falta la ocasión propicia para consumarla. El rapto de Oriana por Arcaláus allana los posibles obstáculos, una vez vencido el Encantador.

Y en esta última etapa las argumentaciones de Amadís inciden y retoman las anteriores aunque insistiendo en la gradación y proximidad de la muerte:

> Amadís leuaua a su señora por la rienda, y ella le yua diziendo quán espantada yua de aquellos caualleros muertos, que no podía en sí tornar; más él le dixo: —Muy más espantosa y cruel es aquella muerte que yo por vos padezco; y, señora, doled-vos de mí y *acordaos de lo que me tenéys* prometi-do, que si hasta aquí me sostuue no es por ál, sino creyendo que no era más en vuestra mano ni poder de me dar más de lo que daua; mas si de aquí adelante veyéndovos, señora, en tanta libertad no me acorriéssedes, ya no bastaría ninguna cosa que la vida sostenerme pudiesse, antes sería fene-cida con la más rauiosa esperança que nunca per-sona murió (I, XXXV, 284, 376 y ss.).

De nuevo las imágenes se circunscriben y relacio-nan con la guerra y sus consecuencias: la muerte. Si nuestro héroe ha podido vencer a los caballeros que raptaban a Oriana, su amor le causará la muerte, si ella no lo impide. Los términos son parecidos a los precedentes, pero se ha producido una progre-sión. Amadís retoma la promesa de Oriana que antes le había obligado a ofrecerle. Su cumplimiento se había diferido por circunstancias ajenas a ella. Si en estos momentos, que está en entera libertad, no le «acorre», la muerte será su consecuencia. La única posibilidad de Oriana es la aceptación o el rechazo —la petición no se puede aplazar— por lo que se entrega a Amadís, aunque con una única condición «avnque aquí yerro y pecado parezca, no lo sea ante Dios» (I, XXXV, 284, 402).

Amadís, una vez solos, «quando assí la vio tan fermosa y en su poder, auiéndole ella otorgada su vo-luntad, fue tan turbado de plazer y de empacho que sólo catar no la osaua; assí que se puede bien dezir que en aquella verde yerua, encima de aquel manto, más por la gracia y comedimiento de Oriana que por la desemboltura ni osadía de Amadís, fue hecha dueña la más hermosa donzella del mundo» (I, XXXV, 285, 448 y ss.). El proceso se ha cumplido en todos los pasos y en esa culminación de su amor no queda más que un constante acrecentamiento, aunque sea puramente verbal.

Esta sucesión de monólogos y diálogos puede parecer monótona por la reiteración de unos planteamientos similares en casi todos ellos, sobre todo en los últimos. Sin embargo, su desarrollo no ha sido lineal. Amadís ha conversado con Oriana sólo en contadísimas ocasiones. La contraposición espacial entre caballería andante y corte ha distanciado los diálogos. Las aventuras superadas por el héroe lo han acercado hasta una posición similar a la de su amada. Su consideración como indigno de alcanzar un amor inmerecido se plantea ahora más como procedimiento persuasorio que como consideración objetiva. Amor y aventura aparecen indisolublemente unidos. La complicación de las empresas y sus dificultades van parejas con el ensalzamiento del protagonista, que se ha hecho merecedor de obtener a su amada, con la continua demostración de sus cualidades.

Pero quizá la nota más original la constituye la propia dialéctica esgrimida por Amadís. Los diálogos no son meros ejercicios ornamentales de estilo [16], ajenos a la dinámica narrativa. De la misma manera

---

16. M. VARGAS LLOSA en la introducción a *El combate imaginario. Las cartas de batalla de Joanot Martorell*, Barcelona, Barral Editores, 1972, presenta a Martorell como persona amante de las formas, del juego. «Si los personajes hablan tanto, si los adversarios se eternizan cambiando desafíos escritos y orales antes de pasar a la acción (como le ocurrió a Martorell) y los enamorados postergan la consumación física del amor con interminables discursos, es porque en esta realidad formal el lenguaje es una fuente inagotable de felicidad, el instrumento principal del rito, la materia con que se fabrican las fórmulas: él embellece o afea los actos, él funda los sentimientos», p. 28. En nuestra novela, en sus dos primeros libros, el lenguaje amoroso es parte activa de la dinámica de los aconteceres. Por supuesto también es rito y fórmulas, como muchos aspectos medievales, pero no sólo en su aspecto verbal, sino también en la kinésica, en los gestos, sollozos, lágrimas, ensimismamientos, etc. El lenguaje en el *Amadís* es un ingrediente más del rito.

que la sucesión de aventuras ha acrecentado la estimación del héroe por parte de la corte y de Oriana, sus parlamentos suponen la asunción de sus experiencias novelescas. Por una parte, los razonamientos varían de acuerdo con las propias circunstancias narrativas. Amadís conforme avanza la novela se muestra seguro de sí mismo en sus planteamientos. Incluso el héroe se prepara para sus relaciones con Oriana como si se tratara de un obstáculo más dentro de las múltiples dificultades. Esta constituirá su mayor prueba. Las armas de la retórica, del arte de la persuasión, son sus principales medios para alcanzar la meta de la *fin's amor* [17]. Por ello, Amadís asume los diálogos anteriores y retoma proposiciones precedentes.

Las conversaciones entre los protagonistas muestran cómo el autor ha sabido engarzar y unir de forma coherente unos episodios dispersos a lo largo de la obra. La trabazón de todos ellos pone de manifiesto una voluntad organizadora y artística. Cada situación novelesca ha generado unos parlamentos similares por su temática, pero progresivos en su desarrollo. El diálogo no ha sido un elemento ornamental. Unido a las diferentes hazañas, constituye el recurso del héroe para lograr sus fines. En último término, la dialéctica de Amadís representa uno de los recursos más importantes del héroe para conseguir a su dama. No ha sido algo estático, sino que ha servido para motivar de forma verosímil su unión con Oriana. Ésta ha actuado como mediadora en la investidura de Amadís, su carta le ha proporcionado un nombre. La consumación sexual supone su incli-

---

17. Según M. Lazar, *Amour courtois et «Fin'Amors» dans la litterature du XIIe siècle*, París, Klinksieck, 1964, p. 61, «la *fin'amors* n'est pas un amour platonique, ni un "adultere spirituel". Elle a pour objet à la fois le coeur et le corps de la femme mariée». En el caso de Amadís, la mujer no es casada, pero el proceso resulta idéntico. No seguimos todas las distinciones establecidas en este libro, pues incluso podría hablarse de un amor artúrico.

nación a la vida como hombre y la máxima entrega
de la amada hacia su vasallo. Oriana siempre ha
estado presente en los momentos más decisivos de
su existencia.

A pesar de los criterios de Durán y Thomas, las
aventuras anteriores constituían auténticas pruebas
para el héroe. Su amor ha podido ir en aumento
porque sólo se han visto esporádicamente y al precio
de grandes dificultades. Como decía Andreas Capellanus «el deseo y pasión son tanto más fuertes
cuanto que los obstáculos que les impiden entregarse
las señales del amor, son mayores» [18]. Amadís había
contraído una deuda con su amada y hacia ella se
dirigen sus principales acciones. En el rescate de la
princesa ha podido saldarla, y ha obtenido la recompensa correspondiente. El esquema narrativo
es semejante al utilizado en numerosas ocasiones y
lo podríamos reducir a lo siguiente: el beneficiario
de una ayuda premia de alguna manera a su pro-
tector. Hay un intercambio de dones en este caso
mucho más complejo. En sus pruebas iniciáticas,
había sido ayudado por Oriana, guía y norte de sus
aventuras. Al rescatarla, alejándola de la muerte,
de Arcaláus, se comporta de la misma manera que
ella. La reciprocidad de servicios es perfecta. Por
otro lado, en la lucha contra Arcaláus, el héroe vence
y supera a su agresor recuperando una parte de su
personalidad: la espada. Ha estado en nuevo contacto con la muerte y la victoria sobre el agresor
significa la reafirmación de su vida. Su unión puede
considerarse como la nueva iniciación de ambos. Será
la reafirmación de sus condiciones humanas, de su
vitalidad vencedora de la muerte. Muerte y amor se
combinan en la fraseología de la novela y se elevan
a estructura narrativa, como en otros personajes
y episodios.

18. Ob. cit., p. 140, «quando etenim maior difficultas ac-
cedit mutua praestandi ac percipiendi solatia, tanto quidem
maior aviditas et affectus crescit amandi».

AMOR Y MUERTE

Después de la aventura del enano, Galaor, herido, quiere encontrar algún lugar donde lo puedan curar. Se encamina hacia una fortaleza en la que debe combatir y vencer a varios contrincantes. Allí libera a una doncella:

> Señora, yo os delibré de prisión y so yo en ella caýdo si me vos no acorréys. —Acorreré —dixo ella— en todo lo que mandardes, que si de otra guisa lo fiziesse, de mal conoscimiento sería, según la gran tribulación donde me sacastes. Con estas tales razones amorosas y de buen talante, y con las mañas de don Galaor, y con las de la dueña, que por ventura a ellas conforme eran, pusieron en obra aquello que no sin gran empacho deue ser en escrito puesto (I, XV, 139, 501 y ss.).

La doncella liberada de un peligro recompensaba a su héroe con la unión física. Sin embargo, a pesar de que los esquemas son idénticos, no lo es su significado. «Examinemos lo que es preciso entender por consentimiento fácil. Se puede decir que es así cuando una mujer bajo efecto de la lujuria, se entrega sin vacilar a un hombre que la corteja y está presta a conceder lo mismo a otro pretendiente, sin que ningún rasgo de amor persista en ella cuando se ha concedido, y sin que acepte ser pagada. No te dejes encadenar por una mujer de esta clase, porque cualquiera que sean tus esfuerzos, no podrás conseguir que te ame» [19].

Galaor obtiene este consentimiento fácil, según Andreas Capellanus, o la ofrenda del amor de la

---

19. A. CAPELLANUS, ob. cit., p. 135. «Sed primo videamus, quae sit petitae rei facilis concessio. Et quidem petitae rei facilis concessio tunc fieri asseritur, quando mulier nimia carnis voluptate cogente facile se ipsam petenti largitur, hoc idem alii facile concessura quaerenti nullo in ea post peractum opus amoris radio permanente et nullo munere mediante. Talis quidem mulieris te noli vinculis colligare, quia ipsius amorem nullius posses sollicitudinis arte lucrari.»

maga, repentina, súbita y total. Su prisión y encadenamiento son físicos y producto de circunstancias variables. No mantiene ninguna lealtad ni la busca. Alcanza su recompensa en el placer, sin que la mujer sea lujuriosa. Su unión se produce con la victoria sobre la muerte o la falta de libertad. Para Amadís los hechos no son tan fáciles, pues siempre debe superar unos obstáculos establecidos por las circunstancias, carencia de linaje o de merecimientos. Cuando cree haberse mostrado digno de tal amor, despliega todos los resortes persuasorios de la oratoria para convencer a su amada. De ahí el cambio de planteamientos en su actuación.

DIÁLOGOS AMOROSOS Y ESTRUCTURAS NARRATIVAS

El amor cortés no es una materia amorfa para el autor del *Amadís*. Significa la recreación artística de un ideal acomodado a las circunstancias narrativas. Los diferentes diálogos entre los amantes circunscriben sus áreas semánticas a las esferas del amor y de la muerte. Sin embargo, no son estáticos. Sirven para hacer avanzar los aconteceres y definir los comportamientos y actitudes de los personajes. Así, la consumación del amor no se debe al consentimiento fácil o a una ofrenda casi mágica e instantánea. Se trata de un largo proceso. Según Andreas Capellanus, la fidelidad y sinceridad de un amante se reconocen en su constancia [20]. Amadís ha dado muestras de tenacidad en toda la novela. La entrega total de Oriana es producto de una de las principales y más costosas victorias del héroe. Ha alcanzado la *fin's amor*, meta

20. Ob. cit., p. 103. «Sicut enim in igne ac lapide auri et argenti veritas exploratur, sic cuiusque diu *pro amore luctando* fides et veritas demostratur.» El subrayado es nuestro. También hay que tener presente, como dice K. WHINNOM, ob. cit., p. 25, que «la constancia es también una virtud teologal y aun su adopción parcial como un imperativo moral de parte de algunos poetas refleja, tal vez, la inseguridad del amante medieval ante la hostilidad eclesiástica».

suprema del amante. Por otra parte, el rescate de
Oriana podría ser considerado como una tarea difícil
propuesta al héroe, según la terminología de Propp [21].
A esta función, en los cuentos maravillosos le sigue
la recompensa del matrimonio y el trono con algunas
variantes. Sería el desenlace lógico de la novela. El
amor del héroe habría llegado a su culminación;
Lisuarte era estimado como el mejor hombre del
mundo; la caballería se mostraba en todo su esplendor; el rey y los caballeros habían manifestado una
perfecta conjunción. La narración estaba agostada
en sí misma y las vías de continuación deberían provenir del mundo externo a los protagonistas. Incluso
las últimas palabras dedicadas a la corte parecen
atestiguar el final de todos los episodios:

> Pues assí como oydes estaua el rey y la reyna en
> Londres con muchas gentes de caualleros y dueñas
> y donzellas; donde antes de medio año, sabiéndose
> por las otras tierras la grande alteza en que la
> caualleria allí era mantenida, tantos caualleros allí
> fueron que por marauilla era tenido; a los quales el
> rey honrraua y hazía mucho bien; esperando con
> ellos no solamente defender y amparar aquel su
> gran reyno de la Gran Bretaña, mas conquistar
> otros que los tiempos passados aquél sujetos y
> tributarios fueron, que por la falta de los reyes
> antepassados, seyendo floxos, escasos, sojuzgados
> a vicios y deleytes, a la sazón no lo eran. Assí como
> lo hizo (I, XXXIX, 310-11, 473 y ss.).

---

21. Corresponderían a las funciones XXVII y XXXI de la
Morfología del cuento, ob. cit., pp. 69 y ss.

XI. LA RUPTURA AMOROSA: LOS CELOS

Todas las secuencias anteriores de la novela podrían culminar en la corte excepto una: el episodio de Briolanja. El hecho de que Arcaláus hubiera quedado libre en la batalla con Amadís implicaba una continuación de la obra. El principal agresor no podía permanecer sin castigo, de acuerdo con los moldes narrativos e idcológicos seguidos por el autor. No obstante, hubiera sido muy fácil variar un esquema hipotético. Si el narrador quería ampliar los episodios le bastaba con hacer diferente el resultado de la pelea. Narrativamente no acarreaba ningún obstáculo, porque el combate podría haber sido alterado sin demasiadas dificultades. Sin embargo, las diferentes aventuras correspondientes a Briolanja presentan un engarce bastante complejo. Cuando Amadís sale de la corte cn busca de su hermano Galaor, en una de sus aventuras promete a una dueña vengar la traición urdida por el tío de Briolanja. Había matado al padre de la niña y se había apoderado de su reino.

Las distintas empresas suelen conllevar la lucha contra unos adversarios representativos de ideas antagónicas a las del héroe y relacionadas con los motivos principales de sus acciones. El núcleo estructurante de estas aventuras para Amadís es la búsqueda de su hermano. Al prometer vengar la traición demuestra y afirma su lealtad familiar. La traición del tío de Briolanja representa la antítesis

del amor entre el héroe y su hermano. Además, la
dueña necesita tres personas para solucionar este
duelo judicial que se resolverá en el plazo de un
año. Amadís se propone traer a otros dos caballeros,
Galaor y Agrajes, para culminar con éxito la prueba.
Por tanto, se actualiza el hilo conductor de sus hazañas, la búsqueda de su hermano, y se crea otro centro
de interés, el encuentro con Agrajes. Este último se
produce ya en la corte de Lisuarte. La llegada de
Amadís y Galaor junto con Balays a la corte es simétrica a la de de Agrajes, Galvanes y Oliva. El autor,
caso de pretender que el encuentro se produjera antes, hubiera tenido que alterar este episodio.

En resumen, al prometer vengar la traición, Amadís muestra lealtad hacia su hermano. De esta manera se dramatiza todavía más el enfrentamiento entre
ambos. Al necesitar a Galaor y Agrajes para la lid
futura se actualiza un motivo, casi anulado por el
cúmulo de sus pruebas, y se crea otro diferente. La
cohesión es perfecta, y de cara a las aventuras posteriores los paralelismos y gradaciones resultan bastante delimitados para pensar en casualidades. Amadís y Galaor pelean después de esta aventura; Galaor
y Florestán cuando Amadís con su hermano y Agrajes
se disponen a terminarla. En ambos combates los
hermanos se reconocen. La restitución del reino usurpado por un traidor significa una progresión respecto
a las aventuras más importantes:

   a) la derrota de Abies que no logra sus propósitos
      de apoderarse de Gaula;
   b) el vencimiento de Arcaláus y Barsinán, más pe-
      ligroso que el anterior por las dotes mágicas del
      encantador;
   c) la victoria sobre Abiseos y sus hijos y la recupe-
      ración del reino de Briolanja. La última secuen-
      cia es menos importante en relación con una
      actividad bélica, pero supone una gradación
      respecto a las anteriores.

En los casos a) y b) se han defendido unos territorios y en el último se han recuperado.

Estas simetrías y gradaciones obedecen a una trabazón lógicamente estructurada y hubiera sido difícil alterar los episodios sin variar el cañamazo general del primer libro[1]. A esto debemos añadir que si el libro terminaba tras las cortes o incluso después del episodio de Briolanja, la profecía declarada por Urganda al comienzo de la novela no se hubiera desarrollado más que en un episodio. La maga calificaba a Amadís como el más leal amador y sólo en la secuencia de la señora de Gantasi la actuación del héroe correspondía a esta aserción. Después, las pruebas serán numerosas. Por tanto, la empresa de Briolanja está engarzada con el resto de la novela y sirve para hacer salir de la corte al héroe y para que sus hazañas puedan continuar.

AMOR Y CASTIDAD

Amadís, junto con Agrajes, logra restituir el reino de Briolanja, y se reúnen con Florestán y Galaor. Pero, como es sabido, el aspecto amoroso del episodio ha suscitado numerosos comentarios, pues corresponde a la intervención del infante de Portugal.

Briolanja se enamora de Amadís «donde por muy gran fuerça de amor constreñida, no lo pudiendo su ánimo sufrir ni resistir, auiendo cobrado su reyno, como adelante se dirá, fue por parte della requerido, que dél y de su persona sin ningún entreuallo señor podía ser; mas esto sabido por Amadís, dio enteramente a conoscer que las angustias y dolores con las muchas lágrimas derramadas por su señora Oria-

---

1. El padre de Briolanja había sido matado a traición por su propio hermano y, a su vez, se había apoderado de su reino. Deslealtad y traición, avaricia, soberbia, etc., habían presidido su actuación que contrasta con la de Galaor y Amadís. Para A. DURÁN, ob. cit., p. 105, «las aventuras de Amadís se suceden caóticamente, sin que ninguna tenga verdadera relación con las otras ni una función determinada con respecto a la totalidad de la novela». Por nuestra parte, pretendemos demostrar todo lo contrario, aunque reconocemos la dificultad del problema.

na, no sin grand *lealtad* las passaua» (I, XL, 318, 450 y ss.). El «dar a conocer enteramente» habrá que interpretarlo dentro del contexto ideológico de la novela como una frase del narrador omnisciente que comenta la actuación de su héroe, caracterizada por la lealtad[2]. Además, no se trata de una actuación inmotivada novelescamente. La doncella a quien Amadís, Galaor y Agrajes habían prometido unos dones «porque guiasse a don Galaor a la parte donde el cauallero de la floresta auía ydo» (I, XL, 318, 482) «doliéndose de aquella su señora, demandó Amadís, para complimiento de su promessa, que de vna torre no saliesse hasta auer vn hijo o hija en Briolanja» (*Ibídem*, 489).

El héroe se encuentra ante un obstáculo difícil de superar. No puede quebrantar su lealtad amorosa, ni manifestar sus amores secretos[3]. Dejaría de ser

---

2. En la Orden de la Banda, creada por Alfonso XI, se dice lo siguiente: «como quiera que la lealtat se entiende guardar en muchas maneras, pero las principales son dos. La primera es guardar lealtad a su Señor. La segunda, amar verdaderamente a quien oviere de amar, especialmente aquella en quien pusiere su corazón.» Ed. de L. T. VILLANUEVA, art. cit., p. 554. Amadís no depende de Lisuarte, pero este hecho encarece y manifiesta la lealtad tenida, sobre todo, durante las cortes. Ahora, la fidelidad amorosa será su segunda prueba, todavía mayor que la analizada en el episodio de la señora de Gantasi. De nuevo, podemos ver cómo las virtudes amorosas tienen una base histórica.

3. El secreto de los amores tiene una explicación coherente si tenemos en cuenta que el amante cortés tiene relaciones con una dama casada. No obstante, el tema sigue existiendo incluso en las relaciones que carecen de este componente adulterino. En unos «Diálogos de mujeres» se lee: «pues la ley de amor perfecto, / nos manda tener secreto / lo que está en el corazón.» Véase Y. J. DE BÁEZ, *Lírica cortesana y lírica popular actual*, México, El Colegio de México, 1969, pp. 44-45. Quizás se pueda encontrar una justificación complementaria como residuo de una mentalidad primitiva. Entre muchas tribus de los bantúes, las mujeres no deben pronunciar el nombre de su marido ni el de su padre. La «prescripción de guardar secreto se aplica en primer lugar al nombre del dios, pues la mera pronunciación del mismo desataría todos los poderes inherentes a tal dios». E. CASSIRER, ob. cit., pp. 61-62. Este tipo de fenómenos es bastante habitual y puede relacionarse con el caballero que no desea

un perfecto amador. Una de las reglas esenciales del amante consistía en guardarse casto para la amada [4] y el amor «comporta castidad, pues aquel al que le iluminan los rayos del amor apenas puede pensar en los lazos de otra que no sea su amante» [5]. También, según Andreas Capellanus, «aquel que desea guardar su amor largo tiempo intacto debe vigilar sobre todo que no sea divulgado a cualquiera y tenerlo oculto a los ojos de todos» [6].

Por otra parte, ha realizado una promesa y se ve en la obligación de cumplirla. Lo contrario implicaría una falta grave contra la palabra dada. El conflicto constituye un dilema que sólo puede resolverse me-

decir su nombre. Decir los nombres, confesar el amor en público es romper el enigma que para el caballero constituye la base de su actuación. Se parte de una gratuidad en las aventuras cuyo soporte principal viene dado por la pasión. Esta constituye la «energeia» principal del amante. Revelarla es hacerla visible para todos, y, por tanto, destruirla por hacerla patente. El amor ya no podría funcionar como elemento interno generador de acciones heroicas. Es como el secreto del mago, del ilusionista, que no puede ser revelado. Como dice P. Dronke, ob. cit., t. I, p. 48, «The secrecy of *amour courtois* springs rather from the universal notion of love as a mystery not to be be profaned by the outside world, not to be shared by any but lover and beloved. It is beautifully expresed in the *Carmina Burana* (77, st. 2):

> nomen tamen Domine serva palliatum,
> ut non sit in populo illud divulgatum
> quod secretum gentibus extat ct cclatum.»

A nuestro juicio, en el *Amadís*, se superponen tres aspectos: *a)* la relación con los códigos corteses, *b)* el aspecto mítico del problema, *c)* las propias estructuras narrativas. La doncella de Briolanja había solicitado un don «contraignant» para que Galaor pudiese conocer la personalidad del caballero desconocido, su hermano Florestán. Por el contrario e irónicamente, Amadís no debe decir la identidad de su amada.
4. A. Capellanus, ob. cit., p. 61, «Castitatem servare debes amanti».
5. *Ibídem*, p. 5, «quia amor reddit hominem castitatis quasi virtute decoratum, quia vix posset de alterius etiam formosae cogitare amplexu, qui unius radio fulget amoris».
6. *Ibídem*, p. 138. «Qui suum igitur cupit amorem diu retinere illaesum, eum sibi maxime praecavere oportet, ut amor extra suos terminos nemini propaletur, sed omnibus reservetur occultus.»

diante el ingenio, o cediendo una de las dos partes.
De acuerdo con la ideología de la novela, Amadís
no puede cumplir su promesa, por lo que con muy
buen acuerdo Montalvo rechaza una de las versiones
del infante de Portugal, en la que sale triunfante
Briolanja:

> En esto hizo lo que su merced fue, mas no aquello
> que en efecto de sus amores se escriuió (I, XL,
> 318, 466).

La solución, propuesta como versión diferente,
tiene más credibilidad para el narrador. En ella
«Amadís, por no faltar su palabra, en la torre se
pusiera como le fue demandado, donde no queriendo
auer juntamiento con Briolanja, perdiendo el comer
y el dormir, en gran peligro de su vida fue puesto»
(I, XL, 319, 495). Oriana, enterada del peligro de su
amado accede a que Briolanja cumpla su voluntad,
por lo que «tomando su amiga aquella fermosa reyna,
ouo en ella vn hijo y vna hija de vn vientre» (*Ibídem*,
510). En esta segunda versión nos encontramos ante
unos hechos contradictorios con el texto legado por
Montalvo. Si Oriana permitía que la reina Briolanja
cumpliera su voluntad y daba su consentimiento para
salvar la vida del futuro Beltenebrós, todo el episodio
de la carta y sus consecuencias no tiene sentido. La
hija de Lisuarte conocería la fidelidad de su amigo,
que incluso le podía conducir a la muerte. Hay, por
tanto, dos posibilidades para poder reintegrar el episodio en las primeras redacciones: o bien la novela
tenía una andadura diferente de la actual —en la que
no existía la acción de la Ínsula Firme, y concluía después de este episodio de la reina Briolanja—, o bien
se salvaba la contradicción con algún otro contexto
que desconocemos. Menéndez y Pelayo supone que la
versión más antigua es la aceptada por Montalvo, la
más racional y la única posible en el texto de 1508 [7].

---

7. M. MENÉNDEZ y PELAYO, *Orígenes de la novela*, t. I, Madrid,
C.S.I.C., 1962, p. 330.

En ella «Briolanja, veyendo cómo Amadís de todo en todo se yua a la muerte en la torre donde estaua, que mandó a la donzella que el don le quitasse» (I, XL, 319, 514). Curiosamente Montalvo no la esgrime con unos argumentos lógicos deducibles de la misma novela, sino que se apoya en un episodio del cuarto libro:

> Esto leua mas razón de ser creýdo, porque esta fermosa reyna casada fue con don Galaor, como el cuarto libro lo cuenta (I, XL, 319, 524).

Su planteamiento no deja de ser sorprendente y débil. Tenía a su favor argumentos como los celos de Oriana, y otro punto de vital importancia en el contexto novelesco: la no aparición en todo el curso de la narración de los hijos tenidos por Briolanja y Amadís. Si cstos aparecían en otras versiones los pudo, o los pudieron, muy bien marginar, lo que no impedía al regidor esgrimirlo como fuerza probatoria [8]. Por otra parte, el hecho de quc Briolanja contrajera matrimonio con Galaor en el cuarto libro tampoco era razonamiento de gran fuerza probatoria. La reina de Sobradisa pasa el Arco de los leales amadores «como aquella que nunca errara en sus amores sin entreuallo alguno» (II, LXIII, 562, 619 y ss.), y sus únicos amores descritos en la novela son los tenidos con Amadís. Estas contradicciones muestran que el libro primero es el menos refundido dentro de las primitivas versiones de la novela.

Entre tres variantes divergentes [9], Montalvo elige la más lógica dentro de la narración, aunque sus ar-

8. Como dice C. Michaëlis de Vasconceos en su introducción al libro de ALFONSO LOPES VIEIRA, *O romance de Amadís*, Lisboa, L. da Silva, 1922, p. XXX, «no própio texto nao se da seguimento à alteraçao. Pelo contrário, afirma-se que a alteraçao era *superflua, va e nao verdadeira*. E filhos de *Amadís e Briolanja* nao surgen em nenhuma continuaçao».

9. C. MICHAËLIS, ob. cit., p. XXIX, parece hablar sólo de dos variantes, «O Senhor Infante D. Alfonso de Portugal [...] pretendeu alterá-lo, e exigiu, cheio de piedade pela menina, em harmonía com os processos grosseiros dos *Livros de Linhagens*, que, rudemente embora românticamente, *Amadís* lhe fizesse um filho e uma filha de um só ventre». Por nues-

gumentaciones sean bastante pobres. No obstante,
nos dan muestra de su ideología, más apegada a unos
cánones tradicionales. Le podría resultar contrain-
dicado el hecho de que Amadís hubiera tenido un
hijo de Briolanja y que después ésta se hubiera podido casar con su hermano. Por el contrario, no le
resultaba tan ilógico que Galaor tuviera un hijo con
la sobrina de Urganda la Desconocida, aparte de sus
numerosos «escarceos» sin ninguna consecuencia.

GLORIFICACIÓN DE LA FORTALEZA Y DE LA LEALTAD

Dejando aparte estos detalles, la elección no podía
ser otra de acuerdo con las estructuras narrativas.
Amadís da muestra de su fidelidad [10] como lo había

---

tra parte, creemos que existen tres variantes, aunque dos
sean muy parecidas, y la propia postura de Rodríguez de
Montalvo. Según su redacción, Briolanja no solicita nada de
Amadís. «Todo lo que más desto en este libro primero se
dice de los amores de Amadís y desta hermosa reina, fue
acrescentado, como ya se vos dixo; y por esso, como super-
fluo y vano, se dexará de recontar, pues no haze al caso...»
(I, XLII, 344, 1053). En último término, Montalvo da su opinión sobre redacciones anteriores, aunque no las tiene por
verdaderas. Así pues, existen tres versiones y la postura de
Montalvo que las niega, aunque les conceda distinto grado
de credibilidad. La defensa que el medinés hace de la reina
Briolanja en *Las Sergas*, cap. XCIX, p. 499b, alabando su
hermosura demuestra la predilección de este autor por el
personaje.
    10. G. S. WILLIAMS, art. cit., p. 107, señala algunas fuentes
del episodio. Precisar con exactitud la procedencia nos parece arriesgado y sólo vamos a señalar algún aspecto. Poco después se cuenta la historia de don Florestán nacido por la
imposición amorosa de una doncella, como hemos analizado.
El episodio de Briolanja se debería narrar posteriormente,
aunque Montalvo se adelanta para dar su opinión y después
su versión. A nuestro juicio, existe una recreación del mismo
motivo: la doncella que solicita el amor del héroe. En el caso
de Perión se produce una consumación física. En el caso de
Amadís el héroe está a punto de morir por no atender a la
solicitud de la doncella. En último término, cualquiera que
sea la procedencia del episodio, el funcionamiento es distinto
y original, pues no es un elemento aislado dentro del conjunto. Además, este tipo de motivos son abundantes en la
narrativa artúrica. Aparte de los señalados por G. Williams,

profetizado Urganda y como lo prueba en la ínsola Firme. Allí, Apolidón de Grecia con sus conocimientos de ciencias de todas las artes (y con su ingenio sutil) especialmente «en aquellas de nigromancia, maguer que por ellas las cosas imposibles paresce que se obran» (II, 355, 24 y ss.), dispuso una serie de tareas sólo superables por aquellas personas que reunieran determinadas características, entre las que se contaban la fortaleza de armas, la lealtad de amores y la sobrada hermosura. Para la segunda de estas pruebas había dispuesto un arco con una imagen de hombre y una trompa en la boca. La condición para pasarlo era haber sido fieles amadores desde sus comienzos [11].

---

por poner dos casos, a Bohort le ocurre un episodio semejante al de Perión. Véase *La Queste del Saint Graal*, ed. cit., páginas 180 y ss. Galaaz en la versión española de *La demanda del Sancto Grial con los maravillosos fechos de Lanzarote y de Galaaz su hijo*, ed. cit., p. 196b, tiene una aventura parecida. «Señora, sabed que yo amo uno de los cavalleros que aquí están atan de coraçon que si lo no oviesse a mi voluntad, nunca jamás aune bien; ca sabed que yo mismo me mataré con mis manos.» El tema incide en la estructura del relato, pues con personajes cuya castidad y continencia son necesarias para culminar la búsqueda del Graal. Su dilema será religioso, mientras que la aventura de Perión parece una recreación humorística y paralela al nacimiento de Amadís. Por el contrario, en el episodio de Briolanja la castidad funciona como elemento amoroso, exaltador de la perfección amorosa del héroe.
11. J. B. AVALLE-ARCE, «El arco de los leales amadores en el *Amadís*», *N R F H* (1952), p. 154, señala cómo «para rellenar la estructura general del episodio, el autor del *Amadís* no recurrió al *Lancelot*, sino a la novelística greco-bizantina, en forma más o menos refundida y adicionada con productos de su propia imaginación». El tema greco-bizantino parece arrojar alguna pista sobre las fuentes, aunque de momento la hipótesis no es excluyente con otras, pues son motivos quizás de procedencia folklórica, aunque hayan sido reelaborados literariamente. S. THOMPSON, *Motif-Index...*, ob. cit., señala el H 1556 como «Test of fidelity». Por otra parte, J. SCUDIERI, «Per uno studio...», p. 47, nota, sugiere una relación con costumbres realizadas para San Juan, con sus arcos amorosos. En apoyo de su tesis, diremos que este episodio transcurre en fechas cercanas a San Juan. Cuando los familiares de Amadís no lo encuentran deciden «de se partir y que para saber lo que cada vno auía en aquella demanda

Amadís quiere pasar este arco de los leales amadores sin temor ninguno, «como aquel que sentía no hauer errado a su señora, no solamente por obra, mas por el pensamiento» (II, XLIII, 365, 321 y ss.) precisamente cuando, por la mala interpretación de las palabras del enano Ardián, su enamorada está enojada con él y le envía la famosa misiva. Incluso para la misma versión elegida por el regidor, aunque no lo diga, la prueba del arco de los leales amadores supone la confirmación de su lealtad. Como bien arguye Menéndez y Pelayo «suponer que la extraña enmienda del infante don Alfonso fue impuesta al primitivo autor de la novela es inadmisible, porque hubiera sido lo mismo que anular la concepción fundamental de la obra. Amadís es el prototipo de los leales amadores: Oriana es la única señora de sus pensamientos; si falta en lo más mínimo a la fe jurada no podrá pasar el arco de los leales amadores que el sabio Apolidón dispuso en la Ínsola Firme» [12].

Amadís supera la prueba y «la ymagen començó a hazer vn son mucho más diferenciado en dulçura que a los otros hazía, y por la boca de la trompa lançaua flores muy hermosas que gran olor dauan, y caýan en el campo muy espessas, assí que nunca a cauallero que allí entrasse fue lo semejante hecho» (Ibídem, 235 y ss.). No hay, por tanto, posibilidad de que Amadís haya sido infiel desde el comienzo de sus amores, es decir, desde el comienzo de su individuación como caballero y como persona. Incluso la prueba superada por Amadís supone la total glorificación y exaltación de su fidelidad. El héroe logra terminar con éxito la aventura diferenciándose de los demás, y la calidad del son emitido por la imagen es distinta a la escuchada en otras ocasiones, por lo que el futuro Beltenebrós puede considerarse como el más leal amador.

---

buscado y por las tierras que anduuiera, fuessen juntos en el día de Sant Juan» (II, XLVIII, 390, 112). Después «en cabo de vn año que ninguna cosa saber pudieron...» (II, LIII, 427, 17) se reúnen. La cronología ficticia coincide.
   12. Ob. cit., p. 330.

Por otra parte, las aventuras en la Ínsola Firme también significan la culminación de las aventuras bélicas del héroe. En el primer libro han destacado las hazañas del linaje de Garinter, incrementado en la última parte del libro con Florestán. Amadís, Galaor, Agrajes y Florestán, tras el episodio de Briolanja, intentan probar las aventuras de la Ínsola Firme, agrupándose como en otras ocasiones, de dos en dos. Amadís y Agrajes se adentran en el arco de los leales amadores, mientras que los otros hermanos acometen la prueba de la cámara dispuesta por Apolidón, que había mandado «traer dos padrones, vno de piedra y otro de cobre; y el de piedra fizo poner a cinco passos de la puerta de la cámara, y el de cobre otros cinco más desuiado, y dixo a su amiga: —Agora sabed que en esta cámara no puede hombre ni mujer entrar en ninguna manera ni tiempo, hasta que aquí venga tal cauallero que de bondad de armas me passe, ni muger, si a vos de fermosura no passare; pero si tales vinieren que a mí de armas y a vos de hermosura vençan, sin estoruo alguno entrarán» (II, 358, 255 y ss.). La prueba está destinada al mejor de los elegidos. Además, puede quedar constancia de su acción. Los sonidos son perecederos y sólo pueden cuantificarse cuando se producen. En esta prueba, por el contrario, los caballeros dejaban sus escudos puestos en diferentes alturas de acuerdo con el éxito obtenido. Amadís reconoce el de Arcaláus, colocado entre los mejores, y el de Abies, situado un poco más arriba, prueba de su superioridad. El más elevado corresponde a un desconocido don «Quadragante», hermano del rey irlandés vencido por el héroe. Ninguno de ellos ha acabado la prueba, aunque se han distinguido sobre los demás caballeros.

Los escudos pueden servir para demostrar la fortaleza de Amadís, superior a todos ellos, pero además cumplen otra función. En el momento de pasar la prueba se recuerdan dos hitos de su carrera correspondientes a las aventuras más significativas: el rey Abies significa la recuperación de la identidad del héroe, y Arcaláus su lucha contra la maldad y la muerte, y la consumación del amor con Oriana. Han sido dos jalones en sus hazañas caballerescas que han marcado su existencia como hombre, como caballero y como enamorado. Aparte de ello, el escudo misterioso de Quadragante nos indica una forzosa relación con el futuro [13]. Dicho personaje no ha aparecido en la narración precedente y su parentesco con Abies presagia una lucha posterior. Pasado y futuro se entremezclan en la aventura de la Ínsola Firme, sin que intervenga el narrador para recordarlo.

Sin embargo, nos podemos preguntar por qué aparecen sólo estos tres escudos, cuando Amadís luchará entre más personajes y en situaciones dificultosas. La selección obedece sin duda a un principio ordenador y estructurante, lo que nos hace pensar que los episodios posteriores han podido ser alterados, pues el futuro caballeresco del héroe, anunciado en la Ínsola, se resolverá muy pronto.

Por otra parte, en la prueba de la cámara se establecerá una jerarquía ya atisbada en ocasiones anteriores. Amadís, en su lucha contra Galaor, había obtenido una ligerísima superioridad [14]. Éste a su vez vence a Florestán, que había derribado a Agrajes con mayor facilidad que a sus hermanos. Ahora las diferencias se establecen de forma más clara. Florestán llega hasta el padrón de mármol; Galaor se puede detener allí un poco más; Agrajes es arrojado fuera entre el de cobre y el de mármol, mientras que

13. Esta proyección implícita sólo se refiere al episodio de don Quadragante, y tiene un sentido coherente si pensamos en una primera redacción donde las hazañas bélicas de Amadís no tuvieran el desarrollo del Libro III y IV.

14. M. BLOCH, ob. cit., p. 63, señala cómo «a pesar de los caracteres comunes de vocación militar y del género de vida, el grupo de nobles de hecho, más tarde de derecho, siempre estuvo lejos de constituir una sociedad de iguales». En los relatos folklóricos suele ser el menor de tres hermanos quien supera a los otros. En el *Amadís*, acomodado a una realidad histórica y elevado por su recreación literaria, es el primogénito quien muestra su superioridad.

Amadís supera la prueba. En la cámara «oyó vna boz que dixo: —Bien venga el cauallero que passando de bondad aquel que este encantamiento hizo, que en su tiempo par no tuuo, será de aquí señor» (II, XLIIII, 368, 496 y ss.).

En la novela cortés las aventuras por las que pasa el héroe se ordenan, según parece, de acuerdo con una jerarquía lógica cuyo punto culminante es la alegría y la felicidad del individuo y de la sociedad, felicidad a la vez espiritual y temporal [15].

Amadís se encuentra en el momento cumbre como caballero. Ha demostrado ser el más leal amador y el de mayor fortaleza, y es señor de una Ínsola ganada por el amor y con su esfuerzo. A su vez, los habitantes de la isla y los de su linaje se muestran satisfechos por tener junto a sí al caballero que reúne estas virtudes en su más excelso grado. La felicidad espiritual y temporal se combinan en una armoniosa conjunción. Amadís ha conseguido su propio espacio, ajeno al de su padre, por su valentía y amor, y se ha diferenciado de los demás caballeros, incluidos los de su linaje. Su caballería no puede ir más lejos, aunque todo variará bruscamente por culpa de unas palabras mal interpretadas.

CORTESÍA Y AMOR CORTÉS

Cuando Amadís, en casa de Briolanja, se entera de que la niña ha soltado los leones [16] para ayudarle

15. Véase G. S. BURGESS, ob. cit., p. 15.
16. El episodio parece haber influido, en parte, en la aventura de Don Quijote. E. B. PLACE, «Cervantes and *The Amadís*», en *Hispanic Studies in Honor of Nicholson B. Adams*, Chapel Hill, Un. of North Carolina Press, 1966, p. 138, señala el paralelismo. El artículo, en la opinión de D. Eisemberg, «has little substance». Aparte de los posibles niveles de lectura, como señala H. PERCAS DE PONSETI, ob. cit., t. II, páginas 323 y ss., la recreación del episodio de Amadís no puede ser más cómica. Recordemos que el héroe (I, XXI) se ve liberado de un ataque porque Briolanja manda soltar dos

a salir de su aprieto, cortésmente dice a su informante que le tenga por su caballero:

> Gandalín y el enano, que en otra cama yazían a
> los pies de su señor, oyeron bien lo que hablaron,
> y el enano [...] pensó que amaua aquella niña tan
> hermosa, y porque se della hauía pagado se obli-
> gaua por su cauallero (I, XXI, 198, 782 y ss.).

Briolanja le había dado una espada a Amadís, pues
había destrozado la de Arcaláus con sus golpes, y
Amadís se vuelve a mostrar galante.

El enano no distingue la cortesía del amor cortés,
aunque no tendría ninguna importancia si hubiera
tenido ingenio y tiempo para poder conocer la situación real. Su destino novelesco no se lo permite.
Su principal misión en la novela, será la de desencadenar el malentendido amoroso entre los dos amantes, simbolizado en el destino trágico de la espada.

Cuando Amadís lucha contra el tío de Grovenesa,
rompe la espada de Briolanja en tres pedazos por

---

leones «encarniçados y sañudos». Después deben abrir la
puerta para que los animales no destruyan a los del propio
palacio. Al héroe desean entregarle una maza y un escudo
para matarlos. «Esso quiero yo —dixo Amadís— para otra
cosa, y Dios no me ayude si yo mal hize a quien tan bien me
ayudó» (I, XXI, 195, 586). La parodia existe en el propio
texto cervantino, sin que haga falta recordar ningún episodio del *Amadís*. Ahora bien, si lo miramos desde esta perspectiva las paradojas son continuas. Don Quijote ordena
abrir las puertas de la jaula. Amadís cierra las del palacio
para que a él no le ataquen. Los leones cervantinos están
quedos. Los de nuestra novela «se empachaban en los que
tenían ante sí». El Caballero manchego desea fervientemente
luchar con ellos y Amadís todo lo contrario, etc. El resultado es irónico y serio a la vez. No es de extrañar el comentario de Don Quijote: «Todos los caballeros tienen sus particulares ejercicios [...] no le asombren leones, ni le espanten
vestiglos, ni atemoricen endriagos; que buscar éstos, acometer aquéllos y vencerlos a todos son sus principales y verdaderos ejercicios.» Ed. cit., t. II, XVII, p. 660. También habrá
que recordar que Amadís llevaba en su escudo dos leones y
en alguna ocasión se le denomina «el de las armas de los leones», o el de los leones (I, XI). No obstante, la complejidad
del problema en el texto cervantino tiene tantos matices que
la deuda con nuestro libro es mínima en este caso.

un golpe dado en un pilar. Al finalizar la batalla ordena a Gandalín recoger las tres partes. La espada se ha quebrado por un golpe fortuito en un contexto especial. Era la espada con la que había logrado pasarlas pruebas de Grovenesa, y por tanto la espada que serviría para unir de forma definitiva a Angriote y la dueña del castillo. Era el objeto simbólico de una reconciliación amorosa, partido para concertar otro nuevo amor. Ha puesto en gran aprieto a Amadís, que debe resolver la lucha de forma arriesgada. Sirve para dos reconciliaciones amorosas, pero al romperse —hecho poco frecuente en la novela—, funciona también como objeto que compromete a su portador.

Después, cuando Amadís se dispone a cumplir la promesa hecha a la tía de Briolanja, «auiendo quanto media legua andado, Amadís preguntó a Gandalín si traýa las tres pieças de la espada que la niña hermosa le diera; él dixo que no. Y mandólc por ellas boluer. El enano dixo que las traería, pues que cosa ninguna leuaua que empacho le diese» (I, XL, 313, 77 y ss.). Ardián, tras recoger las piezas de la espada, «passando cabe los palacios de la reyna, desde las finestras se oyó llamar, y alçando la cabeça vio a Oriana y a Mabilia que le preguntaron cómo no saliera con su señor. —Sí salí —dixo él—; mas oue de tornar por esto que aquí lieuo. —¿Qué es esso? —dixo Oriana—. El gelo mostró; ella dixo: —¿Para qué quiere tu señor la espada quebrada? —¿Para qué? —dixo él—; porque la preciaua más por aquella que ge la dio que las mejores dos sanas que le dar podrían. —¿Y quién ess éssa —dixo ella—. —Aquella misma —dixo el enano— por quien la batalla va a hazer; que ahunque vos soys hija del mejor rey del mundo, y con tanta fermosura, querríades auer ganado lo que ella ganó, más que quanta tierra vuestro padre tiene. —Y ¿qué ganancia —dixo ella— fue éssa que tan preciada es? ¿Por ventura ganó a tu señor? —Sí —dixo él—; que ella ha su coraçón enteramente, y él quedó por su cauallero para la seruir» (I, XL, 313-4, 100 y ss.).

El autor utiliza un tipo de diálogo corto con réplicas muy breves [17] que todavía acentúa más el dramatismo de la situación, como corresponde a unos parlamentos informativos en que la persona implicada, Oriana, tiene grandes deseos de saber todo lo que sucede con Amadís.

Oriana comete el gran pecado de la curiosidad, de querer saber todo lo que atañe a su amado, como también ocurre en otras ocasiones. No sólo tiene el deseo de poseerlo, dentro de la ideología del amor cortés, sino que se quiere enterar de todos los resquicios de su vida, dedicada a ella por entero. Está poseída por la pasión, y según Andreas Capellanus «que el amor sea una pasión es fácil de ver». En efecto, no hay angustia mayor que la que provoca, pues el amante está siempre temeroso de que su pasión no pueda conducir a la salida deseada y que sus esfuerzos sean prodigados en vano» [18]. De ahí toda la serie de preguntas inquisitoriales, a las que el enano le responde de forma inadecuada. Se muestra descortés con Oriana porque ella tiene posesiones de su padre, el mejor rey del mundo, y la minusvalora ante Briolanja. Además, desconoce los códigos del amor cortés. Ningún escudero puede comentar unos posibles amores de su amo, cuando el amor es secreto. No se ha sabido adaptar al contexto, aunque en sus respuestas le ha movido el deseo de ensalzar a su amo, como la «joya» más preciada que no está al alcance de cualquiera. Curiosidad, indiscreción y descortesía echan por tierra el amor y la fidelidad demostrados por Amadís a lo largo de la novela. Se ha utilizado un informante —el enano— que no se ha sabido adaptar a las diferentes situaciones, o que

17.   El desarrollo dramático de este tipo de diálogo alcanza su apogeo en *La Celestina*. Véase M. R. LIDA DE MALKIEL, *La originalidad artística de La Celestina*, Buenos Aires, Éudeba, 1970, en especial pp. 108 y ss.

18.   Ob. cit., p. 2, «Quod amor sit passio, facile est videre. Nam, antequam amor sit ex utraque parte libratus, nulla est angustia maior, quia semper timet amans, ne amor optatum capere non possit effectum, nec in vanum suos labores emittat.»

ha sido manejado como persona inconsciente en todos sus sentidos. No conoce con exactitud las relaciones entre Oriana y Amadís, ignora las relaciones reales entre Briolanja y el héroe, y ha transmitido una información falsa por sus buenos deseos de servicio. No se ha dado cuenta de que llevaba una espada trágica, sin gran valor por su propia condición de estar quebrada, símbolo de lo que sucederá después. Un regalo debe ser imperecedero si quiere ser fruto del amor, como el anillo y otras prendas. La espada, símbolo ofensivo quebrado después de unos duros golpes, no puede consolidar unas relaciones, ni ser objeto simbólico de ellas, sino todo lo contrario.

El informante no ha estado a la altura de las circunstancias, aunque el objeto ha tenido también un destino trágico. No pudo servir para que el padre de Briolanja se defendiera ante su hermano Abiseos; tampoco ha servido en la pelea antes de llegar a la corte, para poderse proteger el propio Amadís. A causa de la espada, Oriana, le escribirá la famosa carta con la que pondrá en peligro su vida. Son dos amantes que en ninguna ocasión han tenido problema alguno de esta gravedad. Ahora, Oriana querrá tener alejado a su amigo, que deja de serlo. Por el contrario, Grovenesa despreciaba a Angriote y después de las pruebas superadas por Amadís en su castillo con la espada de Briolanja, al final admite y desea estas relaciones. La antítesis ha sido perfecta. Por medio de esta espada dos parejas se han logrado reunir, y también por su causa, con la información inexacta del enano, Amadís y Oriana se van a separar, aunque sea momentáneamente. En definitiva, la espada quebrada será el objeto que sirva para romper unos amores, a causa de la información del enano, la única persona que podía realizarlo por sus características de no saberse adaptar a los contextos.

LOS CELOS Y EL ACRECENTAMIENTO DEL AMOR

La condición amorosa de Oriana facilita su reacción, porque «los celos constituyen una verdadera pasión del alma que nos conduce a temer vivamente que nuestro amor no se debilite en su esencia, si se falta en cumplir los deseos de aquel o de aquella, a quien se ama, provocan el miedo a que nuestro amor no sea correspondido y la sospecha o desconfianza respecto al ser amado, sin feos pensamientos entre tanto» [19]. Incluso, en las reglas de amor Andreas Capellanus llega a decir que «los celos que despierta el ser amado, acrecientan el afecto de quien le ama» [20]. A partir de estos presupuestos los celos se convierten teóricamente en acrecentamiento de amor.

En nuestra novela los celos parten de Oriana y se convierten en una actitud constante, definidora de su carácter.

Cuando una doncella trae nuevas de Galaor a la corte de Lisuarte a Amidís «las lágrimas le vinieron a los ojos», pero Oriana «que de lexos estaua, no oya nada dello y estaua muy sañuda porque viera Amadís llorar» le pregunta «con semblante ayrado y turbado: —¿De quién os membrastes con las nueuas de la donzella, que os hizo llorar? Él se lo contó [...] Oriana tornó muy alegre y díxole: —Mi señor, ruégoos que me perdonéys, que sospeché lo que no deuía» (I, XVII, 154, 134 y ss.). Sin justificación aparente reacciona Oriana como una mujer airada y celosa [21],

19.   ANDREAS CAPELLANUS, ob. cit., p. 85: «Est igitur zelotypia vera animi passio, qua vehementer timemus, propter amantis voluntatibus obsequendi defectum amoris attenuari substantiam, et inaequalitatis amoris trepidatio ac sine turpe cogitatione de amante concepta suspicio.»

20.   Ob. cit., p. 179, «Ex vera zelotypia affectus semper crescit amandi» y «De coamante suspicione percepta zelus et affectus crescit amandi». Algunos pasajes del libro se pueden encontrar traducidos al castellano en la obra de J. LAFITTE-HOUSSAT, *Trovadores y Cortes de amor*, Buenos Aires, Eudeba, 1950, y en la de M. Riu anteriormente citada.

21.   Para A. MICHA, «L'esprit du Lancelot-Graal», recogido en *De la Chanson de geste...*, ob. cit., p. 256, «Guenièvre n'est plus cette idole capricieuse qu'elle était chez Chrétien et dont le souci était de s'assurer de l'entière soumission de son amant. Elle est une femme tendre, pasionnée, pleine d'admiration pour Lancelot [...], mais aussi *jalouse*, impérieuse, habile jusqu'à la rouerie, et pour cette raison un des plus vivants personnages du roman médiéval». El subrayado es nuestro.

lo que no tendría ninguna importancia si ello no fuera motivo de unos de los episodios más bellos del *Amadís:* la retirada de Beltenebrós a la Peña Pobre. Cuando se enteró y malinterpretó las palabras del enano (que no deben confundirse con las calumnias de los «lausengiers») [22], «mudada su acostumbrada condición, que era estar en la compañía de aquellas [Mabilia y la Doncella de Dinamarca], apartándose con mucha esquiueza, todo lo más del tiempo estaua sola, pensando cómo podría, en vengança de su saña, dar la pena que merecía aquel que la causara; y acordó que, pues la presencia apartada era, que en absencia todo su sentimiento por scripto manifiesto le fuesse» (II, XLIIII, 370, 647 y ss.).

A partir de esta situación escribe su carta [23] en la que vuelca toda su saña de mujer celosa y airada, y da por terminadas sus relaciones:

> Mi rauiosa quexa acompañada de sobrada razón, da lugar a que la flaca mano declare lo que el triste coraçón encubrir no puede contra vos, el falso y desleal cauallero Amadís de Gaula, pues ya es conoçida la deslealtad y poca firmeza que contra mí, la más desdichada y menguada de ventura sobre todas las del mundo, hauéys mostrado,

El modelo parece evidente, aunque Oriana no posee esta versatilidad de la reina Ginebra.

22. J. RUIZ DE CONDE, ob. cit., p. 185, señala cómo la *calumnia* del amor cortés existe en el *Amadís.* «No es mal intencionada, y verdaderamente el enano Ardián, que es el que sin querer la levanta, tiene muchas atenuantes a su favor.» En la calumnia siempre existe una intención de hacer daño, y en este caso falta esta intencionalidad. A nuestro juicio, se trata de una falsa información, que es un problema ligeramente distinto. Sin embargo, otro enano, relacionado con el duque de Bristoya, sí que tiene las características del motivo. El amor de Guilán es adulterino, y este otro enano provoca los recelos del duque cuando Galaor visita su estancia. Existe un paralelismo entre los personajes, pero también un contraste radical por sus actuaciones. La simetría y el contraste, de nuevo, son empleados con habilidad.

23. Don Quijote escribirá una carta antitética, en lo que P. SALINAS, *Ensayo de Literatura hispánica,* Madrid, Aguilar, 1967, pp. 115-131, señala como «La mejor carta de amores de la literatura española».

mudando vuestro querer de mí [...] Y pues este
engaño es ya manifiesto, no parescáys ante mí ni
en parte donde yo sea... (II, XLIIII, 370, 664 y ss.).

La dama no se muestra inalcanzable para Amadís,
como ya hemos comentado, pero sí pone unas corta-
pisas en su comportamiento en las que da muestras
de recelo por cualquier acción sospechosa. De esta
forma, una serie de cualidades que debía generar el
amor se motivan por el carácter de un personaje,
lo que indudablemente contrasta con el comportamiento de Amadís. Éste debe extremar sus servicios
a lo largo de la novela, si bien es cierto que este
comportamiento cambiará a partir del libro tercero.
Lo más curioso quizás sea el contraste entre los
celos que motivan dos acciones: el reconocimiento
del Doncel del Mar y la carta de Oriana. En las dos
situaciones los personajes se han defendido con sus
armas más características: Perión con su espada y
Oriana por medio de la palabra. Los efectos, sin
embargo, no han podido ser más dispares. En el
primer caso, se logra concluir un ciclo que abarca
desde el nacimiento de Amadís hasta su reconocimiento. El héroe, en cierto modo, mediante los celos
de su padre, puede reencontrar su personalidad con
otros hechos complementarios. Por el contrario, los
celos de Oriana sirven para destruir este ciclo unitario
que se podría concluir en el primer libro. Ambos tienen sus respectivas antítesis: celos de Perión / celos
de Oriana /: amenaza con la espada /, carta airada y
motivada por otra espada; cierre de un ciclo / apertura de otro nuevo; identidad y reencuentro de Amadís
con sus padres / separación de Amadís y Oriana. Los
dos casos tienen un símbolo que los representa: el
anillo y la espada. Un nuevo ciclo queda abierto. Amadís, sin Oriana, carece de estímulos para continuar su
vida. Su dama ya no es la generadora de sus acciones, sino de su inactividad. Don Quijote en su nacimiento para la caballería necesitaba una dama y acordándose de Amadís: «limpias, pues, las armas, hecho
del morrión celada, puesto nombre a su rocín y

confirmándose a sí mismo, se dio a entender que no le faltaba otra cosa sino buscar una dama de quien enamorarse; porque el caballero andante sin amores era árbol sin hojas y sin fruto y cuerpo sin alma» [24]. El esfuerzo e incluso el proceso de individuación de Amadís han partido de su amada. Sin ella le falta la «energeia» y se acerca de nuevo al caos, a sus orígenes. El momento de su cumbre como héroe corresponde al más trágico de su existencia como enamorado.

LA PERFECCIÓN AMOROSA DEL HÉROE

En su retirada a la Peña Pobre sólo le quedan fuerzas para manifestar su amor y su dolor a través de la palabra en sucesivos monólogos y con la espada como última prueba de su fidelidad:

> Mucho se pagaua Beltenebrós de la soledad y esquiueza de aquel lugar, y en pensar de allí morir recibía algún descanso (II, XLVIII, 397, 560 y ss.).

No nos importan tanto los efectos de las separaciones sino señalar cómo éstas impiden la conclusión de la novela y cómo el reencuentro puede surgir como núcleo estructurante. No obstante, cuando esto se ha podido lograr, termina este libro con una nueva separación, no por motivos amorosos sino por la ruptura de la amistad entre Lisuarte y nuestro héroe, lo que conduce a un nuevo ciclo en el que se origina una situación propicia para poderse reunir. Entonces surge el correspondiente antagonista de Amadís en los amores con Oriana, porque el rey Lisuarte ha decidido casar a su hija, pese a su negativa, con Patín, emperador de Roma, por lo que el entonces Caballero Griego decide atacar la flota de los romanos para poder llevarse a su amada. En definitiva, en la relación Amadís-Oriana aparecen dos elementos antagonistas causantes de la separación de los amantes y, por lo tanto, núcleos generativos de sus respectivos reencuentros.

24. Ed. cit., I, I, p. 4.

Patín interpreta erróneamente unas palabras del
rey Lisuarte creyendo que le otorgará a su hija como
mujer, por lo que se alaba de su supuesto amor.
Amadís, camino de la Peña Pobre, escucha estas
palabras y combate con el caballero romano, ven-
ciéndolo, como era de esperar, a pesar de que ya
por entonces había recibido la carta de Oriana. Se
ha producido un mismo hecho, aunque con distinta
significación. Mientras que Oriana se comporta aira-
damente y con saña por las palabras de Ardián el
enano, Amadís lucha y no permite que se pueda
poner en duda la fidelidad de su amada:

> yo he pensado mucho en esta carta que Oriana
> vos embió y en las palabras que el cauallero con
> que vos combatistes dixo, y como la firmeza de
> muchas mugeres sea muy liuiana, mundando su
> querer de vnos en otros, puede ser que Oriana,
> os tiene errado, y quiso, antes que lo vos supiésse-
> des, fingir enojo contra vos ... (II, XLVIII, 392, 201
> y ss.) [25].

La respuesta de Amadís no se hace esperar:

> ¡Por Dios, cállate! —dixo Amadís—; que tal locura
> y mentira has dicho que con ello se enojaría todo
> el mundo; y tú dízesmelo por me conortar, lo que
> no pienses que puede ser; que Oriana, mi señora,
> nunca erró en cosa ninguna (II, XLVIII, 392, 235
> y ss.).

---

25. Las contradicciones del mundo cortés son curiosas. En
Gandalín no existe un espíritu claramente misógino, pero no
duda en afirmar la ligereza de las mujeres, como podía ar-
gumentar A. Martínez de Toledo. En el *Arcipreste de Talavera* o *Corbacho*, Madrid, Castalia, 1970, p. 143, se afirma lo
siguiente: «La muger mala en sus fechos y dichos non ser
firme sin constante, maravilla non es dello.» El tópico es
abundante incluso en la literatura medieval cortesana. Véase
P. MÉNARD, *Le rire et...*, ob. cit., pp. 228 y ss. En este caso
sirve para mostrar una pluralidad de perspectivas y provo-
car la reacción de Amadís. Si desde un punto de vista esco-
lástico y aristotélico, la mujer era imperfecta, la literatura
por muy cortés que sea deja transparentar esta postura. En
nuestra novela, Oriana es la que provoca todo el problema.
En último término, se plantea todo desde una perspectiva
masculina. La perfección radica en el comportamiento de
Amadís.

El paralelismo de hechos y situaciones permite contrastar a los personajes en su comportamiento. Nuestro héroe no duda ni un instante de las perfecciones de su amada en sus momentos más dramáticos.

Todos los episodios están enmarcados por dos situaciones complementarias. Amadís da muestras de su lealtad inquebrantable en el episodio de Briolanja, ya que a pesar de estar al borde de la muerte no acepta las proposiciones de la joven. De ello han podido ser testigos su primo y sus hermanos, aunque desconocieran sus amores secretos. En la Ínsola Firme, el portador de la carta, Durín, comprueba cómo Amadís pasa el arco de los leales amadores. El sonido producido a su paso es diferente al de los otros. La ironía estructural es perfecta. Amadís se muestra como el más leal amador momentos antes de recibir la carta que le acusa de infedelidad. El mensajero de la saña de Oriana será también el mensajero de la lealtad de Amadís, pues incluso presencia el combate contra Patín. Por otra parte, las dos falsas informaciones generan comportamientos diferentes. Las palabras del enano sirven para motivar la ira de Oriana. Con la mala interpretación de Patín, se manifestará el comportamiento generoso del héroe que no duda un instante de su amada.

Una carta de Oriana servía para hacerle saber a Amadís su nombre, su identidad. Otra nueva carta le anuncia su desgracia. Al perder el amor, ve alterada una parte importante de su personalidad humana y amorosa. De ahí el cambio de nombre: en adelante será Beltenebrós.

XI. MUERTE DE AMADÍS Y ADQUISICIÓN DE UN NUEVO NOMBRE

El héroe, tras recibir la carta de Oriana, decide marchar de la Ínsola Firme, símbolo de su poderío y de su fidelidad. Ni siquiera permite que le acompañe Gandalín, compañero y testigo de todas sus hazañas y de su amor. Para su próxima aventura no necesita ningún escudero. Va camino de su propia destrucción. Incluso deja a su fiel amigo la Ínsola Firme y manda a «Ysanjo y a todos los otros, por el omenaje que me tienen fecho, que tanto que de mi muerte sepan te tomen por señor» (II, XLV, 376, 271 y ss.). Es la última voluntad de su vida caballeresca, como si se tratara de un testamento.

CAMBIO DE NOMBRE, CAMBIO DE PERSONALIDAD

Entre el conjunto de los cambios con los que el hombre se enfrenta en su vida hay dos que predominan sobre todos los demás: el nacimiento y la muerte [1]. Ambos temas se imbrican en esta secuencia. El héroe significativamente recuerda a Gandalín «como tu padre me sacó de la mar tan pequeña cosa como dessa noche nascido» (II, XLV, 375, 255 y ss.). En agradecimiento legará a sus salvadores el usufructo de la Ínsola ganada en la cumbre de su caballería. También abandonará sus armas, auténtica prolonga-

---

1. J. CAZENEUVE, ob. cit., p. 111.

ción de su vida heroica. Todos los motivos del episodio tienen un denominador común. Al perder el amor de Oriana, Amadís renuncia a su vida activa anterior. Parece quererse convertir de nuevo en un *non nato;* deja a un lado su existencia caballeresca y busca la muerte.

Incluso, la noche anterior había tenido un sueño en «que le pareçiera fallarse encima de vn otero cubierto de árboles, en su cauallo y armado, y aderredor dél mucha gente que fazía grande alegría, y que llegaua por entre ellos vn hombre que le dezía: ¡Señor, comed desto que en esta buxeta trayo!; y que le fazía comer dello; y parecíale gustar la más amarga cosa que fallar se podría; y sintiéndose con ello muy desmayado y desconsolado, soltaua la rienda del cauallo et ýuase por donde él quería; y parecíale que la gente que antes alegre estaua, se tornaua tan triste que él hauía duelo dello; mas el cauallo se alongaua con él lexos y le metía por entre vnos árboles, donde veýa vn lugar de vnas piedras que de agua eran cercadas; y dexando el cauallo y las armas, se metía allí como que por ello esperaua descanso; y que venía a él vn hombre viejo vestido de paños de orden, y le tomaua por la mano, llegándolo a sí, mostrando piedad, y dezíale vnas palabras en lenguaje que las no entendía, y con esto despertara; y agora le pareçía que, como quiera que por vano lo auía tenido, que como verdadero lo fallaua» (II, XLV, 374-75, 166 y ss.). Después de leer la carta de Oriana, lo recuerda y relaciona con las acciones vividas. Así, algunos referentes son fácilmente explicables en su primera mitad. Amadís con sus compañeros ha subido a lo alto del castillo que dominaba toda la Insola Firme, el otero del sueño, y después de conquistarla ha recibido a sus moradores como sus vasallos, con gran alegría por su parte.

La «bujeta» no puede ser sino el mensaje de Oriana, y sucede en la obra con posterioridad. Quiere retirarse de la Ínsola Firme, lo que concuerda con la premonición y sólo resta aclarar el significado de las piedras donde se ocultaba, y el «hombre de orden».

La suspensión de sentido es mínima, pues los aconteceres transcurren de acuerdo con la ensoñación al
marcharse a la Peña Pobre, la isla, tras haberse encontrado con el ermitaño Andaloc, quien, a petición
de Amadís, descifra el sueño. Interpreta los «paños
que vos desmudávades» como «las armas que vos
dexastes», cuando en la premonición no han aparecido tales paños, pero sí en la realidad novelística.

El ermitaño demuestra su sabiduría por medio de
la exégesis de unos hechos que sin ningún misterio
puede desvelar el lector. Nuestras únicas dudas interpretativas se refieren al lenguaje extraño del «hombre
de orden». Tiene una explicación sencilla: «el hombre
de orden que vos fablaua en lenguaje que no enten-
díades, yo soy, que vos dixe las palabras santas de
Dios, las quales antes no sabíades ni en ellas pen-
sáudes» (II, LI, 413, 102 y ss.).

Con el sueño se han prefigurado una serie de acontecimientos, indicativos de un auténtico rito de pasaje. En las iniciaciones suele producirse un cambio
de nombre, costumbre arcaica universalmente ex-
tendida. «Cambiarse de nombre equivale a un cambio
real y afectivo de la personalidad. El hombre primitivo mantiene la creencia de que con el cambio no
le alcanzarán los peligros que acosaban a su personalidad abandonada»[2]. El problema en nuestra novela es semejante. Amadís al retirarse con el ermitaño
abandona su antigua vida. No desea que Andaloc
le diga a nadie «quién era ni nada de su fazienda» y
quiere comenzar esta nueva etapa con unas señas
identificatorias acordes con sus circunstancias:

> Yo vos quiero poner vn nombre que será conforme
> a vuestra persona y angustia en que soys puesto,
> que vos soys mancebo y muy hermoso y vuestra
> vida está en grande amargura y en tinieblas;
> quiero que hayáys nombre Beltenebrós (II, XLVIII,
> 396, 510 y ss.).

2. A. Castiglioni, *Encantamiento y magia*, México, F.C.E.,
1972, p. 42.

Pudiera ser, como apunta B. Matulka [3], que el episodio surgiera directa o indirectamente de la *Chanson du bel Tenebré*. En cualquiera de los casos, el procedimiento seguido para la imposición del nombre o para su interpretación parece seguir los cauces de la retórica. Poco importa para nuestra argumentación que Beltenebrós tuviera una hipotética fuente francesa, fuera de origen bretón [4] o gallego [5]. La importancia de la denominación consiste en su poder simbólico y connotativo. El conocimiento de la procedencia exacta, de no ser que se aporten otras pruebas, no es operativo para detectar el funcionamiento de la novela. Por el contrario, la identificación entre nombre y personaje parece indisoluble. Amadís, sea cual sea su etimología, es llamado así por la devoción de Darioleta a un santo, según la explicación del autor. Sin embargo, el héroe será conocido con su auténtica personalidad gracias a Oriana, gracias a su amor. Y Amadís, el más leal *amador*, deja a un lado su anterior existencia tras la misiva de Oriana [6]. Ahora, el nuevo nombre adquiere una mayor ambivalencia. Por una parte el primer étimo —Bel— parece corresponder a su hermosura. El segundo —tenebrós— está asociado con las tinieblas, la oscuridad.

El signo no es arbitrario con los nombres [7] y la ambivalencia de Beltenebrós es en cierto modo aná-

3. «On the Beltenebros Episode in *The Amadis*», *HR*, III (1953), pp. 338-340.
4. E. B. PLACE, «The Amadis Question», *Spec*, XXXV (1950), página 359. El mismo autor rechazó su propia teoría del origen bretón de toda novela.
5. C. GARCÍA DE LA RIEGA, ob. cit., p. 137.
6. Como dice E. B. PLACE, en el tomo III de su edición, página 937: «Amadís [...] seguramente debe algo a la connotación de su raíz, tan descriptiva de caballero dedicado al amor cortés.» Por no llegar a una formulación heterodoxa lingüísticamente, podríamos decir que el grado de motivación es mucho mayor.
7. E. R. CURTIUS, ob. cit., t. II, pp. 692 y ss., destaca la importancia de las *Etimologías* de San Isidoro para toda la Edad Media como forma de pensamiento. Cervantes utilizará procedimientos similares. Véase J. SPITZER, *Lingüística e historia literaria*, Madrid, Gredos, 1968, 135-187; M. MOLHO, *Cervantes: raíces folklóricas*, Madrid, Gredos, 1976, etc.

loga al personaje, angustiado, pero hermoso, retirado hacia la muerte que le puede conducir a una nueva vida. Incluso también ha modificado su vestimenta, como sucede en los ritos iniciáticos del Camerún [8], y sin ir tan lejos en muchas iniciaciones subyacentes en comportamientos actuales. No parece casual que el ermitaño en la interpretación del sueño haya aclarado este detalle, inexistente en la premonición de Amadís, pero narrado en la realidad novelística. Los «paños que vos desmudávades», según Andaloc, equivalen a «las armas que vos dexastes». Las armas como el traje son objetos sobre los que se proyecta su portador. Amadís camino de la aniquilación por falta de amor no los necesita. Sólo desea encomendar su alma a Dios para recibir penitencia y una posible buena muerte.

En la ensoñación se han producido dos claros cambios de estado. De la alegría se ha pasado a la tristeza de los servidores. La mutación ha repercutido en la sociedad alegre que había acogido a su señor, el mejor caballero del mundo, desde hacía cien años. El segundo cambio pertenece a su propia personalidad, al dejar sus vestimentas y ponerse después un «pelote y vn tabardo de gruessa lana parda» (I, XLVIII, 396, 533 y ss.).

Se podría relacionar la posible muerte de Amadís con un renacimiento de su condición religiosa, de acuerdo con el sueño y las palabras del ermitaño. Según Cazeneuve, «probablemente no haya un sólo ritual de iniciación de jóvenes en el que no intervenga, siquiera en alguna medida y a veces con discreción, una figura religiosa: antepasado o Ser Supremo» [9]. Pero no pretendemos aplicar mecánicamente unos hechos derivados de campos diferentes. En la novela, la participación sagrada es mínima y sólo guarda relación con una preparación para la muerte.

8. J. CAZENEUVE, ob. cit., p. 226. Recordemos que el cambio de vestimentas se daba en las investiduras históricas según los textos de Alfonso X.
9. Ob. cit., p. 220.

El ermitaño le quiere apartar de los pensamientos obsesivos sobre su amada, pero la respuesta de Amadís es tajante:

> Buen señor —dixo Amadís— yo no vos demando consejo en esta parte, que a mí no es menester, mas demándovos consejo de mi alma y que os plega de me llevar con os (II, XLVIII, 394, 389 y ss.).

Amadís no admite discusión alguna en problemas amorosos. Para todo lo demás se muestra obediente y acepta llevar una vida ascética. Come por orden del ermitaño, después de tres días de ayuno.

EL SUEÑO INICIÁTICO

En·el momento de dormir, con su gran preocupación no «hizo [...] sino reboluerse y dar grandes sospiros; et ya cansado y vencido del sueño adormecióse, y en aquel dormir soñaua que estaua encerrado en vna cámara escura que ninguna vista tenía, y no hallando por do salir, quexáuasele el coraçón; y pareçíale que su cormana Mabilia y la donzella de Denamarcha a él venían, y ante ellas staua vn rayo de sol que quitaua la escuridad y alumbraua la cámara, y que ellas le tomauan por las manos y dezían: "Señor, salid a este gran palacio"; y semejáuale que hauía gran gozo; y saliendo veýa a su señora Oriana, cercada alderredor de vna gran llama de fuego, y él, que daua grandes bozes, diciendo: ¡Santa María, acórrela!, y passaua por medio del fuego, que no sentía ninguna cosa, y tomándola entre sus braços la ponía en vna huerta, la más verde y hermosa que nunca viera» (II, XLVIII, 395, 444 y ss.).

La ensoñación de Amadís tiene un carácter distinto de la anterior, por el contexto y por los referentes más misteriosos. En primer lugar, se destacan unos pormenores físicos que hacen el sueño verosímil. Beltenebrós está intranquilo, desasosegado por

los sucesos vividos, semidesfallecido por su casi total
ayuno. Es lógico que en estas circunstancias tan
favorables tenga la premonición relatada. Incluso da
grandes voces que despiertan al ermitaño.

Los hechos se producen en un marco propicio y
adecuado. «El retiro es un modo de apartarse realmente de los mortales. El ayuno significa renunciar a
uno de los actos más normales de la condición humana. Pero, al mismo tiempo que un rito, la ascesis
es una técnica, y por eso se encuentra asociada a
toda práctica mística, sea mágica o religiosa. Influye
sobre el estado nervioso del sujeto, favoreciendo las
alucinaciones, las visiones. En el caso de la iniciación,
posibilita los sueños en cuyo transcurso el novicio
cree haber sido despedazado y luego resucitado [10]. Los
motivos iniciáticos subyacen de forma clara en esta
situación que se puede explicar desde otras perspectivas. Según el maestro Ciruelo, los sueños se producen, aunque no los tenga por verdaderos, por alguna alteración del cuerpo del hombre; «que hay
tanta concordia entre el cuerpo y la ánima del hombre, que según es la alteración del cuerpo, tales
fantasías representa el alma. Puede venir nueva alteración del cuerpo en el hombre por causa intrínseca
de los humores que se mueven dentro del cuerpo,
que si se mueve la cólera sueña el hombre cosas
coloradas de fuego o de sangre; si se mueve la flema
sueña cosas claras de agua o de babas, si la *malen-
colía, sueña cosas negras, escuras y cosas tristes, de
muertos, etc.* Y por esta razón los médicos cuando
curan de algún enfermo le preguntan si ha dormido
y qué es lo que ha soñado, por sacar de allí qué
humor reina en él; y, por ende, saber de qué manera
lo ha de curar» [11].

La tesis del maestro Ciruelo no es la de nuestra
novela, aunque para él los resultados de los sueños
dependen de causas naturales, con una interrela-

10. J. Cazeneuve, ob. cit., p. 161.
11. P. Ciruelo, *Reprobación de las supersticiones y hechicerías*, Madrid, Joyas Bibliográficas VII, 1952, p. 51.

ción de larga trayectoria cultural. Hipócrates «lo mismo que Aristóteles en sus diálogos [...] parte de la idea de que el alma despliega más libremente su actividad cuando el cuerpo duerme, pues entonces se halla concentrada, indivisa y consagrada por entero a sí misma. Y da a este dogma el giro, peculiar de la medicina, de que el alma, durante el sueño, refleja también con mayor pureza el estado físico del hombre, sin la influencia perturbadora de ninguna acción del exterior. El escrito de Aristóteles sobre el carácter profético de los sueños, que ha llegado hasta nosotros, demuestra que el problema del valor de realidad de los sueños reaparece en el siglo IV ya en una fase científica. Aristóteles en esta obra, reconoce también en los sueños los efectos de la vida real y de las sensaciones reales, sin llegar a crear por ello en una verdadera profecía» [12].

El problema de nuestra novela quizás sea diferente. Se parte de un carácter profético, si bien las condiciones físicas de Amadís se describen con bastantes pormenores. Bernardus Gordonius «que floreció al final del siglo XIV en la gran escuela Montpellier, donde llegó a ser profesor hacia el 1285» [13], detalla circunstancias similares. Según este autor «Morbus qui hereos dicitur est sollicitudo melancolica propter mulieris amorem.

Causa. Causa huius passionis est corruptio existimative propter formam et figuram fortiter affixam. Unde cum aliquis philocaptus est in amore alicuius mulieris [...] ardenter concupiscit eam et sine modo et mensura opinans si posset attingere finem quod haec esset sua felicitas et beatitudo et intantum corruptum est iudicium rationis: quod continue cogitata de ea [...] et quia est in continua meditatione: ideo sollicitudo melancolica ap pelatur [...]

Signa. Signa autem sunt quando amittunt somnum et cibum et potum: et maceratur totum corpus:

12. W. JAEGER, *Paideia*, México, F.C.E., 1971, p. 823.
13. J. LIVINGSTONE LOWES, «The Loveres Maladye of Hereos», *M Phil* (1913-1914), pp. 7-8.

praeterquan oculi. Et habent cogitationes ocultas et profundas cum suspiriis luctuosis [...]»[14].

Las causas y las señales de Amadís corresponden a las mismas señaladas por el tratadista medieval. El héroe está preso de lo que en medicina denominaban melancolía, «hereos» o enfermedad del amor. La causa del sueño es sin duda el amor, por la pasión fijada en Oriana que no le permite comer, ni dormir, por su gran angustia[15]. El lugar cerrado, sin posibilidad de salida, es síntoma casi siempre de una situación angustiosa semejante a la del propio personaje. El mal de amores tiene su centro en el corazón como sucede en el sueño de Amadís.

Según los esquemas del Campbell lo podríamos considerar como la entrada del héroe en el vientre de la ballena[16], lo que Villegas reinterpreta como la caída o el descenso a los infiernos[17]. Su rasgo más característico es la permanencia del protagonista en el interior del vientre, en la oscuridad, su marginacin de la vida y, por último, su salida del mismo. La oscuridad y la cámara equivalen a un mismo estado anímico. La luz[18] es indispensable para reorga-

---

14. J. LIVINGSTONE, art. cit., pp. 9-10.
15. Según A. CAPELLANUS, ob. cit., p. 179, «minus dormit et edit, quem amoris cogitatio vexat».
16. J. CAMPBELL, ob. cit., pp. 88 y ss.
17. J. VILLEGAS, *La estructura mítica del héroe...*, Barcelona, Planeta, 1973, p. 117.
18. Como dice E. DE BRUYNE, *Estudios de estética medieval*, Madrid, Gredos, 1959, t. II, p. 16, «Siempre y en todas partes la luz ha impresionado al espíritu del hombre. La admiración por la luz inspira muy particularmente las mitologías y cosmogonías de Oriente, Persia y Egipto; trasparece en la literatura de los Hebreos y de los Árabes; constituye uno de los elementos principales de la belleza griega y es una de las fuentes fundamentales de la creación artística medieval». La oscuridad siempre estará ligada a lo negativo, como hemos visto en el descenso de Amadís a las cárceles de Arcaláus. Don Juan Manuel en el *Libro de los Estados*, ed. cit., p. 241, explicaba por qué había nacido Jesucristo a la hora del gallo: «por dar a entender, que pues nasçía en el mundo que la mayor parte de la escuridat —que era el poder del diablo— era pasada, et que ya se açercava la nuestra salvaçion —que es claridat del Sol, Nuestro Sennor Jhesu Cristo— et se pasa la noche —que es la tieniebra».

nizar el caos producido por la oscuridad, y necesaria para franquear esta *huis clos*, por retomar el título de Sartre. La habitación cerrada, sin ventanas, puede simbolizar la virginidad, pero también cualquier otro tipo de incomunicación [19]. También en los ritos iniciatorios suele producirse un encierro [20].

De la cámara, Amadís sale a un palacio gracias a la ayuda prestada por Mabilia y la Doncella de Dinamarca, mediante un rayo de sol que ilumina todo. El sol, aparte de dar luz, produce una regeneración de la vida en el suceder eterno entre noche-día, oscuridad-luz. Y en este nuevo renacer de Amadís han participado de forma decisiva la Doncella de Dinamarca y Mabilia, dos mujeres confidentes y amigas de Oriana.

Por vez primera en un sueño se dan unos nombres. Los referentes de las personas aparecidas en las ensoñaciones, se han ido concretando. En el caso de Perión una doncella le arrebataba el corazón, mientras que en el anterior sueño de Amadís aparecía un ermitaño. Ahora los personajes tienen nombre propio. Gracias a la intervención de Mabilia y la Doncella de Dinamarca, según la premonición, Beltenebrós supera su angustia al encontrarse con Oriana. Su amada está en una llama de fuego y la socorre el héroe, sin que él pueda sentir los efectos. Esto nos hace pensar en un fuego simbólico relacionado con el amor, una llama de amor viva. El fuego representa la pasión amorosa, incluso tópica, aunque también puede tener otras connotaciones semejantes a éstas. En el fuego sexualizado la materia y el espíritu se funden en una completa conjunción [21].

Es significativo que Amadís traslade a Oriana a una huerta, verde y hermosa. El verde asociado con la huerta representa el *locus amoenus*, el lugar propicio para el amor, para los dos amantes que han es-

19. J. E. CIRLOT, ob. cit., p. 243.
20. M. ELIADE, *Iniciaciones místicas*, ob. cit.; V. PROPP, *Las raíces históricas del cuento*, ob. cit., etc.
21. G. BACHELARD, *Psicoanálisis del Fuego*, p. 95.

tado separados y ahora se reúnen. Puede simbolizar
este reverdecer del amor, antítesis de la cámara
oscura donde se hallaba.

La correlación podría esquematizarse así:

Oscuridad	Cámara Cerrada	Negro
Rayo de Sol	Palacio	Rojo
Fuego	Huerta	Verde

A través del sueño, Amadís consigue lo deseado,
salir de su estado angustiado, la cámara, comunicar-
se con su amada en la huerta, espacio adecuado para
el amor. De un estado de desesperación ha pasado
al gozo y al verde de la huerta, en una lógica gradación, idéntica a un rito iniciático. Amadís-Beltenebrós morirá en la cámara oscura para renacer
en la huerta y ser Amadís otra vez.

La interpretación, a diferencia de la de Perión, es
más sencilla de descifrar, y la realiza el ermitaño
en la Peña Pobre. Para éste «el fuego en que víades
a vuestra amiga es significança de gran cuyta de
amor en que será por vos, assí como vos por ella
soys, y de aquel fuego, que significa amor, la sa-
caréys vos, que será de la su cuyta quando vos viere;
y la fermosa huerta donde la leuáuades, esto muestra gran plazer en que con vuestra vista será puesta;
bien conozco que, según mi ábito, no deuría hablar
en semejantes cosas, pero entiendo que es más
seruicio de Dios deziruos la verdad, con que seáys
consolado, que callando, la vuestra vida en condición
esté con muerte desesperada» (II, LI, 413, 46 y ss.).

Con la aclaración del otro sueño Andaloc demuestra su sabiduría en estas lides, aunque en algunas
circunstancias nuestra interpretación sea diferente,
y más heterodoxa. No obstante, Oriana estará muriendo de amor en el palacio de su padre y después
marchará hacia Miraflores, un auténtico vergel, equivalente a la huerta, donde su amor se consumará.
Nuestras predicciones simbólicas y subconscientes
se pueden ceñir más al contexto, si bien siempre hay
una pluralidad de lecturas.

Los dos sueños de Amadís son descifrados a la vez por un religioso, como Urgán el Picardo lo había realizado antes. Esto lleva a una concepción distinta a la expuesta por Aristóteles, Hipócrates, el maestro Ciruelo o Gordonius. Las ensoñaciones son interpretadas por clérigos y tienen un carácter premonitorio. Parecen estar inspiradas por la divinidad de la que son intérpretes los religiosos.

EL RENACER DE LOS SENTIDOS

De esta manera Amadís se consuela ante una posibilidad de salvación, aunque le queda un largo camino de pruebas. Creado este clímax, una noche Amadís escucha unos instrumentos «que él auía gran sabor de lo oýr» (II, LI, 414, 174). En su soledad, ha renunciado a estimular sus sentidos. El primer contacto sensorial le conduce a un mundo refinado, cortés, auditivo, que le hace perder los maitines. La penitencia ha sido abandonada por el resurgir de las sensaciones. Los instrumentos los tañen unas doncellas acompañantes de dueña, sin posibilidad de albergue. Amadís siente curiosidad. Se acerca y ve «vna nao en la mar y muy apuesta de lo que menester auía, y estaua sobre vna áncora, y la dueña le paresció asaz moça y muy fermosa, que él tuuo plazer de la mirar» (II, LI, 415, 231 y ss.). Todo contrasta con el retraimiento de Beltenebrós. No obstante, la dueña padecía su mismo mal, si bien las doncellas la consolaban con instrumentos musicales. Las circunstancias, sin embargo, son inversas. Su pena «es de muy gran amor que la atormenta, y va a buscar a quien ama a casa del rey Lisuarte, y quiera Dios que allí lo falle porque algo de su passión amansada sea» (II, LI, 416, 301 y ss.). La dueña desea encontrar en casa de Lisuarte a su amado. El héroe está en la Peña Pobre por los celos de la hija del rey. Esta «dama», Corisanda, es la amiga de Florestán con lo que el paralelismo se acentúa en una cadena casi sin fin. Oriana ha mandado buscar a Amadís, mien-

tras que también don Florestán prosigue en el mismo
intento, a la vez que es buscado por su amada. Las
circunstancias son similares y antitéticas. Corisanda
va a la corte de Lisuarte para hallar a su amigo y
satisfacer su amor. En el caso de Amadís debe producirse el fenómeno contrario. Sin embargo, las primeras referencias de su familia y de Lisuarte anuncian su pronta recuperación.

Con su cambio de nombre y de aspecto puede des-
doblarse y decir cómo siente gran «deudo» por Florestán y sus hermanos. A su vez, Beltenebrós comenta haber aprendido una canción que compuso Amadís. La interpreta a las acompañantes de la dama
para que la canten y su «muy estraña boz y la gran
tristeza suya ge la fazía más dulce y acordada»:

> Pues se me niega vitoria
> do justo m'era deuida,
> allí do muere la gloria
> es gloria morir la vida.
>
> Y con esta muerte mía
> morirán todos mis daños
> mi esperança, mi porfía,
> el amor y sus engaños;
> mas quedará en mi memoria
> lástima nunca perdida
> que por me matar la gloria
> me mataron gloria y vida.
> (II, LI, 414, 155 y ss.).

El texto poético no es muy relevante en casi ningún
aspecto, aunque plantea problemas interesantes [22].

22. Como dice T. Navarro Tomás, *Métrica española. Reseña histórica y descriptiva*, New York, Las Américas, 1966,
página 118: «La estructura de la canción, con tema y final
simétricos y con idénticas rimas, había sido practicada y
definida por Alfonso el Sabio en varios números de las *Can-
tigas.*» Es muy difícil fijar cronológicamente la composición,
pues este tipo de canción trovadoresca la componen desde
Alfonso XI hasta Pero López de Ayala, con distintas variantes. Por otra parte, la fraseología y la rima no dejan de ser
tópicas. Un ejemplo de Alonso de Cardona, aducido por
P. Le Gentil, ob. cit., t. II, pp. 268-269, contiene semejanzas
que nos hacen pensar, no en influencias, pero sí en el desarro-

La tonalidad de la canción se ajusta al estado anímico de Corisanda y Amadís, gracias al cual éste se ha
convertido en poeta. Es una faceta desconocida en
la novela. Beltenebrós ha escrito con saña su canción
de amor, su canción de muerte, en los momentos
más dramáticos de su vida. Lo sensorial de la secuencia, con el tañer de instrumentos, contiene una nostalgia indefinible, sin que el texto la haya logrado
transmitir con plenitud.

Según Eugenio Asensio[23], el canto del ruiseñor
«sublima y exalta los opuestos sentimientos a que
la música pone alas: la tristeza para el Renacimiento, la alegría para casi toda la Edad Media. Esta
bivalencia esencial la expresa ya Gómez Manrique
en una composición a la reina Isabel:

> La música que solía
> ser su mayor alegría
> agora le da cuidado
> que turbación al turbado
> añade la melodía».

La música como acompañamiento de un texto
poético no ha aparecido hasta ahora en el *Amadís* y
sin las connotaciones ambivalentes de una época de
transición. El dolor no se ha convertido en lágrimas,
sollozos o desmayos, sino en una creación poética,
especie de catársis para el corazón atormentado.

---

llo de unos mismos clichés: «Es tan falsa la *victoria* / del
mundo por nuestro *daño*, / que no dura más su *gloria* / de
quanto dura ell *engaño*.» Jorge Manrique, *Poesía*, ed. de
J. M. Alda Tesán, Madrid, Cátedra, 1976, p. 123 en una canción rima vida con perdida; en otra (*Ibídem*, p. 126), me-
moria/gloria/victoria, etc.
23. E. ASENSIO, *Poética y realidad en el cancionero peninsular de la Edad Media*, Madrid, Gredos, 1970, p. 237. A primera vista, tristeza y alegría parecen mezclarse en la canción,
pero si se analiza con detenimiento la música produce alegría, sosiego, y sirve para atemperar la angustia. Por el contrario, el carácter de la composición por su temática causa
dolor. En último término, la música se puede asociar al renacer de estos sentidos, a la alegría que después se desarrollará
narrativamente. Estamos todavía lejos de una época de transición, o ya renacentista.

Y como es natural, todo está dispuesto para que lo puedan contar, lo que hace Corisanda inmediatamente después de llegar a la corte de Lisuarte. Allí las doncellas cantan el texto de Amadís «con sus ystrumentos muy dulcemente, que era muy grande alegría de lo oýr, según con la gracia que dicha era, más dolor a quien la oýa; y Oriana paró mientes en aquellas palabras, y bien vio, según ella la auía errado, que con gran razón Amadís se quexaua»... (II, LI, 419, 526 y ss.). La canción se convierte en auténtico mensajero [24] que pone en comunicación a los dos amantes, misión desempeñada por la poesía del héroe. Beltenebrós tenía su escudo en la corte de Lisuarte, donde estaba Oriana, culpable de su postración. Sin su escudo, sin su arma protectora, escucha las primeras noticias del mundo circundante a través de Corisanda, que iba hacia la casa del rey, donde se encontraba su escudo, su protección, Oriana. Este primer contacto ha sido triste, como su composición, aunque se encubre de cierta alegría; por vez primera desde que está allí ha oído nombrar a Lisuarte por una dueña que padecía su mismo mal. La exaltación triste de los sentidos es indicio de un posible renacer.

24. Véase P. Le Gentil, ob. cit., t. I, p. 164. La canción típica de la poesía provenzal es siempre un texto amoroso. Para A. Jeanroy, *La poésie lyrique des troubadours*, Toulouse, E. Privat, 1934, t. II, pp. 95-96, «Ce n'est pas l'amour fatal des anciens, qui ravit l'homme à lui-même et le livre sans défense au plus puissant des dieux: redoutable maladie qui consume son corps et paralyse sa volonté, delire de ses sens, qui se traduit par de tels cris de fureur quel'on ne sait parfois si l'amant s'adresse au plus chéri des êtres ou au plus abhorré des ennemis». Por otra parte, carecemos de textos de la época intermedia (1325-1360) en la poesía castellana, como bien señala R. Lapesa, ob. cit., p. 10. Además, la canción se convierte en expresión de sentimientos puestos en conocimiento de la amada, pero Amadís no compone su poesía para que desempeñe una función informativa, ya más peculiar del xv. Por otra parte, en el *Tristán* francés son frecuentes las composiciones poéticas del héroe y desempeñan las mismas funciones que las de Amadís.

LA CARTA TAUMATÚRGICA

Su reconocimiento no tardará en llegar. Ante las noticias de Durín, presente en la Ínsola Firme, Oriana había escrito otra carta «con palabras muy humildes y ruegos muy ahincados [...] para Amadís, que dexadas todas las cosas, se viniesse a ella que en el su castillo de Miraflores, donde su gran yerro sería emendado» (II, XLIX, 402-403, 182 y ss.). (También II, LII, 424, 245 y ss.). La misma persona causante de su desgracia, se ha convertido ahora en su auxiliar, al reconocer su error. Pero la primera carta la escribe Oriana por su propia voluntad, sin consultar a nadie, mientras que en esta ocasión ha tenido de su desgracia se ha convertido ahora en su auxi

La Doncella de Dinamarca y Durín salen con la misiva a buscarle a Escocia, sin ningún resultado positivo. Sin embargo, una tormenta lleva a los mensajeros a la Peña Pobre, donde se encuentra Amadís.

> Y era ya su salud tan llegada al cabo que no esperaua biuir quinze días, y del mucho llorar, junto con la su gran flaqueza, tenía el rostro muy descarnado y negro, mucho más que si de gran dolencia agrauiado fuera; assí que no auía persona que conoscerlo pudiesse (II, LII, 422, 61).

Beltenebrós está a punto de morir. No sólo ha alterado su nombre, sino que su persona ha cambiado [25].

---

25. Amadís en cierto modo se convierte en persona casi «salvaje». Para A. DEYERMOND, «El hombre salvaje en la novela sentimental», *ASCIH*, Nimega, Instituto de la Universidad de Nimega, 1967, p. 268, «vale la pena preguntarnos ¿en qué sentido es Amadís un hombre salvaje? No es condición permanente, sino que sirve para expresar los sufrimientos del amante desdeñado. Y desaparece bajo las circunstancias normales del amor caballeresco...» Este tipo de mutaciones se pueden detectar, por poner sólo un caso, también en la *Égloga de tres pastores*, de Juan de la Encina. «Más claras señales conozco en tu gesto / que de tus males me hacen seguro: / flaco, amarillo, cuydoso y oscuro, / a lloros, suspiros, conforme, dispuesto. / En tus vestiduras no nada compuesto / te veo, y solías andar muy polido.» Vv. 25 y ss., ed. de R. GIMENO, *Juan del Encina. Teatro (Segunda producción dramática)*, Madrid, Alhambra, 1977, p. 252. El pastor acabará muriendo.

«Dans la littérature courtoise, cette dialectique de
la désintégration et la réintegration sociales, dont
la charnière était la recontre de deux hommes —celui
qui voulait mourir et celui qui venait a lui pour le
remener vers les vivants— s'inscrivait à travers l'espa-
ce parcouru et les mutations de l'apparence physique
su désespérée, dans une dialectique de la bestialité
solitaire et de l'humanité en societé, de la nature et
de la culture» [26].

El Doncel del Mar se había puesto en contacto con
el mundo tras su nacimiento, a través de las aguas;
la Peña Pobre es el paraje solitario, casi carente
de vida, donde Beltenebrós se ha refugiado, como
si fuera un regreso al vientre materno. El mar [27] de
nuevo servirá de elemento transformador al llevar
allí a la Doncella de Dinamarca con su mensaje de
amor. La *desperatio* le había generado una melancolía, un *taedium vitae* que le hubiera podido conducir al suicidio. El ermitaño, con su presencia, sirve
de salvaguarda de cualquier intento en este sentido.
Sin embargo, la angustia de Beltenebrós le conduce
a cambiar de apariencia física, de acuerdo con su
situación. Apenas es reconocible, aunque él identifica a la Doncella de Dinamarca y a Durín sin que
ellos lo sepan. La narración llega a un clímax. El
héroe se encuentra ante un dilema. No se atreve a
manifestar su personalidad, pues «passaua el mada-
miento de su señora, y si no, si aquella, que era todo
el reparo de su vida, de allí se fuesse, no le quedaua
esperança ninguna» (II, LII, 423, 153 y ss.). Como
máxima prueba de lealtad decide no darse a conocer,
si bien la Doncella de Dinamarca «viéndole en el
rostro vn golpe que Arcaláus el encantador le fizo
con la cuchilla de la lança [...] fízola recordar en lo
que ante ninguna sospecha tenía, y claramente conosció ser aquel Amadís» *(Ibídem,* 189).

26. J. C. Schmitt, art. cit., p. 19.
27. A. Prieto, ob. cit., p. 238, señala cómo «el mar tendrá
una presencia importante en *Amadís,* como aventura y como
distancia que separa a los amantes».

Las señas de identidad de Beltenebrós han sido descubiertas de una manera significativa. ¿Por qué el golpe de Arcaláus y no cualquier otro? Entonces Amadís había salvado a Oriana, de la misma manera que por este golpe salvador puede ser reconocido para poderle entregar la carta. El héroe había realizado multitud de aventuras, pero sólo en ésta Oriana estaba en peligro. La herida se convierte en reconocimiento y en reconocimiento de un acto realizado por amor y por la persona más querida. Pero el remedio taumatúrgico se produce cuando lee la carta, el mismo elemento causante de su tristeza. La misma doncella le había llevado la misiva donde figuraba su nombre desconocido. El proceso es similar al anterior. Con la nueva carta, Amadís comienza a revivir en su nueva personalidad. No creemos que el héroe cometa el pecado de la acidia, al estar inactivo, como postula Place [28]. Amadís es fiel y obediente a los designios de su amada. De ella le proviene su esfuerzo: «sábete que no tengo seso, ni coraçón, ni esfuerço, que todo es perdido quando perdí la merced de mi señora, que della y no de mí me venía todo» (II, XLVI, 382, 292). Ahora le reverdece su voluntad de vivir y encontrarse con ella. Sin Oriana, como él mismo dice, vale tanto como un caballero muerto. El héroe no comete una infracción moral por voluntad propia. A nuestro juicio, el problema es diferente.

Amadís, sin amor, puede llegar a la acidia, con muchas más agravantes por su *desesperatio, tedium vitae*, etc. Pero es una falta ajena a su propio carácter. En otras ocasiones se plantea la dialéctica virtud / vicio. En esta situación la contraposición se establece entre amor / ausencia de amor, actividad / inactividad. En último término, la carencia de «energeia» es consecuencia del amor, y en la novela no se desarrolla como tacha del héroe. Es producto de un proceso narrativo. Su salvación no la encuentra en Andaloc. «Parfois le processus de désintegration so-

---

28. E. B. PLACE, ed. cit., t. III, p. 929.

cial tardait a aboutir, ou bien la tentative de suicide
échouvait: L'Église qui avait encore son mot à dire
tant que le suicide n'était consommé, cherchait alors
a réintegrer socialement le désespéré, par le biais
d'un être capable de lui réapprendre a vivre en societé. Le modele de cette thérapeutique était fourni
par les interventions miraculeuses de la Vierge ou
des saints dans la littérature religieuse. Identique
était le rôle, dans la litérature courtoise, de l'ermite,
de l'amie ou de son envoyée» [29].

La confidente de Oriana le llevará el mensaje tera-
péutico, capaz de hacerle renovar su existencia, frente
al fracaso de sus familiares. Éstos habían decidido
reunirse al cabo de un año, para San Juan, en casa
de Lisuarte si no lograban terminar con éxito su
demanda. La fecha nos parece simbólica, como sucede en el *Chevalier au lion* de Chrétien de Troyes [30],
al corresponder a la mitad del año: «El solsticio
estival, o el día del solsticio, es el gran momento del
curso solar en el que, tras ir subiendo día tras día
por el cielo, el luminar se para y desde entonces
retrocede sobre sus pasos en el camino celeste.» El
acontecimiento no dejó de sorprender a los pueblos
primitivos y se realizaron multitud de festivales
solsticiales, como los denomina Frazer [31]. Aunque en
el texto no se relata con precisión el día de llegada
de la mensajera, por la práctica del *entrelacement*,
se crea la ilusión temporal de simultaneidad. Por
tanto, se realiza en una fecha próxima a San Juan [32],

29. J. C. Schmitt, art. cit., p. 19.
30. J. Györy, «Le temps dans le Chevalier au lion», *Mélanges E. R. Labande*, ob. cit., pp. 385-393. Véase desde un
punto de vista diferente, J. C. Kooyman, «Temps réel et
temps romanesque: Le problème de la chronologie relative
d'*Yvain* et de *Lancelot*», *MA*, LXXXIII (1977), pp. 225-237.
31. G. Frazer, ob. cit., p. 699. No deberemos olvidar las
connotaciones amorosas del día, tan frecuentes en la poesía
de tipo tradicional.
32. Según L. A. Murillo, «The Summer of Mith: *Don
Quijote de la Mancha* and *Amadís de Gaula*», *Ph Q*, 51 (1972),
página 154, «Saint John's day at midsummer in medieval romances like the *Amadís* is not only a solar celebration, with
its religious signifiance and folklore, with its social scene

análoga al destino de Amadís. Su curso no se ha detenido; el héroe no ha muerto, como San Juan Bautista, gracias a la intervención de la Doncella de Dinamarca, la misma persona que aparecía en su sueño detrás de un rayo de sol, elemento que preside los actos de ese día.

El episodio remite a estructuras propias de los relatos artúricos. Para Jean Györy [33] dos pasos arcaicos se funden en los escenarios artúricos: un *imram* por el que el héroe tiende hacia cualquier isla afortunada (la Ínsola Firme de nuestra novela) y después un rito propiciatorio en el que el héroe herido o mortalmente decaído se excluye de la colectividad (la purificación en la Peña Pobre) y se libera gracias al azar (la tormenta y la Doncella de Dinamarca) que debe llevarle el bálsamo mágico salutífero (la carta amorosa de Oriana).

---

and festivities, but the auspicious occasion that merges the rhythmical progression of the narrative and the course of human lives, with the season of an inmutable summer».

33. J. Györy, art. cit., p. 390.

XII. EL RENACER DE LA CABALLERÍA
Y DEL AMOR

Cuando Beltenebrós se dispone a encontrarse con su amada, el relato se dramatiza por otras causas. Lisuarte tenía pendiente una pelea contra el rey Cildadán de Irlanda, casado con la hija de Abies, por el cobro de unas parias. Poco después, unos gigantes, además de don Quadragante y Arcaláus desafían a Lisuarte. Proponen como posible pacto la entrega de Oriana para casarla con el hijo de Famongomadán. Los primitivos móviles económicos se han acrecentado. La batalla implica una mayor peligrosidad por la categoría de los combatientes y en ella está también en juego Oriana. Se han creado dos núcleos de interés complementarios: el encuentro de Beltenebrós con su amada y la batalla contra Cildadán. El héroe durante su estancia inactiva en la Peña Pobre ha dejado sus armas, abandonando su actividad bélica. Necesita emprender un nuevo camino de aventuras y rehabilitar su identidad caballeresca. Debe hacerse con un nombre, una fama, como si comenzara de nuevo sus experiencias.

El autor maneja con sagacidad todos los hilos de la trama novelesca, interrelacionando la guerra contra Cildadán con el resurgir del amor y de las actividades heroicas del protagonista. Los tres temas se combinan en perfecta armonía. Beltenebrós, camino de Miraflores, recibe información de la batalla y combate con un adversaria distinguido: don Quadragante. Reconoce a su enemigo por su escudo, idéntico al situado en el más alto lugar de la cámara Defendida. Logra vencerlo y lo envía a la corte del rey Lisuarte.

Las funciones del episodio afectan, a nuestro juicio, a la estructura de la novela. La primera aventura de Beltenebrós está relacionada con dos hitos de su existencia. Al vencer a Quadragante demuestra la superioridad manifiesta en la Ínsola Firme, donde se había mostrado como el más leal amador y el caballero de mayor fortaleza. En su iniciación a la vida activa lucha con la persona que más méritos había realizado en la Ínsola. La pelea es la reafirmación del nuevo ciclo vital comenzado y relacionado con su etapa precedente.

La acción de Beltenebrós, con su desdoblamiento de personalidad [1], sirve para que Quadragante perdone a Amadís la muerte del rey Abies, y se reconcilie con Lisuarte. El Doncel del Mar había matado a Abies en un duelo judicial, pero dadas las características del contrincante hubiera sido más plausible otro desenlace. Al luchar contra Quadragante vuelve a combatir contra la soberbia con resultados diferentes. El héroe no adquiere el orgullo de la victoria al dar muerte al enemigo, sino la humildad de pedir perdón jugando con la doble personalidad Amadís-Beltenebrós. La acumulación de experiencias ha depurado su comportamiento mesurado en una perfecta adecuación a las circunstancias. El paralelismo de ambas acciones resulta sorprendente. El combate contra el rey Abies significaba el abandono de la antigua denominación, Doncel del Mar, para convertirse en Amadís; la pelea contra Quadragante es la primera reafirmación de Beltenebrós en vías de recuperar su identidad. Quadragante, al desafiar a los caballeros de Lisuarte, revelaba su soberbia a la vez que la corte estaba amenazada por culpa indi-

---

1. Amadís cuando varía de nombre recuerda hechos anteriores a su cambio de identidad. El motivo se reitera con el rey Tafinor de Bohemia y con el emperador de Constantinopla.

recta de Amadís. Con la victoria de éste se reafirma
la actitud conciliadora del héroe y se presagia su
reinserción en la casa del rey. A su vez, uno de los
principales enemigos de la futura batalla queda
eliminado.

LO ANTICABALLERESCO ANTICRISTIANO

El encuentro con la amada se difiere de nuevo.
Amadís se ve obligado a justar contra diez caballeros
acompañantes de Leonorina, hermana de Oriana.
Este episodio, casi insignificante, alcanza su auténtica funcionalidad en la secuencia posterior. Camino
de Miraflores, Beltenebrós ve llegar dos palafrenes
guiados por los enanos, con caballeros y niñas prisioneros y custodiados por dos gigantes. Los cautivos
son los caballeros contra los que acababa de pelear,
juntamente con sus acompañantes. Amadís identifica
a los agresores por las costumbres:

> Y el gigante que delante venía, boluióse a los ena
> nos y díxoles:
> —Yo vos faré mill pieças si no guardáys que essas
> niñas no derramen su sangre, porque con ella ten-
> go yo de fazer sacrificio al mi dios en que adoro.
> Quando esto oyó Beltenebrós, conosció ser aquél
> Famongomadán, que tal costumbre era la suya,
> que della jamás partirse quería, de degollar muchas
> donzellas delante de vn ýdolo que en el Lago Her-
> uiente tenía, por consejo y habla del qual se quiaua
> en todas sus cosas, y con aquel sacrificio le tenía
> contento, como aquel que seyendo el enemigo malo,
> con tan gran maldad auía de ser satisfecho (II, LV,
> 460, 707 y ss.).

El autor ha utilizado las mismas técnicas de presentación que en la primera aventura. El escudo
de Quadragante era el símbolo de la fortaleza y
honor conseguido por sus propios medios en la
Ínsola Firme. A través de él Beltenebrós lo había
podido indentificar. La situación se ha invertido con

este episodio. La personalidad del gigante ha quedado manifiesta en sus palabras que descubren unos hábitos conocidos. Su etopeya representa la antítesis del caballero, y la significación de la aventura es paralela al descenso a los infiernos del primer libro.

Los doce palafrenes corresponden a un auténtico carro de la muerte fantasmagórico. Los enanos suelen conducir a una aventura dolorosa. Son representantes de la disformidad de su naturaleza y encarnación premonitoria de las fuerzas del mal. Sirven de guías de estos caballeros custodiados por dos gigantes, personificación de lo anticaballeresco. En esta ocasión, no le ha hecho falta al héroe introducirse bajo tierra para encontrarse con unas fuerzas infernales y cercanas a la muerte[2].

Las doncellas, norte de la caballería, se han convertido en pura materia para el sacrificio herético. El «enemigo malo» preside todos los actos del gigante. Lo anticaballeresco se ha unido a lo anticristiano, como se atisbaba en Arcaláus. Pero Beltenebrós en la Peña Pobre se ha puesto en contacto directo con lo religioso. No es extraño que este motivo esté presente en toda la aventura, en la que el héroe se presenta como defensor de las infracciones cometidas por el gigante:

> —Catiuo sin ventura, ¿quién te puso tal osadía que ante mí osases pareçer?
> —Aquel Señor —dixo Beltenebrós— a quien tú ofendes, que me dará hoy esfuerço con que tu gran soberuia quebrada sea (II, LV, 461, 797).

---

2. Según G. COHEN, *Chrétien de Troyes et son oeuvre*, página 499, en la obra de Chrétien «le plus souvent l'aventure se présente, soit sous la forme d'un obstacle matériel, si dangereux à franchir qu'il semble nécessairement devoir entraîner la mort de celui qui le tente: pont de l'épée, pont dessous-eau dans *Lancelot*, guée périlleux dans le *Conte del Graal*, soit sous la forme assez rare d'on combat contre un géant, comme dans *Yvain*, ou contre des adversaires supérieurs en force et en nombre, comme dans *Érec* ou dans le *Conte del Graal*».

Posteriormente la batalla se interrumpe para contarnos cómo las prisioneras rogaban a la Virgen María su intercesión. Se han enfrentado dos fuerzas dispares: los gigantes, representantes de unos designios idólatras, y Beltenebrós, defensor de una axiología cristiana.

El castigo del agresor es homólogo a la infracción. Esta consistía en un derramamiento de sangre por las doncellas sacrificadas. La reparación consiste en la muerte del gigante prácticamente desangrado. Además, muere por un venablo introducido en su boca, por la que acaba de pronunciar sus últimas palabras blasfemas [3].

El antimundo que se ofrece al caballero y al héroe de la novela como medio de afrontar pruebas supremas, revela lo que tiene de incomprensible e inquietante. Adquiere las dimensiones mitológicas y mágicas de un mundo poblado de caballeros heroicos y legendarios, contrastado por enanos, gigantes y caballeros endemoniados. El mal se ha convertido en realidad que se impone como principio. Pero su existencia lo es en cuanto escapa a toda explicación natural y causal. Una época que, en lugar de observar y registrar lo que sucede, expone directamente la interpretación, ve de forma automática los acontecimientos extraños bajo un aspecto maléfico y los opone ontológicamente al bien [4]. El sustrato celta de las novelas artúricas es evidente y ha servido de materia para la autojustificación de las misiones que la caballería ficticia debe cumplir. En los ritos de investidura se observa un desplazamiento de la ceremonia exclusivamente militar a la religiosa [5]. Un

---

3. Según la *General Estoria*, I.ª, XX, 579 b: «E balsemia es connosçuda mientre falsedad e mentira assacada sobre que quier, e dicha con grand tuerto e sobre todo contra Dios, ca esto es contra ley. E es esto sennalada mientre, quando alguno assaca de dezir mal de Dios yl denosta, que es gran mentira e gran tuerto, ca mal dezir e denosto non a en Dios poro ninguno lo pueda dezir dÉl con razon derecha.»

4. E. KÖHLER, ob. cit., pp. 117-118.

5. En tiempo de Alfonso XI, el rey «se ocupó de favorecer los rasgos espirituales de la sociedad nobiliaria de la época

fenómeno análogo se puede detectar en el cambio de sentido que adquiere lo maravilloso convertido en tema novelesco. Las dos perspectivas se imbrican. La caballería adopta unos fines sacros y algunas de sus aventuras están revestidas de la misma intencionalidad. El *Amadís* está todavía lejos de la búsqueda del Graal y su ciclo correspondiente. No obstante, la finalidad ética de las aventuras resulta comprobable, sin que hiciese falta ninguna glosa de Montalvo.

Para Ramón Llull, los caballeros «lo son siempre a lo divino», pero en razón de ello mismo tiene deberes *(officia) propios*. El perfecto caballero no nace; la cuna no enseña nada; el caballero se hace y progresa gracias a una dura y rigurosa pedagogía que le impone un estricto código de obligaciones, más que de derechos, cuyo ejercicio en acto se convierte en auténtico hábito de virtud» [6]. En la novela, el héroe sigue un camino semejante con una diferencia radical. Amadís es un caballero a «lo humano» con algunos lances que lo ponen en contacto con la divinidad. La lucha contra Famongomadán y Bagasante es uno de ellos. «Le héros lui-même est ainsi doué d'aptitudes merveilleuses, le principe du Bien l'aide à remporter la victoire; sa nouvelle existence fait de lui l'agent privilégié de la lutte du Bien contre le Mal, de Dieu contre le diable et le protagoniste de l'histoire du salut. C'est pourquoi le héros arthurien apparaît comme un envoyé de Dieu. L'aventure, en réunissant l'intériorité et l'extériorité, l'individu et la société, en levant les sortilèges d'un antimonde diabolique constitue la pacification continue d'un monde attein par l'*inordinatio*» [7].

Amadís no llega a ser el caballero cuyas metas estén puestas en una salvación total, a diferencia

---

con el influjo religioso de la Orden de Caballería [...] hasta llegar a crear la Orden de la Banda, como milicia selecta en el plano moral y castrense», Salvador de Moxó, «La sociedad política castellana bajo Alfonso XI», *CH*, 6 (1975), p. 194.

6. M. Cruz Hernández, ob. cit., p. 224.
7. E. Köhler, ob. cit., p. 122

de su hijo, pero ha obrado como agente de la divinidad, ante un mundo cuyas explicaciones conducen a la presencia del mal. Cuando estos temas novelescos sean recreados por una mentalidad más racional la dialéctica mundo / héroe seguirá unos rumbos diferentes. El gran cambio cervantino consistirá en poblar la imaginación del protagonista con estas materias fantásticas contrapuestas a su realidad vital. En el *Amadís*, estos materiales casi mágicos servirán de resorte de aventuras cuya verosimilitud y explicación para la mentalidad de su tiempo radica en la existencia operativa del «enemigo malo».

Beltenebrós, tras su estancia en la Peña Pobre, ha asumido un carácter religioso casi inexistente con anterioridad. La pelea contra los gigantes perfila un aspecto de su carácter, si bien ha sido propiciado por el contexto narrativo. De nuevo el héroe asume su personalidad guerrera encarecida por las cualidades de sus adversarios. A esto hay que añadir el cansancio del protagonista tras las diez justas anteriores y el combate contra don Quadragante. Su renombre guerrero llegará hasta la casa de Lisuarte, pues ha liberado a la hermana de Oriana y sus acompañantes [8]. Estos pecaban de desmesura al retar y afrentar a Beltenebrós y su infracción quedaba castigada con su derrota y aherrojamiento. Beltenebrós restablece el orden alterado por su conducta y en la pelea elimina a dos principales enemigos del rey. Famongomadán desafiaba a Lisuarte y quería casar a su hijo con Oriana. Amadís ha sabido conjurar el posible peligro para él y para el padre de su amada.

---

8. La liberación de Leonoreta es equivalente a la de Oriana, cuando estaba en manos de Arcaláus. Señala un acercamiento del héroe a la corte. La canción posterior dedicada a esta dama carece de sentido, pues incluso Amadís dudaba en acometer su rescate. «Amadís procede como si jamás se hubiera comprometido a ser el caballero de Leonoreta [...] pues aunque a la sazón se encubría con el nombre de Beltenebrós es indudable que, de ser cierto el compromiso consignado en dicho episodio (se refiere a la canción), se consideraría obligado moralmente a servir sin vacilación a la infanta.» G. DE LA RIEGA, ob. cit., p. 119.

El caballero, con sus proezas, revela lo necesario
de su misión en aras de una colectividad representada por la corte. Por otra parte, estas aventuras
sirven para demorar el encuentro entre Beltenebrós
y Oriana. Cada pelea significa una mayor glorificación del héroe como caballero y a su vez una mayor
expectación por conocer el desenlace amoroso.

EL PARAÍSO AMOROSO

El héroe con sus peleas, en las que se encomienda
a Oriana, demuestra cómo su amada es la impulsora
de sus acciones. Amor y aventuras se entretejen en
una conjunción armoniosa; Beltenebrós necesita hacerse con su antigua personalidad antes de unirse
con su amada y a su vez el reencuentro con ella no
debe aplazarse por mucho tiempo. Este se había
preparado con meticulosidad. Oriana se encontraba
en Miraflores «lugar tan fresco de flores y rosas y
aguas y caños de fuentes» (II, LLII, 436, 663). El
«locus amoenus» [9] invita a la exaltación del amor con
su belleza —flores y rosas— y la continua renovación
de la vida-aguas. Es el lugar del sueño, de la felicidad
exaltada con sus claros simbolismos. La cámara de
Oriana tiene ante su puerta tres árboles que impiden
la entrada del sol. Tanto los árboles como el sol son
símbolos de regeneración vital que presidirán el
encuentro de los amantes. Sin embargo, en una lectura más literal los árboles están fuera, guardando
la intimidad querida por los amantes. Incluso, habían
hecho una copia de las llaves para penetrar en Miraflores. El simbolismo sexual está implícito en el
propio texto: «Mabilia mostró las llaves a Oriana
y díxole: —Señora, éstas serán causa de juntar con
os aquel que sin vos biuir no puede (II, LIII, 438,
828).
La Doncella de Dinamarca lleva una carta de Beltenebrós y en ella Oriana «falló el anillo que ella con

9. Véase E. R. Curtius, ob. cit., t. I, pp. 280 y ss.

Gandalín a Amadís embiara quando con Dardán se
combatió en Vindilisora, el qual muy bien conosció
y besóle muchas vezes, y dixo: —Bendita sea la hora
en que fueste fecho, que con tanto gozo y plazer
de vna mano a otra te has mudado. Y metióle en su
dedo» (II, LIIII, 447, 434). El anillo, en nuestra interpretación anterior, podía significar el paso del «suplicante» al amante tolerado, de acuerdo con los
códigos del amor cortés. Sirve de signo amoroso [10]
que intercambiaban los amantes: Beltenebrós podrá
poseer a Oriana sin ningún obstáculo. Tiene las llaves
que le allanarán el camino. Oriana al recibir el anillo
queda renovada en su amor, en su primera información clara de la existencia de Beltenebrós-Amadís.

La unión de los amantes, preparada en todos sus
mínimos detalles, constituye el resultado lógico para
el héroe, que fue: «aposentado en la cámara de
Oriana, donde, según las cosas passadas que ya
hauéys oydo, se puede creer que para él muy más
agradable le sería que el mismo Parayso. Allí estuvo
con su señora ocho días, los quales, si las noches no,
todos los tenían en vn patio, donde los fermosos
árboles que vos contamos estauan, fuera de sus memorias con el sabroso plazer; y todas las cosas que
en el mundo dezirse y fazerse pudiessen» (II, LVI, 467,
149). Los árboles, la pérdida de la memoria, la consumación de la felicidad, han hecho de Miraflores un
auténtico paraíso terrenal [11]

10.   Algunos anillos descritos por E. PRESSMAR, art. cit., página 84, tienen también sus propias llaves. Recuerda una carta
de amor del s. XII que dice así: «Tú eres de mí, yo soy de ti /
de esto tienes que estar seguro. / Estás encerrado en mi corazón: / Perdida está la llavecita. / Por siempre tienes que estar
en él.» Aunque en la novela no se digan las características del
anillo parece claro su simbolismo amoroso.
11.   E. OROZCO, en *Paisaje y sentimiento de la Naturaleza en
la poesía española*, Madrid, Ed. de Centro, 1974, señala cómo
«en los finales de la Edad Media las visiones de paisaje que
prefieren nuestros poetas, esto es, el ambiente en que sitúan
sus figuras, no son las descripciones o referencias realistas a
ese mundo de naturaleza agreste, abierta y natural, sino, como
en la pintura, el cuadro artificioso, rico y recargado del huer-

Los celos acrecentaban el amor, así como la larga separación de los amantes. Ahora se han podido reunir tras la ruptura amorosa que a ambos estuvo a punto de conducirles a la muerte. Beltenebrós no está en la Peña Pobre con el ermitaño, ni Oriana en la corte de su padre. Estos son espacios en cierto modo represivos para que florezcan con libertad todos los sentimientos. En Miraflores sucede todo lo contrario. Incluso la naturaleza invita a esta exaltación de los sentidos lejos de cualquier reglamentación. El renacer de su amor se plasma en esta inactividad feliz y en el resurgir total de las sensaciones casi perdidas por la cercanía de la muerte. El esquema narrativo ha sido inverso a la primera unión. Amadís había logrado rescatar a Oriana de su raptor y había obtenido su recompensa. Ahora, ella es la culpable de la postración de su amado. Por su culpa ha estado a punto de morir. La recuperación de su personalidad está en sus manos. El ciclo podía quedar terminado para sus amores renovados. Las dos uniones son paralelas en sus estructuras. En la primera, Amadís había logrado asumir su total personalidad al unirse con su amada. Beltenebrós puede recobrar su antigua identidad con esta nueva consumación amorosa. Incluso pueden objetivar su amor mediante una prueba. A la corte había llegado Macandón[12] para que lo pudieran hacer caballero.

---

to, vergel y jardín». En líneas generales sus palabras las podemos aplicar a nuestra novela, y más concretamente al huerto de Miraflores. Joaquín Artiles, *Paisaje y poesía en la Edad Media*, La Laguna, J. Régulo, 1960, abunda en el mismo planteamiento.

12. Este personaje ha sido relacionado con Vasco de Lobeira, según algunos críticos portugueses autor del *Amadís*. La tesis de T. Braga la retomó F. Paxeco en «O Poema de *Amadís de Gaula*», *Biblos*, IX (1933), 168-179; 397-417; 570-590. La interpretación nos parece gratuita y no se apoya más que en conjeturas carentes de datos que la avalen. Macandón debe ser viejo a la fuerza en la novela porque sirve para encarecer los amores de los personajes. Además está relacionado con Apolidón, cuyas pruebas las había establecido cien años antes del tiempo ficticio en el que se sitúa el *Amadís*. En último término, Amadís y Oriana son superiores a todos los personajes de

Es sobrino de Apolidón, autor de los encantamientos de la Ínsola Firme. Durante su peregrinar de sesenta años no ha conseguido ser investido por el caballero y la dueña o doncella que mantuvieran el amor en su más alto grado, demostrado en lo siguiente:

> Rey —dixo el scudero—, esta spada no la puede sacar de la vayna sino el cauallero que más que ninguno en el mundo a su amiga amare, y quando en la mano deste tal fuerc, la meytad que agora arde será tornada tan limpia y clara como la otra media que pareçe, assí el fierro pareçerá de vna guisa; y este tocado destas flores que veys, si acaeçiesse ser puesto en la cabeça de la dueña o donzella que a su marido o amigo en aquel grado que el cauallero amare, luego las flores secas serán tan verdes y fermosas como las otras, sin que ninguna differencia aya (II, LVI, 469, 262 y ss.).

En la corte se hallaba también Briolanja que había salido a la búsqueda de Amadís. La motivación es secundaria, pues su auténtica función consiste en demostrar su inferioridad ante Oriana y alejar todas las sospechas de celos. Amadís gana por su amor la espada verde y deja la anterior; Oriana hace reverdecer todas las flores. Los dos personajes demuestran su superioridad ante el resto de los competidores, e incluso reafirman su amor y renuevan su vida.

La adquisición de una nueva espada significa el renacimiento completo del héroe. Ha dejado a un lado su vida anterior, tras haber conseguido por su amor y su fortaleza, la Ínsola Firme y ahora un nuevo objeto guerrero. Macandón había explicado las características de esta espada, que tenía cualidades especiales, como su resistencia al fuego al estar confec-

---

la obra. Esplandián no había nacido todavía. Sus padres sobrasalen por encima de las personas cuya vida ha transcurrido desde cien años antes de su propia existencia (Ínsola Firme) o desde sesenta, menos el tiempo lógico de una investidura (catorce-dieciocho).

cionada con los huesos de una especie de serpiente [13], nuevo símbolo de regeneración. Una vez muerto el animal sus propiedades eran curativas y no ponzoñosas. El reverdecer de las flores para Oriana tiene un significado equivalente. Por su amor había renovado a Beltenebrós-Amadís y había superado la prueba. Su pasión, a través de la purificación y la penitencia del héroe y con el sufrimiento de ella, había de nuevo reverdecido. La prueba se asocia, a su vez, con un personaje relacionado con Apolidón y la Ínsola Firme, cumbre caballeresca del héroe. También había estado presente Briolanja, culpable indirecta de la ruptura. El ciclo de los celos se podría dar por concluido.

Estos objetos mágicos y excepcionales se pueden relacionar con la corona y el manto del primer libro, llevados a la corte por Alcaláus. Entonces se había producido una alteración de los dominios de Lisuarte a través del engaño; los dones habían servido para consolidar unas relaciones preexistentes. Ahora se convierten en la objetivación del amor mantenido por la pareja. La corte no ha sido perturbada. La presencia de Macandón en ella es testimonio de honra. Sólo allí han podido encontrarse los personajes con las condiciones requeridas. El cambio nos parece sustancial. En el primer caso, las cualidades mágicas de los objetos hacían mejores a sus portadores; en

13. E. FARAL, ob. cit., p. 362, ha señalado cómo los animales se utilizan «plus fréquemment à propos de pièces du vêtement ou de l'equipement». Su significado, según él, está bastante claro. «Entre les oeuvres narratives de la même époque, c'est une des caractéristiques du roman français au XII⁰ e XIII⁰ siècles, qu'il fait une large place à la description. Cette description porte sur les objets très divers, des êtres et des choses: hommes, femmes, chevaux, vêtements, tentures, palais, tombeaux, joyaux, pays, armes, pièces d'orfèvrerie. Mais il est digne de remarque que, dans le plus grand nombre des cas, uniformément, elle est conçue, si divers qu'en soient les objets, dans une intention élogieuse. Elle est destinée à exciter l'admiration; elle prétend enchanter l'imagination du lecteur», *Ibídem*, página 307. Sus palabras son aplicables a las descripciones «maravillosas» de nuestra novela. La edad de Macandón, a nuestro juicio, reviste similares caracteres.

esta prueba lo excepcional está tanto en los objetos como en los ganadores de ella. Es la diferencia entre Lisuarte y su mujer frente a Amadís y Oriana. Incluso a nivel narrativo se produce esta relación. Camino de Miraflores, Arcaláus intenta arrebatar el tocado ganado por Oriana. Su agresión atenta contra la personalidad amorosa de la pareja. Falla en su intento, como en otras ocasiones y es herido por Amadís, que casi le corta una mano.

Ni siquiera el Encantador ha logrado arrebatar el objeto simbólico de su renovación. El amor de Beltenebrós y Oriana es inquebrantable, y el héroe ha vencido de nuevo a los enemigos de Lisuarte, que le habían desafiado para la batalla contra Cildadán.

LA INCORPORACIÓN A LA CORTE

La renovación de Beltenebrós como guerrero ha ido pareja a su reconocimiento amoroso. Con unas pocas acciones ha dejado casi en olvido su antiguo nombre:

> Mucho fablauan todos en los grandes fechos de Beltenebrós, y muchos dezían que en gran parte passauan a los de Amadís; y desto pesaua tanto a don Galaor y a Florestán, su hermano, que si no fuera por la palabra que al rey dada tenían de se no poner en ninguna afrenta fasta que la batalla passasse, ya le ouieran buscado y combatido con él, con tanta yra y saña que de muerte dél o dellos no se pudiera escusar, y por dicho se tenían que si de la batalla biuos saliessen, de se no entremeter en otro pleyto sino en lo buscar; mas esto no lo fablaban sino entre sí (II, LVI, 467, 181).

Su existencia guerrera se ha enaltecido y dramatizado, de la misma manera que la batalla contra Cildadán. Urganda había enviado unas cartas a Galaor y a Lisuarte, de contenido misterioso y ambiguo. Según la maga, Beltenebrós perderá en la batalla su nombre y su nombradía, derramará la sangre del rey y por tres [14] golpes suyos los de su bando serán vencedores. En cuanto a Galaor, su cabeza al terminar la batalla «será en poder de aquel que los tres golpes dará por donde ella será vencida» (II, LVII, 484, 701).

Además, la carta es intercambiable. Lisuarte solicita consejo de Galaor ante los vaticinios de Urganda, y éste del rey. Ambas misivas son complementarias y los personajes se encuentran ante unas dificultades insoslayables, acrecentadas por lo escrito. Un sueño puede tener unos intérpretes adecuados, las cartas son personales. Han sido enviadas para que los personajes puedan tener constancia de los acontecimientos futuros. Como los referentes son reales, y los hechos profetizados se deben cumplir casi de inmediato, Galaor y Lisuarte las intentan descifrar.

Se produce un fenómeno bastante habitual en la novela. Los lectores poseemos más datos que los propios personajes. Si Urganda dice que Beltenebrós perderá su nombre lo podemos interpretar correctamente, al conocer la identidad Beltenebrós-Amadís. Para Lisuarte significa la muerte del héroe. En esta posibilidad de desciframiento ambiguo radica uno de sus mayores aciertos. Ante una profecía, los personajes quedan perplejos y expectantes, pero la carta sirve de información enviada por una persona querida. A su vez, Urganda al escribir sus vaticinios se glorifica ante los demás. Lisuarte y Galaor ocultan las cartas porque «gran causa de temor podrían en las gentes poner» (II, LVII, 484, 733). Montalvo desea-

---

14. Según A. OLRIK, art. cit., p. 133, «Three is the maximum number of men and objects which occurr in traditional narrative». Nuestra novela no se sustrae a este carácter, aunque no de una forma rígida. Por ejemplo, tres son los hijos varones de Perión: Amadís, Galaor y Florestán. Este último deberá rescatar a tres doncellas en la fuente de los olmos. Tres son los principales amadores que superan la prueba del Arco, Amadís, Agrajes y Bruneo. Incluso, Oriana en tres ocasiones será pretendida: por Barsinán, por Bagasante y por Patín. Los ejemplos nos parecen suficientes para demostrar la reiteración de este motivo tradicional que, junto con el dos, conforma buena parte de los materiales de la obra.

ba dejar «alguna sombra de su memoria» con el
libro y la maga pasa a la fama y se ensalzan sus
cualidades al escribir unos mensajes. Al fijar sus
predicciones sobrepasa los límites de la comunicación hablada y escuchada por muy pocos personajes[15]. Mediante este procedimiento la batalla se
dramatiza al máximo, y se acrecienta el interés por
su resultado.

Sus profecías habían creado dos núcleos de expectación: la actuación de Beltenebrós y la posible muerte de Galaor. En relación con el primero se estructura
casi toda la batalla escindida en dos bloques narrativos diferentes: *a)* las acciones de Beltenebrós; *b)*
su identificación como Amadís. A partir del segundo
momento la narración adquiere un ritmo mucho más
vivaz, pues poco después de pronunciar su nombre
termina la pelea.

El héroe manifiesta sus condiciones guerreras y
recobra su antiguo poderío. Sus anteriores combates,
realizados bajo la denominación de Beltenebrós, son
auténticas pruebas de capacitación para adquirir
su identidad caballeresca. Una vez fundidas y asumi-
das sus existencias anteriores, Amadís-Beltenebrós,
la lid debe terminar pronto para mayor glorificación
del héroe. Con tres golpes ha inclinado el resultado
final de la pelea, aunque en ella Galaor resultará heri-

---

15. La diferencia entre comunicación lingüística hablada y
escrita ha servido para perfilar algunas características de la
literatura. El tema ya casi resulta inabarcable por su relación
con la semiología. Algunos datos interesantes pueden verse en
E. BUYSSENS, *La comunication et l'articulation linguistique,*
Bruxelles, Université Libre de Bruxelles, 1967; R. ESCARPIT, *Escritura y comunicación,* Madrid, Castalia, 1975; A. PRIETO, ob.
cit.; C. SEGRE, «Entre estructuralismo y semiología», *Pro,* I, 1
(1970), pp. 71-97; F. LÁZARO CARRETER, «Consideraciones sobre la
lengua literaria», en *Doce Ensayos sobre el lenguaje,* Madrid,
Publicaciones de la Fundación Juan March, 1974, pp. 33-49, y
del mismo autor *Estudios de Poética...,* Madrid, Taurus, 1976,
con una excelente bibliografía a la que remitimos. Sacamos a
colación este aspecto, porque nos parece importante para la
literatura medieval difundida en muchas ocasiones por vía
oral, o que puede incidir en la estructura de las propias
obras.

do, como nunca había sucedido. Su cuerpo —con el de Cildadán— es recogido por unas doncellas misteriosas. El móvil de la batalla —el cobro de unas parias— se ha difuminado en la descripción. La batalla se amplía en su motivación inicial y en su terminación.

La *amplificatio* narrativa se ha utilizado conscientemente con mayor extensión que en otras batallas. Ha servido para glorificar la actuación del héroe que logra salvar al rey Lisuarte cuando un jayán lo llevaba a sus naves:

> Quando Beltenebrós vio que por aquel golpe auía muerto aquel brauo gigante y librado al rey de tal peligro, començó a dezir a grandes bozes:
> —¡Gaula, Gaula, que yo soy Amadís! (II, LVIII, 493, 411 y ss.).

Su identificación coincide con el momento climático de la lucha. Amadís pensaba en Oriana, al ver al rey en esta situación, y actúa como salvador del reino y del padre de su amada. Galaor era caballero de Lisuarte, pero al caer herido, su misión la desempeña su hermano. Con anterioridad había salvado a Oriana en el rapto de Arcaláus y ahora repite la misma acción con su padre. Los episodios son paralelos y complementarios. En ambos el héroe ha puesto fin a las alteraciones de la corte, salvando a la princesa y al rey, en una clara progresión. Las empresas de Amadís dirigidas a la corte han llegado a su clímax, y podríamos considerarlas como sus dos tareas difíciles.

Sólo quedaba rescatar a dos caballeros del rey aprisionados por la mujer de Famongomadán. El problema se resuelve mediante un duelo judicial en el que vence Amadís, a Ardán Canileo [16], «que era tan

---

16. Para este personaje también se aplica el procedimiento etimológico. Se llama Can-i-leo, con sus dos raíces relacionadas con el perro y el león. Frente a los demás personajes, en esta ocasión, el autor hace gala de la *descriptio* retórica. De los héroes apenas tenemos ninguna referencia física. Sólo las personas representativas del antimundo caballeresco, Andandona,

valiente y tan dudado de todos los del mundo, que quatro años auía que no falló cauallero que con él se ossase combatir si lo conosciesse» (II, LXI, 523, 204).

La pelea se desarrolla con bastantes obstáculos para el héroe: una doncella le roba la espada ganada en la prueba amorosa. Debe combatir con la antigua arma de su padre y durante el combate se le parte en tres pedazos y está a punto de ser vencido. La progresión es evidente. La Verde Espada simbolizaba su nueva personalidad asumida tras la estancia con el ermitaño. Era parte de su identidad y había sido adquirida por su amor. La espada de su progenitor tenía unas cualidades inferiores a la otra. Son dos objetos representativos de momentos de su vida: el abandono en el mar y la recuperación de su identidad amorosa tras la prueba de Macandón. La primera había sido recibida como herencia y señal identificatoria. Pertenecía a su padre y representaba la vida anterior a la Peña Pobre. La Espada Verde ha sido conseguida por sus propias cualidades amorosas. Es el símbolo de su individuación y de la separación del mundo familiar. Es un arma destinada a otras empresas nuevas. Por esta causa momentáneamente ha desaparecido y lucha con la vieja espada. Su ruptura en tres pedazos connota, a nuestro juicio, la liquidación de su antigua existencia. Sin duda alguna, en un plano más literal, es un recurso utilizado por el autor para dramatizar la pelea. Además, el hecho se puede relacionar con el motivo de su salida de la corte: la espada rota de Briolanja, causa de los celos.

LA FORMA BIPARTITA DEL RELATO

Los sistemas de paralelismos pueden llevarnos a perfilar unas estructuras narrativas muy trabadas.

Endriago, están descritas con cierta prolijidad de detalles. La ausencia de este tipo de datos relacionados con la belleza también la nota J. FRAPPIER, en su *Étude sur la mort...*, ob. cit., páginas 322 y ss.

La presentación de Amadís en la corte se realizaba por un duelo judicial. El héroe defendía a una dueña cuya hija pretendía apoderarse de sus posesiones. Ahora combate en favor de sus amigos y las tierras pueden ser para el rey Lisuarte. Ambos duelos terminan con un suicidio. El primer caso servía para introducir a Amadís en la corte, mientras que éste podría concluir el ciclo. La espada quebrada rompía las relaciones entre Amadís y Oriana y ahora puede simbolizar la ruptura de toda una etapa heroica.

La primera batalla del Doncel del Mar terminaba con un duelo entre Abies y el héroe. Las estructuras se reiteran con varios temas similares. En ambas peleas los reyes de Irlanda actúan en contra de dos reinos ligados al héroe. El rey Abies quería apoderarse de las tierras de Perión; Cildadán, casado con una hermana de Abies, pretende romper el pacto vasallático que lo liga a Lisuarte. En los dos casos el héroe ha intervenido con dos nombres distintos al suyo propio: Doncel del Mar y Beltenebrós. Con las batallas ha conocido su linaje o ha informado a la corte de su auténtica personalidad. Su intervención ha sido decisiva y ha salvado a su progenitor y al rey Lisuarte de un posible peligro.

Los combates previos a las batallas colectivas han incidido en éstas. En casi todas las aventuras, el héroe se ha enfrentado con enemigos de los reyes, venciéndolos y eliminándolos de la lid final: v.gr., Galpano, Famongomadán, etc. La victoria en estas aventuras funciona como presagio del final.

Los paralelismos estructurales son tan acusados que nos hacen pensar en una forma bipartita de relato, denominada narración-díptico por Ryding. Según este crítico, en las novelas de Chrétien de Troyes el centro de la bipartición corresponde no a una muerte real del héroe, sino a una muerte simbólica. Se trata de una degradación del héroe que debe rehabilitarse mediante una serie de aventuras [17]. En

17. W. W. Ryding, *Structure in Medieval Narrative*, The Hague, Mouton, 1971, p. 126.

nuestra novela el centro podría ser el episodio de la
Peña Pobre, auténtica muerte simbólica del héroe,
manifiesta en el cambio de nombre, el abandono de
las armas, la vida retirada, etc. La primera parte es
más extensa, pues debe contar las aventuras previas
del Doncel del Mar y posteriormente las hazañas de
Galaor. En la segunda las proezas del héroe han sido
casi el exclusivo hilo conductor de la novela.

Los hitos novelescos se reiteran en los dos primeros libros. Amadís se une físicamente con Oriana
casi al final de los ciclos de aventuras. El héroe desciende a los infiernos (lucha contra Arcaláus) o tiene
un contacto con las fuerzas infernales (combate
contra Famongomadán). Las primeras aventuras más
importantes de cada ciclo corresponden a la pelea
contra un caballero valeroso cuyo defecto es la soberbia (Abies, Dardán, Quadragante). La corte se verá
alterada por las fuerzas maléficas de Arcaláus o la
lucha contra los jayanes.

Sin embargo, hay un hecho diferencial en las tareas
difíciles del héroe. En la primera rescata a la princesa. La pelea de Amadís contra Abies suponía la
adquisición del nombre y la reintegración del héroe
a su mundo familiar [18]. La felicidad conseguida tras
el rescate de Oriana sólo se altera por los celos que
acrecientan el amor. Ahora se podría producir la
reintegración total del héroe en el reino salvado
por él. Podría ser el punto final de la novela, después

18.   Para R. Bezzola, ob. cit., pp. 83-4, «Le roman courtois
en octosyllabes dévait, dès ses débuts, présenter le chevalier à
la recherche de lui-même, à la fois comme individu et comme
membre d'un organisme fondé, non plus sur le pouvoir suprê-
me, mais sur une idée universelle destinée à s'accomplir dans
la vie de chacun. Ce dualisme explique tout naturellement la
bipartition, à première vue si enigmatique, des romans».
Consúltese también W. W. Ryding, ob. cit., p. 135. En el *Amadís*
se ve con claridad la dialéctica héroe-mundo, individuo carente
de identidad-sociedad, pero no constituye el eje de la bipartición, cuyas bases se encuentran, a nuestro juicio, en el amor.
A través de la pasión el héroe se conoce a sí mismo y se inserta en la sociedad. Con los celos Amadís está a punto de su
extinción. La renovación del amor supone su nueva incorporación a la corte.

de que Oriana supere las pruebas de la Ínsola Firme.
Todo el ciclo hubiera terminado en una perfecta
armonía entre realeza y caballería. Las primitivas
predicciones de Urganda la Desconocida en esta segunda parte de la obra se habían puesto de manifiesto. Amadís ante Briolanja, en la Ínsola Firme y en la
Peña Pobre había demostrado ser el más leal amador.
Sus aventuras habrían culminado felizmente.

XIII. LA RUPTURA
ENTRE LA CABALLERÍA Y EL REY

La hipótesis de una posible terminación tras el duelo judicial y las pruebas de la Ínsola Firme, superadas por Oriana, no deja de ser una formulación teórica[1]. Las estructuras y las técnicas novelescas parecen avalarla, pero el texto de 1508 y los fragmentos publicados por Rodríguez Moñino tienen una andadura diferente a la propuesta.

PRESENTACIÓN ILUSIONISTA

Tras la batalla contra Cildadán, «después de auer cenado, estando el rey en vnos corredores, seyendo ya quasi ora de dormir, mirando la mar vio por ella venir dos fuegos que contra la villa venían, de que todos espantados fueron, paresciéndoles cosa estraña que el fuego con el agua se conueniesse» (II, LX, 511, 5 y ss.). En la descripción se imbrican dos elementos antitéticos: el fuego y el agua. Parece que algo extraordinario va a suceder, pues un hecho de este tipo casi siempre está anunciado por algo diferencial,

1. E. BARET, *De l'Amadís de Gaule...*, ob. cit., p. 107, señala lo siguiente: «Il est aisé de voir, en effect, que, dès le chapitre 63 (l'avant-dernier du second livre), le récit primitif touchait à sa fin.» Este capítulo corresponde a la salida de Amadís del reino de Lisuarte. No obstante, la novela hubiera quedado incompleta sin las pruebas de la Cámara Defendida superadas por Oriana.

maravilloso. Considerándolo desde un punto de vista mítico, sería una hierofanía deturpada, en esta combinación mágica de dos sustancias físicas, casi irreductibles e incombinables. Pero esta unión de elementos opuestos, si se mira desde otra óptica, puede explicarse. El agua y el fuego, como elementos simbólico-mágicos tienen características similares. Ambos sirven de regeneración entre unas formas que aparecen y desaparecen con tanto misterio, como la embarcación que transportaba por el mar a Urganda la Desconocida rodeada de las llamas. Lo numérico y lo simbólico se aúnan en este personaje que hace desaparecer los dos fuegos, para descubrir una «galea» toda enramada, cubierta de rosas y flores donde se oyen tañer unos instrumentos. Se han combinado casi todos los sentidos, oído —música—, vista —los fuegos, las candelas, las vestimentas— y el olfato con el enramado de rosas y flores y las doncellas vestidas con guirnaldas. Es un auténtico alarde de tres sentidos, preludio del desembarco de una dueña, rodeada de diez doncellas: Urganda la Desconocida. Lo misterioso le ha precedido y además se ha presentado con una técnica casi impresionista[2]. En el primer momento, no aparece la maga, sino unos fuegos; más tarde, según se acerca, una «galea» entre ellos, y posteriormente los espectadores pueden divisar a una dueña vestida de paños blancos. Conforme se iba

2. La técnica la recreará magistralmente Cervantes. H. ATZFELD, *El «Quijote», como obra de arte del lenguaje*, Madrid, C.S.I.C., 1972, p. 96, dice cómo «las relaciones de Cervantes con los libros de caballerías, por un lado, y por otro, con los novelistas contemporáneos —muy inferiores a él— están en el mismo plano cuando con la finalidad de despertar interés se da primero *la vaga y subjetiva impresión* y luego el suceso mismo en su objetividad». Véase AMÉRICO CASTRO, *El pensamiento de Cervantes*, Barcelona, Noguer, 1972, especialmente, pp. 75 y ss. Previamente el *Lazarillo* había practicado una presentación ilusionista «en que narrador y lector quedan igualmente engañados» en el tratado III. LIDA DE MALKIEL, «Función del cuento popular en el *Lazarillo de Tormes*», recogido en *El cuento popular...*, ob. cit., pp. 117 y 118, y F. RICO, *La novela picaresca y el punto de vista*, Barcelona, Seix-Barral, 1970, pp. 43 y ss.

aproximando la «galea», se nos han mostrado sus componentes, mediante técnicas reveladoras de una gran maestría en el arte de narrar, y que apuntan a novelas más modernas.

Estas presentaciones suelen proliferar para crear un clima de expectación, pues las cosas parecen a primera vista diferentes de lo que son. Es el engaño a los ojos, tan medieval y tan barroco, relacionado casi siempre con los personajes más fantásticos de la obra: Urganda y Arcaláus. Arcaláus (I, XX) se presenta en la casa de Lisuarte para informar de la muerte de Amadís, con las armas del héroe[3]. El punto de vista adoptado en la narración corresponde a los personajes de la corte. Al principio lo confunden con el Doncel del Mar. Arcalaus parece Amadís, pero según avanza el relato descubren su identidad. En toda la secuencia sucede algo semejante. Las noticias proporcionadas por el Encantador tampoco se ajustan a la realidad, como se demuestra al final. Arcaláus parecía Amadís pero no era, como también era engañosa la información dada.

En estos ejemplos late el mismo fenómeno: una descripción cuyos últimos resultados modifican las primeras impresiones. En definitiva, un ir haciéndose ante los ojos de los testigos, a veces, ante los lectores. El narrador ajusta su punto de vista a la materia y muestra una gran versatilidad para contar los hechos de acuerdo con el contexto más propicio. La corte, como agrupación de caballeros extraordinarios física y espiritualmente, genera lo hermoso, lo cortesano, la maravilla. En estas circunstancias, la presentación de los personajes en este ámbito utópico, se realiza con la demostración de sus cualidades. Los principales caballeros han debido mostrar sus condiciones guerreras, exaltadas por un duelo judicial difícil y presenciado por todos; Arcaláus ha manifestado sus engaños; Urganda se presenta haciendo alarde de su

3. Para R. J. MICHELS, «Deux traces du *Chevalier de la Charrette* observées dans l'*Amadís de Gaula*», *BH*, XXXVII (1935), 478-79, el episodio procede de la obra de Chrétien.

poderío, de su capacidad de transformación. Para trasladarse de su «galea» hasta los palacios, solicita la compañía de Amadís, Agrajes, Don Bruneo de Bonamar y Guilán el Cuydador, caracterizados los cuatro por su fidelidad amorosa. La maga se muestra en todo su esplendor. Está rodeada de doncellas, y atendida por los cuatro caballeros que más han destacado en sus amores. Ha dejado de ser la mujer solitaria, la «dueña» que requiere la ayuda de algún personaje para salvar a su enamorado o salvarse de sus ataques. Sin embargo, su amigo no aparece por ninguna parte, a pesar de su acompañamiento y de su actitud de dama enamorada. Dejando a un lado este aspecto importante, Urganda se revela también con una faceta diferente, la de consejera. Advierte al rey que se guarde «de malos consejeros que aquélla es la verdadera ponçoña que a los príncipes destruye» (II, IX, 513, 180); Lisuarte lo acepta como buen consejo y desea ponerlo en práctica, en una clara estructura irónica frente a los acontecimientos futuros.

Posteriormente mostrará sus poderes mágicos durmiendo a los acompañantes de Oriana, y haciendo ver a la corte cómo se habían cumplido sus ambiguas profecías sobre la batalla contra Cildadán. Tras la manifestación de sus aptitudes Urganda profetiza casi todos los acontecimientos futuros. Predice los sucesos correspondientes al combate de Amadís contra Ardán Canileo, germen de la enemistad entre el héroe y el rey. Los demás sucesos vaticinados constituyen el cañamazo del resto de la novela. Los problemas son evidentes. Las profecías del Libro II afectan al Libro III y especialmente al IV, atribuido a Montalvo, por lo que posiblemente se deban a un refundidor. El lenguaje y las técnicas utilizadas parecen indicarlo. Se han acumulado sucesivos vaticinios de la maga en una misma secuencia, como no había sucedido con anterioridad. La profecía a Gandales, el sueño de Perión y algunas frases misteriosas estaban diseminados a lo largo del relato y constituían auténticos hitos en los aconteceres novelescos. Por el contrario, ahora la eficacia narrativa se pierde por la concentración. A su vez, los referentes de las premoniciones son animales de carácter simbólico que el lector difícilmente podrá interpretar. Los acontecimientos vaticinados son futuros y ni siquiera cabe la posibilidad de descifrar su significado. Se hace mención críptica de personajes que todavía no han aparecido en la novela[4]. La doble perspectiva normal en la narración —lector y personajes— ha quedado eliminada. Incluso, Urganda hace escribir sus predicciones para tener prueba fehaciente de que todo lo dicho se cumplirá de acuerdo con sus palabras. En el caso anterior, las misivas cumplían esa función, mientras que ahora la fijación por escrito de la profecía se convierte en la única pretensión de la maga. Los recursos han variado y sólo el vaticinio referente al combate de Amadís con Ardán Canileo sigue presupuestos anteriores.

AMOR A PRIMERA VISTA Y RUPTURA DE LOS CÓDIGOS CORTESES Y NARRATIVOS

Una nueva etapa comienza con unas profecías estructurantes de la narración, como también sucedía en el libro primero. Y si el ingreso de Amadís en la corte se realizaba mediante el duelo contra Dardán, ahora se motiva su separación por una misma causa.

---

4. Las dificultades provienen de este último aspecto. Los animales, algunos con un poco más de dificultad que en otros contextos, podían identificarse con cualidades de los personajes. Amadís está representado por un león hambriento. El rey de los animales equiparado con el héroe no parece extraño. Por otra parte, este león amansará su hambre con la carne de una cervatilla. El significado subconsciente y claramente sexual es paralelo al de un sueño de Iseo. Véase P. JONIN, «Le songe d'Iseut dans la forêt Morois», *MA*, LXIV (1952), 103-113. La identidad mujer-cervatilla es constante en distintas tradiciones, cultas y populares. Recuérdese el «Cervatica, que no me la vuelvas / que yo me la volveré». Lisuarte aparece como el gran culebro, pero también figuran Nasciano y Esplandián, representados por una oveja y un unicornio, cuyo significado podría adivinarse, aunque nunca identificarse con personajes que todavía no han hecho acto de presencia en la obra.

En el combate, Madasima, heredera de la Ínsola Mogança, había quedado desposeída de ella por la victoria de Amadís sobre Ardán Canileo. La figura femenina se había destacado por su belleza frente a la fiereza y fealdad de su valedor. Quedaba como rehén de Lisuarte hasta que su madre devolviera las tierras. Al ser conducida a las prisiones «de muchos caualleros acompañada fue, entre los quales era don Galuanes Sin Tierra, que viendo aquellas lágrimas por las sus fermosas fazes de aquella donzella caer, no solamente a gran piedad fue su coraçón mouido, mas desechando aquella libertad que hasta allí tuuiera sin que de ninguna muger de quantas visto auía preso fuesse, súpitamente, no sabiendo en qué forma ni cómo, sojuzgado y catiuo fue, en tanto grado que sin más acuerdo ni dilación, en la ora fablando aparte con Madasima, descubiéndole su coraçón, le dixo si a ella le plazía con él casar, él ternía tal forma como, saluando su vida, con la tierra libremente quedasse» (II, LXII, 544, 542 y ss.).

Se ha producido, como en tantos casos, un amor a primera vista. «La pasión es innata. Esta pasión innata procede de la visión y de la reflexión. No importa que la reflexión no sea suficiente para producir el amor: es preciso que sea sin medida, pues, moderada, no obsesiona generalmente al espíritu y no puede dar nacimiento a esta pasión»[5]. Perión y Amadís habían sufrido el mismo proceso. Su matrimonio secreto está relacionado con la primera unión sexual de los protagonistas. Hay una correspondencia en las actitudes consentidas por la pareja y una progresión, más o menos rápida, hasta llegar al matrimonio público, que es la consecuencia del amor, no el fin. El motivo varía por vez primera en la novela. «Madasima auiendo ya noticia de la bondad deste cauallero y de su grande y alto linaje, otorgándole lo que pidía,

---

5. A. CAPELLANUS, ob. cit., p. 3, «est igitur illa passio innata ex visione et cogitatione. Non quaelibet cogitatio sufficit ad amoris originem, sed inmoderata exigitur: nam cogitatio moderata non solet ad mentem redire, et ideo ex ea non potest amor oriri».

fincados los ynojos le quiso por ello besar las manos»
(II, LXII, 544, 561 y ss.). La reciprocidad de la pasión
se manifestaba antes en señales distintivas para la
amada, paralelas a las del héroe. Ahora, los gestos
perfilan la actitud de Madasima, propia de una mujer
agradecida antes que de una dama enamorada. Otro
de los rasgos, el secreto de los amores, tambićn desaparece. Galvanes comunica a Amadís y Agrajes sus
pensamientos internos «faziéndoles saber que si en
aquello remedio no le ponían, que su vida en el es-
tremo de la muerte era llegada» (II, LXII, 545, 578
y ss.). Las características del enamoramiento para
Galvanes son idénticas a las de cualquier amante cortés. Por el contrario, las diferencias tan radicales
—secreto confesado, solicitud instantánea de matrimonio sin progreso en los amores, actitud agradecida
de la mujer— nos muestran cómo unos códigos se alteran para generar nuevas acciones. El amor de Galvanes no es tanto la manifestación de un comportamiento y la definición de un personaje, cuanto la motivación de una futura ruptura, ya que el análisis de
los sentimientos y las posibles contradicciones del
protagonista se dejan a un lado.

El matrimonio sirve para generar el conflicto. Amadís era responsable indirecto del desheredamiento de
la dama, por lo que intentará interceder ante el rey
solicitándole la Ínsola Mogança, «que quedando en
el vuestro señorío y vasallaje, la dedes con Madasima
a don Galuanes en casamiento» (II, LXII, 546, 687).
Lisuarte no accede y se muestra descortés y menti-
roso en su respuesta «No es de buen seso aquel que
demanda lo que auer no puede. Esto digo por vos,
que lo que pedís ha bien cinco días que lo di a la
reyna para su hija Leonoreta. Esto pensó responder,
más por escusarse que por ser assí verdad» (II, LXII,
546, 713).

El autor se encontraba ante un problema de grave
dificultad ideológica. ¿Cómo hacer verosímil un enfrentamiento entre Lisuarte y los principales caballeros? Las relaciones de Amadís con el rey no podían
ser mejores. De ahí que el narrador recurra a unas

personas ajenas para motivar la enemistad. Brocadán y Gandandel, consejeros del monarca, le previenen contra todos los del linaje de Amadís. Según ellos, intenta con sus servicios continuos «ser en su mano de se alçar con la tierra como si derecho eredero della fuesse» (II, LXII, 542, 364). A partir de este momento el rey modifica bruscamente su comportamiento. El procedimiento seguido ha sido, en parte, similar al de la disensión amorosa del héroe. Unas informaciones falsas debidas a otras personas —el enano Ardián o los consejeros— provocan la ruptura de Amadís con su amada o con su padre. La diferencia estriba en los recursos utilizados por el autor para motivar su cambio. La discordia amorosa suponía un mayor acrecentamiento del amor y se veía favorecida por el carácter celoso de Oriana. El personaje s habia definido por su extrema facilidad para la sospecha de su amado. El responsable indirecto —Ardián— estaba exento de culpabilidad y se había comportado de acuerdo con sus actuaciones anteriores. La motivación se había cuidado hasta en sus mínimos detalles —la rotura de la espada— y se hacía verosímil novelescamente. Por el contrario, los engarces de este nuevo ciclo son sorprendentes. Los consejeros no habían intervenido con anterioridad e irrumpen en la escena de forma brusca. Los informes dados al rey son novedosos. Hablan de una antigua enemistad entre el reino de Gaula y el de la Gran Bretaña, sin que hubiera aparecido con anterioridad ninguna información de este tipo.

LA FORTUNA

Dentro de las estructuras de la novela es frecuente que el azar (tormenta, encuentro casual, magia) intervenga en su conformación externa. No obstante, estos elementos típicos de la tradición literaria forman parte de su verosimilitud. Afectan a las aventuras y sirven de soporte externo; nunca alteran el desarrollo lógico e interno de los aconteceres. La verosimilitud relativa se ha mantenido en todos los casos y se ha cuidado la trabazón artística de todos los episodios. Ahora, unos personajes secundarios se convierten en los auténticos protagonistas de la enemistad entre el rey y Amadís. El grave problema planteado supone una alteración de los recursos literarios e ideológicos de la novela. En el Libro I se había ensalzado la conducta de Lisuarte, en cuyas cortes habían participado sus caballeros exponiendo su pensamiento.

Un vasallo estaba obligado a prestar el *consilium* y el *auxilium* a su rey[6]. Los «ricos hombres» del monarca estaban divididos ante la posibilidad de que en el reino se reunieran los mejores caballeros. El autor podía en esa ocasión haber introducido el tema de los malos consejeros, pero no hace ninguna mención a él. Sin embargo, nos proporciona unas claves ideológicas en sus glosas, al explicar las alteraciones sucedidas en la corte por un revés de la fortuna:

> Guardaos, guardaos, tened conoscimiento de Dios, que ahunque los grandes y altos estados da, quiere que la voluntad y el coraçón muy humildes y baxos sean, y no en tanto tenido que las gracias y los seruicios que Él meresce sean en oluido puestos, sino aquello con que sostenerlos pensáys, que es la gran soberuia, la demasiada cobdicia, aquello que es el contrario de lo que Él quiere vos lo hará perder con semejante deshonrra [...] Pues ya el poderoso Señor, contento en auer dado tan duro açote a este rey, queriendo mostrar que assí para abaxar lo alto y lo alçar sus fuerças bastan, puso en ello el remedio que agora oyréys (I, XXXIV, 278, 432).

En estas palabras podemos descubrir el funcionamiento narrativo de la novela, según lo interpreta el refundidor. De su discurso se desprenden dos aspectos diferentes. El primero de ellos afecta a la rela-

---

6. Véase GANSHOF, ob. cit., pp. 135 y ss.; L. G. VALDEAVELLANO, ob. cit., p. 375, etc.

ción entre comportamiento, la acción y la adversidad
o fortuna. Si el rey Lisuarte tiene una contrariedad
es porque su conducta no ha sido la más adecuada a
su condición. Ha quebrantado dos normas fundamentales: ha pecado de codicia y de soberbia [7]. No obstante, sus defectos están contrapesados por su cualidad de justo, franco, gracioso. El castigo será solamente parcial. El segundo aspecto implícito en este
anterior nos proporciona las claves narrativas. Los
hechos más importantes no suceden casualmente,
sino cuando se ha producido alguna acumulación de
episodios anteriores demostrativos de la grandeza
de los personajes.

Sin embargo, en el desarrollo narrativo hay demasiadas contradicciones:

1. El pecado o la infracción social cometida por
Lisuarte solamente le puede servir de escarmiento
para hechos posteriores, lo que novelescamente no
tiene ningún sentido. El rey no se caracterizará por
aprender la enseñanza recibida, sino todo lo contrario.
2. Este pecado carece de expiación. El rey Lisuarte pensaba señorear y mostrar al mundo su valía con
la realización de unas cortes donde reuniera la élite
de la caballería. Al terminar las alteraciones consigue
sus propósitos.
3. El pecado del monarca aparece tan sólo en las
distintas glosas del autor.

---

7. Desde una mentalidad tradicional y providencialista tienen sentido las acusaciones. A. PELAYO, *Speculum regum*, t. I,
página 180, dice: «Est igitur imcompetens regis propter officium, humanae gloria cupido ut praemio.» Por otra parte, el
reino terrestre debe estar al servicio de Dios, *Ibidem*, p. 122;
«Est enim sciendum quod quia bona vita multitudinis, quam
rex intendere debet, ordinata est ad finem qui est beatitudo
coelestis, ideo ad officium regis pertinet sic bonam vitam multitudinis procurare sicut convenit ad coelestem beatitudinum
consequendam, ut, scilicet, ea praecipiat quae ad coelestem
patriam ducunt...» A partir de estos presupuestos, tienen sentido las glosas. Lisuarte se ha preocupado de las cosas terrenas (codicia) y no se ha preocupado de las divinas (soberbia).

4. Si la infracción estaba implícita en querer reunir a los mejores caballeros del mundo, se produce la
contradicción de que dos de ellos, los más afamados,
restablezcan el equilibrio roto por una actuación
regia.

Al glosar el relato, Montalvo justifica ideológicamente el desarrollo posterior. Según su interpretación, el rey ha tenido su correspondiente aviso, y
tras el duelo entre Amadís y Ardán se produce la
ruptura.

La disposición de la novela muestra un diseño reiterado en todas las ocasiones. Los autores se han basado en un único procedimiento generador de aventuras. Los clímax narrativos posibilitadores de un final feliz se interrumpen casi súbitamente por un
hecho accidental que motivan la postración del héroe
y su necesidad de rehabilitamiento. En todas las ocasiones a un clímax narrativo le sigue su correspondiente anticlímax en una sucesión interminable. La
dialéctica establecida en la narración responde, en
cierto modo, a las palabras de Ovidio, interpretadas
libremente, durante la Edad Media, como muy bien
estudió Maravall [8]: «Non bene conveniunt nec in una
sede morantur Maiestas et amor.» «Ni el amor ni el
mandar no quieren compañía.»

Oriana sentirá celos de la compañía de Briolanja;
Lisuarte no querrá tener a su lado a Amadís. Ideológicamente el autor encuentra una explicación adecuada para todo este entramado de satisfacciones e
insatisfacciones, alegrías y tristezas.

Mediante la fortuna, «dea ex machina», se puede
justificar el sistema empleado. Su poderío no perdona a nadie y desea que todos prueben su sabor amar-
go. En la discordia entre la pareja de enamorados
«seyendo sin culpa Amadís y su señora Oriana y el
enano que con ygnorancia lo hizo, fueron entrambos

---

8. J. A. MARAVALL, «Un tópico medieval sobre la división de
reino terrestre debe estar al servicio de Dios, *Ibídem*, p. 122;
pañol, ob. cit., pp. 83 y ss.

llegados al punto de la muerte, queriéndoles mostrar la cruel fortuna, que a ninguno perdona, los xaropes amargos que aquella dulçura de sus grandes amores en sí ocultos y encerrados tenía» (I, XL, 313, 86). La glosa del narrador justifica la verosimilitud de los hechos. En el fondo oculto de todas las cosas se encuentra su contrario: el amor producirá el desamor, la ira celosa. En la enemistad entre el rey y Amadís el problema ideológico planteado se conduce por otros derroteros: «podreýs ver a qué tan poco basta la fuerça del seso humano quando aquel alto Señor, afloxadas las riendas, alçada la mano, apartando su gracia, permitte que el juyzio del hombre en su libre poder quede» (II, LXII, 539, 180). La glosa [9] se diferencia en su contenido de la anterior. Montalvo en su prólogo dice que ha insertado distintos ejemplos en los libros. Nos atreveríamos a asegurar que todos los comentarios le pertenecen, incluso por razones lingüísticas. Por esto, al darle un cariz ético a la novela, tiene la necesidad de explicar los cambios producidos.

Fortuna y Dios pueden ser elementos intercambiables por su función, pero en su formulación ideológica se detectan ligeras variantes. Dentro de un pensamiento ortodoxo la Fortuna es la manifestación

---

9. Todo este tipo de intrusiones del autor, de glosas, adquieren su sentido desde una óptica medieval. Para E. VINAVER, *The Rise of Romance*, Oxford, Clarendon Press, 1971, página 16, «any work of adaptation —which, in medieval terms, is to all intents and purposes synonymous with what we would call a work of literature— must, then, according to Marie de France, depend for its success on an judicious use of two devices: the discovery of the meaning implicit in the matter, and the insertions of such thoughts *(sen)* as might adorn, or be read into, the matter». Esta naturaleza interpretativa de la novela y la tradición exegética tienen un origen común y remiten a la enseñanza catedralicia, según E. Vinaver. Véase también F. RICO, *Alfonso el Sabio y la «General estoria»*, Barcelona, Ariel, 1972, pp. 167 y ss. En el caso de MONTALVO recrea un texto antiguo, no lo inventa, pero introduce «de lur sen le surplus», como dice María de Francia. De algunos *Lais* hay edición bilingüe francés-castellano a cargo de L. A. DE CUENCA, Madrid, Ed. Nacional, 1975. Su traductor en algunos casos ha reinterpretado el texto antiguo, a nuestro juicio, demasiado libremente.

de la voluntad divina [10]. En este contexto se elimina
la posible ambigüedad. Los hechos suceden porque
Dios quiere. Pero ¿cómo justificar el cambio súbito
de un rey, lugarteniente divino? Dios ha dejado de
conducir las riendas del comportamiento regio [11]. La
narración adquiere un sentido providencialista, y es
la demostración de cómo los hombres poderosos pueden muy poco sin contar con la ayuda divina.

El relato se ha trascendido, se ha explicado ideológicamente, pero las argumentaciones aducidas muestran la escasa lógica de las acciones novelescas. En
la ocasión anterior, la peripecia, el cambio de signo narrativo, había sido perfecto. Ningún personaje
era culpable, pero todos habían participado indirectamente en su desarrollo. Ideología y narración iban
acordes. Ahora, la glosa debe suplir lo inmotivado: el
cambio de actitud generado por los consejeros.

Estos cambios de fortuna pueden ser azarosos, celos de Oriana, u obedecer a un plan providencialista.
Desde este punto de vista la incoherencia deja de
existir. Ideológicamente Lisuarte no es el rey perfecto debido a su amor a las cosas mundanales y su

10. Según A. Pelayo, en *Collyrium fidei...*, t. I, pp. 114-116,
«sunt et alii haeritici qui dicunt quod mundus regitur por
fortunam et per fatum et per geneses et per natalitiorum con-
siderationes dieurum, et non per Dei dispositionem et ordina-
tionem et voluntatem et permissum Dei». Para E. R. Berndt,
Amor, Muerte y Fortuna en la «Celestina», Madrid, Gredos,
1963, p. 139, «las ideas cristianas respecto a la fortuna predo-
minaban en muchos poetas y escritores del xv, aun cuando no
se conservaba la visión armoniosa y sintética de Dante». Según
J. de D. Mendoza Negrillo, *Fortuna y providencia en la literatura castellana del siglo XV*, Madrid, Anejos BRAE, 1973, página 51, «ni uno solo de los autores que hemos estudiado admite plenamente la Fortuna pagana; no en vano estamos en el
siglo xv del cristianismo».
11. En teoría se distinguía entre el origen y el uso del poder. El origen era divino (la idea puede verse expresada en
acuñaciones monetarias bastante recientes), pero el uso dependía de los hombres. Así se explicaba la contradicción de un
«mal rey», sin que los presupuestos teóricos se pudieran tam-
balear. A. Pelayo, *Speculum Regum*, p. 142, «Potestas, igitur
omnis bona est et ideo a Deo est. Usus autem potestatis ali-
quando est malus, et ideo non est a Deo».

falta de atención a las divinas. Su formulación no deja de ser teórica sin que venga avalada por ningún hecho novelesco, como había sucedido con los celos. La dialéctica narrativa amor/desamor, núcleo de la primera ruptura, sirve de modelo a las siguientes. A cualquier estado satisfactorio del héroe le seguirá uno de distinto cariz. Las motivaciones de los cambios son diferentes en cada uno de los casos: Montalvo, con sus glosas, ha pretendido darles una coherencia mediante factores extralingüísticos. La contradicción entre narración e ideología se ha puesto de manifiesto. Se ha valido de la Fortuna y de Dios para explicar las causas de unos hechos, sin juzgar su estructuración interna.

El amor podía engendrar sus correspondientes contrarios, en una serie de antítesis desarrolladas a nivel kinésico, verbal y como elemento narrativo. Los celos aumentaban el amor, según la ideología cortés. El héroe se reconciliará con su amada haciendo más intensas sus relaciones. En las disensiones con Lisuarte no se produce ninguna síntesis capaz de hacer gradual su amistad. El rey, al final de la novela, se siente solo, receloso y en cierto modo envilecido. La novela, a partir de la disensión, se ha desarrollado por unos cauces políticos difíciles de resolver. Sólo se hubiera podido solucionar si los consejeros hubieran sido los únicos culpables. Al participar el rey la andadura novelesca ha imposibilitado una estructura como la anterior. La armonía del mundo novelesco y la de las propias estructuras narrativas se ha perdido. Para Montalvo ha sido la ocasión de manifestar su ideología providencialista y la incomprensión de unos recortes narrativos muy superiores a los utilizados por él en los finales de *Las Sergas*. No obstante, los acontecimientos se pueden justificar, en parte, por la difamación de los consejeros [12]. Actuaban por

---

12. El tema tiene gran importancia en la literatura sobre el *Regimiento de Príncipes*. En el *Libro del Consejo e de los consejeros*, ed. de A. Rey, Zaragoza, Librería General, 1962, p. 39, se dan tres causas «contrarias a todos aquellos que son consejeros, quier principes [...] La primera, si es yra; la segunda es

envidia, al verse postergados por las hazañas de Amadís y sus amigos. Serán los causantes indirectos de la
ira regia y narrativamente sufrirán sus consecuencias. Sus hijos serán derrotados en un combate judicial. La infracción quedará parcialmente reparada.
Sin embargo, un duelo judicial implica que el derecho, y por tanto Dios, están al lado de los vencedores [13]. La victoria de los amigos de Amadís conlleva
un menoscabo para el rey. Todo se hubiera podido
solucionar si éste hubiera rectificado su comportamiento [14]. Sin embargo, Lisuarte también había sido

---

la cobdiçia; la tercera es arrebatamiento de coraçon». La envidia y la codicia en nuestro texto van aunadas, y además el
rey se muestra airado y también «arrebatado». (El sabio Séne-
ca) «dize que rrebatamiento es un movimiento muy quexoso
que toma ome en su voluntad sin manera de rrazon en las
cosas que ha dezir e fazer», *Ibídem*, p. 43. Para SALVADOR DE
MOXÓ, «La sociedad política castellana en la época de Alfonso XI», *CH*, 6 (1975), p. 281, «la atribución de la obra al Car-
denal Pedro Gómez [...] ofrece pocas dudas».
    13. Véase G. COHEN, *Histoire de la Chevalerie...*, ob. cit.,
páginas 129 y ss. La desmitificación de estos hechos puede
rastrearse en coplas populares que todavía se pueden escu-
char: «Vinieron los sarracenos / y nos molieron a palos, / que
Dios ayuda a los malos / cuando son más que los buenos.»
(Son tan mediocres como expresivas.) El autor del libro I, en
el combate judicial entre Agrajes y el sobrino del enano «lau-
sengier», debió conducir la narración con suma habilidad para
no incurrir en graves contradicciones. En un principio ambos
acuerdan combatir por la «falsedad» del enano. La pelea termina de la siguiente manera: «Yo digo del cauallero porque
vos combatistes [se refiere a Galaor] que es bueno y leal [...]
mas no queráys que diga del enano [...] que es falso» (I, XVI,
147, 434 y ss.). Las circunstancias narrativas se avienen con la
ideología tradicional. Agrajes no podía demostrar la total falsedad del enano, pues la acusación contra la doncella y Galaor
era cierta. A su vez, la consideración de Galaor como «bueno
y leal» se ajustaba al texto. El narrador sabe resolver una
situación compleja y a su vez favorece la expectativa del desenlace. Además, el hecho servía para hacer avanzar una parte
de la historia que había quedado en suspenso. Por el contrario, en esta ocasión el duelo judicial supone una resolución
ambivalente en el terreno ideológico, pero es gratuita para el
resto de los aconteceres. ·
    14. Según *El libro del cavallero Zifar*, p. 14, «la palabra es
de los sabios que non deve aver verguença de revocar su yerro
aquel que es puesto en la tierra para emendar los yerros age-
nos que los otros fazen».

culpable en este enfrentamiento. La enemistad significa la salida de Amadís de la corte y una batalla colectiva.

EL ENFRENTAMIENTO BÉLICO

Galvanes era denominado con el epíteto de Sin Tierra y su futura mujer quedaba desposeída de la Ínsola Mogança. El tío de Agrajes con sus amigos desafían al rey y toman la isla. Del enfrentamiento verbal se pasa a una guerra sin precedentes en la obra.

Una vez vencidos, refugiados los de Galvanes en la villa y el castillo, el rey los cerca por mar y por tierra. El narrador no se detiene en más comentarios: «y porque no atañe mucho a esta ystoria contar las cosas que allí pasaron, pues que es de Amadís, y él no se halló en esta guerra, cessará aquí este cuento. Solamente sabed que el rey les tuuo cercados treze meses por la tierra y por la mar, que de ninguna parte fueron socorridos» (III, LXVII, 713, 608). El excurso se utiliza como tópico retórico para finalizar. una pelea descrita con gran prolijidad de detalles. Además, nos proporciona una clave diferenciadora de todo lo precedente: la historia principal corresponde a Amadís. Todo lo no concerniente al héroe sobra. Si analizamos la estructura de la novela la contradicción es patente. En el libro primero se relatan alternativamente las hazañas de Amadís, las de Galaor y algún incidente más aislado de Agrajes [15]. A partir

---

15. El procedimiento de historias alternas, de «entrelacement», ha sido estudiado por F. Weber de Kurlat, en su excelente artículo «Estructura novelesca del *Amadís de Gaula*», *R LM*, 5 (1967), 29-54. Relaciona el procedimiento con la historiografía, pero, a nuestro juicio, y de forma complementaria pero apriorística, debe relacionarse con los textos artúricos. Algunos aspectos los analiza agudamente A. Durán, ob. cit., páginas 132 y ss. Por otra parte, el recurso está relacionado con la «digressio» medieval. Véase W. Dyding, ob. cit., pp. 69 y ss. E. Vinaver, ob. cit., pp. 68 y ss., también lo relaciona con la ornamentación romántica y las poéticas. Algunos aspectos los había señalado en *A la recherche d'une poétique médiévale*.

de la Ínsola Firme, el ciclo con distintas alternativas
se estructura en función de Beltenebrós. Era el resultado lógico de una dispersión espacial de los protagonistas en busca de Amadís. El silencio lo podríamos
considerar como el olvido del autor hacia unos personajes que no habían obtenido ningún éxito en su
«demanda». Hubiera sido difícil —no imposible—
mantener múltiples puntos de vista y se habían dado
los suficientes para no hacer más dispersa la narración. Por el contrario, el tópico para justificar una
abreviación del texto nos indica la actitud de algún
posible refundidor. Según su postura implícita, la
narración tenía un único héroe y a él debería hacer
referencia la obra. Pero la situación es paradójica
porque la descripción bélica es una de las más extensas de toda la novela.

El combate tenía dos perspectivas diferentes. Desde un punto de vista moral tenían la razón los amigos
de Amadís. La Isla Mongança había sido conquistada
gracias al combate del héroe contra Dardán. Si el rey
hubiera atendido su petición se habría mostrado generoso, recompensando los servicios de los caballeros. Sin embargo, legalmente las tierras eran del rey.
El autor no resuelve el problema de forma tajante,
pues implicaría dar la razón a una de las dos partes.
El conflicto se soluciona mediante unas treguas. Los
amigos de Amadís, a pesar de su casi derrota, pueden
salir airosos, y Galaor asume el papel conciliador de
su hermano:

> Don Galuanes, esto que por fuerça contra mi vo-
> luntad me tomastes, y por fuerça lo torné a ganar,
> quiero yo de mi grado, por lo que valéys y por la
> bondad de Madasima, y por don Galaor, que afin-
> cadamente me ruega, que sea vuestro, quedando en
> el mi señorío, y vos en mi seruicio y los que de vos
> vinieren que como suyo lo aurán (III, LXVII, 714,
> 676).

París, Librairie Nizet, 1970, pp. 129 y ss. Véase también, con
otra metodología diferente, T. TODOROV, *Literatura y significación*, Barcelona, Planeta, 1971, en esp., p. 92. Esperamos extendernos con detalle en otra ocasión.

A la razón legal se interpone la moral. Hay una reconciliación parcial y el rey se ha mostrado más digno en su proceder, atemperando las consecuencias de su actuación.

LA OBEDIENCIA AMOROSA

El enfrentamiento se ha resuelto de forma favorable para todos y podría suponer un renovado equilibrio. El caballero perfecto, Amadís, ha quedado al margen. En Gaula recibe una carta de Oriana a través de Durín. Le comunica que ha sido padre y le ruega por orden de su señora que «por aquel grande amor que vos ha, que no os partáys desta tierra fasta que ayáys su mandado. Amadís fue ledo en saber de su señora y del niño, pero de aquel mandado que allí estuuiesse no le plugo, porque con ello menoscabaría su honrra según lo que las gentes dél dirían; mas comoquiera que fuesse, no passaría el su mandado» (III, LXVIII, 718, 115 y ss.). Amadís se encuentra ante una dificultad de la que puede salir menoscabado en su honra; pero si antes la obediencia amorosa se había planteado como dilema del personaje, ahora hay que enfocar el problema desde otra óptica. La orden de Oriana narrativamente tiene la función de evitar que Amadís se enfrente con sus amigos al rey Lisuarte y su compañía.

La narración, tan rica en estas situaciones conflictivas en las que los personajes se encuentran ante auténticos callejones sin salida, se ha resuelto a través de los códigos corteses: el amante perfecto debe ser obediente. Desde esta perspectiva, el mandato de Oriana evita el eventual peligro del héroe, con la salvedad de que el narrador ni siquiera lo plantea. Cuando Durín le informa de la voluntad de su señora, ha finalizado narrativamente la pelea. Poco después de llegar Durín se cuenta cómo «Amadís quedó en Gaula como oys, donde moró treze meses y medio, en tanto que el rey Lisuarte tuuo el castillo del Lago Ferviente cercado, andando a caça y monte que a esto más que a otras cosas era inclinado» (III, LXVIII, 719, 234 y ss.).

El consentimiento de Oriana para que su amigo pueda actuar libremente, se manifiesta cuando su padre se encuentra en peligro, porque se ve atacado por las gentes del rey Arábigo y seis reyes, instigados por Arcaláus. En estas circunstancias, aconsejada por Mabilia, escribe a su amado «que no fuesse en aquella batalla contra su padre, pero que a otra parte que le contentasse pudiesse yr, o estar en Gaula si le agradasse» (III, LXVIII, 720, 328 y ss.).

La obediencia, que en el episodio de la Peña Pobre le plantea un conflicto interno al héroe, ha servido para resolver el dilema. Las dos órdenes de Oriana, la de permanecer y la de poderse marchar de Gaula si era su deseo, se relatan en el mismo capítulo, cuando ha trascurrido un lapso de tiempo extenso. Su causa quizás radique en una falta de motivación. Si en la novela hubiera coincidido el orden de los acontecimientos con el tiempo novelesco, se hubiera visto con mayor claridad que los mensajes de Oriana eran un simple recurso del autor para evitar una situación conflictiva. Por el contrario, al narrarlo de esta forma, parece como si la estancia de Amadís en Gaula no se hubiera desarrollado paralelamente a la lucha de Lisuarte con los amigos del héroe.

El tiempo de los dos acontecimientos es idéntico, y se han superpuesto dos perspectivas. Amadís se retira a Gaula porque no quiere pelear en la Ínsola Moganza ganada por él y tampoco desea molestar a la reina. En las tierras de sus padres permanece por obediencia al mandato de Oriana. Son motivaciones débiles que manifiestan la poca habilidad del narrador en plantear y resolver el conflicto. El código amoroso perfilaba con anterioridad el carácter de los personajes, y generaba situaciones problemáticas. En este nuevo ciclo ha servido para el enamoramiento rápido de Galvanes y para la inactividad del héroe. En ninguno de los dos casos se produce una complejidad de situaciones, al narrarse sin ninguna matización que las haga peculiares y lógicas dentro del contexto interno novelesco.

NUEVO CICLO DE AVENTURAS

En teoría, la disensión entre el rey y Amadís podría suponer una ejemplificación de un modelo de regimiento de príncipes negativo. Los malos consejeros han sido en parte culpables de la reacción regia. A pesar del final, el rey ha manifestado un carácter nuevo en la novela y su comportamiento ha dejado de ser ideal. La corte de Londres ya no puede servir de modelo utópico y armonioso. Por el contrario, el comportamiento de Amadís no ha podido ser más ejemplar. No era vasallo del rey y ha quedado al margen de la lucha. Al no ayudar a sus amigos y permanecer inactivo durante tanto tiempo, su fama se encuentra menoscabada. Ante el anuncio de la próxima batalla de Lisuarte contra Arcaláus y siete reyes, decide intervenir con Florestán y su padre. Actúan, como desconocidos, con unas armas entregadas por Urganda, y ayudan a la victoria de Lisuarte (III, LXVIII). Un nuevo ciclo de aventuras comienza para el héroe, sin posibilidad de un hipotético reagrupamiento de la caballería.

La Corte y las batallas colectivas habían servido para unir a los distintos caballeros. En la lucha contra Abies se habían juntado Agrajes y Amadís; en Londres lograrán reagruparse los mejores caballeros, motivo que se reitera en la batalla contra Cildadán. El enfrentamiento del rey contra Galvanes supone una dispersión de los héroes y en esta última pelea cabría una nueva reunión.

Si la novela hubiera tenido un diseño narrativo diferente, de nuevo hubiera cabido la posibilidad de un final feliz. Sin embargo, los nexos y las motivaciones de los hechos han sido diferentes. En la batalla contra Arcaláus y el rey Arábigo, los infractores pueden huir sin recibir ningún castigo. El ciclo queda abierto para poderlo continuar *ad infinitum*. Ni si-

quiera el héroe, renovado con una armadura diferente, ha sufrido un camino de pruebas para mostrar
su personalidad recobrada. La reconciliación y el
reagrupamiento de la caballería se deja para otra
ocasión.

El sistema profético también ha variado y nos puede arrojar nuevas perspectivas de análisis. Las palabras de Urganda se actualizan cuando Lisuarte se encuentra a Esplandián. También se delimitan los con-
tornos de la obra cuando el emperador romano, Patín, pretende casarse con Oriana. Las profecías hacían referencia a estos acontecimientos futuros: el
enfrentamiento de Amadís y Lisuarte, al intentar Patín desposarse con Oriana. Los hechos anteriores
quedaban al margen de las predicciones de la maga, y
sólo se hacía referencia a la pelea de Amadís con
Ardán Canileo. De forma significativa, los episodios
no vaticinados han sido gratuitos. No han servido
para generar nuevos episodios estructurados de forma coherente. Son aventuras preliminares de estas
futuras acciones. Los enemigos principales no han
quedado castigados; el rey ha manifestado un carácter diferente; Amadís se ha enfrentado con el
padre de su amada.

Si intentamos reconstruir una hipotética primera
versión, sólo quedan dos posibilidades. O bien la novela tenía una estructura y unas técnicas narrativas
diferentes a la versión de 1508, o el desenlace primitivo terminaba tras el reconocimiento de Beltenebrós
y la superación por Oriana de las pruebas de la Ínsola Firme. A partir del combate judicial los hechos
desarrollados están imbricados unos con otros sin
posibilidad de un desenlace adecuado para la novela.
La armonía entre caballería y realeza en la versión
de 1508 ha quedado rota. El texto tiene una andadura
que conduce inexorablemente a la intervención de
Esplandián profetizada por Urganda.

XIV. EL CÉNIT DE AMADÍS COMO
CABALLERO ANDANTE

EL VIAJE A TIERRAS EXTRAÑAS

Después de la batalla contra los siete reyes, Amadís
emprende nuevos caminos para rehabilitar su fama
menoscabada. Su estancia en Gaula ha supuesto el
olvido de sus hazañas, como ya había sucedido en la
Peña Pobre, y debe rehacer su vida caballeresca. Los
esquemas narrativos se repiten de nuevo, con ligeras
variantes. Su iniciación a esta nueva etapa supone un
cambio de identidad: Amadís será conocido como el
Caballero de la Verde Espada o el Caballero del Enano. Las connotaciones de las denominaciones hacen
referencia a sus episodios precedentes y presuponen
un afianzamiento de su existencia anterior. La espada la había ganado por su amor y el enano había
sido el culpable indirecto de su primera separación
de la amada.

La obediencia fiel del enamorado ha significado un
nuevo oscurecimiento de sus empresas heroicas. Los
nuevos nombres revelan el ensalzamiento de Oriana
—La Verde Espada— y la rememoración de su antigua discordia —el enano. No obstante, los anteriores
cambios de nombre tenían una significación más radical. El héroe variaba de señas identificatorias cuando modificaba su vida. Ahora, el cambio sólo responde a una renovación parcial de su ser en su aspecto
bélico, pero no en el amoroso. Incluso, las denominaciones guardaban una relación más estrecha en el

contexto: Doncel del Mar, Amadís, Beltenebrós. Los nuevos apelativos, a pesar de su motivación, son menos sugerentes y más primarios. El personaje se identifica por el objeto —Verde Espada— por su acompañante —Enano— y después por un lugar —Caballero Griego.

La reiteración de estructuras llega a agostar la narración y se pierden los caracteres primigenios de los otros ciclos. Los sustratos de ritos iniciáticos casi desaparecen por completo. Sin embargo, hay una novedad en relación con las aventuras precedentes: Amadís se marcha a tierras «extrañas». La Gran Bretaña y Lisuarte dejan de ser el centro de las acciones; ya no son ni el espacio ni el rey ideales. El héroe deambula por Alemania, durante cuatro años, sin que se cuenten ninguna de sus proezas, lo que nunca había sucedido. Ante las adversidades climatológicas se traslada al reino de Bohemia, donde ayuda al rey Tafinor a vencer a los romanos, en una pelea de doce contra doce. Tafinor manda escribir las aventuras del héroe en sus tierras, aunque no se especifica nada más. Llega a tierras de Grasinda, en donde derrota al mejor caballero de la comarca, y desde allí decide marchar a Constantinopla [1]. Tampoco se cuenta ninguna empresa concreta, pero aparece un detalle insólito. Los marineros tienen todas estas idas y venidas «por mucha fatiga» y protestan. Por primera vez en toda la narración, unos personajes inferiores desaprueban las condiciones en las que se encuentran. El narrador se sirve de una situación más cercana a una realidad vital y no utópica, para crear una motivación verosímil. Los marineros están molestos, aunque su censura no es indicio de nada. Está en función de acabar unas proezas sin fin, para emprender,

---

1. L. STEGNANO PICCHIO, en «Fortuna iberica di un topos letterario: la corte di Constantinopoli dal *Cligès* al *Palmerín de Olivia*», recogido en *Studi sul Palmerín de Olivia*, III, Pisa, Università di Pisa, 1966, pp. 99-136, estudia el motivo en diferentes obras. Sin embargo, a pesar de que habla de la rivalidad entre los emperadores de Oriente y Occidente, no tiene en cuenta este tema al analizar el *Amadís*.

por acuerdo mutuo entre todos los participantes, el
camino recto hacia Constantinopla. Además, la recriminación no la dirigen de forma directa al héroe. Hay
un personaje intermediario que soluciona el conflicto: el maestro Elisabad, médico y hombre de misas
que le acompaña. La novela, a partir sobre todo de la
llegada a tierras de Grecia, se urbaniza y se vuelve
mucho más cortesana.

Este viaje hacia las tierras griegas es gratuito. Al
héroe sólo le mueve la curiosidad y el afán de conocer
al emperador griego, según se explica en la novela.
Pero si lo analizamos de acuerdo con los sucesos posteriores, Amadís debe ir a Grecia para contrarrestar
la posible superioridad del enemigo romano, representado por Patín.

Todavía se complica más la situación. Este caminar
a tierras del emperador de Constantinopla acarrea los
sucesos del cuarto libro, y condiciona *Las Sergas de
Esplandián* [2]. Dejando aparte este problema, Amadís
debe acercarse al emperador griego en la cumbre de
su fama. Hasta ahora ha caminado por las tierras de
Alemania, sin que se haya especificado ninguna acción concreta suya. Lo mismo sucede en las islas
de Romanía, y sólo ha dado muestras de su capacidad guerrera en la ayuda prestada al rey Tafinor, y
con ocasión del desafío contra el mejor caballero de

2. La continuación del *Amadís* se ajusta en líneas generales
al esquema descrito por L. Stegnano Picchio en su art. cit.,
páginas 102-3: «nella sua forma più schematica il topos, dal
Duocento al Cinquecento, si presenta in questi termini: nella
cornice della cita "sovrana fra tutte nel mondo" un vecchio
imperatore, investito della suprema autorità spirituale e tem-
porale in quanto erede del trono di Constantino, ma fisica-
mente debilitato e affranto per la morte, in guerra contro i
Turchi, del figlio, accetta l'aiuto offertogli da un cavaliere
errante per difendersi dai nemici che stringono da presso il
suo territorio. Il cavaliere assolve degnamente il mandato, sco-
figge gli infedeli e alla fine sale egli stesso sul trono bizantino,
avendo sposato la bella figlia del monarca d'Oriente». Ahora
bien, en nuestra obra los turcos no aparecen y, a nuestro juicio, el viaje de Amadís a Constantinopla preexistía a la redacción de Montalvo y era anterior a la caída de Constantinopla
en 1453.

Grasinda. El hecho es pobre si lo comparamos con
otras situaciones narrativas, porque siempre, para
presentarse ante un personaje importante, ha debido
mostrar su valentía y grandeza singular. El emperador es el personaje de más elevado rango social del
relato y las credenciales de Amadís no pueden ir ava-
ladas por su fama, sino tras haber acometido algún?
hecho especialísimo, clímax guerrero de su larga pe-
regrinación. Como estructura novelesca y no como
estructura simbólica exclusivamente, el episodio del
Endriago tiene su marco adecuado.

En su ruta, a pesar de que en un principio el viento
le era favorable «súbitamente tornando al contrario,
como muchas vezes acaeçe, fue la mar tan embraueçi-
da, tan fuera compás, que ni la fuerça de la fusta, que
grande era, ni la sabiduría de los mareantes no pudieron tanto resistir que muchas vezes en peligro de ser
anegada no fuesse [...] Assí anduuieron ocho días, sin
saber ni atinar a qual parte de la mar anduuiessen,
sin que la tormenta vn punto ni momento cessasse; en
cabo de los quales con la gran fuerça de los vientos,
vna noche antes que amanesciesse, la fusta a la tierra
fue llegada tan reziamente que por ninguna guisa de
allí la podrían despegar (III, LXXIII, 792, 10 y ss.).
La sorpresa de los marineros es extraordinaria. Se encuentran en la Isla del Diablo, todavía más peligrosa
que la propia tormenta. «En la caprichosa geografía
del *Amadís*, las islas desempeñan importante papel
[...] y son casi siempre claramente paradisíacas o
infernales. En este respecto, el *Amadís* continúa los
modos de pensar transmitidos por la mitología, el
folklore y la literatura, pero, además, muestra el influjo —particularmente en el Libro IV, añadido por
García Rodríguez de Montalvo— de los relatos geo-
gráficos medievales, actualizados por las navegacio-
nes de portugueses y españoles: la ínsula que fascina
la imaginación de Sancho no tendría sentido sin tales
precedentes» [3].

3. M. R. Lida, *La visión del transmundo en las literaturas
hispánicas*, apéndice a la obra de H. Patch, p. 412.

El camino hacia Constantinopla ha sido interrumpido para dar cuenta de la embajada de Patín que pretende casarse con Oriana. Quizás se pueda establecer un paralelismo más subjetivo. El Caballero de la Verde Espada emprende el viaje con viento favorable y nada más contarse la pretensión de Patín los acontecimientos se pueblan de obstáculos. Los dos hechos en una primera aproximación, suponen para nuestro héroe dos distintas dificultades. El viento desfavorable con la tormenta nos puede servir de indicio, convertido aquí en símbolo de la situación. Mientras Patín pone en marcha los preparativos para pedir la mano de Oriana, Amadís no puede acercarse a Constantinopla. El episodio se presenta de forma más dramática de cara a los lectores porque conocemos los dos procesos casi a la vez. Ambos están separados espacialmente, y Amadís no puede hacer frente a todas las adversidades. Además, el héroe tampoco está enterado de las pretensiones del emperador romano.

El único problema del que es consciente lo plantea el maestro Elisabad al narrarle la historia de por qué se denominaba así la Isla del Diablo. Cuenta cómo pudo nacer esta figura «según se falla en vn libro que el emperador de Constantinopla tiene, cuya fue esta ínsola, y hala perdido porque su poder no basta para matar este diablo» (III, LXXIII, 795, 257 y ss.).

El maestro Elisabad es uno de los personajes más literaturizados de la novela. Escribe y lee libros; ejerce la profesión de «físico», y de «maestro»; representa la personalidad «letrada» de todo el relato. De ahí que pueda hacer estas referencias. Intenta también demostrar la veracidad de unos hechos remitiéndose a la escritura, que le confiere autoridad. Ya no es la experiencia la que dicta la mayor credibilidad. Como dice C. S. Lewis, cuando hablamos de la Edad Media como la época de la autoridad, siempre pensamos en la autoridad de la Iglesia. Pero más bien habría que hablar de «autoridades». Cada escritor se basa en otro *auctor*, preferentemente latino. En nuestra sociedad actual la veracidad de muchos conocimientos

dependen en última instancia de la comprobación.
En la Edad Media dependía de los libros [4].

En el plano de la ficción novelesca se sigue el mismo procedimiento. La posible inverosimilitud del relato se contrarresta por el procedimiento de mayor veracidad; puede encontrarse en un libro escrito, panacea de todas las verdades. Además, el libro está en Constantinopla, cuyo emperador tuvo en tiempos posesión de la Isla abandonada a causa del Endriago. En el camino hacia esa corte, ¡qué mejor carta de presentación para Amadís que devolverle una isla irrecuperable!

El Caballero de la Verde Espada se enfrenta a una situación compleja, con distintas funciones: 1) Tanto él como sus acompañantes se encuentran ante una dificultad por el lugar donde se hallan. 2) Este proceso implica, si se quiere evitar, la lucha contra las fuerzas demoníacas del Endriago. 3) Amadís, capaz de engendrar a una persona con todas las cualidades posibles, debe combatir a su antítesis. 4) En el caso de resultar victorioso, consigue evitar todos estos peligros, para culminar con el mejor aval de su gloria ante el emperador de Constantinopla.

LA LUCHA CONTRA LA BESTIA

Decide buscar y enfrentarse al Endriago, con gran extrañeza de todos. «Y por cierto todas las otras grandes cosas que dél oyeran y vieran que en armas fecho auía, en comparación désta en nada lo estimauan. Y el maestro Elisabad, que como hombre de letras y de missa fuesse, mucho se le estrañó, trayéndole a la memoria que las semejantes cosas seyendo fuera de la natura de los hombres, por no caer en omicida de sus ánimas se hauían de dexar» (III, LXXIII, 798, 431 y ss.). El estupor no solamente es de unas personas que carecen de conocimientos, sino

---

4. *The Discarded Image*, ob. cit., p. 5. Modificamos la penúltima frase.

incluso del «letrado». El hecho encarece mucho más la acción futura. Se trata simplemente de una técnica próxima al *attentum parare* de la retórica tradicional[5]. Por si fueran pocos los ingredientes de la secuencia, se llama la atención de nuevo sobre ella, acentuando las dificultades de la lucha, a través de algo insólito para todos los presentes. Es una pelea que el emperador de la misma Constantinopla «con todo su gran señorío no osaua ni podía poner remedio» (*Ibídem*, 799, 516).

Por otra parte, el combate no puede realizarse sin un testigo que lo pueda contar, para lo que Gandalín camina tras su señor. Amadís va en busca de la aventura, no accede a ella de modo casual. El azar ha intervenido en la tormenta cuando los ha hecho encallar en la Ínsola del Diablo, pero nuestro héroe no tenía ninguna necesidad de enfrentarse al Endriago. Se trata de una de las aventuras más fantásticas y gratuitas de todo el libro, respecto a la intervención desinteresada del héroe, no por sus consecuencias.

Desde el punto de vista psicoanalítico «la confrontación de Amadís con la bestia, encarnación de la fuerza ciega, primitiva, del mundo instintivo, es la confrontación de la masculinidad superior, espiritual del héroe, que se ve amenazada por el instinto animal, regresivo, que intenta absorberlo nuevamente al estado caótico inicial del cual se había emancipado. Al lograr su victoria, se emancipa tanto del mundo Materno como del Paterno, sintetizado en la bestia. Su batalla no implica de ningún modo un acontecimiento figurado de la exterminación o del deseo «reprimido» de exterminar a sus padres naturales.

5. Véase H. Lausberg, *Manual de retórica literaria*, Madrid, Gredos, 1975, vol. I, pp. 244 y ss. Para la recepción de las retóricas en España, véase Ch. Faulhaber, *Latin Rhetorical Theory in Thirteenth and Fourteenth Century Castile*, Berkeley-Los Angeles, Univ. of California Press, 1972, y del mismo autor «Retóricas clásicas y medievales en bibliotecas castellanas», *Abaco*, 4, Madrid, Castalia, 1973, pp. 151-300. Para un período posterior, K. Kohut, *Las teorías literarias en España y Portugal durante los siglos XV y XVI*, Madrid, C.S.I.C., 1973.

Se trata de un evento transpersonal que incumbe al arquetipo de la Madre y al arquetipo Paterno [...] La victoria sobre el mundo materno consiste aquí en la superación del instinto regresivo y del retorno al mundo de los orígenes —simbolizado a través del incesto—, sinónimo de la existencia preconsciente de la criatura y, por lo tanto, equivalente a la aniquilación de la masculinidad del héroe» [6]. Parece indudable que el Endriago es la representación del mundo del origen, de lo instintivo. En su génesis han intervenido fuerzas diabólicas, también inconscientes. El combate con el Endriago puede suponer aniquilación de la masculinidad del héroe, pero esto se produce, a nuestro juicio, como afirmación de sus relaciones con Oriana, al vencer a la antítesis de sus amores. La demostración de la masculinidad del héroe no radica tanto en vencer al monstruo, como representante de un mundo Materno, sino en ser superior a él por Oriana, presente en el relato.

Amadís afronta la lucha con gran confianza, visible en su diálogo con Gandalín:

> Mi buen hermano, no tengas tan poca esperança en la misericordia de Dios, ni en la vista de mi señora Oriana, que assí te desesperes; que no solamente tengo delante de mí la su sabrosa membrança, mas su propia persona; y mis ojos la veen, y me está diziendo que la defienda yo desta bestia mala. Pues ¿qué piensas tú, mi verdadero amigo, que deuo yo fazer? ¿No sabes que en la su vida y muerte está la mía? ¿Consejarme has tú que la dexe matar y que yo ante tus ojos muera? No plega a Dios que tal pensasses. Y si tú no la vees, yo la veo, que delante de mí está. Pues si su sola membrança me fizo passar a mi gran honrra las cosas que tú sabes, qué tanto más deue poder su propia presencia (III, LXXIII, 799, 539 y ss.).

En los anteriores casos el recuerdo se narraba a través de un monólogo, o de una descripción. Ahora

6. Y. RUSSINOVICH, art. cit., p. 160.

se utiliza el diálogo con indudable acierto. El héroe recuerda a su amada y su presencia se hace notar en el escenario de su batalla, que se realiza como salvación de Oriana, aunque Gandalín no la pueda ver. Este desdoblamiento difícilmente se hubiera podido producir en un monólogo y no hubiera sido tan eficaz en una mera descripción, en la que no hubiera tenido cabida la serie de interrogaciones retóricas de Amadís. Un combate contra la encarnación del pecado[7], el Endriago, se convierte por obra y gracia del narrador, a través del diálogo, en un enfrentamiento contra la bestia para defender a la bella, según el consabido mito tan rico en interpretaciones simbólicas y encarnaciones folklóricas.

Con el recuerdo, además, se logra aumentar la tensión de la lucha: «vieron salir de entre las peñas el Endriago muy más brauo y fuerte que lo nunca fue, de lo qual fue causa que como los diablos viessen que este cauallero ponía más esperança en su amiga Oriana que en Dios, tuuieron lugar de entrar más fuertemente en él y le fazer más sañudo» (III, LXXIII, 800, 580 y ss.). La evocación, en este caso y también como ironía, aunque sea una técnica de encarecimiento del enemigo, hace que el antagonista pueda tener más fuerzas para afrontar su batalla. Se ha producido una serie progresiva en la gradación de los recuerdos, para convertirse, en este último caso, en una presencia palpable, hiperbólica de la amada como personaje real al que defiende en su pelea contra su adversario. El resultado es una intensificación dramática en la preparación de la lid y tam-

7. J. Caro Baroja, en su clásico libro *Las brujas y su mundo*, Madrid, Alianza, 1968, p. 99, señala cómo en la concepción de la sociedad medieval se subraya «la presencia real y continua del Diablo en la vida del mundo: el Diablo como personaje concreto, familiar, tan familiar por lo menos como los santos y patriarcas y al que los imagineros góticos (y antes los románicos) representaron con atributos muy definidos: Diablo que aparece auxiliado o bajo la forma de todos los genios de orden secundario en la Antigüedad, tales como harpías y sirenas, los centauros, los gigantes monstruosos y los *endriagos* y sierpes terroríficas».

bién en las fuerzas que cobrará el monstruo por obra
de los diablos, precisamente por el recuerdo.

La remembranza de la amada desempeña unos pa-
peles diferentes en cuanto a su función, aunque hay
un elemento unificador en los distintos contextos: el
recuerdo se solicita como motivo de mayor esfuerzo.
Si el amor tiene como consecuencia una mayor poten-
ciación de determinadas cualidades, en nuestra novela confiere un mayor arrojo al enamorado para enfrentarse a cualquier peligro. En la Peña Pobre, Beltenebrós ha estado a punto de morir, de apartarse
por completo de la sociedad. La melancolía, el recuerdo obsesionante de la amada lo han conducido al
borde del suicidio, salvaguardado por la presencia de
Andaloc. El contexto es paralelo en algunas circunstancias. Elisabad le advierte contra su tentativa ho-
micida, es decir, contra un posible suicidio deseado,
al combatir con el Endriago. Amor y muerte se han
combinado a lo largo de la novela, especialmente en
las dos ocasiones señaladas. Son dos elementos insistentes en la dialéctica héroe-mundo. El héroe deberá
superar la muerte presagiada en múltiples aventuras
contra personificaciones del mal para acercarse a su
amada y con ella a la sociedad. En la Peña Pobre la
cercanía de una total segregación del mundo procede
de la persona que lo ha integrado en él: Oriana. El
amor inarmónico puede producir los mismos efectos
que la muerte, siempre superada a través de la amada. Ahora, con la presencia real de ella, puede vencer
a la personificación del mal. El episodio de la Peña
Pobre y el del Endriago pudieron servir de modelos
a Don Quijote. La penitencia en Sierra Morena [8] es
equivalente a la estancia de Amadís con el ermitaño.
En la lucha contra el monstruo la situación puede ser
más compleja. Amadís muestra su capacidad de transformación del mundo por un acto de voluntad y, en
cierto modo, de locura. La realidad percibida no existe por ella misma, sino como acto volitivo del perso-

8. Véase J. B. AVALLE-ARCE, *Don Quijote como forma de
vida*, ob. cit., pp. 144 y ss., donde realiza un excelente análisis.

naje. Oriana está presente, en el recuerdo, en la memoria del héroe. Por este simple hecho, la amada se convierte en persona cuya existencia puede ser comprobable, al margen de la percepción de Gandalín. Cervantes profundizará en el problema, pero en la novela el héroe ha dado muestras de su poderío o de su fijación obsesionante en la amada, equivalente a las «visiones» caballerescas de Don Quijote. Además, el Endriago representa la contrafigura de Esplandián. El hijo de Amadís, fruto del amor, se contrapone al monstruo, consecuencia del incesto.

En cuanto al mundo paterno del que Amadís se quiere liberar y que la autora mencionada lo relaciona con Lisuarte, se produce tanto en estos casos como en los anteriores. El héroe desea afirmar su personalidad e intenta relacionarse con el emperador de Constantinopla. En definitiva, se trata más de la afirmación de unas relaciones superiores a estos dos mundos, materno y paterno, que de la desvinculación del mundo preconsciente. La diferencia quizás sea de matiz, pero nos parece suficientemente importante reseñarla, y encuadrarla dentro de un conjunto de estructuras narrativas.

A su vez, el Caballero de la Verde Espada solicita como auxiliar a Dios, puesto que su acción en parte va dirigida a Él, aunque existe una diferencia fundamental. El héroe puede actuar con el auxilio divino, pero el Endriago casi está identificado con las fuerzas diabólicas [9], y está poseído por ellas. En la misma denominación de la isla, e incluso en la del monstruo, se confunden las dos personalidades: «El diablo, como lo vido, vino luego para él, y echó vn fuego por la boca...» (*Ibídem*, 801, 640).

El combate es desigual y singular en todos sus aspectos. El héroe, tras sucesivos fracasos, pone fin a

9. Según J. LEVRON, *Le Diable dans l'Art*, París, Ed. Auguste Picard, 1935, p. 18, «au onzième siècle, et surtout à partir du douzième siècle, l'image de Satan se transforme. Au personnage séduisant [...] fait place le monstre afreux qui va subsister jusqu'à la fin du moyen âge».

la pelea al introducir la espada por la nariz de su adversario, hasta llegarle a los «sesos». Antes de morir el monstruo [10], «salió por su boca el diablo, y fue por el ayre con muy gran tronido» (*Ibídem*, 802, 735).

VEROSIMILITUD, ESCRITURA Y ESCULTURA

En el combate personal ha salido bien parado, pero en sus consecuencias se produce otro posible peligro, no señalado antes con tanta insistencia. Normalmente los caballeros son heridos en las peleas y se pueden recuperar en un lapso de tiempo corto o largo, sin que tengan excesiva importancia las lesiones causadas para su integridad física. Como en esta ocasión el suceso es singular y todo lo que el Endriago tocaba lo llenaba de ponzoña, Amadís se encuentra en peligro de muerte. Incluso encarga a Gandalín que lleve su corazón a Oriana [11]. La primera impresión de Eli-

---

10. J. K. WALSH, en su artículo «The Chivalric Dragon: Hagiographic Parallels in Spanish Romances», *BHS*, LIV (1977), 189-198, postula que el episodio del Endriago se pudo construir sobre una leyenda hagiográfica o eclesiástica. A nuestro juicio, sin que desdeñemos su argumentación, no creemos imprescindible esta génesis. Como hemos intentado demostrar, el Endriago tiene todas las características del arquetipo heroico con un sentido negativo. No obstante, las leyendas hagiográficas también tienen unos moldes folklóricos. Nos parece muy difícil precisar los orígenes, si bien la deuda del Endriago con la *Gran Conquista de Ultramar* parece indudable.

11. De nuevo nos encontramos con el corazón como centro vital y amoroso. El tema se reitera en los relatos artúricos. A la muerte de Tristán «le salió el ánima del cuerpo, e la reyna, quando lo vio assí muerto en sus braços de gran dolor que ovo, le reventó el coraçón en el cuerpo», *Don Tristán de Leonís*, ed. de Bonilla, Madrid, NBAE, 1907, p. 455. La reina Ginebra a punto de morir ruega «que tanto que yo muera, que me saques el coraçón, e que ge lo leves en este yelmo que fue suyo, e que le digays que en remembrança de nuestro amor que le embio el coraçón a quien nunca escaescio», *La Demanda...*, ed. cit., p. 332. Recordemos cómo parodia Cervantes el tema en la Cueva de Montesinos, remedando el famoso romance, etc.

sabad, manifestada en una descripción casi impresionista, es desfavorable:

> Y quando el maestro le vido las llagas, ahunque él
> era vno de los mejores del mundo de aquel menes-
> ter y auía visto muchas y grandes heridas, mucho
> fue espantado y desafuciado de su vida; [...] catán-
> dole las heridas, vio que todo el daño estaua en la
> carne y en los huessos, y que no le tocara en las
> entrañas. Tomó mayor esperança de lo sanar, y
> concertóle los huessos y las costillas, y cosióle la
> carne y púsolo tales melizinas ... (III, LXXIII, 803,
> 837 y ss.).

De la misma manera que se ha mantenido la suspensión del sentido durante todo el relato, se puede
detectar hasta en un fragmento mínimo. En un principio el «maestro» concibe pocas esperanzas de salvación, para cambiar de opinión rápidamente [12]. La
narración no se ha conducido de una forma brusca.
Gradualmente, tras una experiencia nueva, se varía
el punto de vista. Nos parece uno de los grandes
aciertos narrativos del pasaje, en el que se suspende
el sentido, manteniendo la expectación de los lectores
hasta el último momento. La recuperación no se hace
esperar e incluso se dan detalles mucho más cotidianos, como ya había sucedido en la Peña Pobre:

> Y a cabo de vna gran pieça el sueño rompido, co-
> mençó a dar bozes con gran pressurança, diziendo:
> —¡Gandalín, Gandalín, guárdate deste diablo tan
> cruel y malo, no te mate! (Ibídem, 804, 923 y ss.).

Las voces incontroladas del héroe sólo aparecen en
nuestro libro en los momentos de mayor excitación.
Corresponden al sueño previo a su entrada en territorios del ermitaño Andaloc, y a esta otra pesadilla de
Amadís que despierta sin saber dónde se encuentra.

---

12. El «maestro» «vido», «catándole» «vio». Son los «greedy
eyes» de los que habla J. E. GILLET, *Torres Naharro and The
drama of the renaissance*, vol. IV, Philadelphia, University of
Pennsylvania Press, 1961, pp. 157 y ss.

Así como se aludía a unos libros para dar mayor veracidad al relato, a nuestro juicio se detallan tantos
pormenores para poder contrarrestar el aire fantás-
tico de la secuencia.

En ocasiones precedentes nuestro caballero ha lu-
chado en las más diversas circunstancias, pero nunca
se ha encontrado en esta situación, salvo en la ocasión comentada. En ambas, se ha producido una postración en la que ha estado a punto de morir, por
dos fuerzas instintivas, e indominadas: los celos de
su amada, y la pelea contra el Endriago. La diferencia
radica en que en la primera ocasión las heridas y los
sufrimientos tienen una causa psíquica, son provoca-
dos por Oriana. Se pueden remediar por otra carta de
su amada. En el caso del Endriago, los males son de
tipo físico, y nada mejor para ellos que un remedio
análogo. Frente a la ponzoña diabólica se encuentra
ahora en manos del maestro Elisabad, «físico» y
«hombre de misas», que pide protección divina para
atender a su herido. La misma contraposición de
fuerzas que se daba en la batalla se produce ahora
en la curación. Con estos auxiliares y la prolijidad en
determinados detalles, la narración pretende conseguir unos efectos verosímiles de cara al lector, aunque no sean los únicos. Gandalín ha sido testigo de
la proeza de su señor y lo ha sido para contarla, «a
condición que el maestro le tomasse juramento en
los santos Euangelios, porque ellos lo creyessen y
con verdad lo pusiessen por escrito, y vna cosa tan
señalada y de tan gran fecho no quedasse en oluido
de la memoria de las gentes. El maestro Elisabad assí
lo hizo, por ser más cierto de tan gran hecho» (III,
LXXIII, 805, 986 y ss.). No se trata de un relato cualquiera de uno de los múltiples testigos de la acción.
Gandalín lo cuenta jurando decir la verdad sobre los
Santos Evangelios. Como dice Curtius «el libro ocupa
en la ordenación espiritual de la Edad Media un puesto que no le reconocen ni la antigüedad ni los tiempos modernos. La verdad salvadora de la fe está fun-
dada en el libro sagrado, en el libro de los libros, y en

las interpretaciones que de él se han hecho» [13]. De rechazo, el mismo autor a través de su personaje, en un plano de ficción, está jurando sobre los Evangelios que todo lo que escribe sucedió en realidad como lo cuenta. La ficción se pretende hacer verídica, mediante la escritura sagrada. Los Santos Evangelios son para Gandalín el medio de atestiguar la verdad, y como coincide con lo explicado por el autor, es también el recurso de éste para hacer el relato veraz, o al menos creíble. El personaje proporciona verosimilitud al episodio y desempeña las mismas funciones del narrador. Desea que se crea la aventura, y se escriba para salvarla del olvido. Hasta un escudero, para dignificación de su señor —ya no se trata del rey Tafinor, ni del maestro Elisabad—, quiere actuar como un narrador auténtico, contar su historia para que sea escrita.

Para todos los personajes el suceso es algo excepcional; así lo reconocen cuando ven al Endriago, ya muerto:

> Y ahunque cierto sabían que el cauallero de la Verde Espada lo auía muerto, no les parecía sino que lo soñauan. Y desque vna gran pieça lo miraron, tornáronse al castillo, y razonando vnos con otros de tan gran hecho poder acabar aquel cauallero de la Verde Espada (*Ibídem*, 806, 1016).

La realidad (ficticia y novelesca) es equivalente al sueño, y han sido necesarias las palabras de Gandalín sobre los Evangelios. Se trata de un caso extraordinario, dado como real, con todos los elementos posibles para hacerlo creíble. Amadís se encuentra en la cumbre de su gloria caballeresca, y en disposición ideal para presentarse ante el emperador de Constantinopla. El héroe casi se convierte en representante divino

---

13. Tomamos la referencia de Leo Spitzer, ob. cit., p. 168. Véase E. Curtius, ob. cit., pp. 423 y ss., para la importancia del libro como símbolo, y M. García Pelayo, «Las culturas del Libro», *ROcc*, 24 (1965), 257-273; y 25, 45-70.

en las adversidades humanas, y decide que el maestro
Elisabad escriba al Emperador. En la carta le dice
cómo había vencido al Endriago y cómo estaba ya la
isla en su señorío; solamente hacía falta poner remedio para poblarla. Amadís solicita que la isla se llame
Ínsola de Santa María. Si la isla estaba habitada por
el Diablo era debido a la serie de pecados e infracciones cometidas encadenadamente y contrarias a la
religión cristiana; la principal de todas ellas, y causa
de las demás, había sido el incesto, cuya antítesis está
representada por la Virgen María, madre y virgen,
contradicción y síntesis de todas las cualidades femeninas en una concepción cristiana [14].

El Caballero de la Verde Espada se muestra como
deudor favorecido en su lucha. Su recompensa consiste en dedicar la isla a la Madre de su principal
bienhechor. Por otra parte, desde la perspectiva del
emperador de Constantinopla, Amadís ha sido auxiliar suyo, al rescatarle un territorio de su señorío.

En este encadenamiento de ayudas y recompensas
el emperador decide llevar maestros que le traigan
pintado el Endriago «así como es, porque le mandaré hazer de metal, y el cauallero que con él se combatió assí mesmo, de la grandeza y semejança que
ambos fueron. Y faré poner estas figuras en el mesmo
lugar donde la batalla passó, y en vna gran tabla de
cobre escriuir cómo fue y el nombre del cauallero; y
mandaré fazer allí vn monasterio en que biuan frayles
religiosos que tornen a reformar aquella ínsola en el
seruicio de Dios, que estaua muy dañada la gente de
aquella tierra con aquella visión mala de aquel enemigo» (III, LXXIV, 810, 118). Nunca había tenido lugar una aventura del mismo tipo, pero tampoco ninguna anterior había tenido la misma recompensa. Si
Horacio pretendía levantar un monumento más pe-
renne que el bronce, los hechos de Amadís en la Ín-

14. Véanse algunos aspectos en C. GARIANO, *Análisis estilístico de los «Milagros de Nuestra Señora» de Berceo*, Madrid,
Gredos, 1971, pp. 48 y ss.

sola del Diablo quedarán perpetuados en la memoria humana, tributo a su fama, y a su gloria, máxima aspiración del caballero andante. Las dos acciones se complementan. La escritura puede vencer al tiempo, pero solamente es capaz de representar imaginativamente lo sucedido. Mediante la escultura, con un alarde de realismo intencional, se pretende fijar los cuerpos, los volúmenes que la literatura no puede representar. La escultura, además, no requiere conocimientos especiales previos para poder ser captada. La letra sólo está al alcance de los iniciados. Una representación artística sirve de conmemoración heroica para la hazaña del Caballero de la Verde Espada, y a su vez fija la realidad ficticia de dicha acción. Según J. Huizinga, «era un uso antiguo erigir un pequeño monumento conmemorativo en el lugar donde se había sostenido un duelo famoso [...] El siglo xv seguía erigiendo semejantes monumentos conmemorativos en recuerdo de los duelos caballerescos famosos» [15].

En resumen, la secuencia sirve para que Amadís narrativamente se presente como auxiliar del emperador, y a su vez éste lo sea de Amadís, por la erección del monumento, y la acogida dispensada en su ciudad con todos los grandes honores.

El de la Verde Espada «daua en su coraçón con grande humildad muchas gracias a Dios porque en tal lugar le guiara donde tanta honrra del mayor hombre de los christianos recibía, y todo quanto en las otras partes viera le parescía nada en comparación de aquello» (III, LXXIV, 812, 319). Ha llegado a la culminación de su grandeza caballeresca en solitario y es recogido y honrado por el mayor hombre de los cristianos. En el episodio de Tafinor ya se presagiaba la lucha contra el emperador romano, dominado por la soberbia, y aliado con Lisuarte. Frente a esos enemigos, Amadís está en disposición de ampararse también en el mayor imperio cristiano.

15. Ob. cit., p. 127.

EL INGENIO FRENTE A LA BELLA

El espacio donde culminan las aventuras individuales de Amadís es un ámbito urbano, cortés. Predomina el ingenio, la «fabla hermosa», el comportamiento gentil, lo maravilloso y lo femenino representado por todas las doncellas de la corte, en especial por la hija del emperador, que le recuerda a Oriana. De la monstruosidad horripilante del Endriago, se ha pasado a un mundo distinto, no cuantitativa, sino cualitativamente. Todo es extraordinario en hermosura y gentileza [16], en contraposición a la fealdad y monstruosidad de lo precedente. El contraste ha servido para acentuar más ambos mundos, seguidos en la sucesión de episodios y no arbitrariamente. Amadís se ve rodeado de veinte doncellas, quienes le piden que permanezca allí algunos días más; lo otorga galantemente y le contestan:

> Buen acuerdo tomastes; si no, no pudiérades escapar de mayor peligro que lo fue el del Endriago.
> —Assí lo tengo yo, señoras —dixo él—, que mayor mal me podría venir enojando a los ángeles que al diablo, como lo él era (III, LXXIV, 822, 1062).

La antítesis retórica entre los ángeles y el diablo se debe a una hipérbole cortés de Amadís, pero nos muestra en su estrato lingüístico el contraste narrativo. En un espacio cortesano, Amadís esgrime sus armas de ingenio, su dialéctica y comportamiento para vencer de alguna manera a las personas allí presen-

16. Según G. S. Burgess, ob. cit., pp. 129-130, en el cambio producido en las narraciones francesas, «hombres, damas, edificios, vestidos, ciudades, armas, riquezas, metales, joyas son bellos, y lo que es más importante, deben ser bellos a fin de satisfacer los deseos de la nueva aristocracia». El planteamiento sociológico es correcto a nuestro juicio, pero a ello va unido un deseo de sorprender, de llamar la atención de los lectores. También se superpone en el *Amadís* la adecuación de las aventuras a un marco o escenario propicio. Véanse algunos aspectos en A. Durán, ob. cit., pp. 151 y ss. El topos de Constantinopla, como ha estudiado L. Stegnano, favorecía el desarrollo del tema.

tes, y también para autoensalzarse. En las conversaciones sutiles y corteses mantenidas se insiste en las preguntas de todos sobre las maravillas de la Ínsola Firme. Le están interrogando, aunque ellos no lo sepan, por el espacio ganado por las armas y el amor, por su espacio más íntimo, donde ha demostrado ser el mejor. El lugar está relacionado con la propia corte de Constantinopla, pues Apolidón era bisabuelo de Leonorina.

Incluso, como ya en otras ocasiones había sucedido, Amadís, ahora Caballero de la Verde Espada, puede contar sus propias aventuras ante el emperador sin identificarse. Se autoafirma ante la más alta dignidad humana en la tierra, pero silencia su nombre, mostrando su mesura. Acepta cumplir tres dones solicitados por Leonorina, hija del emperador. Una de las peticiones consiste en entregar una corona a la más hermosa doncella que conozca; otra en entregar otra corona a la más hermosa dueña, y la tercera, en explicar por qué lloró en determinado momento y quién es su señora. A nuestro héroe se le plantea un nuevo dilema. Si confiesa el nombre de su señora quebranta una de las normas del código amoroso, el secreto de sus amores; en caso contrario se comporta descortesmente por incumplir su palabra, por lo que saca a relucir su ingenio, sin declarar la personalidad de su amada, que «es la misma a quien vos embiáys la corona, que al mi cuydar es la más hermosa dueña de quantas yo vi, y ahún creo que de quantas en el mundo hay» (III, LXXIV, 818, 771 y ss.). Con la respuesta resuelve su posible conflicto y declara a Oriana como la dueña más hermosa del mundo. El problema de la doncella lo resuelve entregándole la corona a la propia Leonorina. Se trata de una solución cortés y sagaz, incluso de cara al futuro. Leonorina, futura mujer de su hijo, es la más hermosa doncella, y Oriana la más hermosa dueña. Si Esplandián superará las hazañas de su padre, Leonorina ya no deberá competir en la novela con Oriana.

El «don contraignant» solía conducir al personaje a una aventura dolorosa y difícil, resuelta mediante

las armas, en casi todas las ocasiones. Amadís, en un
espacio diferente, asume una personalidad cortesana
equivalente a las promesas realizadas. Con las preguntas, se ha encontrado ante un conflicto que en
otras ocasiones no había sabido solucionar. Como en
este caso lo había planteado una mujer, el Caballero
del Enano lo ha resuelto a través de la palabra, a
través de su propio ingenio. Es una afrenta cortés,
para la que también se busca una reparación análoga,
prometida por el emperador, que se convertirá después en auxiliar de Amadís y le ayudará con sus
ejércitos en la lucha contra Lisuarte y el emperador
romano. La lucha se realizaba íntimamente por amor,
y el dilema del héroe en Constantinopla ha tenido la
misma causa, por las preguntas de Leonorina.

EL REGRESO

El narrador ha sido coherente consigo mismo, al
haber motivado la ayuda del emperador por el ingenio antes que por la acción del héroe. La lucha contra
el Endriago sólo ha servido de credencial para la presentación de Amadís, ahora, en condiciones de regresar. En tierras de Grasinda se encuentra con don
Bruneo y Angriote que habían salido en su busca.
La convergencia de acciones no es casual. Estos caballeros, leales amadores los dos, sirven de rememoración y unión con su vida anterior.

A partir de su salida de Gaula, la acción se había
disgregado, separándose los amigos espacialmente, y
con este encuentro comienza una nueva etapa que implica asumir su primitiva personalidad. Grasinda le
había pedido que la llevara a la Gran Bretaña para
demostrar su superior hermosura, tarea que asume
Amadís. Deja la espada verde y quiere utilizar una
de las que había aceptado como regalo en Constantinopla. Se podrá llamar el Caballero Griego. Al cambiar de nombre y de objeto ha asumido una nueva
identidad. Defiende la mayor hermosura de Grasinda
frente a las doncellas de la Gran Bretaña y sale ven-

cedor. Sus contrincantes han sido los romanos, y su hijo ha intercedido por ellos, anunciando su comportamiento posterior.

Si analizamos conjuntamente este nuevo ciclo de aventuras podremos destacar una serie de hechos diferentes de los anteriores. Hay una serie que se apuntan sin narrarse por extenso. Los cuatro años que permanece el Caballero de la Verde Espada en Alemania se relatan en breves líneas. Podemos pensar que el refundidor ha abreviado unos materiales preexistentes más extensos. Lo mismo sucede con las aventuras de Bohemia, escritas en un misterioso libro.

Amadís para ganarse un nombre había tenido que vencer múltiples obstáculos. Ahora el narrador lo resuelve de la forma más expeditiva. El problema atañe a la refundición y a la intervención última de Montalvo. Pedro Ferrúz había dicho que «Amadís el muy fermoso / las lluvias e las ventyscas / nunca las falló aryscas / por lcal scr e famoso» [17]. Estas inclemencias metereológicas podrían ser invención del poeta, pero sería más lógico que remitieran a algún episodio desconocido y que no ha llegado hasta nuestras manos. Amadís en Alemania teme el frío y no nos extrañaría que en una redacción más extensa hubiera padecido las adversidades climatológicas. Sólo nos podemos mover en terrenos de la pura hipótesis, pero nos parecen extrañas estas alusiones a hechos no relatados, porque a través de estas aventuras Amadís será conocido con un nuevo nombre, el Caballero de la Verde Espada o del Enano.

Dejando aparte lo no narrado, los episodios descritos tienen una función clara. Hemos visto cómo en cada ciclo había una serie de aventuras que incidían en un combate colectivo posterior. En los primeros libros la técnica presagiaba el desenlace y servía para retrasar el final. A su vez las hazañas suponían la eliminación de unos enemigos. Ahora las técnicas se han

17. *Cancionero de Juan Alfonso de Baena*, ed. de J. M. Azáceta, Madrid, C.S.I.C., 1966, p. 663.

invertido. Amadís, en su peregrinar por tierras extrañas, está consiguiendo futuros aliados. El texto se va amplificando para hacer converger las secuencias del tercer libro en la lucha contra Lisuarte. Tafinor y el emperador de Constantinopla han contraído una deuda con el héroe y le han prometido una ayuda cortés. En el cuarto libro se hará efectiva. El Caballero de la Verde Espada encuentra unos aliados para su pelea futura y las aventuras del libro tercero tienen una incidencia en el libro cuarto.

Además, Grasinda figura en los fragmentos publicados por Rodríguez Moñino. En el texto de 1508 la estancia de Amadís en esas tierras supone un espacio previo a la llegada a Constantinopla. A su vez, desde estas tierras el Caballero de la Verde Espada regresará a Gran Bretaña.

Si no se han modificado sustancialmente las estructuras narrativas, creemos que Montalvo se encontraba con unos textos previos con una clara incidencia en la batalla final. La creación original del último libro por parte del medinés habrá que ponerla muy en duda. Por otra parte, las aventuras de Amadís adquieren un cariz mucho más cortesano, más urbano y más libresco que en episodios precedentes. El libro, como elemento glorificador del héroe, aparece por vez primera en las tierras del rey Tafinor, y alcanza su máximo apogeo con la intervención del maestro Elisabad, personaje distintivo respecto al mundo anterior.

En Constantinopla el Caballero de la Verde Espada ha mostrado su discreción, su ingenio y todas las cualidades del buen cortesano. Regresa a tierras de la Gran Bretaña por un motivo cortés, bajo la denominación de Caballero Griego. El cambio de nombre connota su mayor apogeo como caballero andante y equilibra el gran poderío de los romanos, que se muestran soberbios y también serán vencidos en lides particulares por Florestán. Se atisba el resultado de esta gran pelea anunciada por Urganda en el Libro II, al profetizar las aventuras más importantes de este ciclo casi ininterrumpido.

XV. EL RAPTO DE ORIANA
Y LA RECONCILIACIÓN

En el regreso de Amadís hacia tierras de la Gran
Bretaña, se crean dos centros de interés en el relato:
las tareas emprendidas por el Caballero Griego en
territorio de Lisuarte y los preparativos realizados en
la Ínsula Firme para una futura pelea. Ambos temas
se combinan y el Caballero Griego, tras su aventura
en Gran Bretaña, se retira a la Ínsula Firme, donde
recobra su nombre y personalidad. Allí despliega todas las técnicas persuasivas a su alcance para que sus
amigos se sientan implicados en el destino de Oriana.
Por un lado, debe ocultar sus relaciones amorosas
con ella, y, por otro, debe razonar su comportamiento. Como ya había sucedido en la ayuda prestada por
Amadís y sus familiares en la batalla de Lisuarte contra los siete reyes, se superponen las perspectivas
diferentes. Amadís actúa como caballero andante y
plantea los problemas bajo ese prisma.

LA INJUSTICIA REGIA

El aspecto amoroso del héroe quedará soterrado.
Sus razonamientos para socorrer a Oriana se inser-
tarán dentro del puro código caballeresco: la necesidad de la defensa de la mujer agraviada. En caso de
no hacerlo, sus demás hazañas quedarían en olvido.
Es el acto supremo de la caballería dispuesta a enfrentarse al rey. Lisuarte ha cometido una serie de

transgresiones impropias de su naturaleza. Ha des-
heredado a su hija, legítima sucesora suya, para casarla con el emperador romano, y ha pecado de soberbia y codicia, al intentar emparentar con uno de
los mayores representantes del poder humano en la
tierra. Su actitud implica un comportamiento casi
tiránico [1]. Su acción la realiza en contra de los deseos
de su hija y en contra de sus «naturales». El problema
trasciende de un caso particular a una actuación genérica que altera un orden preestablecido de origen
divino, por lo que Amadís lo esgrimirá en sus razonamientos: «Pues si es verdad que este rey Lisuarte
sin temor de Dios ni de las gentes tal crueza faze,
dígovos que en fuerte punto acá nascimos si por nosotros remediada no fuesse» (III, LXXX, 908, 1247
y ss.).

Los caballeros, defensores del orden establecido, no
pueden pasar por alto esta transgresión de su sistema de valores. La generalización previa de Amadís
convierte la futura pelea en una vuelta a la norma,
al orden, gracias a su comportamiento. La función
social de la caballería quedaría mal parada, caso de
no actuar [2]. El amor, móvil de las acciones del héroe,
ha permanecido excluido en su dialéctica.

1. Según L. G. DE VALDEAVELLANO, ob. cit., p. 426, «con la recepción del derecho romano, desde mediados del siglo XIV se
advierte, sobre todo en León y Castilla, una tendencia a considerar la potestad regia como un poder absoluto, si bien tal
tendencia hubo de manifestarse más en la doctrina que en la
práctica y raras veces logró imponerse a las limitaciones que
al poder regio seguían oponiendo el derecho tradicional y los
estamentos sociales representados en las cortes. De todas las
maneras, los jurisperitos romanistas, imbuidos de las nacio-
nes romanas sobre las prerrogativas absolutas del Poder del
príncipe, favorecieron en la baja Edad Media la difusión de
algunos principios que, mal interpretados, han de servir más
tarde de fundamento a la Monarquía absoluta. Tales principios fueron los de Ulpiano, incorporados al «Digesto» de Jus-
tiniano «quod principi placuit, legis habet vigorem» y «Prin-
ceps legibus solotus est».
2. Según A. PELAYO, *Speculum regum*, ob. cit., t. I, p. 174,
«si autem non ex presumptione privata sed auctoritate publica
et communi rex in tyrannum conversus vel alius tyranus des-
truatur vel eius *potestas impia refrenetur*, non est putanda

La misión de los caballeros consiste en el restablecimiento de la justicia, interpretada a su libre albedrío por un rey tirano y absolutista. Lisuarte ha actuado solo sin que pueda excusarse de su conducta a causa de unos factores externos. La reconciliación parcial anterior aminoraba las disensiones existentes y preparaban el camino para este nuevo contexto. Del antiguo monarca justiciero del Libro I y parte del II, se ha pasado a un rey personalista y caprichoso[3].

El antiguo conflicto entre la realeza y la caballería se reaviva en toda su crudeza. Incluso el amor del héroe está en juego en la futura pelea, que se imbricará en las estructuras narrativas del rapto de Oriana. Cuando ésta sea llevada a Roma para celebrar su matrimonio, la flota romana se verá atacada por la de Amadís. Por vez primera, la pelea transcurre íntegramente en el mar[4]. La disposición de la batalla se realiza de acuerdo con la naturaleza amorosa de los protagonistas. Amadís combatirá con los acompañantes de su amada; Agrajes verá incrementado su arrojo en la pelea al luchar contra la nave donde llevaban a Olinda, su amiga; la tercera embarcación más im-

---

talis multitudo impie vel infideliter agere tyrannum destituens, etsi in perpetuum antea sibi se subiecerit». El subrayado es nuestro. La caballería asume el papel de refrenar el poder injusto del rey.

3. Las acusaciones vertidas contra Pedro I el Cruel por sus adversarios eran semejantes. Según J. VALDEÓN BARUQUE, *Enrique II de Castilla: La guerra civil y la consolidación del régimen (1366-1371)*, Valladolid, Facultad de Filosofía y Letras, 1965, p. 96, «Enrique de Trastámara y los nobles que apoyan su causa se presentan ante el pueblo, o al menos eso pretenden ellos, como unos liberadores. Acusan al monarca reinante de tiranía, lo que justificaba su rebelión. "Aquel malo tirano que se llamaba rey", repetirán una y otra vez los documentos expedidos por la cancillería de Enrique II cuando se refieren a Pedro I. Pero ¿en qué se apoyaba esta acusación de tiranía? Esencialmente en que el citado rey no respetaba a los nobles.»

4. En la conquista de la Ínsola Mogança los amigos de Amadís fueron atacados por mar y por tierra. La progresión es evidente y nos parece propia de algún refundidor más interesado por despliegues tácticos. Hasta el Libro III, la guerra colectiva apenas tiene importancia. P. COROMINAS, art. cit., había notado la ausencia de guerras colectivas. El hecho es aplicable sólo a los dos primeros libros.

portante en el combate, comandada por don Florestán, tiene escasa trascendencia en la narración. El
litigio se ha motivado por una lucha contra la injusticia, pero los caballeros más sobresalientes —Amadís
y Agrajes— combaten y defienden a sus respectivas
amigas. Ambos factores se combinan para dramatizar con más énfasis la pelea naval, en la que los romanos son vencidos y las damas llevadas a la Ínsola
Firme. Casi se trata de un rapto [5], parecido a algunos
rituales de matrimonio. Con Jean Cazeneuve podemos
decir que «los ritos de separación, que realizan simbólicamente el desprendimiento de uno o de ambos cón-
yuges de su célula social originaria asumen a menudo
el aspecto de un secuestro. No es este el lugar para
refutar por completo las teorías que consideran este
ritual como una supervivencia del casamiento por
rapto. Pero cabe decir que, en todo caso, aun si éste
no hubiera sido —cosa probable— el origen del casamiento en general, no por ello el ceremonial per-
tinente habría dejado de revestir el aspecto de un
secuestro» [6].

Estamos lejos de un ritual primitivo, pero no deja
de ser curioso que el rapto de Oriana anteceda y ge-
nere el matrimonio público de la pareja. Se reiteran

5. Según M. DE RIQUER, *Lettres de Batalla*, vol. I, p. 45, «pa-
raules de matrimoni trencades, raptes de dones i donzelles i
adulteris pressumptes o reals eren, també, motius de bregues».
Realidad y ficción se interinfluyen desde las primeras produc-
ciones cortesanas. La literatura influye en la realidad histórica,
y algunos elementos de ésta también suministran materiales
literarios. Véanse algunos aspectos en las obras de M. DE RI-
QUER, *Caballeros andantes...*, ob. cit., del mismo autor y recogido en parte en el libro anterior *Vida caballeresca en la España del siglo XV*, Madrid, 1965, el libro clásico de Huizinga
ya citado, y el artículo de R. S. LOOMIS, «Arthurian Influence
on Sport and Spectacle», en *Arthurian Literature in the Middle
Ages*, ed. por R. S. Loomis, Oxford, Oxford University Press,
1974, pp. 553-559. Para el desarrollo iconográfico, véase el libro
de R. S. LOOMIS y L. H. LOOMIS, *Arthurian Legends in Medieval Art*, New York, Modern Language Association of America,
1938 (New York, Kraus Reprint, 1975). D. DEVOTO, «Política y
folklore en el Castillo Tenebroso», recogido en *Textos y Contextos*, esp., p. 226, nota 37, señala abundante bibliografía.
6. Ob. cit., p. 113.

estructuras paralelas y a su vez inversas a la del primer libro. Arcaláus conducía a Oriana para casarla con Barsinán; ahora es llevada por Salustanquidio para celebrar su matrimonio con Patín. La inversión fundamental radica en el comportamiento de Lisuarte. En el primer caso había sido culpable indirecto por su palabra dada y mantenida, aunque fuera a través del engaño. En esta ocasión, ha sido el principal propulsor del matrimonio de su hija, en contra de la voluntad de ésta. La primera situación conducía a la unión sexual de los protagonistas y al matrimonio secreto; esta última tiene como consecuencia final el matrimonio público de la pareja. El héroe se insertaba armónicamente en la corte al vencer al principal enemigo del rey, Arcaláus, mientras que ahora el rapto desencadena la gran pelea final.

A pesar de que los caballeros y Oriana proponen una reconciliación con el rey, se trata de una *amplificatio retórica*, traicionada por las estructuras narrativas. Amadís y sus amigos proponen la paz a Lisuarte, cuando habían dispuesto todos los preparativos necesarios para la guerra. La narración se alarga y transcurre un tiempo verosímil para que los aliados del héroe pudieran recibir las peticiones de ayuda. A su vez, sirve para delimitar el carácter de Lisuarte y las características de la pelea:

> Vosotros auéys complido aquello que según vuestro juycio más a vuestras honrras satisfaze con más sobrada soberuia que con demasiado esfuerço, porque no a gran gloria se deue contar saltear y vencer a los que sin ningún recelo y con toda seguridad caminan, no teniendo en la memoria cómo yo, seyendo lugarteniente de Dios, a Él y no a otro ninguno soy obligado de dar la cuenta de lo que por mí fuere fecho. Y quando la emienda desto tomada fuere, se podrá fablar en el medio que por vos se pide; y porque lo demás será sin ningún fruto, no es menester replicación (IV, XCV, 1015, 306).

Ante los caballeros erigidos en representantes de la justicia, el rey les replica con sus mismas armas des-

montando todo argumento. La justicia, emanada de
Dios, según el punto de vista del monarca, está representada por él y no les debe dar ningún tipo de explicaciones. El razonamiento de Lisuarte dentro del
contexto novelesco e ideológico tiene quizás gran importancia. Nos desvela un problema candente durante largo tiempo en la Edad Media, y que no había tenido una manifestación clara en el relato. La acción
se debate entre el poder absolutista del rey a la hora
de nombrar un heredero de sus posesiones y la negativa a aceptar sus decisiones. Se trata de un problema dinástico, germen de continuos conflictos históricos entre nobleza y rey en la Castilla de los siglos XJV y XV [7]. No pretendemos con esto decir que el

---

7. Si temos en cuenta que una redacción del *Amadís* se puede hipotéticamente fechar ap. en tiempos de Enrique II
(1369-1379) no nos parece aventurado pensar en trasuntos reales convertidos en ficticios. No obstante, la novela sigue una
dinámica interna y está recreada sobre modelos literarios, no
históricos. Aun así, pensamos en las luchas entre Pedro I
—realeza— contra los partidarios de Enrique II —nobleza—.
Según L. SUÁREZ FERNÁNDEZ, *Nobleza y Monarquía. Puntos de
vista sobre la Historia política castellana del siglo XV*, Valladolid, Facultad de Filosofía y Letras, 1975, p. 22, «vencedor, Enrique II se encontraba ante el problema y la necesidad de
fundar un nuevo régimen que respondiese a las esperanzas
que él había despertado. Fue presentado al principio y un tanto paradójicamente, como retorno a los "buenos" tiempos de
Alfonso XI y, también como culminación de los esfuerzos de
la nobleza para destruir la "tiranía" de Pedro I. La propagan-
da, más abundante y moderna de lo que pudiera creerse, insiste de un modo especial sobre este punto: se había vuelto a la
normalidad, entendiendo por tal el equilibrio de deberes y derechos entre el monarca y sus nobles». Se puede aducir que
Amadís muere, pero este hecho no altera para nada nuestra
argumentación. Con la muerte de Amadís, ficticiamente, se
podía haber eliminado un estado inarmónico, lucha entre caballería y realeza, para lograr en el hijo una síntesis supera-
dora del conflicto. Con la muerte de Pedro I a manos de su
hermano, también ideológicamente se pretende poner fin a un
estado insatisfactorio para la nobleza. Ahora bien, los modelos
literarios en los cuales se inspira nuestra novela, en especial
Lancelot y en parte Galaad, también pueden explicar el distinto tratamiento de la obra. Con nuestras conjeturas sólo pretendemos insertar la novela en un posible marco histórico, muy
difícil de delimitar. No obstante, nos parecen excesivamente
sospechosos los paralelismos entre las luchas ideológicas sur-

Amadís refleje una problemática concreta de un caso particular, por la sencilla razón de que deberíamos saber con toda seguridad la fecha y el autor de estas posibles refundiciones.

En el *Amadís*, desde una postura absolutista el rey no debe justificar sus acciones más que ante Dios, del que dimana su autoridad. La reconciliación propuesta es inaceptable y los preparativos de la batalla, a diferencia de los anteriores, son extensos y prolijos. Incluso Arcaláus «acordó que trabajar en que se juntasse otra, tercera hueste, assí de los enemigos del rey Lisuarte como de Amadís, y ponerla en tal parte, que si batalla ouiessen, que muy ligeramente pudiessen los de su parte vencer y destruyr los que quedassen» (IV, XCVI, 1022, 204). Se crea nasí tres núcleos de expectación y se acrecienta el interés con la entrada de una tercera hueste en discordia. En la pelea se van a reunir los más importantes linajes o personajes que han tenido alguna participación en los episodios precedentes. Supondrá, pues, la culminación de todas las aventuras bélicas.

Además, la propia dinámica del texto podía proporcionar una serie de conflictos internos a determinados personajes amigos de Amadís. Galvanes, tras las treguas pactadas, había quedado como vasallo del rey. Ante la futura lid decide quedar libre, si bien el monarca le exime de sus obligaciones. Por su parte, Galaor desaparecerá de la narración casi como por ensalmo, pues durante la pelea permanecerá en Gaula a causa de una dolencia. Los caballeros necesitan curar sus heridas en múltiples episodios, pero no hay ningún caso de enfermedad en toda la novela. El caso de Galaor podría suponer un mayor acercamiento del autor a una realidad cotidiana. Sin embargo, la enfermedad está dispuesta para que el personaje la contraiga cuando se le podía plantear un dilema interno casi insoluble.

---

gidas en tiempos de los primeros Trastámaras y los conflictos del *Amadís*.

El narrador, a partir del Libro III, ha demostrado su falta de habilidad en presentar las situaciones narrativas. Los procedimientos utilizados para evitar los problemas internos de los personajes son muy pobres. En el caso de Galvanes, sirve para dulcificar el comportamiento del rey mostrándolo como justo en esta ocasión secundaria. Incluso contradice la actitud regia mantenida en episodios anteriores, en la vacilación constante en la que se mueve Lisuarte a partir del Libro II. No creemos que configure un rasgo de carácter del monarca. Con la técnica utilizada, el autor evita unas estructuras narrativas más complejas. Los conflictos de los personajes, tan frecuentes en los primeros episodios, se eliminan para llevar la narración por unos cauces más simples. Se quiere evitar la complejidad de unas situaciones difíciles de resolver y caracterizadoras de la actitud de los personajes. La novela, sin duda, pierde parte de sus virtudes anteriores ganando en simplicidad para que el autor pueda manejar a un gran número de personajes. Se atiende más a los elementos externos configuradores del relato que a la motivación interna y dilemática de los agentes narrativos.

En la pelea también hay algunas variaciones respecto a las anteriores. Se enumeran los combatientes de los distintos ejércitos y se hace hincapié especial en sus armaduras, describiéndolas con minuciosidad. Como señala Huizinga «toda una borrachera de orgullo puede manifestarse en la manera multicolor y jactanciosa de equiparse para la guerra»[8]. Frente a la ostentosidad del emperador destaca la sencillez de las armaduras del héroe, con un carácter simbólico, que no era ajeno a la vestimenta de la época[9]. El negro de las armaduras de Patín servirá de presagio de su dolor y de su muerte, mientras que el verde representará, una vez más, la renovación esperanzadora de

---

8. Ob. cit., p. 159.
9. Véase P. LE GENTIL, ob. cit., t. I, pp. 136 y ss.

Amadís [10]. Incluso hay una relación entre los graba-
dos de las armas y los deseos de los personajes. Amadís utiliza las mismas armas con las que venció a los
dos gigantes tras su estancia en la Peña Pobre; Gas-
quilán llevaba en su escudo: «vn grifo guarnido de
muchas piedras preciosas y perlas de gran valor, el
qual tenía en sus vñas vn coraçón que con ellas le
atrauesaua todo, dando a entender por el grifo y
su gran fiereza la esquiueza y gran crueldad de su
señora, y que assí como tenía aquel coraçón atraue-
sado con las vñas, assí el suyo lo estaua de los grandes cuydados y mortales desseos que della continuamente le venían» (IV, CX, 1097, 129). En la representación aparece un tema, casi desconocido en nuestra novela, la crueldad de la dama. Los únicos antecedentes los podemos atisbar en la dama de Angriote,
si bien no tiene esos calificativos, muy conocidos en
toda la poesía del xv [11].

Las técnicas y temas han variado y el narrador se
detiene en estos mínimos detalles de acuerdo con la
prolijidad descriptiva. Amadís muestra su superioridad en la batalla, mata al emperador romano y se
da cuenta que «la parte del rey Lisuarte yua perdida
sin ningún remedio, y que, si la cosa passase más
adelante, que no sería en su mano de lo poder saluar,
ni aquellos grandes amigos suyos que con él estauan.
Y sobre todo, le vino a la memoria ser éste padre de
su señora Oriana, aquella que sobre todas las cosas
del mundo amaua y temía» (IV, CXI, 1111, 402). De-

10. El verde está relacionado con el amor y la esperanza.
Véase JUAN RODRÍGUEZ DEL PADRÓN, *Siervo Libre de amor*, ed. de
A. Prieto, Madrid, Castalia, 1976, pp. 65-66. El editor ha comentado el pasaje en *Morfología de la novela*, ob. cit., pp. 127 y ss.
Véase bibliografía sobre el color en H. PERCAS DE PONSETI,
ob. cit., t. II, p. 344, nota 26.
11. Véase P. LE GENTIL, ob. cit., pp. 117 y ss. El tema, convertido en tópico, constituye una de las características de la
dama en la poesía provenzal. A su vez, como señala R. LAPESA,
ob. cit., p. 12, «los poetas peninsulares de 1360 a 1390 repiten la
preferencia que habían mostrado los gallego-portugueses del
siglo xiii y anuncian la que mostrarían los castellanos del xv:
presentar a su señora como un ser cruel e inaccesible que causa en sus desvíos la desgracia y la muerte del amador».

tiene la pelea con la excusa de que por ser casi de noche se podrían confundir los suyos y matarse unos a otros. Desde el punto de vista amoroso podría suponer la mayor glorificación del héroe, pero la fama del vencimiento se subordina al amor de Oriana, mediante este conflicto interior. Por obediencia es capaz de ver su honor menoscabado por su estancia en Gaula y en la Peña Pobre. Ahora su comportamiento posee todavía mayor valor. No hay ningún móvil externo que se interponga a su victoria.

El narrador, de forma hábil, apunta este dilema del héroe como triunfo del amor y ofrenda suprema hacia su amada. Sin embargo, nos podemos preguntar por qué no se había planteado con anterioridad. Hemos visto cómo el autor suele eliminar las perspectivas más íntimas de los personajes. Cuando éstas aparecen los resultados suelen estar predispuestos. Amadís no vence por una motivación amorosa, pero, a nuestro juicio, es una justificación interna para resolver un problema ideológico. Moralmente Amadís sale victorioso y el rey Lisuarte no sale malparado de la pelea. Si el héroe hubiera triunfado físicamente supondría la victoria de la caballería sobre la realeza. Nos parece una tesis audaz para la mentalidad de Montalvo, último refundidor, aunque significase el triunfo absoluto del héroe. Incluso después de pactar treguas durante dos días, Lisuarte y algunos romanos deciden continuar la pelea. Con su actitud demuestran su arrojo y el rey se muestra generoso dejando libre el señorío de Cildadán.

IDEOLOGÍA, NARRACIÓN Y MATRIMONIO SECRETO

En la terminación de la batalla interviene el ermitaño Nasciano, desvelando el matrimonio secreto de Amadís. Desde el punto de vista del ermitaño parece clara la resolución del problema planteado. Si Amadís está casado en secreto con Oriana, la pelea debe terminar. El origen del conflicto parece ser, según él, haberle dado otro marido distinto a Oriana.

En sus razonamientos hay algunas contradicciones que evidencian la falta de motivación real de su presencia. Amadís peleaba, según sus argumentaciones, porque Oriana había sido desheredada de forma injusta. El matrimonio futuro sólo se le podía plantear como conflicto interno, y era el auténtico móvil de sus acciones. El ermitaño mantiene el punto de vista del héroe, dejando a un lado la injusticia de la resolución regia. Incluso Patín, presunto marido de Oriana, había muerto a manos del héroe. Por el contrario, el rey después de hablar con Nasciano «estuuo vna gran pieça pensando sin ninguna cosa dezir, donde a la memoria le ocurrió el gran valor de Amadís y cómo merecía ser señor de grandes tierras, assí como lo era, y ser marido de persona que del mundo señora fuesse; y assí mesmo el grande amor que él hauía a su fija Oriana, y cómo vsaría *de virtud y buena conciencia* en la dexar por heredera, pues de derecho le venía [...] y sobre todo ser su nieto aquel muy hermoso donzel Esplandián, en quien tanta esperança tenía...» (IV, CXIII, 1126, 514).

Lisuarte piensa que su hija debía ser heredera, sin plantear la rectificación de su postura anterior. Se argumenta «cómo usaría de virtud y buena conciencia» [12], sin razonar la injusticia de su comportamiento. Incluso el motivo más importante de su cambio es el reconocimiento de Esplandián como nieto suyo. Creemos que Nasciano no era imprescindible para la resolución de la pelea [13]. Asume la perspectiva inter-

---

12. Estas palabras pudieran deberse a la refundición de Montalvo. Compárese con la glosa sobre un episodio erótico de Galaor. «Porque en los autos que a buena conciencia ni a virtud no son conformes» (I, XII, 105, 465 y ss.).

13. No era imprescindible narrativamente, pero sí era eficaz ideológicamente. Aparte de que Montalvo refundiera estos episodios, tampoco serían extraños en un contexto anterior, durante los primeros Trastámaras. Según L. SUÁREZ FERNÁNDEZ, ob. cit., p. 35, después de la muerte de Enrique II (1379) entró en acción un grupo activo de clérigos. «Es la primera fase de una reforma a fondo de la Iglesia en Castilla.» También, para J. VALDEÓN, ob. cit., p. 99, en la sublevación de Enrique II «el espíritu de Cruzada que se dio al movimiento, su

na del héroe en su aspecto más ideológico: el matrimonio secreto. Sin embargo, se nos plantean multitud de interrogantes, sin desdeñar que este tipo de matrimonio se puede detectar en los primeros pasajes de la novela con los amores de Perión y Elisena. Si Amadís y Oriana están casados desde este primer instante, ¿por qué continuamente viven separados? ¿Por qué en la carta enviada por Durín le dice que se aleje completamente de ella? ¿Por qué cuando su padre la quiere desposar con los romanos, ni siquiera en soliloquio se lo plantea como problema? Nos parecen excesivas preguntas para ser respondidas de forma satisfactoria con la tesis del matrimonio secreto después confirmado públicamente.

La primera alusión sin ningún tipo de ambigüedad que relaciona los amores de Amadís y su amada con su casamiento clandestino aparece en el Libro III:

> La reyna se confessó con aquel santo hombre, y Oriana assí mesmo; al qual vuo de descobrir todo el secreto suyo y de Amadís, y cómo aquel niño era su fijo [...] El hombre bueno fue muy marauillado de tal amor en persona de tan alto lugar, que muy más que otra obligada era a dar buen enxemplo de sí, y reprehendióla mucho diziéndole que se quitasse de tan gran yerro, si no, que la no absoluería y sería su ánima puesta en peligro. Mas ella dixo llorando cómo, al tiempo que Amadís la quitara de Arcaláus el Encantador, donde primero la conosció, tenía dél palabra como de marido se podía y deuía alcançar (III, LXXI, 780, 516 y ss.).

Justina Ruiz de Conde [14] y E. Place [15] se plantean si el fragmento corresponde a Montalvo. Personalmente creemos que no por razones lingüísticas. Se utiliza la

---

fuerte ímpetu antisemita, fueron elementos que contribuyeron poderosamente a atraer al bando de Trastámara a importantes sectores». Por otra parte, el apoyo del clero a Enrique II «no puede desestimarse», *Ibídem*, p. 90.

14. Ob. cit., p. 207.
15. Ed. cit., t. III, p. 944.

forma —*ra*— con valor de indicativo [16] «quitara» y
una inversión «que la no absolveria» [17], formas crono-
lógicas impropias del medinés. Muy bien podrían ser

16. Para la forma en *-ra* en el *Amadís*, véase L. O. WRIGHT,
The -Ra Verb Form in Spain..., Berkeley, University of California Press, 1932. En la p. 7 dice lo siguiente: «The language of
the *Amadís of Gaula* [...] shows a very archaic style in the use
of verbs. In its use of the *-ra* form it corresponds to the thir-
teenth-century practice, although its first edition appeared in
Spain three centuries later.» Teniendo en cuenta la crítica de
la influencia u origen portugués, «it might be of signifiance
to note that the Portuguese has preserved down to the present
the indicative function of the *-ra* form (usually pluperfect),
which is very commonly used in the *Amadís* by contrast the li-
terary custom om the time when it was printed in Spain».
   Los resultados de su estudio nos parecen discutibles, por la
forma de utilizar su método. En primer lugar, no tuvo en cuenta la bibliografía sobre las diversas redacciones. Ya entonces
C. Michaëlis diferenciaba los dos primeros libros, el tercero y
la intervención de Montalvo. Además sólo analiza 2.000 líneas
que constituyen su «población», cuyas «muestras» son la primera columna de cada cinco páginas desde la 1 hasta la 165 (*Ihi-
dem*, p. 60), de la edición de Gayangos. En el «sorteo» no ha tenido en cuenta las características del texto elegido. A su vez,
las líneas computadas pertenecen a los Libros I y II, en éste
hasta el momento de la disensión entre Lisuarte y Amadís.
Estos hechos invalidan su tesis general, pero no nos parece
aventurado pensar que buena parte de las formas computadas se hubieran escrito en España a principios del XIV. JUAN
DE VALDÉS, en su *Diálogo de la lengua*, p. 170, dice «no me sue-
na bien *viniera* por había venido, ni *pasara* por avía passado».
R. N. FJELSTAD, *Archaism in Amadís de Gaula*. Tesis inédita de
la Universidad de Iowa, agosto 1963, pp. 118-122, estudia algunos aspectos del problema.
17. Según R. LAPESA, «El lenguaje del "Amadís" manuscrito»,
BRAE, XXXVI (1956), p. 220, «es rasgo más propio del leonés
que del castellano, pero no raro en Castilla». Lo documenta
en Santillana y Gómez Manrique. H. KENISTON, *The Sintax of
Castilian Prose: The Sixteenth Century*, Chicago, University of
Chicago Press, 1937, p. 101, sólo reseña un caso «Principes ste-
terunt, et non cognovi, *quiere decir, lo no aprové* (it is possible that the structure of the sentence is a reflection of archaic, scriptural style; this is the only case noted of interpo-
lation in a main clause). JUAN DE VALDÉS, en su ob. cit., p. 171,
lo señala: «Paréceme también mal aquella manera de dezir: *si
me vos prometéis* por *si vos me prometéis*, y aquello: *de lo no
descubrir* por *de lo no descubrirlo*». Como apunta el propio
J. de Valdés, el autor podría haber querido «mostrar el antigüedad de lo que scrivía». En último término, los arcaísmos podrían ser rasgos de estilo. El problema, planteado de esta for-

de otro redactor diferente del primitivo y del propio
Montalvo, aunque no deje de ser más que una pura
hipótesis. Asimismo, cuando Lisuarte se encuentra
con Esplandián, Urganda profetiza que será el motivo
de paz entre él y Amadís. Por tanto, la solución del
conflicto no tiene por qué basarse en la intervención
de Nasciano. La presencia e intervención de Esplandián hubieran sido suficientes.

En los amores de Perión y Elisena también se produce un matrimonio clandestino, a consecuencia del
cual nacerá Amadís. El problema se plantea con mucha más lógica. En este casamiento y en su unión car
nal, ante los ojos de Dios no había ningún obstáculo
por la promesa de Perión, pero sí que lo había ante
los ojos del mundo «habiendo sido tan ocultas» sus
palabras. Elisena, por la famosa «Ley de Escocia»,
podía llegar a ser ejecutada. En el primer contacto
carnal de Amadís y Oriana se produce una situación
semejante. Oriana dice «Yo haré lo que queréis, y vos
hazed como aunque aquí yerro y pecado parezca, no
lo sea ante Dios» (I, XXXV, 284, 400).

La situación es paralela y si Oriana había callado
su yerro ante su padre era porque lo consideraba
como tal [18], y por tanto no podía argumentárselo en
contra del casamiento con Patín. En definitiva, a
nuestro juicio, el matrimonio secreto no tiene ningu-

---

ma es irresoluble. Sin embargo, Montalvo en el prólogo utiliza
«no me atreviendo» (I, 9, 82). Como conjetura pensamos que el
texto no pertenece a Montalvo por la ausencia de formas semejantes, sobre todo, en la segunda mitad de Las Sergas.

18.   Oriana se había confesado con el ermitaño, de la misma
manera que lo hace Carmesina en el Tirant, ed. cit., t. V, capítulo LXIX, 476, p. 203: «y más, padre mío, he pecado grave-
mente, que consentí que Tirante, marido y esposo mío, tomase el despojo de mi virginidad antes del tiempo permitido por
la santa Yglesia, de lo qual me repiento y demando perdón a
mi señor Jesucristo, e a vos, padre, penitencia». Este hecho se
podía considerar como solucionado, pero en ninguna ocasión
Oriana aduce el matrimonio secreto. Se puede pensar que si
lo hubiera manifestado, el conflicto no se habría producido y
por tanto, toda la pelea sobraba. De acuerdo con estos razonamientos vemos la ausencia de motivaciones internas en toda
esta parte.

na operatividad en las relaciones de la pareja: Oriana actúa como si no estuviera ligada a Amadís. Podría estar insinuado en la primitiva redacción, pero sólo cobra importancia a partir del Libro III. Excepto una frase del primer libro, el matrimonio clandestino se manifiesta en relación con Esplandián. No es un recurso narrativo, sino ideológico [19]. Y desde esta perspectiva se puede explicar la intervención de Nasciano. El narrador se introduce constantemente en la novela para indicar cómo los hechos obedecen a una voluntad divina. Ahora hay un personaje que asume ese papel dentro de la obra. Puede explicar todos los acontecimientos a través de su propia ideología:

> assí que podemos dezir que ahunque aquello por accidente fue fecho [se refiere a Esplandián], según en lo que pareçe no fue sino misterio de nuestro Señor, que le plugo que assí passasse. Y pues que a Él tanto agrada, a vos, mi buen señor, no deue pesar (IV, CXIII, 1125, 452 y ss.).

Esta equiparación entre Nasciano y el narrador se puede atestiguar en algunas frases semejantes puestas en boca de uno y otro. El autor, al comentar las acciones de los malos consejeros en el Libro II, dice lo siguiente: «Aquí acaesció lo que el Euangelio dize: no auer cosa oculta que sabida no sea» (II, LXIV, 571, 230). Las argumentaciones del ermitaño para convencer a Oriana sobre la conveniencia de ma-

---

19. En este sentido el matrimonio cumple su función. Según Don Juan Manuel, *Libro de los Estados*, ed. cit., p. 170, «Sennor infante, dixo Julio en pos los infantes los más onrrados omnes de mayor estado son sus fijos *legítimos*. Et aun para que sean ellos onrrados cumple mucho que sean sus madres de linage de rreys o de muy alta sangre». El problema tuvo su importancia en la lucha entre Pedro I y Enrique II. Este último era hijo ilegítimo y sus partidarios para defender su causa negaron la legitimidad de Pedro I. «Se afirmó que el hijo de Alfonso XI había sido cambiado en su cuna por un judío, Pero Gil. De ahí vendría el nombre de "emperogilados" con el que se llamaría, en tono despectivo, a los partidarios de Pedro el Cruel», J. VALDEÓN, ob. cit., p. 96. Esplandián, como héroe cristiano perfecto, no podía descender de una pareja no casada.

nifestar en público su matrimonio son idénticas: «assí como el Euangelio lo dize: que ninguna cosa pueda oculta ser que sabida no sea» (IV, CXIII, 11 -, 153 y ss.).

En resumen, un personaje, Nasciano, asume la misma postura que el narrador. Las glosas de éste son siempre moralizantes. La intervención del ermitaño adquiere el mismo carácter [20]. Las paces se efectúan por medio de un personaje representante de Dios en la Tierra.

Las estructuras narrativas han sido similares a las utilizadas en la batalla de Lisuarte contra Galvanes. El problema se ha resuelto mediante unas paces, con resultados positivos para todos los participantes, y las treguas no presuponen ningún avance narrativo importante. Galvanes lograba a través de Galaor lo que no había podido conseguir Amadís. Ahora se utilizan unos argumentos, el matrimonio secreto, previos al desarrollo de la pelea. Sin embargo, con la declaración pública de las relaciones entre los amantes se puede poner punto final a la novela, una vez celebrado el casamiento público. Sólo quedaba la eliminación de Arcaláus y sus compañeros, que atacan a las huestes disminuidas de Lisuarte. Gracias a la intervención de Esplandián, Amadís es informado de esta nueva pelea. Interviene de forma decisiva y vence a sus contrincantes. La profecía de Urganda se ha cumplido y la intervención del personaje ha servido para hacer avanzar la narración.

Las transgresiones sociales quedan restauradas para todos los actuantes. Los romanos habían perdido a su emperador y tras una arenga de Amadís, eli-

---

20. Según M. R. Lida, «El desenlace del *Amadís* primitivo», art. cit., pp. 152-153, «el primitivo ermitaño que recogía a Esplandián no podía tener la importancia de Nasciano en el *Amadís* que leemos, porque Nasciano es transparente personificación de las ideas de Montalvo sobre la misión de la Iglesia, tal y como discursivamente las expone en el libro IV, 32 ss., 36, y en el *Esplandián*, c. 102». La argumentación de la crítica argentina no invalida la hipótesis de que estos hechos se encontraran en una redacción previa, y fueran desarrollados por el propio Montalvo.

gen a Arquisil como futuro rector de sus destinos. El
cambio supone una superación del contexto precedente. Patín, por su desmesura y soberbia, no reunía las
cualidades necesarias para desempeñar su cargo; el
elegido, Arquisil, por el contrario, puede ser su máximo representante con total dignidad. Ha demostrado
la mesura, nobleza y valentía que su antecesor no
poseía. Lisuarte había ambicionado relacionarse con
el emperador romano, pero Amadís lo había impedi-
do con el rapto de Oriana. Las pretensiones del rey
se ven confirmadas gracias a la intervención del héroe que propone casar a Arquisil con Leonoreta, la
otra hija del monarca. El conflicto se resuelve de forma favorable para todos, como ya había sucedido en
la guerra contra Galvanes. Los romanos tienen un
nuevo emperador superior a Patín; Lisuarte puede
casar a su hija con Arquisil, jefe supremo de Roma;
Amadís se dispone a celebrar su matrimonio con
Oriana, resultado lógico de sus amores; Arcaláus y
los demás enemigos han sido hechos prisioneros o
han sido exterminados.

LA SUPERIORIDAD DE LA AMADA

Antes de celebrarse los distintos esponsales, Oriana
debe mostrar su superioridad ante el resto de las damas presentes, reunidas en la Ínsola Firme. De la
misma manera que había sucedido con Amadís «como
llegó so el arco, lançó por la boca de la trompa tantas flores y rosas en tanta abundancia que todo el
campo fue cubierto dellas, y el son fue tan dulce y
tan diferenciado del que por las otras se hizo que todos sintieron en sí tan gran deleyte que en tanto que
durara touieran por bueno de se no partir d'allí» (IV,
CXXV 1229, 156 y ss.).

En ambos casos, pese a que otros caballeros y doncellas han pasado la prueba, se producen dos hechos
diferenciales. El primero consiste en la calidad del
son, mucho más diferenciado «en dulzura», y el segundo en la abundancia de las flores, esparcidas v

matizadas con el sintagma de «flores y rosas», locu-
ción que se encuentra con frecuencia en la literatura
medieval y renacentista [21]. El paralelismo entre las
pruebas del arco de los leales armadores es perfecto
y no nos parece casual. En el caso de Amadís abría un
ciclo, el del libro segundo, y ahora cierra otro que
culmina con las bodas. Además, existe una prueba intermedia realizada conjuntamente. La distribución se
podría representar mediante el esquema siguiente:

Arco de los leales amadores	Espada Tocado	Arco de los leales amadores
Lealtad amorosa de Amadís	Lealtad conjunta	Lealtad de Oriana

Se produce cierto desequilibrio por la mayor o menor cercanía de las aventuras en su contexto novelés-
co. La primera y la segunda ocurren en el Libro II,
pues en el libro tercero no hay posibilidad de realizar-
la al estar separada la pareja. Este detalle inarmónico nos puede servir de indicio para pensar en una refundición.

Oriana, al demostrar su fidelidad ante Amadís, está
ratificando su amor y la inconveniencia de la imposición paterna al tratar de casarla con Patín. El arco lo
pasa con Melicia y Olinda, enamoradas de Agrajes y
Bruneo. Las tres juntamente con Grasinda intentan
acometer la aventura de la cámara defendida. Grasinda se aproxima al «padrón» de mármol, Olinda, casi
lo alcanza y Melicia da un paso más que la anterior.
Finalmente intenta pasar la cámara Oriana «en quien
toda la fermosura del mundo ayuntada era» (IV,
CXXV, 1231, 33 y ss.); supera la prueba con éxito y
unas voces extrañas le dicen:

> Bien venga la muy noble señora, que por su beldad
> ha vencido la fermosura de Grimanesa y hará com-
> paña al cauallero que por ser más valiente y esfor-
> çado en armas que aquel Apolidón que en su tiem-

po par no tuuo, ganó el señorío desta ínsola, y de
su generación será señoreada grandes tiempos con
otros grandes señoríos que desde ella ganarán (IV,
CXXV, 1232, 359 y ss.).

Con anterioridad, Briolanja[22] también había intentado penetrar en la cámara defendida sin lograrlo,
porque «tres passadas de la puerta de la cámara, to-
máronla tres manos por los sus cabellos fermosos y
preciados, y sacáronla del campo muy sin piedad» (II,
LXIII, 563, 661 y ss.).

De acuerdo con esta aventura y en un orden de
mayor a menor hermosura, se hallarían Oriana, Briolanja, Olinda, Melicia y Grimanesa. Todas las pruebas
de hermosura de la novela, directa o indirectamente
relacionadas con Oriana, finalizan en la cámara defendida donde se deshacen los encantamientos de la
Isla, si bien la prelación establecida en la prueba se
contradice con un episodio anterior. Cuando Amadís,
bajo el nombre de Caballero Griego, defiende la hermosura de Grasinda sobre todas las doncellas de la
corte de Lisuarte, Salustanquidio solicita la corona
de Olinda para defenderla frente a su adversario. La
amada de Agrajes no se la entrega «hasta que la reyna se la tomó de la cabeça y se la embió» (III,
LXXIX, 884, 193 y ss.). El Caballero Griego vence,
por lo que, de acuerdo con los códigos de la época,
Grasinda era más hermosa que Olinda.

Ahora bien, Grasinda a la hora de atravesar los distintos padrones de la cámara Defendida y llegar al
de mármol «fue tomada sin ninguna piedad por los
sus muy fermosos cauellos y echada fuera del sitio
tan desacordada que no tenía sentido» (IV, CXXV,
1231, 275 y ss.). Por el contrario, Olinda al llegar al
mismo sitio que la anterior «como quiso passar, la
resistencia fue tan dura que por mucho que porfió,
no pudo más de vna passada passar más adelante, y
luego fue echada fuera como la otro» (*Ibídem*, 306

---

22. Briolanja intenta pasar esta prueba en el Libro II. El
detalle de nuevo nos manifiesta cómo unas estructuras narrativas han variado.

y ss.). Hay, por tanto, una gran contradicción entre
los dos relatos comentados. En el primero Grasinda
aventaja en hermosura a Olinda, mientras que en el
segundo sucede lo contrario. La explicación quizás
se deba a los diferentes contextos de las pruebas, y a
una falta de habilidad del refundidor. En la corte de
Lisuarte, Amadís debe vencer, y se debe enfrentar
con un adversario de suficientes méritos para que el
combate no sea desigual. Así, nada mejor que contra-
poner la hermosura de Grasinda con una de las personas más bellas presentes en la corte, aunque esto
se hiciera contra su voluntad. El autor podría haber
elegido otra dama, pero de esta manera Salustanquidio demostraba en el combate su amor por ella y podía ser derrotado por el Caballero Griego. El problema se ha planteado porque Amadís debía luchar contra el más representativo de los romanos, Salustanquidio, quien, a su vez, debía manifestar su amor por
Olinda. Por el contrario, en la cámara Defendida ya
no hay ningún elemento que pueda obstaculizar e in-
terferir las estructuras narrativas. Olinda en estas
condiciones y como amiga de Agrajes, sale mejor parada que en la situación anterior.

   Estas contradicciones se podrían explicar de forma
coherente si pensamos en una refundición, bastante
probable. Amadís supera, al comienzo del Libro II, la
prueba del arco de los leales amadores, juntamente
con Agrajes. Pueden ver escritos los nombres de distintos personajes entre los que se encuentra don Bruneo. Las tres parejas Bruneo-Melicia, Agrajes-Olinda,
Amadís-Oriana están relacionadas en esta prueba.
Grasinda sólo aparece en el Libro III y se enamora de
Amadís, como le había sucedido a Briolanja. En los
dos casos hay contradicciones con las pruebas de
estas damas, y su función es idéntica. Al fracasar en
sus aventuras demuestran su inferioridad ante Oriana, que se muestra superior y digna del amor del
héroe.

   El paralelismo de Grasinda con Briolanja es evidente y se traduce en estructuras similares y antitéticas, como sucede casi siempre en nuestra obra.

Briolanja será la causante de la separación entre los dos amantes; Grasinda motivará el regreso del héroe a tierras de Gran Bretaña. Las dos se enamoran repentinamente de Amadís y ambas confiesan su fracaso ante Oriana. Grasinda es una repetición funcional de Briolanja con unas simetrías excesivamente sospechosas.

Si dejamos a un lado la intervención de Grasinda, las pruebas de la Ínsola Firme están proyectadas desde el Libro II y en ellas lógicamente deberían intervenir las tres parejas; la única novedad la constituye Grasinda y es contradictoria.

En definitiva, a partir de la mitad del Libro II no ha habido ninguna progresión. A nuestro juicio, estas pruebas hubieran sido la culminación de una hipotética primera versión, mucho más trabada y más coherente. Al prolongarse las aventuras de Amadís han desplazado las pruebas con algunas contradicciones, muy patentes en el tema amoroso.

Agrajes y Olinda, Bruneo y Melicia podían poner punto final a sus amores con el matrimonio celebrado a la vez que el de Amadís y Oriana. La primera pareja ha servido de contrapunto a los amores de los protagonistas principales. Han participado en todas las pruebas y sus destinos han estado unidos en la novela. Sus amores poseen las cualidades del amor cortés y el matrimonio es su punto final. Lo mismo sucede con Bruneo y Melicia, aunque su funcionalidad no es idéntica. Estos amores no están al servicio de la exaltación de Amadís, pero sirven para unir a unas personas por unos lazos colaterales de consanguineidad. El motivo reiterado en sus relaciones será la prueba superada por Bruneo en el arco de los leales amadores, y su incidencia en la narración es menor. Ambos casos sirven de paralelismo y contraposición a la pareja Amadís-Oriana, si bien la actuación de Melicia y don Bruneo no tiene la importancia de la anterior. Sin embargo, al final de la novela se preparan otros matrimonios con unas motivaciones diferentes.

SUPERIORIDAD DEL HÉROE Y TRANSGRESIÓN
DE LOS CÓDIGOS CORTESES

Después de la terminación de las batallas contra el
rey Lisuarte y también tras su posterior ayuda contra
los ejércitos del rey Arábigo, reunidos los caballeros,
Amadís les habla para que «con mucha causa y razón
a vuestros afanados spíritus algún descanso y reposo
deys» (IV, CXX, 1190, 319 y ss.). Entre otras cosas
les propone que manifiesten su voluntad «en lo que
toca a vuestros amores y deseos». De esta manera se
señalan los casamientos por este orden: Agrajes-Olinda, Bruneo-Melicia, Grasandor-Mabilia, Don Quadra-
gante-Grasinda, Florestán-Sardamira. Los primeros
no necesitan ninguna explicación, porque son el resultado final de un proceso manifiesto para los lectores a lo largo de la obra. Los siguientes empareja-
mientos tienen otras motivaciones diferentes. Están
relacionados con el «status» de los personajes, pues
llevan anexos unos determinados señoríos y reinos.
Dejando aparte a Agrajes, solamente quedaba Grasandor como hijo de rey que heredaría o podría heredar
con el tiempo los estados de su padre. Dadas estas
circunstancias, y teniendo en cuenta que nada le im-
pulsaba a ganar unos territorios, lo más acertado,
dentro de las estructuras narrativas seguidas, era la
elección de otra persona de alto rango social, y que
pudiera permanecer como acompañante de Amadís y
Oriana. La preferida es Mabilia, y se completa el deseo inverso: a la fiel compañera de Oriana convenía
darle un marido que tuviera una máxima jerarquía y
pudiera quedar junto a nuestros héroes.

No obstante, se había motivado esta situación. Grasandor delante de todas las doncellas y dueñas reunidas en la isla «comoquiera que a la fermosura de
Oriana y la reyna Briolanja y Olinda ninguna se podía ygualar, si no fuesse Melicia, que por venir estaua,
tan bien le pareçió el buen donayre y gracia y gentileza de la infanta Mabilia, y su honestidad, que desde
aquella hora adelante nunca su coraçón fue otorgado

de seruir ni amar a ninguna mujer como aquella.
Y assí fue preso su coraçón que mientra más la mi-
raua, más afición le ponía, como en semejantes tiempos y autos suele acaeçer» (IV, CV, 1066, 469 y ss.).
Se ha originado un amor a primera vista, aunque el
enamoramiento no se produce por la hermosura,
como era lo habitual. La motivación se hace al final
de la obra, sin que haya ninguna circunstancia que
haga destacar estos amores, como en el caso de Agrajes y Bruneo.

Los matrimonios de Quadragante y Florestán quizás se establezcan más por dejar a todos los personajes femeninos casados que por otra razón. Así, Don
Quadragante dice:

> Mi buen señor, el tiempo y la juuentud hasta aqui
> me han sydo muy contrarios a ningún reposo ni
> tener otro cuydado sino de mi cauallo y armas. Mas
> ya la razón y edad me conbidan a tomar otro es-
> tilo; y si Grasinda le pluguiere casar en estas par-
> tes, yo la tomaré por mujer (IV, CXX, 1191, 359
> y ss.).

Su postura remite a una mentalidad tradicional.
Busca el matrimonio como un cambio de vida, y se
aleja de la óptica de un amor cortés. Se sale de los
esquemas establecidos y de rechazo sublima los amores más importantes de la obra.

Más sorprendente es la actitud de don Florestán.
Su intención es ir a Alemania, pero «si acá se puede
ganar la voluntad de la reyna Sardamira, podría se
mudar mi propósito» (IV, CXX, 1191, 375). La reina
Sardamira es una de las mujeres más importantes del
final de la novela e incluso le acompañan unas dotes
de hermosura continuamente alabadas. Pero nada de
ello se pone en boca de nuestro personaje, que ni siquiera razona su actitud. Don Quadragante justifica
su casamiento por su edad, pero don Florestán no
indica nada, y a la hora de concretar sus intenciones
no las centra en la única dirección del matrimonio:

«podría se mudar mi propósito». No se trata ya de
un hecho, sino de una posibilidad. Todo resulta más
paradójico porque se trata de uno de los personajes
centrales de la narración. No se ha tenido en cuenta
para nada su pasado. En los los primeros libros, Corisanda profesaba su amor al hermano de Amadís, que
defiende la floresta durante quince días por haber
concedido una promesa a una doncella, con el permiso de su amiga (I, XL, 323). Esta «tiénelo consigo,
que lo no dexa salir a ninguna parte; y porque él ha
querido algunas vezes salir a buscar las auenturas,
la dueña, por lo detener, fácele passar algunos caualleros que lo quieren con que se combata» (I, XLI,
323, 217 y ss.). Don Florestán se marchará con sus
hermanos, pero Corisanda lo busca, y se reúne con
él en casa de Lisuarte. Después del libro segundo Corisanda desaparece por completo, y don Florestán
sólo se relaciona con la reina Sardamira por otros
motivos. De nuevo nos encontramos ante un hecho
inexplicable. La ausencia de Corisanda a partir del
libro segundo nos vuelve a dar un indicio de que la
narración se ha transformado sustancialmente. Ya
no se trata de unas estructuras narrativas diferentes.
Ha desaparecido un personaje sin ninguna explicación y se ha variado el comportamiento amoroso de
su amado.

En cuanto a Galaor se siguen unos esquemas parecidos. Amadís manda llamar a su hermano tras la
guerra con Lisuarte, pues le había «guardado» a la
hermosa reina Briolanja, con la cual «será siempre
bienauenturado» (IV, CXXI, 1193, 10). La palabra nos
da la clave de todo el preparativo. El matrimonio
futuro de Galaor con Briolanja se puede considerar
como la recompensa que su hermano le *guarda* dentro de un clan familiar, en el que no interviene, como
hubiera sido de esperar, el rey Perión. Entre las distintas mujeres, después de Oriana y de Leonorina,
caso ya aparte, Briolanja parece la dama más apetecible para una de las personas más queridas. Aunque
la voluntad de casamiento no nazca de ninguno de

los dos personajes, el tratamiento de su amor se matiza dentro de una ideología cortés. Se tiene muy en cuenta la trayectoria amorosa de los personajes: Galaor, un incipiente don Juan, y Briolanja, enamorada desde un principio de Amadís. De ahí, las palabras explicativas del narrador. Ella «sabiendo su gran valor, así en armas como en todas las otras buenas maneras que el mejor cauallero del mundo deuía tener, todo el grande amor que a su hermano Amadís tenía puso con este cauallero» (IV, CXXI, 1200, 496 y ss.), mientras que él «pagóse tanto della y tan bien le paresció, que ahunque muchas mugeres auía visto y tratado, como esta hystoria donde dél habla lo cuenta, nunca su coraçón fue otorgado en amor verdadero de ninguna, sino desta muy hermosa reyna» (*Ibídem*, 488 y ss.). Nos encontramos con una actuación impuesta casi por Amadís inserta dentro de la ideología amorosa más corriente en la novela.

Desde la perspectiva de los dos personajes la casi imposición de Amadís podía ser una de las más adecuadas. Briolanja había pasado el arco de los leales amadores, prueba de que sus amores se habían centrado en nuestro héroe; Galaor había tenido continuos escarceos y hubiera sido más complejo que su determinación hubiera nacido de ellos. El narrador elimina los obstáculos y resuelve los conflictos de forma expeditiva. La cortesía dulcifica la actitud de la pareja, y la decisión de Amadís se convierte en causa de regocijo.

En el caso de don Guillán, también se produce cierto debilitamiento de las técnicas utilizadas con anterioridad y convertidas ahora en puro mecanismo al aplicar unos mismos esquemas a personajes cuyo problema amoroso se podría haber solucionado en el Libro I. El interesado «hauía todas las otras bondades que a buen cauallero conuenían; solamente le ponía grande entreuallo ser tan cuydador que los hombres no podían gozar de su habla ni de su compaña; y desto era la causa amores que lo tenían en su poder y le fazían amar a su señora, que ni a sí ni a otra cosa no

amaua tanto; y la que él amaua era muy hermosa, y
hauía nombre Brandalisa, hermana de la muger del
rey de Sorolís y casada con el duque de Bristoya»
(I, XXXIX, 304, 24 y ss.). Los dos temas están unidos.
Es el amante cortés por excelencia. Su amor es adulterino y el duque de Bristoya contaba con auténticos
«lausengiers». No es casual que después de hablarnos
de sus amores aparezca el duque. Dadas las cualidades de Guilán era lógico que su amor pudiera tener
un resultado feliz. Para ello era necesario que se eli-
minase el obstáculo de sus relaciones. Por medio del
duelo judicial el duque puede desaparecer. El amor
adulterino no se ensalza en el único caso presente en
la novela, y se estructura la narración para hacerlo
más ortodoxo. Una vez vencido el duque los comentarios son relevantes:

> La reyna embió por Blandisa, muger del duque,
> que para ella se viniesse y le haría toda honrra, y
> que traxiesse consigo Aldeua, su sobrina. Desto
> plugo mucho a don Guilán (I, XXXIX, 310, 463
> y ss.).

El problema resuelto en el libro primero tiene su
culminación al final de la novela gracias a la intervención del héroe que solicita para don Guillán el duca-
do de Bristoya y su duquesa (IV, CXXII, 1226, 152).

Amadís se encuentra en la cumbre de sus hazañas
bélicas y amorosas. La caballería se reúne en sus posesiones ganadas con su esfuerzo y lealtad. La Ínsola
Firme es el espacio donde converge la caballería y el
amor con todas sus consecuencias. La Gran Bretaña,
espacio utópico de la primera parte de la novela, ha
quedado olvidada y el rey Lisuarte permanece en un
segundo plano. Amadís ha asumido su función distri-
buyendo las distintas posesiones de sus enemigos
vencidos y haciendo manifiestos los amores. La exaltación del héroe se lleva hasta el extremo de quebrantar la ideología cortés. Los códigos amorosos y
los ideológicos han variado de forma sustancial; la

refundición parece evidente y plantea numerosos problemas. Las pruebas de la Ínsola Firme del IV libro se relacionan con las establecidas en el II. A su vez, toda la gran pelea contra Lisuarte supone la concentración de acciones desarrolladas a partir de la disensión entre Amadís y el rey. Los ayudantes principales del héroe han sido personas a las que ha favorecido con su actuación en el Libro III: Grasinda, Tafinor de Bohemia, el emperador griego. Los enemigos de Lisuarte y Amadís corresponden a adversarios no eliminados en anteriores peleas, Arnáus, el rey Arábigo, o a sus descendientes. Al reunirlos en esta pelea el autor ha querido poner punto final a los episodios precedentes. Significa la cúspide de la vida caballeresca de Amadís y los suyos.

LA PLENITUD DEL AMOR

Para Yolanda Russinovich, los encantamientos de la Ínsola Firme «se reducen a la liberación del mundo interior de los conflictos en que se halla aprisionado, liberación que conducirá a la realidad última, al dominio total de la vida psíquica y la realización plena del ser» [23]. Según había establecido Apolidón, «quando esta ínsola ouiere señor, se desfará el encantamento para los caualleros, que libremente podrán passar por los padroncs y entrar en la cámara; pero no lo será para las mujeres hasta que venga aquella que por su gran fermosura la ventura acabará, y aluergare con el cauallero que el señorío haurá ganado, dentro en la rica cámara» (II, 359, 322). Incluso, cuando Briolanja intenta superar estas pruebas todavía se concreta más: «y quando el ayuntamiento de ambos fuere acabado, estonces serán desfechos todos los encantamentos desta Ínsola Firme» (II, LXIII, 562, 587 y ss.).

23. Art. cit., p. 152.

Amadís ha podido demostrar la mayor fortaleza de
sus armas al pasar la cámara defendida; su superioridad ha sido manifiesta. A partir del Libro II está en
condiciones de adquirir la realización total de su ser.
El lado masculino —la fortaleza— se verá posterga-
do cuando Oriana manifieste sus celos [24]. El proceso
de Beltenebrós desde la perspectiva de la Ínsola Firme es lógico. A partir de entonces eran innecesarias
las aventuras bélicas posteriores. Quedaba la perfecta unión de los amantes. Al fracasar Briolanja en la
prueba manifestaba que no era la mujer destinada
para Amadís. Oriana debía ser la encargada de llegar
a una conjunción armónica con el héroe y restituirle
su equilibrio, al deshacer los encantamientos.

Desde esta perspectiva nos parece más lógico que
dicha acción se hubiera realizado como superación
de un proceso interno de la amada. Los celos la habían separado de Amadís, suponían una falta de seguridad en ella y en sus relaciones, y la reintegración
en un estado más perfecto la hubiera podido realizar
tras su éxito en las aventuras de la Ínsola Firme. Al
posponerse las pruebas pierden efectividad. Oriana
demostrará que estaba destinada a Amadís y no a
Patín, pero estos últimos amores no nacían de ella,
pues había sido un acuerdo de su padre. El proceso
interno del personaje ha desaparecido. Además, los
encantamientos afectaban al mundo femenino y en
ellos sólo había sido partícipe Briolanja. ¿Por qué

____

24. Algunos aspectos de los celos pueden verse en E. Köhler, «Les troubadours et la jalousie», *Mélanges... offerts a
J. Frappier*, Genève, Droz, 1970, pp. 543-559. El autor pretende
explicar sociológicamente el problema de los celos en los trovadores y conciliar la doctrina de A. Capellanus con la poesía
provenzal. A pesar de sus observaciones, los celos se pueden
analizar desde un punto de vista complementario, al menos en
nuestra novela. Oriana se mostrará airada al pensar que Amadís no le corresponde en su lealtad amorosa. En último término, la fidelidad —lealtad— que preside las relaciones feudales
puede ser alterada por la existencia de otra persona a la que
se liga el amante. Desde esta perspectiva puede aclararse perfectamente el problema y analizarlo dentro de su propio contexto histórico

no se han actualizado durante su estancia en la Ínsola Firme? Ahora, los hechizos de Apolidón se convierten en unas frases y dejan de tener la importancia concedida con anterioridad. También se ha alterado un hecho muy significativo: la isla quedaría desencantada cuando «holgasen en uno». En el episodio final, Ysanjo anuncia la desaparición de los encantamientos cuando Oriana supera la aventura de la Cámara Defendida. Posteriormente: «después de cenar en aquel muy hermoso destajo de la cámara que ya vos deximos en el libro segundo que era muy más rico que todo lo otro y era apartado con la pared de cristal, hizieron la cama para Amadís y Oriana donde aluergaron, y al emperador y los otros caualleros con sus mugeres por las otras cámaras, que muchas y muy ricas las auía; donde compliendo sus grandes y mortales desseos, por razón de los quales muchos peligros y grandes afanes auían sufrido, hizieron dueñas a las que no lo eran, y a las que lo eran no menos plazer que ellas ouieron con sus muy amados maridos» (IV, CXXV, 1233, 417).

La plenitud del ser ha supuesto la culminación de este ciclo de aventuras y hubiera sido el desenlace feliz. A diferencia de la posible primitiva redacción, el resto de los caballeros y sus damas pueden participar de las posesiones de los héroes antes de su consumación sexual. Los elementos mítico-simbólicos se han debilitado.

Según Campbell «la última aventura, cuando todas las barreras y los ogros han sido vencidos, se representa comúnmente como un matrimonio místico [...] del alma triunfante del héroe con la Reina Diosa del Mundo. Esta es la crisis en el nadir, en el cénit, o en el último extremo de la Tierra; en el punto central del cosmos, en el tabernáculo del Templo o en la oscuridad de la cámara más profunda del corazón [25]. El palacio y las cámaras de Apolidón representan un auténtico *axis mundi* caballeresco y amoroso. En ellas

25. Ob. cit., p. 104.

se producirá la exaltación amorosa tras el matrimonio público. Por la multitud de contradicciones estas pruebas hubieran tenido un desarrollo más lógico en el Libro II. La refundición posible las ha situado en este final de todo el ciclo comenzado a partir de la disensión entre la caballería y la realeza. No obstante, el héroe casado en público con Oriana ha llegado a su cumbre vital.

XVI. EL DECLINAR DE AMADÍS

MATRIMONIO, AMOR Y AVENTURAS

El héroe ha dado muestras constantes de su lealtad y obediencia inalterables. La fidelidad amorosa le ha supuesto la postración de la Peña Pobre, su inactividad en Gaula; por amor no ha vencido a Lisuarte. Una vez celebrado su matrimonio público, Amadís recuerda con nostalgia su vida pasada. El ocio puede hacer olvidar su fama, en un ciclo repetido con asiduidad. A pesar del posible conflicto, permanece sumiso a la voluntad de su amada. No obstante, un día, estando de caza se encuentra con Darioleta. Venía a solicitar ayuda para salvar a su marido y su hija, y Amadís se marcha con la antigua criada de su madre consciente de sus hechos y de la posible reacción de su mujer:

> Y como desarmado se viesse sino solamente de la su muy buena spada, y que si por sus armas embiasse, Oriana lo detenía de manera que no podría yr con la dueña, acordó de se armar... (IV, CXXVII, 1246, 177 y ss.).

Encarga a un montero que se lo diga a Grasandor a fin de ganar el perdón de su dama. Hace el viaje sin su permiso, y no quiere caer en una situación vergonzosa ante Oriana y ante Darioleta. Por primera vez en la novela han prevalecido los intereses caballeres-

cos, como en el *Yvain* de Chrétien de Troyes, si bien
el planteamiento no es tan radical. Con anterioridad
la actuación del héroe se había asemejado a la *Érec*,
al olvidar sus deberes caballerescos por el amor [1].
Pero en nuestra opinión, no se trata de dar una variedad a unos episodios repetidos, sino de que Amadís
se enfrente con unas nuevas hazañas relacionadas con
Las Sergas.

Para exculpar estos hechos, en la Torre Bermeja,
«Amadís siempre preguntaua por su señora Oriana,
que en ella eran todos sus desseos y cuydados; que
ahunque la tenía en su poder, no le falleçía vn solo
punto del amor que le siempre huuo, antes agora
mejor que nunca le fue sojuzgado su coraçón y con
más acatamiento entendía seguir su voluntad» (IV,
CXXX, 1285, 9 y ss.). Los pensamientos se convierten
en palabras indicativas de un posible remordimiento
de Amadís, lo que supondría una perspectiva interior

---

1. En Chrétien de Troyes el tema alcanza bastante importancia en su obras. «A la solution proposée dans son premier
roman *Érec*, hostile à la *récréance* ou abandon du chevalier
dans le bras de la femme et prênant la subordination de celle-
ci à l'idéal chevaleresque; à la solution imposée par sa protec-
trice Marie de Champagne et incarnée dans le *Lancelot*, de la
subordination complète de l'homme à la femme, selon les com-
mandements de la loi courtoise, il oppose une solution nouvelle, qui tente de concilier le respect dû à la dame avec l'indé-
pendance de l'homme et ses devoirs de bravoure et d'honneur
envers lui-même», G. COHEN, *Chrétien de Troyes*, ob. cit., página 355. En el *Amadís* el motivo no puede tener idéntico tratamiento por dos motivos que, a nuestro juicio, lo separan de
todas estas obras: *a)* el amor se desarrolla entre personas no
casadas, al menos públicamente; *b)* el matrimonio supone la
culminación del amor. Teniendo en cuenta estas divergencias,
el *Amadís* sigue en primer lugar el modelo de *Lancelot* y una
vez casado el héroe el ideal caballeresco queda casi totalmente
agostado. El conflicto es mínimo, pues el matrimonio supondrá un cambio de vida para el héroe. El autor del libro al dar
este giro a la novela, respecto a sus tradiciones más inmedia-
tas, soluciona el problema que podría representar la pasión
adúltera, difícilmente aceptable por una ideología ortodoxa.
Una parte del éxito de la novela, a nuestro juicio, radica en
haber sabido acomodar los modelos corteses a una mentalidad
tradicional. Si además se le sobrepone el matrimonio secreto,
el arquetipo se hace más ortodoxo.

del personaje, no manifestada en el texto, o bien una justificación del narrador. Parece más acertado lo segundo. A través de las palabras del protagonista se quiere atemperar lo desmentido por la acción. El mismo fenómeno se detecta en el recibimiento de Oriana a su marido. Se describe la alegría de su llegada, sin que Amadís reciba ningún reproche.

La situación se puede plantear desde dos perspectivas diferentes. ¿Han evolucionado los personajes? Nos atreveríamos a decir que no. Posiblemente ha variado el narrador. El conflicto entre el deber caballeresco y la fidelidad amorosa se deja anunciado en un principio, pero no se resuelve en su desenlace de acuerdo con la acogida carente de recriminación. Se ha intentado motivar el episodio, aunque no se ha solucionado de manera satisfactoria. En otro contexto hubiera servido para desatar las iras de Oriana.

El tratamiento amoroso de la pareja ha sufrido modificaciones narrativas que el autor intenta paliar mediante las palabras y no a través de los hechos. Tras la unión de los protagonistas en el Libro II, el acrecentamiento de su amor es verbal y los obstáculos en sus relaciones nacen de la enemistad entre Lisuarte y el héroe. Además, las estructuras novelescas podrían resultar irónicas. La única infidelidad de Amadís se produce después de su matrimonio público. El planteamiento podría implicar un punto de vista cortés, difícilmente aceptable para el último refundidor. El amor, de acuerdo con los códigos utilizados en la novela, conlleva una serie de antítesis desarrolladas narrativamente. El alejamiento de los amantes acrecienta el dolor de ausencia y crea continuas angustias por ver próximo su encuentro, que se desarrolla con múltiples obstáculos por su inestabilidad causada por la presencia de los padres. Oriana, en el primer libro, ante las reiteradas peticiones de Amadís, llega a preferir las posibles dificultades nacidas de su entorno familiar a los desasosiegos de su amigo. No obstante, su unión sólo puede ser momentánea y de nuevo debe producirse la separación.

La dialéctica unión-desunión queda rota con el casamiento público. El vínculo entre la pareja se convierte en permanente y podría agostar el hilo conductor de la novela: el amor y las aventuras. Éstas dejan de ser pruebas para obtener a Oriana y demostrar las cualidades del héroe. En estas circunstancias, los rumbos de la obra se modifican, pero debe quedar constancia de que el amor no se quiebra con el matrimonio[2]. Las palabras, en contradicción con los hechos, desempeñan esta función. No puede haber ruptura, porque, de acuerdo con una mentalidad tradicional, supondría poner en duda las consecuencias del matrimonio. Las estructuras narrativas y el cambio de óptica pueden aclarar las mutaciones.

La antigua criada de su madre, con su ingenio, había servido para que el Doncel del Mar pudiera ser arrojado al mar de aventuras de su libro, y ella es también el personaje desencadenante de todas las últimas. Con Darioleta se había iniciado el ciclo de hazañas heroicas de Amadís que le habían conducido a la gloria, y con Darioleta se inicia su declinar[3].

2. Dejando aparte algunos escritos filosóficos y teológicos contra el matrimonio, lo habitual era considerarlo como un bien en sí. Por poner sólo un ejemplo, además de una mujer, Hildegarde de Bingen argumenta lo siguiente, según el excelente artículo de M. T. D'ALVERNY, «Comment les théologiens et les philosophes voient la femme», en *La femme dans les civilisations des Xe XIIIe siècles*, Poitiers, Université de Poitiers, 1977, tirada aparte del tomo XX de los *CCM*, 1977, números 2 y 3, p. 32, [122]: «Le fait que la première femme a été formée de la substance de l'homme est la marque de l'union conjugale de la femme et de l'homme, conjonction institué par Dieu; le mariage est bon en soi, et ceci est encore vrai maintenant; l'homme et la femme deviennent une seule chair dans une union d'amour pour la propagation du genre humain.» La defensa del matrimonio es constante en las sociedades tradicionales.

3. A nuestro juicio, la repetición de unas mismas frases delimitan perfectamente la evolución del héroe novelesco. Darioleta arrojaba al mar una «*cosa sin provecho*» (I, II, 22, 335). En esta última aventura, ante el peligro que se cierne sobre Amadís, se lamenta retomando sus mismas palabras del comienzo de la novela: «que si a la sazón de su nacimiento yo trabajé por le saluar la vida haziendo y trabajando con mi sabiduría el arca en que escapar pudiesse, que si entonces mu-

Grasandor había partido en busca de su amigo. Gracias a diversas informaciones, logra dar con su paradero, la Torre Bermeja, donde se hallaba tras vencer al gigante y rescatar al marido de Darioleta.

PROFECÍA, SABIDURÍA Y DESENGAÑO

Amadís se había enfrentado con Balán, gigante de cualidades diferentes a los demás, y en la isla de su triunfo, reunido con Grasandor, le cuentan la historia de la Peña de la Doncella Encantadora: «fue poblada por vna donzella que de allí fue señora; la qual mucho trabajó de saber las artes mágicas y nigromancia, y aprendiólas de tal manera que todas las cosas que a la voluntad le venía acabaua. Y el tiempo que biuió allí fizo su morada, la qual tenía la más fermosa y rica que nunca se vio» (IV, CXXX, 1287, 172 y ss.).

Casi todo podía concordar con Apolidón, aunque falta un elemento principal. El bisabuelo de Leonorina vivía en un espacio utópico, pleno de hechizos, producto del amor. Ahora, la situación se ha invertido. La doncella, a pesar de sus poderes, no logra dominar la voluntad amorosa de su caballero.

Los encantamientos habían producido unos hechos fantásticos y positivos en el segundo libro. Ahora tienen otras connotaciones mucho más peyorativas traducidas en la pura falsedad:

> Pero como sea cosa muy cierta los que engañan ser engañados y maltrechos en este mundo y en el otro, cayendo en los mismos lazos que a los otros

---

ríera, muría una *cosa sin provecho*, agora no solamente he perdido los servicios passados, mas antes soy dina de morir con más penas y tormentos que ninguna persona lo fue, porque siendo la flor o la fama del mundo lo he traýdo a la muerte» (IV, CXXIX, 1266, 18 y ss.). La simetría no nos parece casual y aparte de los paralelismos de estructuras, se detecta una misma frase, indicio de cómo el autor pretende engarzar las dos aventuras, correspondientes al inicio en la vida y a la culminación caballeresca de Amadís. Esta será la última empresa en la que el héroe salga vencedor.

armaron, a cabo de algún tiempo que esta mala
donzella con tanta riqueza y alegría sus días passaua, creyendo penetrar con su saber los grandes
secretos de Dios, fue, permitiéndolo El, traýda y
engañada por quien nada desto no sabía (IV, CXXX,
1288, 200 y ss.).

La perspectiva de la narración ha variado. A las
artes mágicas se les concede el poder de averiguar
los secretos de Dios, y la posible ortodoxia queda sal-
vada, así como las profecías siguientes. El episodio
se rodea de unas circunstancias negativas y moralizantes, pues la persona que utiliza la magia, equivalente al engaño, cae en sus mismas redes, en un tipo
de axiología normal dentro de la novela.

La doncella hizo «señor» de su persona a un caballero de Creta y éste «pensó que la dulce palabra y
el rostro amoroso, con los agradables autos que en los
amores consisten, ahún siendo fengidos, tenían mucha fuerça de turbar y trastornar el juyzio de toda
persona que enamorada fuesse; y començó mucho
más que ante a se le mostrar sojuzgado y apassiona-
do por sus amores, assí en lo público como en lo
secreto, y rogarla con mucha afición que diesse lugar
a que no pensasse que aquello le venía por causa de
las fuerças de sus encantamientos, sino solamente
porque su voluntad y querer a ello le inclinauan» (IV,
CXXX, 1288, 239 y ss.). Con estos motivos la doncella
lo dejó comportarse libremente. El caballero lo hizo
arrojando al mar a su fingida amante, hecho insólito
en el relato. La doncella lleva la iniciativa amorosa,
de lo que ya teníamos algunas muestras, pero el hombre se vale del engaño a través del amor. Éste suponía casi siempre una atadura del hombre a la mujer, de la que se sentía su vasallo, y obraba de acuerdo con su voluntad. Ahora el amor ha roto esas ata-
duras mágicas para dar paso a las humanas. El ingenio ha superado a los encantamientos a través de uno
de los temas reiterados en la novela: el amor que
encadena unos seres para toda una vida. En esta ocasión, ha servido para romper los lazos porque la si-

tuación era ilógica, al no haber un acuerdo entre la pareja.

A pesar de la desobediencia de Amadís el amor alcanza por vía de ejemplo negativo, una de sus máximas defensas. El erotismo de la maga [4], tema reiterado en el mundo artúrico, no puede lograr su culminación. La pareja Amadís-Oriana se puede encadenar para siempre a través del hechizo amoroso, de fuerzas exclusivamente humanas. Cuando alguien intenta imponer su voluntad sin el consentimiento del «otro» no llega a realizar sus deseos. Las relaciones deben nacer del mutuo acuerdo. En caso contrario, los resultados son trágicos para una de las personas.

El embaucador se ha valido de disimulos naturales, sin emplear las mismas armas que su amiga. El esquema seguido corresponde al del burlador burlado, con la agravante de que el primero termina con la muerte, última realidad o último engaño. Este último aspecto se ha elevado a pura ideología a diferencia de otras ocasiones: «como sea cosa muy cierta los que engañan ser engañados y maltrechos en este mundo y en el otro ...» (IV, CXXX, 1288, 200 y ss.). El amor está ligado a la hermosura, o a otras cualidades que la puedan paliar, cosa que no sucede en esta secuencia. De ahí la imposibilidad absoluta de perfección, como había sucedido con Apolidón y Grimanesa, antítesis de estas relaciones [5].

---

4. Como dice PH. MÉNARD, *Le rire...*, ob. cit., p. 403, «En dépit de leur pouvoir, les magiciens finissent par trouver plus malins qu'eux. Merlin est incapable de prévoir et de déjouer les ruses de Viviane. Wistasse tombe entre les mains des Anglais et a la tête coupée comme un vulgaire pirate. La disparition des enchanteurs suggère la précarité et la fragilité de leur art. [...] Ces sont assurément des êtres ambigus: leurs incantations impressionnent, et leurs exploits font rire». No obstante, el carácter cómico es aplicable a Urganda, ya que en esta secuencia se impone una ideología religiosa.

5. Los diferentes matices del amor en la obra están al servicio de Amadís y Oriana. Apolidón y Grimanesa en el Libro II alcanzaban una perfección amorosa, superada en valentía y hermosura por la pareja central del relato.

La peña ha quedado deshabitada y en ella se encierra un gran tesoro destinado al caballero que supere
una serie de pruebas. Como es lógico, la empresa es
tentadora para Amadís, y podría quedar cerrado
todo su ciclo heroico. Se encamina hacia el lugar, con
una circunstancia atmosférica favorable: es invierno
y las serpientes de la peña se encierran en sus escon-
drijos durante este tiempo. Es la única ocasión en
la que el héroe emprende una aventura en condiciones favorables. Pero su función no es allanar las
dificultades, sino encarecer todavía más la acción de
Esplandián, cuando intente la misma aventura, en
pleno calor. En la mitad de su camino, primera parte
de la prueba, se encuentra una ermita donde hay un
ídolo de metal, con una tabla escrita en griego, en la
que se podía leer lo siguiente:

> En el tiempo que la gran ínsola florescerá y será
> señoreada del poderoso rey, y ella señora de otros
> muchos reynos y caualleros por el mundo famosos,
> serán juntos en vno la alteza de las armas y la
> flor de la fermosura, que en su tiempo par no ter-
> nán. Y dellos saldrá aquel que sacará la spada con
> que la orden de su cauallería complida será, y las
> fuertes puertas de piedra serán abiertas que en sí
> encierran el gran tesoro (IV, CXXX, 1293, 578 y ss.).

Las palabras proféticas conforman la parte principal de esta aventura dividida en dos tiempos y
espacios diferentes. Las letras se encuentran en una
antigua ermita, lugar profético por excelencia. Por
vez primera en la novela las predicciones no están
puestas en boca de ningún personaje, caso de Urganda, ni han sido previamente aclaradas hasta que
Amadís penetra en la estancia casi-sagrada. En la
Ínsola Firme no había ningún texto que descifrara
las dificultades de las pruebas, ni las características
de ellas. Esta misión la cumple el narrador. Ahora,
la misma profecía es motivo de aventura. Para conocer la predicción es preciso ascender casi la mitad
de la peña, y hay que saber descifrarla. Amadís puede

realizar la tarea porque había tenido anteriormente
un maestro-guía, Elisabad [6]:

> Que en el tiempo que anduuo por Grecia aprendió
> ya quanto del lenguaje y de la letra griega, y mucho
> dello le mostró el maestro Elisabad quando por la
> mar yuan, y también le mostró el lenguaje de Ale-
> maña y de otras tierras; los quales muy bien sabía,
> como aquel que era gran sabio en todas las artes
> y auía andado muchas prouincias (*Ibídem*, 1293,
> 567 y ss.).

Nuestro héroe es un auténtico cortesano. Al hombre de armas, en los dos últimos libros, se ha superpuesto el hombre letrado [7]. Ha contado con un maes-
tero auxiliar, como no había tenido en su juventud.
Incluso él mismo, a través de sus viajes [8], ha podido

6. El texto incurre en una contradicción. Según el libro III,
el alemán no se lo había enseñado el maestro Elisabad. Cuando el entonces Caballero de la Verde Espada se acercó a la
doncella enviada por Grasinda, «el cavallero del Enano, comoquiera que el lenguaje de la doncella era alemán, entendióla
luego muy bien, porque él siempre procurava aprender los
lenguajes por donde andava» (III, LXXII, 783, 89 y ss.). La
función asignada a Elisabad ha hecho que el refundidor con-
tradiga el propio texto. Aparte de ello, se observa un intento
de hacer verosímil la comunicación entre personas de distintos lenguajes, como también sucede en el *Tirant*. Martín de
Riquer, en su ed. cit., lo atribuye a Martí Joan de Galva, t. IV,
página 260, nota 20. Podría deberse a una influencia del *Amadís* o viceversa, según que este tipo de detalles correspondie-
ran a Montalvo o preexistieran a su labor. Nos inclinamos por
la primera hipótesis con bastantes reservas.

7. Como dice A. CASTRO, *El pensamiento de Cervantes*,
ob. cit., p. 216, «a medida que esta nobleza va prefiriendo las
salas del palacio al campo de batalla, o se limita a vivir de
su renta —se acortesana o se aburguesa— y que la cultura es
cosa menos insólita, el famoso debate (entre armas y letras)
se vacía de sentido y de interés.»

8. Según J. A. MARAVALL, *El humanismo de las armas en
don Quijote*, Madrid, Instituto de Estudios Políticos, 1948 (hay
una reedición renovada del libro con el título de *Utopía y Con-
trautopía en el Quijote*, Santiago de Compostela, ed. Pico Sa-
cro, 1976), p. 114, «para todo renacentista, el viaje es motivo de
interior enriquecimiento, de fructífera adquisición de sabiduría. En todo plan educativo de la época el viajar es un procedimiento de perfeccionarse. Y en esto el caballero andante

adentrarse en los caminos de la sabiduría. La acumulación de experiencia ha acrecentado su cortesía,
considerada como conocimiento imprescindible para
ponerlo en práctica. Amadís, entendido en todas las
artes, puede descifrar a Grasandor la profecía, primera parte de su aventura, y quizá también primera
parte de una posible prueba de saber. Una vez aclaradas las palabras escritas, es consciente de que no
puede acabar la aventura, aunque «bien pensó que
él y Oriana, su señora, podrían ser estos dos de quien
se auía de engendrar aquel cauallero que la acabasse»
(IV, CXXX, 1293, 600 y ss.).

La óptica de su acompañante es distinta y sirve
para establecer irónicamente las diferencias entre
Amadís y su hijo. En las anteriores aventuras, ser
testigo de una victoria de Amadís no ha sido más
que un hecho repetido; lo extraordinario ahora es
presenciar su fracaso.

Antes de llegar al tesoro, ven una doncella de piedra con un rótulo en la mano donde estaba escrito [9]
lo siguiente:

> La cierta sabiduría es aquella que ante los dioses,
> más que ante los hombres, aprouecha, y la otra es
> vanidad (IV, CXXX, 1294-96, 705 y ss.).

Amadís, al comentar estas frases, confiesa que el
auténtico conocimiento radica sólo en las acciones
destinadas a conseguir la voluntad divina. El autor

---

que gasta sus días cambiando de un lugar a otro, disfruta de
evidentes ventajas». El tema, como hemos ya señalado, tiene
unos antecedentes claros en la literatura medieval, aunque
adaptados a otros contextos, y con seguridad, se puede encontrar en épocas anteriores.

9. En el *Libro de Apolonio*, las aventuras se considerarán
como pruebas superadas por el hombre y demostrativas de la
verdad de lo escrito, del saber. Véase la est. 163: «Nunca sa-
bién los hommes qui eran aventuras, / si no probassen pérdi-
das o muchas majaduras, / cuando han passado por muelles e
por duras / después se tornan maestros e cren las escriptu-
ras.» T. II, p. 67, de la espléndida edición de M. Alvar, Madrid, March-Castalia, 1976. Amadís no se «tornara» maestro,
pero aprenderá lo inútil de su existencia.

al expresarse y proyectarse por boca de nuestro héroe, en parte está rebatiendo su propio texto que él ha podido realizar o refundir. Si el saber es aprovechable por ocupar a los hombres en apartar su alma de los bienes que no pueden producir una claridad y limpieza ¿cómo no ha empleado su tiempo en narrar otros hechos más importantes? Tiene la excusa de insertar unos ejemplos morales, que amortiguan, en cierto modo, su contradicción [10]. El narrador tiene ciertos escrúpulos que él mismo expone e intenta paliar a la vez, en el momento de insertar precisamente el ejemplo más doctrinal del relato. Lógicamente intentará encaminar las aventuras futuras con una proyección mucho más religiosa.

Por otra parte, esto lo expresa Amadís y lo aplica precisamente al caso concreto de la doncella. Ha escrito estas frases, pero no supo aprovecharse de su sabiduría. También, de paso, aparece un asomo de autocrítica en el propio personaje, con lo que el texto todavía gana en profundidad:

> Pero dexemos aora de hablar más en esto, pues que errando como los passados, hemos de seguir lo que seguieron; y vamos adelante a ver lo que se nos ofrece (IV, CXXX, 1295, 742 y ss.).

Las palabras del héroe tienen su propia justificación para poder seguir adelante. Quizás se deba a una consideración tópica del hombre que apetece los bienes mundanales, más que los eternos, por mala inclinación y condición.

Las sentencias suponen una *amplificatio* narrativa que retarda el cumplimiento de la prueba. Ideológicamente, significan también un aviso para Amadís de que su pasado puede tener un sentido distinto; ha llegado la hora de su retiro, de poderse dedicar a con-

---

10. El episodio carecería de estas contradicciones si la novela terminara con la muerte de Amadís, como castigo de una caballería mundana y unas relaciones amorosas consideradas, a pesar de las atenuantes, como heterodoxas. La contradicción en el texto de Montalvo es patente.

seguir unos bienes distintos a los puramente mun-
danos. La doncella había engañado a los hombres, y
la máxima ironía de sus frases radica en hacerle pensar a Amadís lo engañoso de su existencia. El esquema se invierte. La maga, con sus grandes conocimientos, pudo haber desentrañado la auténtica sabiduría,
sin sacar provecho para ella misma, como tampoco
lo obtiene Amadís. Puede inculpar a la doncella, pero
sigue adelante con su acción porque era necesaria
para terminar la aventura deseada. Sus palabras le
han advertido lo que puede suponer un auténtico
conocimiento, aprendido en lo alto de una peña.

La montaña, y en este caso también lo podríamos
circunscribir a una peña, es una de las imágenes que
expresan el vínculo entre el Cielo y la Tierra [11], cuya
recreación lingüística más palpable quizás hayan sido
las palabras escritas de la Doncella Encantadora. La
vinculación entre el Cielo —ante los dioses— y la
tierra —ante los hombres—, ha tenido su auténtica
plasmación. La poética bachelardiana [12] de la verticali-
dad podía hacernos pensar en una purificación, en
una elevación del hombre por encima del nivel del
suelo, incluso por encima de la Ínsola Firme. Es el
lugar más alto que intenta conseguir y alcanzar nuestro héroe. Supondría su máxima glorificación, tocar
casi los límites de lo terreno y de lo humano. Pero
el espacio es inhóspito, se ha notado el paso del tiempo. Lo sagrado y lo profano se mezclan. El lugar deshabitado, ambivalente, en cierto modo, representa el
espacio de la destrucción, del desengaño, de lo que
fue y ya no es por el suceder inexorable del tiempo
que ha alterado los elementos externos, símbolos de
precedentes grandezas. Las serpientes no salen porque, como hemos visto, no era tiempo propicio para
ello, y tampoco convenía encarecer esta aventura no

11. Véase M. ELIADE, *Tratado de historia...*, t. I, pp. 128
y ss.; del mismo autor, *El mito del eterno retorno*, Madrid,
Alianza Ed., 1972, pp. 20 y ss.
12. Véase *La poética del espacio*, México, F.C.E., 1965, en
español, pp. 51 y ss., y sobre todo, *El aire y los sueños*, ob. cit.

acabada. Además, los animales, símbolo de la renovación, del eterno cambio, no aparecen, aunque sean los monstruos guardianes del tesoro, porque subconscientemente Amadís ya no sufre esta regeneración de su ser. No puede alcanzar un nuevo nombre con esta prueba. La ascensión supone su auténtico y simbólico descenso.

Dentro de la cámara encantada se encierra el tesoro, lo misterioso y desconocido que no se puede abrir. En las junturas de las paredes se encuentra la espada mágica [13] destinada a una persona singular:

> En vano se trabajará el cauallero que esta espada de aquí quisiere sacar por valentía ni fuerça que en sí aya, sino es aquel que las letras de la ymagen figuradas en la tabla que ante sus pechos tiene señala, y que las siete letras de su pecho encendidas como fuego con éstas juntará. Para éste se ha guardado por aquella que con su gran sabiduría alcançó a saber que en su tiempo ni después muchos años vernía otro que ygual le fuesse (IV, CXXX, 1296, 797).

La aventura está reservada a Esplandián, como ya antes había atisbado su padre, y, por vez primera en toda la novela, Amadís se retira sin conseguir sus propósitos, sin abrir el misterio que estaba encerrado en esas paredes y predestinado a un héroe especial. Grasandor también lo reconoce y la tensión, provocada por la primera aventura inacabada, se resuelve mediante el humor.

13. A. MICHA, «L'epreuve de l'épée», art. cit., la relaciona con la rama dorada virgiliana. «L'épée arrachée ou tirée choisir tantôt des saints, tantôt des simples héros, assure à l'Elu tantôt la contemplation des mystères divins, tantôt l'amour d'une femme, le promet à des béatitudes célestes ou à un bonheur simplement humain, à un rêve d'amour et de gloire terrestres», p. 446. D. DEVOTO, en «Política y folklore en el castillo tenebroso», recogido en *Textos y contextos*, ob. cit., p. 235, analiza cómo «la espada es, además, en su calidad de arma completa, signo e imagen de la caballería; y es también uno de los objetos en que reside el poder real». El fracaso de Amadís, a nuestro juicio, significa también la condena de su caballería.

Descindamos de aquí y tornemos a nuestra compaña; que según me paresce, por vn parejo lleuaremos
de aquí las honrras y la vitoria deste viaje. Y de-
xemos esto para aquel donzel que comiença a subir
donde vos descendís (*Ibídem*, 1296, 850 y ss.).

El recurso humorístico distiende la narración, pero pone de manifiesto la verdad: la aventura significa
el descenso de Amadís. Ha estado a punto de alcan-
zarla o por lo menos lo ha intentado. Es el tiempo del
regreso, en el que a pesar de todo, ha podido conocer
en las frases de la Doncella Encantadora la nota de
más alta sabiduría de toda la novela, desde una perspectiva religiosa.

«Los dos mundos, el divino y el humano, sólo pueden ser descritos como distintos uno del otro: distintos como la vida y la muerte, como el día de la noche.
El héroe se aventura lejos de la tierra que conocemos
para internarse en la obscuridad; allí realiza su aventura, o simplemente se nos pierde, o es aprisionado,
o pasa peligros; y su regreso es descrito como un regreso de esa zona alejada. Sin embargo, y ésta es la
gran clave para la comprensión del mito y del símbolo, los dos reinados son en realidad uno. El reino de
los dioses es una dimensión olvidada del mundo que
conocemos. Y la exploración de esa dimensión, ya
sea en forma voluntaria o involuntaria, encierra todo
el sentido de la hazaña del héroe» [14].

Amadís ha podido leer las frases de la Doncella
Encantadora que ninguno de ellos han seguido, ni
siquiera el autor. Ese mundo divino, al que se refe-
rían las palabras, sólo lo ha podido alcanzar en la
Peña. Regresa con un conocimiento que sirve a su vez
de información para los lectores, y de principio estructurador de la novela: la aventura no estaba destinada para él; éste es su gran trofeo y su gran fracaso. Se ha podido cerciorar de dos aprendizajes distintos: de la vanidad de determinadas cosas terrenas,
y de que la posesión de lo incógnito estaba asignada

14. J. CAMPBELL, ob. cit., p. 200.

a su hijo. Su conocimiento, transmitido a través de la profecía, supone también su transmutación: el regreso a donde había partido, a la Ínsola Firme.

ADVERSIDAD, TIEMPO Y NOSTALGIA

En la Ínsola Firme se encuentra con una dueña que solicita misericordia y piedad. Amadís, aunque desconoce su identidad, acepta ayudarla. Sin saberlo, ha adquirido la obligación de libertad a Arcaláus, pues la dama es su mujer. El Encantador estaba leyendo un libro de «muy buenos enxemplos y doctrinas contra las aduersidades de la fortuna» (*Ibídem*, 1307, 1599 y ss.), cuando por un cambio de ésta puede ser liberado por un «don». El prisionero no agradece esta ayuda, «porque las buenas obras que más constriniendo la necessidad que charidad se hazen no son dinas de mucho mérito» (*Ibídem*, 1644 y ss.), como podría argüir cualquier moralista. No hay ninguna posibilidad de tregua ni de pacto. Está inclinado a hacerle todo el mal posible, y no está dispuesto a cambiar de actitud. No desea que por los consejos de Amadís pueda cambiar su condición, pues el antiguo Doncel del Mar podría ganar la gloria que con otras personas ha alcanzado, haciéndoles desistir de sus actitudes primitivas.

Amadís, ya al final de todas sus aventuras y en el descenso de su carrera caballeresca ni siquiera ha podido llegar a superar a su constante enemigo a través de toda la novela. Arcaláus queda libre con la firme promesa de vengarse:

> —Caualleros, dezid a Amadís que a las bestias brauas y a las animalias brutas suelen poner en las jaulas, que no a los tales caualleros como yo; que se guarde bien de mí, que yo espero presto vengarme dél, ahunque tenga en su ayuda aquella mala puta, Urganda la Desconoçida (IV, CXXX, 1309, 1799 y ss.).

Su encono se ha traducido lingüísticamente también en una muestra de su firmeza dirigida contra nuestro

héroe y contra Urganda. Han sido las últimas palabras de un personaje, que en estas postreras interven-
ciones ha sufrido una gran transformación. Sale de
su prisión, de su jaula, y con una dignidad no mos-
trada anteriormente. Incluso en este último combate
logra vencer dialécticamente a nuestro héroe. Todas
las argumentaciones de Amadís se han venido a tierra,
con un nuevo Arcaláus, instruido en los libros contra
las asechanzas de la fortuna. El Encantador había esgrimido hasta entonces una agresividad física. Siempre se había comportado con la máxima indignidad
de un caballero; había actuado como inductor mediante engaños y traiciones, casi nunca como agresor
principal. Sus últimas palabras se han convertido en
agresividad dialéctica, en deseos de venganza que llevará a cabo, a pesar de su antítesis novelesca, designada con el único epíteto humorístico de la novela [15].
Amadís, no ha sabido percatarse de las habilidades
de su gran enemigo, libre para actuar en cualquier
otra ocasión. Tampoco ha podido vencerlo con su dialéctica, que en otros momentos, y sobre todo con
Oriana, había surtido los efectos más oportunos.

Al final del libro no ha podido liberarse de su más
constante adversario, tarea destinada a su hijo. Además, Urganda la Desconocida había advertido que en
una ocasión futura tendría lugar la investidura de
Esplandián y la reunión de casi todos los caballeros,
última aventura del libro cuarto. El acontecimiento
está contado, en principio, desde la perspectiva de
Lisuarte. Después de las bodas se había retirado a
sus posesiones, aunque su actividad y comportamiento había cambiado. El gran rey del libro primero está
viviendo casi los últimos tiempos: «comoquiera que
ya su edad reposo y sosiego le demandasse, la voluntad criada y habituada en lo contrario, de tanto tiem-

15. En la novela francesa se utiliza también el mismo epíteto. Como dice PH. MÉNARD, *Le rire...*, ob. cit., 697, «l'emploi
de *putain* est... révélateur. L'éphithète ignominieuse ne se ren-
contre guère que dans la bouche des personnages antipa-
thiques».

po envegescida, no lo consentía, de manera que teniendo en la memoria la dulçura de la gloria passada
y el amargura de la no tener ni poder hauer al presente, le pusieron en tan gran estrecho de pensamiento que muchas vezes estaua como fuera de todo juyzio, no se podiendo alegrar ni consolar con ninguna
cosa que viesse. Y lo que más a su espíritu agrauiaua
era tener en su memoria cómo en las batallas y cosas
passadas con Amadís fue su honrra tanto menoscabada; y que en boz de todos más constreñido con necessidad que con virtud, dio fin aquel gran debate» (IV,
CXXXIII, 1323-1324, 33 y ss.). Esplandián está comen-
zando sus aventuras. Ha logrado restablecer la paz
entre su padre y su abuelo. Amadís revela su deca-
dencia como caballero andante, preparado para emprender otras nuevas tareas, pues las de la caballería
le corresponden a su hijo. Cada uno de los tres elementos, Lisuarte-Amadís-Esplandián, representan tres
actitudes, tres comportamientos y tres etapas de la
vida diferentes y escalonadas. Cada uno de ellos tiene
su correspondiente misión. Para ejercerla, uno de los
eslabones de la cadena debe quebrarse porque los
otros están íntimamente relacionados. Esplandián tiene que reemplazar a su padre, mientras que éste debe
hacer lo propio con Lisuarte. El problema novelesco
y ontológico planteado es la lucha del hombre contra
el tiempo que lo devora, contra la cadena en la que
está inserto.

El final se complica aún más por dos motivos: Lisuarte ha pasado de poder ser el rey poderoso relacionado con el emperador de Roma, a ser un rey cuyo
comportamiento no ha sido del todo ejemplar. Tiene
su puntillo de honra por haber acabado la guerra,
«más por necesidad que por virtud». La derrota, en
cierto modo paralela a su envejecimiento, a su falta
de fuerzas para ser lo que era, le lleva a una tristeza
todavía mayor. No vive su tiempo presente, sino el
pasado. Lisuarte rememora esta etapa nostálgica y
se mantiene con esperanzas y sólo por ella. El tema

conlleva casi indefectiblemente la tristeza [16]. El rey
se convierte en un personaje sombrío y solitario.
Cambia su comportamiento, de una forma repentina,
por causas humanas, sin que en ello debieran intervenir factores ajenos, como había ocurrido con los
consejeros. En este tiempo de adversidad, de nostalgia, le sucede una aventura estereotipada, morfoló-
gicamente tópica.

Una doncella solicita su ayuda para evitar que fuer-
cen a su hermano, en poder de un agresor. Lisuarte,
aún puede tener suficientes energías para evitar esta
infracción y aplicar el castigo necesario; no obstante,
desconoce el engaño y cuando penetra en un «tenden-
jón» para hacer justicia «al primero passo que dio
cayó en el suelo tan fuera de sentido como si muerto
fuesse» (IV, CXXXIII, 1325, 140 y ss.).

El tiempo del recuerdo para Lisuarte corresponde
también al tiempo del encantamiento. Éste no ha podido ser más que de Arcaláus, si bien no se proporciona ningún informante que lo aclare. Se aleja con
todo misterio y quedan varios interrogantes por solucionar. Ignoramos las causas, quiénes han sido sus
raptores y a dónde se lo han llevado; desaparece como por encanto en el mar, símbolo ambivalente de
la muerte y de la vida.

Si recordamos la primera intervención activa de
Lisuarte, no deja de tener un paralelismo con la que
nos ocupa. Había prometido un «don» a una mujer

16. JUAN RUIZ, paródica y quizás también seriamente, equi-
para tristeza y soledad. Est. 111. «Una fabla lo dize que vos
digo agora, / que una ave sola nin bien canta nin bien llora; /
el mástel sin la vela non puede estar toda ora / nin las verças
non se crían tan bien sin la annora.» Ed. de J. Joset, t. I, Madrid, Espasa-Calpe, 1974, p. 51. Lo planteamos desde un punto
de vista amoroso, porque en el fondo se trata de una variante
de un mismo tema. Amadís sin el amor de Oriana, se muestra
casi «loco», retraído; se aparta de la sociedad. Por otra parte,
el dolor se acrecienta con el recuerdo, como expuso el Marqués de Santillana: «La mayor cuyta que aver / puede nin-
gund amador / es membrarse del plazer / en el tiempo del
dolor...» *Canciones y decires*, ed. de V. García de Diego, Madrid, Espasa-Calpe, 1964, p. 37. Poder y amor son equiparables
en sus funciones dentro de la novela.

desconocida, y mediante un engaño fue aprisionado.
Amadís y Galaor lograron ayudarle para librarse de
la trampa, maquinada por Arcaláus. El esquema se
repite, pero ahora la tarea está destinada a su nieto.
Se abre un nuevo ciclo, a la vez que se cierra otro. Su
sino novelesco ha resultado triste siempre que ha
emprendido cualquier acción en solitario, sin consejo
de los mejores. Primero, es engañado por una doncella, después, por sus consejeros; en el problema de
Oriana le domina su ambición. Ha sido un juguete
en manos del narrador que lo ha elevado del rey todopoderoso del libro primero, a este final triste y nos-
tálgico de una vida pasada.

Sin embargo, la traición primera y esta última se
diferencian en un hecho fundamental. Lo buscan por
todas partes sin hallar ninguna huella indicadora de
su paradero, con el consiguiente desconsuelo de la
reina Brisena y los de su reino. Su mujer, como en
la primera ocasión, piensa que Amadís lo puede encontrar. A través de una carta solicita su ayuda. Las
nuevas se extienden por todos los lugares y acuden
a la Ínsola Firme los mejores caballeros, ya reyes y
señores, para adoptar alguna resolución.

«Al tiempo que estos señores allí aribaron, Amadís
estaua con su señora Oriana, que della no se osaua
partir; que como Brandoyuas llegasse de parte de la
reyna Brisena con la carta que ya oystes, y Oriana
supiesse lo de su padre, fue su dolor y tristeza tan
sobrada que en muy poco estuuo de perder la vida»
(IV, CXXXIII, 1331, 614 y ss.). Place piensa que «o
Montalvo o el autor de *Y* (al que es posible que aquel
tomase prestado este episodio) se mofa de Amadís
—por ser éste dechado de amante cortés— pintándole
intimidado por su propia esposa» [17]. Creemos que su
interpretación es errónea. Amadís comparte un dolor
con su mujer —ya en situación manifiesta de casada—. Esta vez le acompaña en su pena, como en las
ocasiones precedentes lo habían hecho Mabilia y la
Doncella de Dinamarca.

17. E. B. PLACE, ed. cit., t. IV, p. 1359.

Oriana necesita de otra persona para poder mitigar su angustia. No intimida a su marido. Lo necesita, como había precisado de otras compañías. Quizá sea una visión menos caballeresca, más cortesana, pero no creemos que por ella Oriana cambie de carácter y de actitud. ¿Cuáles eran las funciones de las doncellas que tenía a su lado? ¿Cuál era la función de Gandalín, aparte de ser escudero de Amadís? Mabilia, la Doncella de Dinamarca y Gandalín han servido para atemperar las penas de sus amos, o de sus amigos. En la novela, el dolor en soledad es casi inadmisible como algo constante. Lisuarte con su retraimiento ha cambiado de actitud y esto le ha conducido al último engaño de la obra. Los personajes necesitan de los otros para aliviar sus zozobras. En ninguna ocasión anterior Amadís había estado presente en la congoja de Oriana. Casi siempre él era su causante, y en la última batalla estaba al frente de las huestes.

El héroe, en su final, casi ha dejado de ser caballero, para convertirse en esposo y casi rey. Las funciones desempeñadas antes, por un cambio elemental de comportamiento, no son las mismas ahora.

No creemos que el autor se mofe de estos amores, aunque es justo notar que ha habido un cambio de óptica. ¿Por qué, si no, cuando se van a reunir todos los caballeros en la huerta, deja Amadís a Oriana «con más sosiego y a su cormana Mabilia y Melicia» con ella? Se trata de un dolor compartido que intentan solucionar, una vez reunidos, todos los caballeros. En esos momentos una dueña sale de la Gran Serpiente, la nave dejada por Urganda. Su profecía se ha cumplido y ha llegado en el momento oportuno para que aquellos dejen su tarea a otras personas diferentes, con cualidades distintas.

XVII. LAS DIFERENTES REDACCIONES

LA HIPOTÉTICA VERSIÓN PRIMITIVA

En el análisis de las aventuras hemos podido comprobar dos fenómenos inversos. La novela conserva cierta coherencia en su desarrollo narrativo, pero sus contradicciones son muy numerosas, y en ocasiones flagrantes. En lo que sigue, intentaremos aclarar estas dificultades, teniendo en cuenta datos externos a la obra, para confrontarlos con nuestras propias deducciones. Los principales divergencias entre unos libros y otros radican primordialmente en cambios de actitud, inclusión o desaparición de personajes, en variaciones de la ideología subyacente en el texto y en la distinta utilización de técnicas narrativas.

PERSONAJES

Urganda la Desconocida sufre una gran transformación a partir de la batalla contra Cildadán. De ser una mujer problemática, enamorada, solitaria, necesitada de ayuda, y auxiliadora de los héroes, pasa a ser una maga todopoderosa, acompañada de sus doncellas, y vaticinadora de los principales sucesos de la novela. Su intervención en la obra es más esporádica conforme avanza el relato. Se convertirá en escrutadora de la voluntad divina y sus problemas amorosos, generadores de empresas heroicas, se olvidan. Su caballero

enamorado por medio de la magia desaparece como
por ensalmo. Lo mismo sucede con Corisanda, amiga
de don Florestán. Tras el duelo judicial con Ardán Canileo, esta dama no vuelve a mencionarse en la novela.
El cambio de conducta del rey lo hemos analizado con
suficiente detalle para no detenernos en este aspecto.

Amadís, después de su inactividad en Gaula, se convierte en personaje más cortesano: tiene conocimiento de diversos idiomas, su ingenio resuelve el problema planteado por Leonorina, sus conversaciones
son más galantes y retóricas.

Esplandián, Nasciano y Elisabad representan un
tipo de personajes cuya participación en la novela
difiere radicalmente de los otros. Esplandián, antité-
tico del Endriago, prefigura un héroe nuevo, con unas
características inexistentes en los dos primeros libros. Urganda, antes de que hubiera nacido, lo equi-
para con el unicornio y nos revela las claves de su
actuación. Este animal, en los bestiarios, es identificado con Jesucristo [1]. Simboliza la fiera invencible,
y sólo ante la presencia de una doncella virgen cae
rendido en su regazo. Esplandián adoptará un nuevo
tipo de conducta amorosa, no desarrollada en el *Amadís*, pero ya atisbada. Su actividad en el último libro
anuncia su comportamiento posterior. Servirá de motivo para que la disensión entre Amadís y el rey ter-
mine. No es nada extraño que *Las Sergas* desarrollen
elementos ya implícitos en el *Amadís*, aunque estén
caracterizados de forma sumaria en los últimos libros.

Nasciano proyectará en la obra la voz de la Iglesia.
Otros ermitaños habían aparecido en el relato, pero

---

1. Véase G. FERGUSON, ob. cit., p. 25; B. LATINI, ob. cit., página 170, dice: «Unicor est si aspres et si fiers que nul *ne la
puet attaindre ne prendre par nul laz* dou monde [...] et ne-
porquant li veneor envoïent une *vierge* pucele cele part ou li
unicor converssent; car c'est sa nature que maintenant s'en
vait a la pucele tout droit e depose toute fierté...» En los *Bestiaris*, ob. cit., pp. 89-90, es comparado a San Pablo. La Virgen
es María. El tema es común y pasa incluso al diccionario de
Covarrubias.

no habían adquirido idéntica importancia. Andaloc, en la Peña Pobre, prevenía a Amadís contra sus obsesivas ideas amorosas, pero el héroe no le concedía autoridad en este terreno. Por el contrario, este nuevo hombre, casi santo, encarna la representación ortodoxa y no bélica de la ideología eclesiástica. Ante su intervención cesarán las hostilidades entre la caballería y la realeza. La coincidencia entre sus palabras y alguna glosa del narrador —presumiblemente Montalvo—, es significativa.

Por último, el maestro Elisabad personifica un tipo de mentalidad ausente en la primera parte del relato. Es un clérigo en el más amplio sentido de la palabra. En su conducta se imbrican dos aspectos del letrado medieval, hombre fundamentalmente libresco y también dedicado al sacerdocio. Sus conocimientos como «físico» solucionan y hacen verosímil la curación de las más dificultosas heridas. En un desarrollo lógico, escribe fielmente las hazañas posteriores de Esplandián.

Estos tres personajes configuran una ideología nueva en su aspecto heroico —Esplandián—, eclesiástico —Nasciano— y cortesano —Elisabad—. Constituyen tres variantes de una cosmovisión religiosa, caracterizada de maneras diferentes.

IDEOLOGÍA

El enfrentamiento entre caballería y rey conduce a la novela por unos derroteros novedosos, cuya solución se realiza en el Libro IV.

La armonía entre los caballeros y Lisuarte había sido perfecta hasta la segunda mitad del Libro II. Se había creado un doble espacio utópico complementario y perfecto: Londres y la Ínsola Firme. En el primero, las relaciones entre los defensores con su mutua ayuda y dependencia convertían a la corte en un ámbito ideal donde se conjugaban y glorificaban las actuaciones de los héroes. Los más importantes habían alcanzado una fama y una mujer, Oriana y Olin-

da, meta suprema de sus hazañas. El clan de Garinter, Amadís, Galaor y Agrajes, manifestaba su superioridad en un reino, Gran Bretaña, dirigido por un
monarca dechado de perfecciones. En la Ínsola Firme, la jerarquía de los caballeros se había establecido con nitidez. Era el lugar de la felicidad, donde se
enaltecían la fortaleza y el amor. Amadís, el miembro
más importante de su linaje, lo había conquistado. La
discordia surgida rompe la conjunción utópica. Londres y Lisuarte dejan de ser el espacio y el rey ideales y los Caballeros mostrarán su supremacía, bajo
el mando de Amadís, supremo jefe de su clan familiar. Lisuarte quedará menoscabado. Se hace imprescindible una figura que restablezca y sintetice de nuevo la perfección. Esplandián representa esta superación de las antítesis. Un nuevo espacio, la Corte de
Constantinopla, servirá de campo de acción para el
nuevo héroe.

Por otra parte, en el Libro IV la caballería logra
unas metas antes desconocidas. Al amor y a la fama,
se añade la conquista de unas tierras, ganadas como
botín por los amigos de Amadís. Esta transformación
ideológica se detecta también en los principales materiales que conformaban la trama de la novela. El
amor cortés en los primeros libros motiva de forma
coherente hasta las aventuras más secundarias. A partir del enfrentamiento entre la caballería y el rey, la
pasión amorosa adquiere unas características diferentes, sobre todo en personajes poco importantes. El
matrimonio secreto es un claro recurso ideológico,
que no condiciona para nada los aconteceres de la
obra, salvo en el último libro. Tanto Perión como
Amadís actúan como si no estuvieran casados. No
obstante, queda salvaguardada su posible ortodoxia a
partir del Libro III. Por el contrario, el comportamiento de Galvanes quebranta la visión amorosa mantenida con anterioridad. Su petición de matrimonio
va pareja con el amor súbito como nunca había sucedido. El tío de Agrajes rompe una regla sagrada para
cualquier amante cortés: confiesa su pasión a otras
personas. En el último libro se llega al extremo de

que Amadís predisponga los casamientos para el hijo
de Balán o Dragonís, especialmente. El auténtico
amante cortés ha desaparecido para dejar paso al
«pater familias» que impone su voluntad. Algunos
de los desposorios finales no se realizan por móviles
internos de los personajes. Incluso el propio Amadís
desobedece a su mujer, una vez casados.

La glorificación del héroe, o el propio desarrollo
novelesco, implica la subversión de una ideología
amorosa, generadora en los primeros libros de casi
todas las aventuras. A su vez, las distintas peripecias
del héroe se explicaban dentro de una coherencia narrativa, como desarrollo interno de la propia novela,
como en el caso de las alteraciones de la corte o los
celos de Oriana. Sin embargo, tras el duelo contra
Ardán, el autor explica la falta de una motivación
novelesca y lógica como resultado de la intervención
divina. Las glosas del narrador, o el mismo Nasciano,
asumen una postura providencialista clara. El desarrollo narrativo está justificado por elementos ajenos
a la obra. Todo sucede porque Dios lo quiere así. Si
a esto añadimos la presencia de Esplandián, Nasciano y Elisabad, los cambios de ideología son manifiestos. El relato adquiere unos tintes religiosos ajenos
a los primeros libros. También la variación se percibe
en el tratamiento de los numerosos episodios folklóricos. Estos materiales reelaborados artísticamente
configuran buena parte de las empresas de los héroes.
La temática artúrica, sobre todo con Chrétien de Troyes, había sido recreada con una perfección inusitada
hasta entonces. En el *Amadís*, heredero de esta tradición, los ritos iniciatorios y algunos caracteres del
mundo celta conservan las connotaciones primigenias
hasta la primera mitad del libro segundo. El cambio
de nombre, la investidura, la anagnórisis, la postración iniciática en la Peña Pobre, el amor de la maga
adquieren un sentido y coherencia de acuerdo con sus
caracteres más sugerentes. Después, se convierten en
meros clichés reiterados de forma mecánica, y cobran
menor importancia en la narración. Cuando reaparecen con Esplandián se revisten de ideología moralizan-

te. El amor de la maga en la Peña de la Doncella
Encantadora revela unos matices religiosos divergentes de los primeros episodios de Urganda. El diálogo
del héroe con Arcaláus tras el engaño de su mujer
es también una buena muestra de las variaciones sufridas.

LAS TÉCNICAS NARRATIVAS

En la primera parte de la novela, los sueños, las
profecías creaban un clima de expectación tanto para
los lectores como para los personajes. Aunque en la
práctica real se castigara la interpretación de estos fenómenos extramundanos [2], cualquier receptor de la
obra podía convertirse ficticia y lúdicamente en adivi-
no o mago. Una lectura atenta posibilitaba la descodificación correcta de los referentes enigmáticos. El lector, fuera cual fuera el resultado de sus interpretaciones, tenía en sus manos la adivinación del futuro
novelesco [3]. La palabra cobraba una proyección futura,
casi mágica. Tras el combate con Ardán Canileo, esta
doble perspectiva, personaje-lector, no vuelve a utilizarse, con las mismas características, ni en las profecías ni en las ensoñaciones. Sólo Mabilia tiene un
sueño premonitorio, cuyas circunstancias difieren de
las anteriores. No es preciso que ningún clérigo lo
interprete. El propio personaje le resta importancia
y aclara sus rasgos esenciales, eliminando, en parte,
la posible expectación.

En el mismo sentido, una serie de episodios —la intervención de la mujer de Arcaláus, la estancia de

2. Véanse algunos aspectos de creencias populares durante
el XV en J. de D. MENDOZA NEGRILLO, ob. cit., pp. 24-34.
3. Según A. MARTÍNEZ ARANCÓN, ob. cit., p. 35, «El proceso de
la adivinación consta, pues, de una descodificación, una lectura de la realidad, seguida del cálculo, según las reglas de
combinación más probables, de las variantes que se producí-
rán en el sistema semiológico con el menor margen de error o
desviación». En nuestro caso, se trata de una lectura del mundo ficticio, no de la realidad.

Amadís en Bohemia o Constantinopla, etc.—, tienen conexión con acontecimientos del Libro IV o de *Las Sergas*. El autor señala su importancia y su relación con los hechos futuros. Mediante estos adelantamientos pretende dar coherencia a unos hechos, concatenados mediante un sistema de causas y efectos. La referencia a los antecedentes demuestra la intención de revelar la trabazón arquitectónica de la obra[4]. Además, conforme avanza el relato son más numerosas las glosas del narrador que recalcan el carácter ético de algunas aventuras.

La utilización de estas técnicas, a nuestro juicio, supone un retroceso narrativo. El lector ya no puede relacionar unos hechos con otros o extraer las conclusiones implícitas, sin que medie ningún comentario. En los primeros libros debía descubrir por sí mismo la construcción y el sentido de la obra, con sus paralelismos, simetrías, adelantamientos, etc. A partir del duelo judicial con Ardán se interpone con más persistencia la voz del narrador.

En el primer libro, la práctica de la alternancia, del *entrelacement*, se convertía en una técnica amplificatoria muy trabada. Los episodios de Galaor son simétricos y en ocasiones antitéticos a los de su hermano y cada aventura se inserta en un contexto propicio. Las aventuras de Agrajes y Galvanes continúan y resuelven episodios anteriores. A partir del Libro II la alternancia disminuye de forma notoria. Los hilos narrativos de la novela se simplifican y las empresas de Galaor dejan de tener la importancia primitiva. La utilización del recurso siempre facilitaba el contraste, y servía para suspender el sentido de la narra-

---

4. F. WEBER DE KURLAT, en su art. cit., p. 43, cree que esas referencias a lugares concretos, «por su monótono formulismo y su repetida presencia no son obra de un creador que va plasmando su novela de acuerdo con un plan, por muy detallado que éste sea, pero que de ningún modo puede haber pasado de la categoría de esbozo, en tanto que son perfectamente imaginables en el refundidor que tiene ante sí un todo que rehace y retoca: en términos generales puede afirmarse que la referencia a un lugar concreto indica la mano de Rodríguez de Montalvo».

ción. Después, el autor suele manejar con bastante
impericia el mismo procedimiento. La utilización del
entrelacement se convierte en recurso ideológico que
enfrenta el mundo romano al de Amadís y el imperio
griego. El contraste es tan acusado que se anuncia la
victoria del héroe. La suspensión del sentido queda
aminorada por el maniqueísmo del autor.

Hasta la segunda mitad del Libro II, los distintos
episodios se combinaban y unían en una perfecta
progresión y coherencia. Se ha dicho que el autor
ampliaba su obra a base de aventuras paratácticas
e innecesarias. Un análisis minucioso demuestra todo
lo contrario. Los episodios tienen varios sentidos. Por
un lado, una aventura casi siempre significa un obstáculo que se interpone entre el héroe y sus propósitos. Amadís, en busca de su nombre, sufrirá una
serie de pruebas reveladoras de unas condiciones
apropiadas para adquirir su identidad con plenas ga-
rantías de éxito. Antes de unirse con Oriana, mostrará
su dignidad como guerrero y devolverá a su amada
la ayuda prestada al enviarle la carta que contenía
su nombre. Los hechos no son gratuitos y menos el
contexto donde están insertos. Alterar su disposición
equivaldría a cambiar su sentido implícito. Amadís
se integrará en la corte de Lisuarte mediante un duelo
judicial con Dardán. Cuando sale en busca de su hermano, combate contra los familiares de su antiguo
contrincante que habían matado a un caballero de
Lisuarte. La pelea implica una amplificación del relato, pero el procedimiento se ha trascendido con nuevos aspectos dependientes del contexto. Al luchar contra los parientes de Dardán, Amadís manifiesta su
total inserción en la casa de Lisuarte y la relación
moral con súbditos del rey. A su vez, la venganza de
unas personas pertenecientes a un mismo linaje reaviva la finalidad de la búsqueda: el encuentro con un
miembro de su propio clan familiar.

Una de las principales aportaciones de la novela
en los primeros libros consiste en la coherencia artística del mundo ficticio. Las aventuras están subordi-
nadas a unos propósitos que sirven de hilo unificador.

y anuncian la trabazón de la novela moderna. Por el contrario, a partir del combate contra Ardán no vislumbramos con la misma claridad la subordinación de los episodios a los distintos contextos. La primera hazaña descrita de Amadís en tierras «extrañas» consiste en una pelea contra los romanos. El episodio sirve de pauta para la descripción de la batalla final entre Lisuarte, los romanos y Amadís. Esta última pelea desarrolla casi punto por punto los principales hitos de la lucha anterior, amplificados totalmente.

La relación de los mismos sistemas narrativos en la obra es un hecho habitual, pero siempre se producen ligeras variantes, porque suelen intervenir personajes distintos. Por el contrario, en ambas peleas los paralelismos incluso se manifiestan en la presencia de los mismos adversarios, los romanos, y una misma persona, Arquisil. El primer combate augura el desenlace final. Sin embargo, no ha existido ningún contexto que determinara la disposición del episodio en el lugar donde está situado. Ni siquiera se había anunciado el casamiento de Patín con Oriana. En último término, la aventura podría haber variado de espacio narrativo sin que perdiera ninguno de sus sentidos. Un hecho de similares características sería prácticamente inconcebible en los primeros libros.

Hemos analizado cómo los muchos episodios individuales solían incidir en algún combate colectivo posterior, centro de interés del relato. Las aventuras del Doncel del Mar cobran un sentido completo en la lucha de Abies contra Perión. Los episodios de la corte adquieren una mayor peligrosidad por la ausencia de Amadís y Galaor. Las empresas de Beltenebrós están en función del posterior combate entre Cildadán y Lisuarte. Estos episodios crean una doble expectación: difieren el centro de interés del relato, las peleas posteriores, y acentúan el peligro de los obstáculos. El héroe tiene que salir indemne para acometer las otras empresas más importantes. Tiempo y espacio están previamente delimitados. El protagonista deberá seguir un itinerario prefijado; las aventuras sólo le pueden ocurrir en el deambular hacia

su destino. Lo mismo sucede con el tiempo; es preciso
que el personaje acuda en la fecha señalada y cumpla
la misión destinada a él, por lo que el procedimiento
proyecta la expectación hacia el futuro.

A partir de las disensiones entre la caballería y la
realeza, los episodios individuales del héroe reflejan
también cierta unión. Sin embargo, los procedimientos utilizados son distintos. Los principales beneficiarios de la ayuda de Amadís participarán como auxiliares suyos en la lucha final contra Lisuarte. De ahí
que todos ellos sean reyes, Tafinor o Grasinda, o incluso que el Caballero de la Verde Espada combata
en territorios del emperador de Constantinopla. Tiempo y espacio pueden ser manejados al arbitrio del
autor. La cronología de los hechos demuestra graves
contradicciones, explicables por la dinámica interna
de lós aconteceres. Esplandián debe hacerse mayor
para intervenir en la última guerra y después ser investido; Amadís no puede permanecer numerosos
años separado de Oriana. El espacio tampoco está
prefijado de antemano. El héroe caminará por donde
quiera y durante un tiempo indeterminado, sin que
por ello se altere la trama argumental. Los episodios
podían haberse alargado *ad infinitum* con este procedimiento.

Por otra parte, las batallas colectivas a partir del
Libro III son más numerosas —Lisuarte / Galvanes,
Lisuarte / siete reyes, Lisuarte / Amadís, Lisuarte /
Arcaláus, etc.—, y sus descripciones se detallan con
muchos más pormenores. Incluso Amadís considera
la guerra por la conquista de la Ínsula Mogança como
algo diferente a lo anterior. Es una pelea general, según sus propias palabras [5]. También se modifican las
formas de determinar estas luchas. El combate de
Amadís y sus amigos contra Lisuarte finaliza con unas
paces más o menos honrosas para cada bando. En
la pelea contra los siete reyes, los principales agre-

_____

5. «Que gran diferencia havía entre las batallas particulares que fasta allí havían seguido y las *generales* de mucho-
dumbre de gente, porque en tales se conoçe el *saber*» (III, 673,
1006 y ss.).

sores pueden huir y su infracción no es castigada. La novela queda abierta y la *amplificatio* se hace necesaria de acuerdo con el sistema de valores de la obra. Una falta no puede quedar sin su correspondiente sanción, siempre análoga a la transgresión cometida.

LA REDACCIÓN PRIMITIVA

Estas variaciones tan sistemáticas y reiteradas es difícil que pertenezcan a un mismo creador. Las transformaciones son profundas y afectan de tal manera a la trabazón de los episodios que el sentido de la novela varía de forma sustancial. Una serie de hábitos narrativos muy coherentes y estructurados no se cambian para ofrecer unos ciclos menos elaborados artísticamente. Además, todos los cambios se producen a partir del combate entre Lisuarte y Cildadán. Si a esto añadimos que la narración-díptico era un sistema bastante utilizado en los relatos medievales, la hipótesis se impone de forma convincente.

Una redacción primitiva debió terminar con el reconocimiento de Beltenebrós, y posiblemente tras el combate de Ardán Canileo y Amadís. El desenlace lógico correspondería a la superación de las Pruebas de la Ínsola Firme por parte de Oriana. En la redacción de 1508 el autor señala la importancia de estas pruebas en relación con el Libro IV. Si la disposición de los episodios hubiera sido alterada, Montalvo estaría señalando cómo unas aventuras conocidas habían variado, en parte, su situación en la novela.

A nuestro juicio, los paralelismos y simetrías constituyen el cañamazo formal de esta posible redacción primitiva, escindida en tres partes diferenciadas:

1. *a)* Aventuras y reconocimiento del Doncel del Mar.
   b) Inserción en la corte, anagnórisis de su hermano y culminación de sus amores.
   c) Conquista de la Ínsola Firme por su lealtad y fortaleza.

2. Postración de Amadís y estancia en la Peña Pobre.
3. *a)* Aventuras de Beltenebrós.
   b) Reconciliación amorosa y reinserción en la corte de Lisuarte, tras su reconocimiento.
   c) Terminación de los encantamientos de la Ínsula Firme. Demostración de la lealtad y hermosura de Oriana [6].

La disposición simétrica de estas partes confiere una trabazón unitaria a toda la novela. La estancia de Amadís en la Peña Pobre, semejante a su existencia previa antes de conocer a Oriana, supone el centro del relato. La muerte y resurrección de un nuevo héroe —Beltenebrós— conducen a la novela a una reiteración de unos mismos hechos con un matiz diferencial. La pasión entre la pareja, auténtico hilo conductor de la obra, ha aumentado por los celos de la amada y la larga ausencia de Amadís. El nuevo ciclo implica la superación del anterior.

La adaptación de este hipotético *Amadís* primitivo es difícil de precisar con los datos actuales y un examen objetivo del problema. Se han utilizado y conjuntado varios aspectos para la fijación de la cronología: *a)* la intervención del Infante don Alfonso de Portugal; *b)* la persistente tradición que asigna al portugués Vasco de Lobeira la composición de un Amadís; *c)* la canción de «Leonoreta, fin roseta», de João Lobeira, idéntica al «villancico» existente en la edición de 1508.

Estos hechos quizás estén interrelacionados, pero no constituyen necesariamente una única prueba, excepto la persistente tradición de un *Amadís* relacionado con Portugal. La composición de João Lobeira tampoco demuestra que éste fuera el autor del *Ama-*

6. El apartado *c)* sólo es una pura hipótesis. Por otra parte, una disposición geométrica tan perfecta sólo se produce como especulación teórica, ya que los desarrollos narrativos tienen diferente extensión. Sin embargo, el esquema, a pesar de todos los inconvenientes por serlo, nos parece válido, aunque no lo presentemos como la *única* posibilidad de fragmentar la novela.

dís, ni muchísimo menos [7]. Sin embargo, como conjetura, sin entrar en desmenuzar los pormenores del problema, nos parece aceptable relacionar la poesía y la intervención del infante don Alfonso. En ambos casos, a nuestro juicio, se trata de claras interpolaciones que contradicen el sentido originario de la obra.

Por otra parte, la conexión entre João de Lobeira y el infante don Alfonso de Portugal ha sido suficientemente probada. Dicho infante fue hermano de don Dionís y vivió entre 1263 y 1312. Tuvo «demorada residencia [...] en tierras de Castela (Medellín) depois de 1304, como vasalo de rei castelhano» [8]. ¿Fue este personaje quien propuso una redacción diferente del episodio? No podemos asegurarlo. Es una de las hipótesis más razonables, pero no la única. También existió otro infante por las mismas fechas a quien la tradición le ha otorgado la paternidad de su intervención. En este caso, se trataría del hijo del rey don Dionís, el futuro Alfonso IV, que nació en 1290 y comenzó a gobernar en 1325 [9]. En consecuencia, sólo

7. Incluso para E. REALI, «*Leonoreta / Fin roseta* nel problema dell'*Amadís de Gaula*», *AIOU*, VII (1965), 237-254, la cancioncilla no es original de Joao Lobeira. Sus hipótesis primordiales apuntan a una redacción de un primitivo *Amadís*, «passato in Castiglia dalla Francia forse atraverso la mediazione catalana», p. 252. Sin entrar en un análisis de sus planteamientos, el soporte que les pudiera dar cierta coherencia carece de justificación. E. B. PLACE, en «Fictional Evolution: The Old French Romances and the Primitive *Amadís* Reworked by Montalvo», *PMLA*, LXXI (1956), p. 525, y después en su ed. cit., t. III, p. 924, esgrime argumentaciones convincentes. No obstante, pensar que la canción se ha insertado en honor de las bodas de dos infantas reales denominadas Leonor, en 1375 nos parece muy discutible. Es desviar el problema aduciendo conjeturas difíciles de probar. La fuerza de la hipótesis de una redacción primitiva portuguesa se basa en la relación entre este infante don Alfonso con João de Lobeira y el hecho no lo debemos olvidar.

8. M. RODRIGUES LAPA, «A questão do "Amadís de Gaula" no contexto peninsular», *Grial*, XXVII (1970), p. 18.

9. M. MENÉNDEZ PELAYO, ob. cit., p. 331. E. B. PLACE, ed. cit., t. III, pp. 922-23, identifica a este infante con don Alfonso de Portugal, príncipe portugués que se casó con la infanta Isabel hija de los Reyes Católicos. «Lo más verosímil es que Montalvo hiciera alusión al malogrado infante portugués contemporá-

como hipótesis, podemos conjeturar la existencia de esta redacción a finales del siglo XIII y comienzos del XIV. Como fechas límites podría haberse escrito entre 1287 [10] y 1325. Con mayor seguridad, la novela

neo y que fuera éste quien mandó que se proveyese un desenlace feliz para el amor de Briolanja a Amadís en vez de «aquello que en efecto de sus amores se escrivió», es decir, la versión ya adoptada por Montalvo. Una vez muerto el infante, ya no quedaría motivo para publicar lo mandado por él, pero sí hacer mención de ello para realzar el prestigio del refundidor». Su hipótesis, a nuestro juicio, no resulta convincente. En primer lugar, «aquello que en efecto de sus amores se escrivió» no corresponde a la versión de Montalvo, sino a las que éste tiene por más creíbles. El medinés opina que todos los amores descritos en sus distintas variantes son «superfluos y vanos». En segundo lugar, si Montalvo, habitante de Medina del Campo, quisiera alabarse al modificar el mandato de una persona ilustre y conocida, distinguiría entre príncipe, heredero del reino e infante, hijo del rey. ¿Cómo puede mencionar a un príncipe para que se le reconozca con el título de infante? Todos los cronistas que hemos consultado designan a este personaje con esta denominación, y llegó a ser tan conocido que confunden su nombre: F. DEL PULGAR, *Crónicas de los Reyes Católicos*, ed. de Juan de Mata Carriazo, Madrid, Espasa-Calpe, 1943, t. I, p. 401, dice: «Otrosí, que el *príncipe* don Alfonso, fijo del príncipe de Portogal, casase con la ynfanta doña Isabel, fija del Rey e de la Reyna.» En otra versión del mismo autor y diferente, *Crónica de los Reyes Católicos Don Fernando y Doña Isabel de Castilla y Aragón*, Madrid, BAE, LXX, 1923, p. 520 b, el texto varía el nombre, pero no el título. Lo mismo sucede en A. BERNÁLDEZ, *Historia de los Reyes Católicos don Fernando y doña Isabel*, Madrid, BAE, LXX, 1923, página 637. Por último, véase GALÍNDEZ CARVAJAL, en la misma edición, p. 545. No creemos que R. de Montalvo cometiera este error. Además, aunque el desconociera de quién se trataba, no tenía por qué suprimirlo. Lo importante no era tanto el personaje como su título y señalar las distintas versiones. Recordemos que el romance de fray Ambrosio Montesino se refiere a la muerte del «príncipe de Portugal»: Yo lloro porque se muere / Vuestro *príncipe* real... Véase A. M.ª ALVAREZ PELLITERO, *La obra lingüística y literaria de fray Ambrosio Montesino*, Valladolid, Universidad de Valladolid, 1976, páginas 101-107.

    10. La fecha corresponde a la pérdida de la villa de Arroches, que pertenecía al infante don Alfonso. Según M. RODRIGUES LAPA, art. cit., p. 19, «e como o Infante perdeu esta villa em 1287, em luta com o rei seu irmão, é razoável admitir que o *Amadís* de João Lobeira já estivesse completo nesta data». Este hecho nos hace pensar que al hermano de don Dionís le interesara un episodio de traición entre familiares.

era conocida en Castilla, en 1350, por la referencia a ella en *El Regimiento de Príncipes*, de Juan de Castrogeriz.

El problema de la autoría de esta versión es irresoluble con los datos que poseemos, y desde luego João Lobeira es una de las personas con menos posibilidades de haber concebido el *Amadís*, de acuerdo con las argumentaciones de críticos portugueses. Amadís, el más leal amador según Urganda y las pruebas de la Ínsola Firme, ¿cómo va a acceder a la pasión de Briolanja?, ¿cómo va a componer una canción amorosa dedicada a la hermana de su amada? Algún refundidor ha tenido que insertar una última estrofa en esta composición para que la poesía tuviera algún sentido en boca de Amadís. Además, nos parece sospechoso que este infante don Alfonso, cuñado de don Juan Manuel, residiera en tierras castellanas. Para Rodrigues Lapa «a própia circunstância de uma tradução castelhana aparecida pouco depois de compostos os livros de João Lobeira, se explica perfeitamente, pela demorada residência do Infante em terras de Castela» [11]. Invirtiendo el planteamiento, sin concederle ningún carácter dogmático, la estancia de este infante en tierras de Castilla facilita su posible intervención en una redacción primitiva y no portuguesa [12].

LA SEGUNDA REDACCIÓN

Los problemas de las diversas redacciones no son fáciles de resolver, y sólo podemos movernos en el terreno de la pura conjetura. Pedro Ferruz, que floreció en tiempos de Enrique II (1379-1389) habla de una versión del *Amadís* en tres libros. En el último, como argumentó García de la Riega y después M. R.

11. *Ibídem*, p. 18.
12. La intervención del infante, según nuestra argumentación se podría fechar entre 1304, fecha de su exilio a tierras castellanas, y 1312, momento en el que muere. Véase W. S. ENTWISTLE, *A lenda arturiana nas literaturas da península ibérica*, Lisboa, Imprenta Nacional de Lisboa, 1942, p. 200.

Lida de Malkiel, el héroe moría a manos de Esplandián. Por otra parte, Gómez Eannes de Azurara en 1456 dice lo siguiente: «o Livro d'Amadís como quer que soomente este fosse feito a prazer de hum homen, que se chamava Vasco Lobeira en tempo d'El Rey Don Fernando, sendo toda las cousas do dito Livro fingidas do autor...» [13] La asignación de la autoría del Amadís a este personaje no depende de este texto solamente inédito hasta 1792 [14]. Además, el reinado de don Fernando (1369-1383) sitúa esta redacción por los mismos años que la poesía de Pedro Ferruz. Vasco de Lobeira fue armado caballero en la batalla de Aljubarrota (1385).

De nuevo, nos encontramos ante un fenómeno interpretado de múltiples modos. La creación del portugués se ha relacionado con la intervención del infante don Alfonso. Incluso, el parentesco entre João Lobeira y Vasco de Lobeira ha sido esgrimido insistentemente [15]. Siguiendo a Carolina Michaëlis de Vasconce-

13. Véase G. S. WILLIAMS, art. cit., p. 6. L. Braunfels intentó demostrar que este pasaje estaba interpolado en su libro *Kritischer Versuch über den Roman Amadís von Galien*, Leipzig, 1876. Véase la reseña de don Juan VALERA: v*Sobre el Amadís de Gaula*», recogida en *Obras Completas*, Madrid, Aguilar, 1961, t. II, pp. 480-495. La tesis ha sido rechazada por todos los críticos.

14. Véase M. MENÉNDEZ PELAYO, ob. cit., p. 324. El resumen de G. S. Williams, en su artículo citado en tantas ocasiones, el libro de Menéndez Pelayo y el de E. Baret, para las distintas épocas son los mejores resúmenes que hemos consultado. Las hipótesis de T. Braga las expone F. Paxeco en su art. cit. Puede consultarse con datos más actualizados la tesis inédita de A. MOTTOLA, *The «Amadís de Gaula» in Spain and in France*, Fordham University, 1962. En otros textos, a Vasco de Lobeira se le sitúa en tiempos del rey Juan I o en tiempos del rey don Dionís. NICOLÁS ANTONIO, *Bibliotheca Hispana Vetus*, Roma, Antonius de Rubén, 1696, p. 69, dice: «Sub Dionysio Portugalliae Rege, qui exeunte hoc saeculo vivebat, floruisse *dici*tur VASCUS LOBEIRA Lusitanus Portuensis, primus auctor, ut fama est, prosáici poematis, seu fabulosae historiae de Amadís de Gaula...»

15. Según el resumen de F. PAXECO, art. cit., p. 415, Vasco de Lobeira, *Forçosamente* filho de João de Lobeira, sería armado cavaleiro em Aljubarrota». Para C. MICHAËLIS, ob. cit., p. XIX, sería «por ventura descendente do *cavaleiro* João Lobeira». La opinión de Rodrigues Lapa no puede ser más tajante res-

los y Rodrigues Lapa, hemos separado la posible
intervención de ambos personajes, porque cronológicamente nos parece más correcto. Según C. Michaëlis
«outras alusões, castelhanas, fazen supor que Vasco
Lobeira tinha acrescentado ao *Amadís* um *Libro III*,
inmediatamente traduzido para os vizinhos o sabo-
rearem» [16].

Todas las argumentaciones de redacción portuguesa o castellana, son puras hipótesis indemostrables [17].
Sin embargo, a nuestro juicio, hay dos hechos decisivos: *a)* la referencia a don Alfonso demuestra que
ambas redacciones se interinfluyen. En último término, un autor castellano traduce o retoma un original
donde hay una intervención portuguesa; *b)* la ausencia de lusismos en el texto de 1508. Incluso, A. Rodríguez Moñino publicó unos importantes fragmentos
de una redacción de hacia 1420, cuyo examen lingüístico también manifiesta la falta de portuguesismos [18].
Nos parece difícil —no imposible— que en una traducción de originales del país vecino no hubieran permanecido lusitanismos, mientras que rasgos dialecta-
les del occidente peninsular se rastrean en los fragmentos de 1420 y en la edición de 1508 [19]. En conse-

---

pecto a la tesis de T. Braga, que «fez sobre isso uma baralhada
de mil demonios, na recapitulação a que submeteu, em 1909, o
seu estudo de 1873», art. cit., p. 19. No obstante, para él,
Vasco de Lobeira era «certamente da familia de João Lobeira»,
página 18.

16.   Ob. cit., p. XIX.

17.   Incluso, según dice Rodrigues Lapa, art. cit., p. 27, «existe um fragmento do romance na nossa língua, do século XIII
ou XIV, no arquivo dum aristocrata castelhano residente em
Madrid». E. Blanco-Amor, no sabemos si a través de M. Rodrigues Lapa o de alguna otra persona, en la revista *Triunfo*,
«El idioma gallego hoy», núm. 611 (1974), decía lo siguiente:
«Aviso: Anda por ahí la especie, más bien policíaca, de que "un
noble madrileño" tiene en su poder un códice que lo demuestra [que el Amadís nació gallego], y que no lo suelta por pa-
triotismo centralista; lo que, de ser verdad, justificaría una
operación de comandos eruditos, con los aguerridos miembros
de la Real Academia Gallega haciendo punta.»

18.   Véase R. Lapesa, art. cit.

19.   Véanse las notas de E. B. Place a su edición y su estudio lingüístico de los dos primeros libros, t. II, pp. 585-597.

cuencia, la tradición asumida por Montalvo es muy
difícil que tuviera relación con textos portugueses [20].
Por ello nos parece más razonable que la intervención
del infante don Alfonso se hubiera producido en España.

No obstante, parece evidente la existencia de una
versión efectuada por Vasco de Lobeira, por las diversas tradiciones que le asignan la obra. Estimamos
que bien pudo tratarse de una traducción del texto
castellano o una versión desconocida, cuyo texto ignoramos. Pero la coincidencia de fechas entre una
versión de tres libros conocida en Castilla y una creación realizada por el portugués es demasiado sospechosa. Sin embargo, mientras no aparezcan nuevos
datos, nunca podrá ser demostrada rigurosamente
ni la autoría portuguesa ni la castellana. Dejando
a un lado estos aspectos, sabemos que posiblemente
en el último tercio del siglo XIV una versión en tres
libros terminaba con la muerte de Amadís a manos
de su hijo [21]. A su vez, unos fragmentos de 1420 de-

20. M. RODRIGUES LAPA, art. cit., pp. 26 y ss., se empeña en
demostrar que los rasgos occidentales son impropios de una
obra como el *Amadís:* «sería grotesco [...] imaginar que a língua
gua do *Amadís de Gaula* pudesse ser um dialecto oral, mais
o menos rustico, leonês ou asturiano». K. PIETSCH, ob. cit., página IX, en la publicación de sus textos señaló que «they
were composed in a mixed language, which, together with the
Castilian, contained much that was Western». M. R. LIDA DE
MALKIEL, «La literatura artúrica en España y Portugal», recogido en *Estudios de Literatura española,* ob. cit., p. 138, señala
cómo «alrededor de 1250 los leoneses desarrollaron una breve
actividad literaria que se conoce sólo a través de versiones
derivadas, a menudo fuertemente castellanizadas, por ejemplo, la *Estoria del rey Guillelme».* El *Amadís,* a nuestro juicio,
se inserta en esta tradición, ni mucho menos oral, ni inculta.
En cuanto a los otros argumentos filológicos esgrimidos creemos que no merece la pena discutirlos.
21. Aparte de la poesía de Pedro Ferruz, la muerte de
Oriana se señala también en otros textos. FERNÁN PÉREZ DE
GUZMÁN dice lo siguiente: «Gynebra e Oriana / e la noble rreyna Yseo / ... / segund que yo estudio e leo / en *escrituras provadas* / no pudieron ser libradas / d'este mal escuro e feo»,
Cancionero de Juan Alfonso de Baena, ed. cit., p. 1146. A nuestro juicio, hay una defensa de los libros de caballería en contraposición con la famosa estrofa 162 del *Rimado de Palacio:*

muestran la existencia de Nasciano y Esplandián. Ambos personajes no son invención de Rodríguez de Montalvo, por lo que su labor refundidora es difícil de precisar. Además, incide de forma clara en esta segunda redacción por lo que nos detendremos con un poco más de amplitud en el problema.

«Plógome otrosí oír muchas vegadas / Libros de devaneos, de *mentiras provadas*», Ed. de J. López Yepes, *Obra poética del Canciller Ayala*, Vitoria, 1974. A su vez un texto de Nuno Pereyra, también bastante citado, creemos entender que habla de la muerte de Oriana: «Se o disesse Oryana / E Iseu alegar posso / Dyryam quem se engana: / Que sospiros sam oufana, / "Cuidado quebranto nosso". / Dyryam: "Quem alegou / Sospiros contra cuydado, / Nunca bem se namorou; / *Ca o que a nos matou*, / Mata todo namorado"», E. Baret, ob. cit., p. 26. El poema según G. S. Williams se compuso en 1483; art. cit., página 6.

XVIII. LA INTERVENCIÓN DE MONTALVO

LA POSIBLE EXISTENCIA DE VARIOS MANUSCRITOS

Desde una óptica no medieval, el *Amadís* puede parecer incomprensible, si se aplican criterios diferentes a los que rigieron su composición. La brevedad como ideal estético tiene una larga andadura histórica como estudió E. R. Curtius. «La teoría poética latina de hacia 1200 concibe el problema de este modo: el arte del poeta se ve, ante todo, en el tratamiento retórico que da a su tema; el autor puede escoger entre dos procedimientos, puede alargar artísticamente el tema, o bien tratarlo de manera sucinta. Estos teóricos no parecen haber caído en la cuenta de que la idea, tan difundida, era absurda; en todo caso dedican más espacio a la *amplificatio* que a la *abbreviatio;* sobre aquella había más que decir» [1]. El sentido primitivo de la *brevitas* se reduce a la utilización de ciertos procedimientos retóricos [2].

Estas mismas contradicciones pueden ser detectadas en nuestra novela. Por un lado, las estructuras narrativas se han ido conformando a base de sucesivas amplificaciones. Por otra parte, el narrador hace gala de la abreviación como procedimiento utilizado para contar algunos episodios. El problema alcanza un mayor grado de complejidad tras el descubrimien-

---

1. E. R. CURTIUS, ob. cit., t. II, p. 686.
2. *Ibídem*, p. 688.

to de los fragmentos publicados por A. Rodríguez
Moñino. Según sus conclusiones «con todas las reservas necesarias, porque nosotros tenemos verdadero
horror a *suponer,* nos arriesgamos a indicar si el refundidor medinés se limitó a eliminar una tercera
parte del *Amadís* primitivo hasta que al añadir su
cuarto libro ofreciera un volumen aproximadamente
igual al que corría en manos de todos desde el siglo XIV, sin fijarse mucho en el contenido estético de
los cospes que saltaban de sus hachazos» [3].

Los razonamientos nos parecen válidos si partimos
de los siguientes presupuestos:

a) La existencia de una versión única refundida por
   Montalvo.
b) La adición de un cuarto libro.
c) La abreviación del antiguo original.

Cada uno de los planteamientos implícitos en su
hipótesis nos parecen sumamente problemáticos para
aceptarlos sin ninguna matización. La correspondencia entre los fragmentos de 1420 y el texto de 1508 no
ha sido puesta en tela de juicio, por nadie, que nosotros sepamos. Sin embargo, Montalvo conocía, al
menos, tres variantes [4] del episodio de Briolanja:

1. La intervención de don Alfonso de Portugal. El
texto no especifica cuál fue la pretensión del infante,
pero puede deducirse que Amadís, por propia voluntad, accedía a los amores de Briolanja.
2. Oriana consentía que su amado cumpliera los
deseos de la reina.
3. La versión dada como más creíble: Briolanja
se compadecía de Amadís.

La gradación de la infidelidad o lealtad del héroe parece evidente y los hechos podemos agruparlos en dos
grandes bloques. En el primero, Amadís tiene relacio-

---

3. Art. cit., p. 37.
4. Aparte de su propia opinión que las rechaza.

nes con Briolanja, bien voluntarias o permitidas por
Oriana. Podrían corresponder a una misma redacción
matizada con la intervención de don Alfonso de Portugal. En el segundo caso el héroe permanece fiel a
los postulados del amor cortés.

Esta multiplicidad de puntos de vista sobre determinadas secuencias se vuelve a repetir en el Libro IV.
Galaor, después de su enfermedad acude a la Ínsola
Firme: «llegó al rey Lisuarte y quando le vio tan flaco, fue lo abraçar, y las lágrimas les vinieron a entrambos a los ojos. Y túuolo el rey vn rato, que se
nunca pudieron fablar; tanto que *algunos* dixeron
que este sentimiento fue del plazer que de se ver ouieron, pero *otros* lo juzgaron diziendo que teniendo en
las memorias las cosas passadas, y no se auer en ellas
fallado juntos como sus coraçones desseauan, auía
traído aquellas lágrimas» (IV, CXXIII, 1216, 69). El
fragmento supone dos interpretaciones diferentes es-
grimidas por *algunos* y por *otros*. Cabría la posibilidad de que los pronombres remitieran a personas de
la propia obra. El recurso se utilizaría por vez primera y constituiría una técnica sorprendente por su mo-
dernidad. Un mismo fenómeno sería juzgado de forma distinta de acuerdo con la personalidad de los
agentes narrativos y la autonomía de los personajes
dotados de opiniones propias acercaría el texto a
planteamientos cervantinos.

No obstante, si repasamos los procedimientos similares empleados en el *Amadís*, deberemos desechar
esta hipótesis. En dos ocasiones el autor cuenta un
mismo episodio desde diferentes ópticas. En la primera de ellas, un caballero vencido por Amadís narra su
propia aventura a Balays y Galaor. El desconocido
pregunta por la personalidad del héroe. «Porque me
no quiso dezir —dixo él— dónde tan rezio yua, tra-
uéle del freno, y dixe que me lo dixesse o se comba-
tiesse comigo; él me dixo con saña que pues le no
dexaua, que más tardaría en que le dezir que en se
librar de mí por batalla» (I, XXIII, 214, 133). Posteriormente se relata en estilo directo el diálogo entre
Amadís y su adversario: «—¿Qué cuyta auedes tan

grande que con tanta priessa os faze venir? —¿A vos qué os faze —dixo Amadís— de yo yr ayna mi passo? [...] —Conuiene que me lo digáys, si no soys en la batalla. —Más me plaze desso —dixo Amadís—, porque más tardaré de os lo dezir que de me quitar de os por essa vía...» (I, XXVI, 224, 11).

La *interpretatio* y *expolitio* son dos recursos distintos para los clásicos, identificados en la retórica medieval[5]. El procedimiento consiste en «eadem rem dicere, sed commutate»[6], y el autor del *Amadís* ha sabido manejar el procedimiento retórico con suma habilidad. Técnicamente hay una notable diferencia entre ambos relatos. El diálogo del agresor con el héroe pormenorizado y con un esquema elemental de preguntas y respuestas breves intensifica dramáticamente la acción. El clímax se sitúa en la interpelación y no en el combate. La corta longitud de las frases favorece la espontaneidad y el desarrollo vibrante de la conversación. Por el contrario, el rápido resumen del agredido sirve para comunicar a Balays y Galaor una información desconocida y generadora de un nuevo episodio. Al reírse los amigos del héroe, el caballero se vengará golpeando el caballo de Balays. La nueva aventura puede comenzar. El autor reelabora dramáticamente la escena y crea el marco propicio para motivar la acción del héroe. Incluso la economía de los medios empleados es notable. Los dos episodios están entramados por la acción de un único personaje, el agresor de Amadís. La reiteración se justifica dentro de una verosimilitud artística. La narración repetida está en función de las empresas que propicia, la de Balays y la de Amadís.

La redundancia informativa ha sido transformada en materia artística. El diálogo revela diferentes pro-

---

5. Véase W. RYDING, ob. cit., p. 71. El autor relaciona el procedimiento con las tiradas paralelas de la épica.
6. E. FARAL, *Les arts poétiques du XIIe. et du XIIIe. siècle...*, París, Champion, 1958, p. 63. C. GARIANO, en *El enfoque estilístico y estructural de las obras medievales*, Madrid, Aula Magna, 1968, ofrece un resumen de estos problemas retóricos.

cedimientos con ligeras variantes, y genera dos acciones. La *amplificatio* ha constituido sólo una de las
funciones del recurso. Sin embargo, no ha sido totalmente gratuita como si se tratara de una regla utilizada por un escolar inexperto.

El segundo caso se produce en la entrega de Oriana
a los romanos: «el rey Lisuarte caualgó y fuese al
puerto donde la flota estaua, y allí consolaua a su hija
con piedad de padre, mas no de forma que esperança
le pusiesse de ser su propósito mudado» (III, LXXXI,
911, 69). La misma situación sirve para iniciar el capítulo XCIV del Libro IV: «Salió el rey Lisuarte, el
día que entregó a su hija a los romanos, con ella vna
pieça de la villa, y yua la consolando algo con gran
piedad como padre...» (IV, XCIV, 1005, 4 y ss.).

En la recapitulación ideológica se enfocan los hechos desde la perspectiva del rey-padre-absolutista
que muestra su dolor ante los lamentos de su hija.
Las connotaciones peyorativas de las que se había
cargado el personaje quedan aminoradas con la reiteración. El narrador pretende así justificar el comportamiento de un rey, mostrándolo como padre dolo-
rido y humano. El cambio de libro y la lejanía de los
hechos favorecen el resumen habitual en los comienzos de capítulos. El procedimiento es idéntico al anterior, aunque haya unas divergencias sustanciales.
Ahora la repetición adopta un cariz ideológico, pues
se emplea para paliar la falta de motivación de la
conducta regia. Las aventuras que propiciaba la utilización de la técnica quedan al margen.

Estos hechos excepcionales podían haberse trascendido. El camino para conseguir un perspectivismo
en el relato estaba iniciado. Sin embargo, de momento sólo existen narraciones contadas desde ópticas
distintas, pero siempre coincidentes en los detalles
descritos. Por el contrario, el encuentro entre Galaor
y Lisuarte sigue otros rumbos narrativos. *Algunos* y
otros no corresponden a personajes de la propia novela, ya que tienen opiniones diferentes. Con estas denominaciones el autor sólo puede referirse a personas
ajenas al relato. Ambas perspectivas, excluyentes en-

tre sí, implican la posible existencia de dos redacciones.

Finalmente, en uno de los fragmentos más famosos de *Las Sergas* vuelve a reiterarse el mismo fenómeno:

> Pasó esta cruel y dura batalla, así como ya habéis oído, entre Amadís y su hijo, por causa de la cual algunos dijeron que en ella Amadís de aquellas heridas muriera, y otros que del primer encuentro de la lanza, que las espaldas le pasó. Y sabido por Oriana, se despeñó de una ventana abajo. Mas no fue así, que aquel maestro Elisabat le sanó de sus llagas (*Sergas*, XXIX, 434b, 435a).

De acuerdo con las palabras del texto hay tres versiones de la muerte de Amadís. Cada una de ellas representa un desenlace más o menos trágico, la muerte por unas heridas revela un final del héroe, dramático, pero acorde con sus condiciones guerreras; el fallecimiento tras el primer encuentro de la lanza supone la completa superioridad de Esplandián: ha vencido a su padre sin ningún obstáculo, la redacción admitida por Montalvo es la menos afrentosa para Amadís.

De nuevo, las variantes apuntan a dos opiniones enfrentadas y opuestas con una gradación similar a la del episodio de Briolanja. En una versión Amadís moría a manos de su hijo, bien en el primer encuentro, bien a consecuencia de las heridas; en el segundo caso el héroe es curado por el maestro Elisabad. Esta última variante quizás sea debida a la invención de Montalvo. El prólogo del Libro IV señala cómo Esplandián «después que a la más edad fue llegado y en tan grande estado puesto como ser emperador de Constantinopla, rey de la Gran Bretaña y Gaula...» (IV, 956, 104). Los últimos hechos sólo podían suceder después de haber muerto sus abuelos (Perión y Lisuarte) y sus padres (Amadís y Oriana). En *Las Sergas* los progenitores permanecen vivos, indicio de que ha sido alterado un original anterior.

En resumen, estas referencias insistentes a diversas interpretaciones sólo se explican como recurso del

autor para encarecer su narración o como presencia
real de textos diferentes. La primera posibilidad, pa-
rodiada hábilmente por Cervantes, tendría sentido si
Montalvo hubiera creado íntegramente la novela. Sin
embargo, el episodio de Briolanja y la muerte de
Amadís son secuencias suficientemente importantes
para que cualquier lector las conociese. El medinés
hace referencia a episodios refundidos, no inventados
por él.

Si recordamos sus palabras insertas en el prólogo
de la novela, la coherencia es absoluta: «desseando
que de mí alguna sombra de memoria quedasse, no
me atreuiendo a poner el mi flaco ingenio en aquello
que los más cuerdos sabios se ocuparon, quísele juntar con estos postrimeros [...] corrigiendo estos tres
libros de Amadís, que por falta de los *malos escriptores*, o componedores, muy corruptos y viciosos se
leýan» (I, 9, 81 y ss.). «Corrigióle de los antiguos originales que estauan corruptos y mal compuestos en
antiguo estilo, por falta de los *differentes y malos
escriptores*» (I, 11, 5). El último refundidor remite
de forma explícita a una pluralidad de textos, lo que
concuerda con las diversas interpretaciones esgrimi-
das. En el episodio de Briolanja hay tres variantes,
en el de Galaor dos y en la muerte del héroe de nuevo
otras tres. Aceptando la derrota de Amadís como refundición de Montalvo, los episodios analizados representan dos interpretaciones distintas persistentes en
la novela. La interpolación del infante don Alfonso
puede ser un cambio mínimo de una versión o un
hecho relacionado únicamente con la redacción más
primitiva. Por tanto, el resultado del cotejo entre los
fragmentos de 1420 y el *Amadís* de 1508, no permite
sentar unas bases rigurosamente sólidas para afirmar
cuál ha sido la labor del medinés.

A pesar de que contamos con unos indicios hipoté-
ticos, no nos extrañaría la posibilidad de que Rodríguez de Montalvo hubiera manejado distintos originales —quizás dos— a la hora de refundir la obra. Con
menos probabilidad de error podríamos afirmar que

el regidor medinés conocía distintas variantes de tres episodios diseminados en la novela. ¿Constituían versiones divergentes? ¿Eran interpolaciones introducidas en un mismo texto? Nos inclinamos por la primera posibilidad, con todo tipo de reservas. Se nos hace muy difícil pensar que el episodio de Briolanja no supusiera una alteración de algunas estructuras narrativas en la primera parte de la novela. No obstante, el regidor indica las discrepancias en la interpretación con distintas finalidades. Él se hace responsable de la refundición de una materia preexistente. Como si se tratara de un escrupuloso historiador señala las variaciones de distintos originales[7]. Unos y otros relatan hechos de manera contradictoria. Al referir las divergencias, Montalvo manifiesta su veracidad en episodios que los lectores podrían recordar. Se ciñe ficticiamente a unos textos que le confieren su autoridad. Incluso, pretende sacar el máximo provecho. Los anteriores escritores no sólo eran malos por su forma de escribir. Ni siquiera se habían enterado de la verdad de la historia. Él, escudriñador de variantes, se siente en posesión de la única y auténtica verdad[8]: su opinión será la válida, sus versiones

---

7. Por poner un ejemplo histórico, en la *Primera Crónica General de España*, ed. cit., t. I, p. 38, se cuenta de formas diferentes la muerte de Dido: «Pero *otros* cuentan que esta reyna Dido se mató con grand pesar que ovo de Eneas, so marido, por que la desamparó assi como adelant oyvedes.» Ahora bien, en las novelas artúricas el procedimiento se utiliza de igual modo. Por ejemplo, en *La Demanda...*, ed. cit., p. 227a, se dice lo siguiente: «e la verdad dize, assí como la verdadera historia lo rectifica que ya Galvan nunca lo venciera, sino que le mató el cavallo, e cayó Érec en tierra quando ge lo ovo muerto.»

8. En la *Égloga de tres pastores* de Juan de la Encina, compuesta probablemente entre 1507 y 1509, hay un pasaje ambiguo que podría sugerir cómo Oriana ha vuelto a la vida: «E si de otras ejemplo faltase, / ¿Oriana no sabes que vive en el mundo, / que cuando virtud se fuese al profundo, sola ella haría que resucitare?». Ed. cit., p. 278. La ambigüedad radica en el hecho de que se llama Oriana la amada de Cardonio. No obstante, podría tener conexión con nuestra novela en la nueva versión. Juan de la Encina, con ello, se mostraría satisfecho del rumbo de la obra. La fecha de 1507 no indicaría nada.

las últimas y las más fieles. Hidalgo de Medina del
Campo, no puede mentir, a diferencia del moro Cide
Hamete Benengeli.

LA ABREVIACIÓN

Nuestras argumentaciones no pretenden invalidar
las hipótesis de A. Rodríguez Moñino. La brevedad de
los fragmentos, casi todos relativos a episodios béli-
cos, sólo permiten aventurar conjeturas. Por nuestra
parte, hemos intentado hacer un poco más complejo
el problema, aunque los resultados vayan en contra
de nuestras propias convicciones. Creemos que Montalvo abrevió algunos episodios del original u originales primitivos. A. Rodríguez Moñino utilizó sus materiales con el máximo provecho en un cotejo minucioso y fiel. Si el original utilizado por Montalvo fuera
idéntico al de los fragmentos de 1420, los razonamientos del crítico extremeño serían concluyentes. En
estos episodios confrontados globalmente, el medinés
suprimió una tercera parte del material. Sin embargo,
además de la duda expuesta con anterioridad, nos
asalta otra interrogante. ¿Cuáles pudieron ser los
criterios de Montalvo a la hora de enfrentarse con
unos textos preexistentes? Casi con toda seguridad
podemos afirmar que el *Amadís* de 1508 contiene
algunos cambios respecto a originales anteriores. La
poesía de Pedro Ferruz habla de unas lluvias y ventiscas inexistentes en el texto de Zaragoza[9]. A su vez,
Juan de Dueñas destaca conocimientos de distintas
pruebas de los amantes, en un «decir» dirigido a su
amiga a causa de una carta:

---

pues la existencia de una versión anterior a 1508 es segura. El
año y el lugar no lo sabemos. B. KÖNIG, en su excelente artículo «Amadís und seine Bibliographen...», *R J*, XIV (1963),
294-309, ha demostrado que la hipotética edición sevillana de
1496 no deja de ser un simple cúmulo de confusiones.

9.   Amadys el fuy fermoso / las lluvias e las ventyscas / nunca las falló aryscas / Por leal ser e famoso, *Cancionero de
Baena*, ed. cit., p. 663.

Pues pensar bien que dezís,
mi senyora verdadera,
que por cierto si yo fuera
en el tiempo de Amadís;
según vos amo y adoro
....
nuestra fuera la más parte
de la ínssola del Ploro [10].
Pues por cierto mis amores
non fuera suya tan plana
de la gentil Oriana
la capilla de las flores.

La Ínsola de Ploro [11] quizás sea la Ínsola Firme y la capilla de las flores la cámara defendida. Han podido alterarse los nombres y algunos detalles como las flores. Pero el verso «nuestra fuera la más parte» remite a una prueba cuya superación implica una posesión parcial del territorio. En la novela, Amadís es dueño y señor de la isla, no de una parte. Juan de Dueñas ha podido recordar mal o reinventar la novela en algún aspecto, aunque nos parece excesiva casualidad que dos poetas tengan como punto de referencia

10. *Cancionero castellano del siglo XV*, ordenado por R. Foulché Delbosc, Madrid, N.B.A.E., núm. 22, 1915, t. II, página 202. El verso no editado por R. Foulché, según *El Cancionero de Palacio (Manuscrito núm. 594)*, ed. de F. Vendrell de Millás, Barcelona, C.S.I.C., 1945, p. 305, es «muy lealmente sin arte».

11. Parece clara la confusión con un pasaje del *Tristán* en el que el héroe gana la Ínsola del Ploro, ed. cit., cap. XXIV, página 369. El gigante contra el que lucha Tristán se llama Bravor, como el hijo del gigante Balán. El editor transcribe el «castillo de la Ínsola del ploto». A pesar de estas similitudes, la única coincidencia de ambos pasajes se refiere a un mismo esquema narrativo: el héroe gana una isla tras superar unas pruebas. La contaminación de episodios está favorecida por la misma poesía que también incluye a Tristán e Iseo como pareja de amantes. ENTWISTLE, ob. cit., p. 196, había señalado la confusión: «às aventuras na Ínsola Firme sob o velho nome que aquella paxagem copiara do *Tristán* espanhol-Ínsola del Ploro». J. SCUDIERI RUGGIERI, en «Due note di letteratura spagnola del s. XIV...», *CN*, XXVI (1966), p. 239, piensa que la poesía de J. de Dueñas «consente affermare che in una (o nella?) primitiva stesura dell'*Amadís* dovette esistere un episodio in seguito scomparso dal testo di Montalvo...»

el *Amadís* y aludan a unos hechos inexistentes o alterados.

Por otra parte, un análisis interno de la obra demuestra que algunos episodios están descritos sin la prolijidad de detalles habitual. Ya hemos hablado de la estancia del héroe en Alemania y en Bohemia. En el primer caso no se describe ninguna hazaña del Amadís, lo que contradice la adquisición de una fama y un nombre: el Caballero de la Verde Espada. En los primeros libros el narrador reitera con insistencia un mismo sintagma: «Pasaron unos días sin aventura fallar.» Tiempo y aventuras son parámetros casi equiparables. Las empresas heroicas conducen a los caballeros a la adquisición de un renombre extendido por los lugares a donde acuden. En esas tierras «extrañas», Alemania, Bohemia, camino de Constantinopla, Amadís debía hacerse con una nombradía que contrapesara su inactividad en Gaula. La contradicción aumenta porque la equiparación aventuras-tiempo-fama se ha desequilibrado. Los transcursos temporales ya no se computan por días, sino por años; las aventuras se omiten; la adquisición de una fama a través de las distintas empresas se da por realizada. Podíamos pensar en un cambio de autor. Frente a la complejidad y acumulación de detalles del Libro I y parte del II, las aventuras son menos abundantes. Sin embargo, la minuciosidad de algunas descripciones sobre todo en algunas batallas es bantante más acusada. Nos parece más indicado aventurar alguna selección del material preexistente. Las lluvias y ventiscas de Pedro Ferruz podrían corresponder a estos episodios eliminados.

Por otra parte, el mismo narrador manifiesta en ocasiones su deseo de no ser prolijo: «Muchos otros que por esta mala y maluada soberuia perecieron en este mundo y en el otro, contarse podrían con que esta razón ahun más autorizada fuesse. Pero porque seyendo más prolixa más enojosa de leer sería, se dexa de recontar» (I, XIII, 110, 152). La glosa pertenece casi con toda seguridad a Montalvo por razones ideológicas y lingüísticas, y nos puede servir de indicio de su intervención. Esgrime, como cualquier escritor medieval, unos argumentos de autoridad refrendados por hechos antiguos, algunos pertenecientes a las escrituras sagradas (Lucifer, Membrot). Una vez avalada su demostración no se explaya en ella, aduciendo uno de los tópicos de la *abbreviatio*. La prolijidad causa enojo. Como dice E. R. Curtius «en la Edad Media [...] muchos escritores citarán la fórmula de brevedad a fin de probar que están familiarizadas con los preceptos retóricos, o bien como pretexto para terminar un poema» [12]. La utilización de este procedimiento significa una voluntad de no alargar la narración con hechos innecesarios, y un recurso para cambiar de tema, dando por concluido lo anterior. El narrador reitera este mismo recurso en sus glosas (por ejemplo, II, LXV, 680, 171), y manifiesta su falta de habilidad. Expone un mismo pensamiento con idénticas citas, muestra de sus escasos repertorios de autoridades.

La técnica se aplica también al propio discurrir de los aconteceres: «El trabajo que passaron en los soterrar y los llantos que por ellos fizieron, será escusado dezirlo, porque la muerte del emperador, según lo que por ella se fizo, puso en oluido en los restantes. Pero lo vno y lo otro se dexará de contar, así porque sería prolixo y enojoso, como por no salir del propósito començado» (IV, CXII, 1114, 573). Se esgrime una nueva argumentación reiterada en otros contextos. La narración tiene un propósito y a él se deben ajustar los relatos. El planteamiento revela un gusto por la unidad, frente a la diversidad contraria a las estructuras novelescas, sobre todo del Libro I. La pluralidad puede conducir a la confusión: «Y si la hystoria no cuenta más [...] la causa dello es porque esta hystoria es de Amadís, y si los sus *grandes hechos* no, no es razón que los de los otros sean sino quasi en suma contados; porque de otra manera no solamente la scritura, de larga y prolixa, daría a los leyentes enojo y fastidio, mas el juyzio no podría

12.   Ob. cit., t. II, p. 683.

bastar a complir con ambas las partes» (IV, CXXXII, 1321, 466).

El problema constituirá una de las teorías más debatidas en Italia durante el siglo XVI. «Era un elemento decisivo en la controversia entablada acerca del *romanzo* y la épica. ¿Cómo conseguir que un poema heroico agrade por la variedad de sus episodios como sin duda agradaban los de Boiardo y Ariosto, sin quebrantar la ley que la razón, y no digamos los tratadistas, dictaba que la obra debía constituir un todo único y proporcionado?» [13]. El autor está abogando por unos cauces narrativos más modernos conducentes a que la obra tenga una unidad de acción. Por el contrario, en la narrativa medieval era un conflicto que no se planteaba. Los teóricos medievales no destacan con especial énfasis la unidad de las obras. Parecen más bien convencidos de que el secreto de su arte no reside en la unificación de la materia, sino en la multiplicidad de sus elementos [14].

En el Libro I, la redacción más primitiva, hay una variedad de aconteceres, aunque tengan algún nexo común. Se imbricarán unas con otras las historias de Amadís, de Galaor y en menor grado las de Agrajes. Después la narración se une casi a las aventuras de Amadís, como único héroe conductor de la novela, sin que falten episodios de otros personajes, aunque su dispersión sea menor.

Finalmente, el autor tampoco se detiene en algunas escenas eróticas «porque en los autos semejantes, que a buena conciencia ni a virtud no son conformes, con razón deue hombre por ellos ligeramente passar, teniéndolos en aquel pequeño grado que merescen ser tenidos» (I, XII, 105, 465). Montalvo pretendía insertar unos ejemplos moralizantes que hicieran provechosa la primitiva narración. Su labor, en este

---

13. E. C. RILEY, *Teoría de la novela en Cervantes*, Madrid, Taurus, 1971, p. 187.
14. Véase E. FARAL, *Les arts poétiques...*, pp. 59 y ss.; W. W. RYDING, ob. cit., pp. 115 y ss.; E. VINAVER, *The Rise of Romance*, etc.

sentido, ha podido consistir en la eliminación de
aquellos pasajes no conformes con la estrecha «buena conciencia y virtud» del caballero medinés. No ha
sabido prescindir de ellos, si bien, quizás, ha eliminado algunos pormenores. En resumen, y a través de
los textos aducidos por el propio narrador, una redacción previa ha podido ser abreviada por tres motivos:

a) Por causa de una moralidad, evitando las descripciones eróticas.
b) Para lograr una mayor unidad del relato, resu-
miendo o eliminando episodios extensos realizados por porsonajes distintos a Amadís.
c) En función del propósito de la obra. Aventuras
sin ninguna incidencia en el desarrollo lógico de
los aconteceres o de poca importancia podrían
haber sido suprimidas o aligeradas en sus pormenores.

El responsable de estas abreviaciones ha podido ser
Montalvo o algún otro refundidor previo. No obstante, las consideraciones teóricas de la abreviación parecen deberse al medinés. La estructura narrativa
de *Las Sergas* es más unitaria y carece de escenas poco «morales». Una nueva ideología artística y ética
ha servido de soporte para la formulación de la
abbreviatio. Mientras no dispongamos de una redacción extensa anterior a 1508, sólo nos podremos
mover en el terreno dificultoso de las hipótesis. Sin
embargo, nos inclinamos a pensar que el texto primitivo de III libros era más extenso en algunos detalles
y episodios. Las estructuras narrativas con aventuras
no contadas y las referencias de poetas a episodios
diversos o inexistentes en el *Amadís* de 1508, parecen
avalar nuestra teoría. Las propias palabras de Montalvo en el prólogo la pueden corroborar: «y corregióle
de los antiguos originales que estauan corruptos y
mal compuestos en antiguo estilo [...] quitando muchas palabras superfluas» (I, 11, 5). El medinés, para
«quitar» estas palabras, bien pudo basarse en alguno

de los siete procedimientos recomendados por Geofroi de Vinsauf para la abreviación. El tópico de la *brevitas* nos acerca a los consejos preconizados: «vitanda sunt omnia illa quae prolixitatem inducant» [15]. En este mismo sentido, los ablativos absolutos y las construcciones con gerundio constituirían una de las técnicas de la *abbreviatio* utilizadas con mayor abundancia: «Esto assí fecho» (IV, CXII, 1116, 54). «Acabada el rey Lisuarte su fabla» (*Ibídem*, 1117, 127). «Pues todo adereçado» (IV, CVI, 1077, 419). «Donde cumpliendo sus grandes y mortales desseos» (IV, CXXV, 1233, 427). «Y esto considerando, pospuesto el temor y peligro de mi poca vida, pensando que más aquí» (IV, CXIII, 1123, 308). No creemos que la labor de Montalvo fuera similar a la reforma estilística patente en la obra de Diego de San Pedro como estudió K. Whinnom [16]. La brevedad en este escritor apunta a unos ideales humanistas de los que, a nuestro juicio, todavía estaba lejos Rodríguez de Montalvo. Sólo una confrontación rigurosa con las últimas partes de *Las Sergas de Esplandián* y el resto del *Amadís* nos podrían arrojar nueva luz. Por ello, de momento nos hemos limitado a indicar las posibles vías que pudieron guiar esta enigmática labor del último refundidor.

15. *Documentum de arte versificandi*, Ed. de E. Faral, ob. cit., p. 277.
16. «Diego de San Pedro's Stylistic Reform», *B SS*, XXXVII (1960), p. 15. En cualquier caso, se convierte en un tópico utilizado en el *Tirant* con bastante asiduidad y parece corresponder a los gustos de la época. Para A. D. DEYERMOND, *Historia de la literatura española. La Edad Media*, Barcelona, Ariel, 1974, pp. 286-87, «A finales del siglo XV, el ideal estilístico de la brevedad ganó terreno, mostrándose en obras tan diversas como *Testament of Creseid*, del poeta escocés Robert Henryson, y la *Cárcel de amor*, de Diego de San Pedro. El estilo de Montalvo es a veces bastante prolijo en comparación con el de Henryson o de San Pedro, pero es posible que su abreviavión del original corresponda al mismo estímulo». No obstante, tampoco conviene olvidar su anterior trayectoria, pues el mismo motivo lo podemos hallar en don Juan Manuel, en la *Crónica Troyana*, etc.

LA AMPLIFICACIÓN

Al principio señalábamos la contradicción entre la *abbreviatio* y la *amplificatio*. La primera se convertía en un recurso más al alcance del autor para utilizar determinados procedimientos retóricos. Sin embargo, Montalvo está inserto en una tradición de sucesivas ampliaciones y reelaboraciones del *Amadís*. Es de suponer que no pretendería dejar la huella de su nombre y pasar a la fama sólo por haber refundido y abreviado los materiales preexistentes. De nuevo, las palabras del prólogo nos pueden ofrecer algún indicio de su intervención: «corregióle [...] poniendo otras palabras de más polido y elegante estilo tocantes a la cauallería y actos della» (I, 11, 5). Los libros: «son con las tales emiendas acompañados de tales enxemplos y doctrinas, que con justa causa se podrán comparar a los liuianos y febles saleros de corcho, que con tiras de oro y plata son encarcelados y guarnescidos» (I, 9, 95 y ss.). Parece como si en el fondo, se partiese de una división en diferentes estilos, consonantes con las distintas materias de la obra.

De acuerdo con los principios formulados en la *Rhetorica ad Herennium*, los tres estilos correspondían a las diferentes cualidades de la *elocutio*, como reinterpretará San Isidoro. Tiempo después, en la *Scholia vindobonensia ad Horati Artem poeticam*, la distinción de los tres estilos revela una diferencia entre las cualidades de las personas que intervinen en la obra [17]. Jean de Garlande lo precisa de forma más esquemática todavía: «Item sunt tres styli secundum tres status hominum: pastorali vitae convenit stylus humilis, agricolis mediocris, gravis gravibus personis quae praesunt pastoribus et agricolis» [18], representados por la famosa rueda de Virgilio. Los estilos corresponden a tres clases de personas: pastor, agricultor y noble, conforme a las obras literarias que lo representan: *Bucólicas*, *Geórgicas* y *Eneida*. El esque-

17. E. FARAL, *Les arts poétiques...*, p. 86.
18. *Ibídem*, p. 87.

ma fue muy utilizado por la literatura romance, con distintas modalidades en España [19].

En el *Amadís*, la acomodación se realiza entre un estilo elegante y «polido», quizás vestigio del estilo sublime, con lo «tocante con la caballería y actos della», es decir, lo correspondiente a los nobles. El autor desea rehacer el texto antiguo, y utiliza una de las técnicas del exordio, relacionadas con el *benevolum parare* [20]. Consiste en vituperar no a los contrarios como si se tratara de un discurso forense, sino a los malos escritores o «componedores» del estilo «corrupto». Con estos recursos se está autoalabando, a pesar de la presentación modesta. Ha dignificado la materia enmendando su errores. Además, como ha reelaborado una materia insignificante quiere sorprender al lector con medios estilísticos nuevos, y la inserción de doctrinas y ejemplos. El autor no está de acuerdo con la materia de los originales. Según sus palabras, sería «liviana»; sólo atendería a una de las premisas persistentes en toda la Edad Media: el *delectare;* le faltaría el *prodesse*, el *docere* [21]. El regidor no desentraña o no está de acuerdo con el sistema de valores implícitos en el *Amadís*, que, sin ningún tipo de ejemplos ni doctrinas, imbrica los dos presupuestos. Pero, con su intervención, la novela ha dejado de ser «liviana» y puede aprovechar a todos. Ha unido la enseñanza con el deleite, de la misma mane-

---

19. Véanse algunos aspectos en F. López Estrada, *Introducción a la literatura medieval española*, Madrid, Gredos, 1966, páginas 103 y ss.

20. H. Lausberg, ob. cit., t. I, p. 249. Según Ch. Faulhaber, art. cit., p. 153, «de los tratados clásicos latinos, el *De inventione* de Cicerón y la *Rethorica ad C. Herennium* son con mucho los más corrientes durante esta época (ss. XIII y XIV)». En la traducción de A. de Cartagena, *La retórica de M. Tullio Cicerón*, ed. de R. Mascagna, Liguori-Napoli, 1969, p. 56, se lee lo siguiente: «Por la persona de los adversarios se alcançará benivolençia, si los fiziéremos venir en odio o en envidia o en menosprecio de los oyentes [...] e en menosprecio vernán, si dixiéremos de su rudeza e de su negligençia e de su poquedad e de su studio perezoso e oçio luxurioso.»

21. Véanse algunos aspectos del problema en K. Kohut, páginas 36 y ss., con abundante bibliografía.

ra que se engarzan «en los saleros de corcho, el oro y la plata».

Estos materiales más didácticos, y el estilo refundido podría verse plasmado en algunos aspectos del Libro III y IV, sobre todo. Los episodios individuales dejan de ser numerosos, la narración se amplifica con sucesivas batallas, en las que los preparativos se hacen cada vez más extensos; el diálogo, los consejos, las embajadas, las cartas proliferan en el último libro. En síntesis podríamos decir que hay un predominio de lo verbal sobre la pura acción individual.

La clave del cambio quizás nos la proporciona una glosa del narrador al comentar las ingeniosas palabras de Amadís en Constantinopla:

> Muy bien les pareció a todos las graciosas respuestas que el cauallero de la Verde Spada daua a todo lo que le dezían; assí que esto les fazía creer, ahún más que el su gran esfuerço, ser él hombre de alto lugar, porque el esfuerço y valentía muchas vezes acierta en las personas de baxa suerte y gruesso juyzio, y pocas la honesta mesura y polida criança porque esto es deuido aquellos que de limpia y generosa sangre vienen. No afirmo que lo alcançan todos, más digo que lo deurían alcançar como cosa a que tan tenudos y obligados son, como este cauallero de la Verde Spada lo tenía; que poniendo a la braueza del su fuerte coraçón vna orla de gran sofrimiento y contratación amorosa, defendía que la soberuia y la yra lugar no fallassen por donde su alta virtud dañar pudiesse (III, LXXIV, 823, 1073 y ss.).

El autor distingue dos aspectos. El comportamiento, la mesura y pulida crianza los atribuye a un comportamiento extraguerrero ligado a un linaje. Por el contrario, la valentía y esfuerzo también son propias de personas de inferior categoría. En el fondo de la glosa subyace una técnica idéntica a la del prólogo, planteada en términos diferentes. La «honesta mesura y polida crianza» se contrapone a «la baxa suerte y gruesso juizio». La pretensión de Montalvo era ampliar el relato con un «polido y elegante estilo» acorde con la caballería, frente a los «malos y corruptos escritores». En ambos casos se vituperan unas cualidades para ensalzar otras distintas. El hecho nos parece importante para entender muchos aspectos del libro cuarto. En él domina casi todo el relato la gran guerra de Amadís contra Lisuarte, y, en estrecha relación con lo que venimos diciendo, las graciosas respuestas de Amadís, sobre todo, se extenderán por doquier.

Si se concede más importancia a las palabras y los diálogos, la *amplificatio* narrativa, técnica empleada en buena parte de los episodios, se convertirá en *amplificatio* verbal [22]. Mediante ella el héroe demostrará sus conocimientos y sus cualidades cortesanas. Podemos afirmar, *grosso modo*, que sobre todo a partir del tercer libro y preferentemente en el cuarto, el autor hace gala y ostentación de todos los recursos retóricos a su alcance, con preferencia sobre los narrativos derivados de un saber contar aventuras. La muerte de Salustanquidio sirve para que la reina Sardamira, exprese su dolor en un *planctus* con todos los recursos típicos [23], las reuniones de los caballeros son detalladas con sus largos parlamentos; los diálogos se hacen extensos y las técnicas oratorias más palpables en su desarrollo persuasivo; las cartas testimonian la puesta en práctica de *artes dictaminis;* el parlamento de Amadís a los suyos antes de la batalla

---

22. M. R. Lida de Malkiel, *Juan de Mena, poeta del prerrenacimiento español*, México, El Colegio de México, 1950, páginas 159 y ss., distinguía en el poeta cordobés la *amplificatio rerum* y la *amplificatio verborum*. En nuestro caso, hemos denominado como amplificatio narrativa a la que supone una acumulación de aventuras, paralela a la primera «concebida como un indefinido ejemplario».

23. Dejando aparte los clásicos estudios sobre Jorge Manrique, pueden verse algunas particularidades del género en España en E. Asensio, «¡Ay, Iherusalem! Planto narrativo del siglo XIII», recogido en *Poética y realidad*, ob. cit., pp. 263-292, y J. Filgueira Valverde, «El planto en la historia y en la literatura gallega», recogido en *Sobre lírica medieval gallega y sus perduraciones*. Valencia, Editorial Bello, 1977, pp. 9-115.

contra Lisuarte es buena muestra de las *artes aren-gandi* [24].

Además, el plano del personaje, como obra de un autor, adquiere una doble profundidad. El héroe demostrará su linaje a través de las palabras, y, a su vez, el narrador se autoalaba y compromete. En su libro deberá revelar las palabras, conversaciones de los agentes narrativos acordes con su *status*. Al realizarlo, indirectamente, está manifestando su «saber», su crianza personal. Así se ensalza como escritor, y como caballero de casta ilustre y *limpia*. Esta auto-afirmación implica un riesgo: el riesgo de saberlo hacer bien. En la glosa queda proyectada la ideología de un autor con clara conciencia de su quehacer literario, caracterizado por una belleza formal y un contenido, expresión de una conciencia de clase. Como hemos dicho, todo ello tiene una concreción dentro de la obra, pero no es un hecho aislado en el contexto literario y social de la época. Sería, en términos de los formalistas rusos, un microsistema literario dentro de un macrosistema social. La conversación, las «graciosas respuestas», responden también a un molde de comportamiento cortesano. Cobran gran proyección dentro de unos círculos ociosos que han perdido su funcionalidad primitiva de «defensores», o que se han encumbrado como «laboratores»; por decirlo con términos actuales, en círculos de nobles e incipientes burgueses.

No pretendemos insinuar que estos hechos aparezcan de repente, entre otras razones porque casi ningún hecho social suele fraguarse de forma instantánea. Las normas corteses exigían un comportamiento acorde con la condición social. Las conversaciones y el ingenio están implícitos en este sistema de valores ya desde el siglo XII en Francia. Sin embargo, la cortesía, entendida como educación de clase, se sobreestima por encima de las dotes personales guerreras, como nunca había sucedido en la novela. Las palabras sus-

24. Para los aspectos retóricos, consúltese el ejemplar prólogo de K. Whinnom a la *Cárcel de Amor*, ed. cit., pp. 44 y s..

tituyen a la acción. De la misma manera florecerán las reuniones donde la conversación elegante y un cierto saber de muchas cosas deberá revelarse. Los diálogos, las normas corteses se manifiestan como elemento caracterizado de un *status*, de una cultura. Una clase más ociosa, dedicada en sus divertimientos a la conversación o a discusiones de tipo científico o humanístico, puede favorecer el resurgir de una literatura, en la que el diálogo constituye su principal elemento estructurante. No queremos mantener una hipótesis meramente mecánica, pero, a nuestro juicio, existe una cierta relación de dependencia entre ambos factores, con todos los matices ideológicos que deseen añadirse.

Por otro lado, la frase de «limpia y generosa sangre», adquiere en el contexto hispánico unas connotaciones evidentes. Ambas cualidades están relacionadas en una sociedad donde la convivencia de castas se ha hecho cada vez más conflictiva [25] y la demostración de una pureza de sangre es necesaria para muchos aspectos vitales. El hecho de ser caballero audaz, valeroso, según el autor, y la realidad social de la

---

25. Lo retomamos de A. CASTRO, *De la edad conflictiva*, Madrid, Taurus, 1961. La discusión de estos problemas por los planteamientos viscerales de A. Castro ha hecho proliferar una bibliografía abundante. Las «controversias» de las que habla A. Sicroff han trascendido el ámbito del problema en su planteamiento objetivo y se han convertido, en muchas ocasiones, en explosión sentimental y angustiada, a veces, de conflictos presentes, motivados por una convivencia nada apacible, esperemos que superada. En cuanto a nuestra novela, el hecho de que a los soldados de Cortés la visión de la ciudad de Tenochtitlán les pareciera cosa de «Amadís» es algo muy conocido. A. Castro lo relacionó en *Hacia Cervantes*, Madrid, Taurus, 1967, p. 15, con la casta bélica que «puso en juego la dimensión imperativa de sus individuos». Sin embargo, no lo sacaríamos a colación si el *Amadís* en edición para niños no se hubiera editado por Doncel, si un *Amadís* de Angel María Pascual no terminara identificándolo con José Antonio o si el padre Olmedo no hubiera proyectado en F. Franco a San Ignacio y a nuestro héroe novelesco. Por otra parte, tampoco es un hecho exclusivo de España. Pueden observarse buena parte de las dedicatorias de G. Cohen en sus libros posteriores a la guerra mundial.

época, están al alcance de cualquiera con dotes personales ajenas a un linaje[26]. No parece que nuestro narrador esté muy de acuerdo con la tesis mantenida por la criada de Celestina y ni con los comienzos del mismo Amadís.

> Este quiero que me faga cauallero, que si el rey Lisuarte es tan nombrado, será por su grandeza, mas este cauallero meresce serlo por su gran esfuerço (I, XI, 92, 238).

La diferencia entre esta frase del primer libro y las que estamos comentando nos parece tan radical como la posible mentalidad de sus dos autores. El primer aspecto, la valentía, no dejaría de ser ejemplar para toda una nueva clase de caballeros que históricamente estaban surgiendo. Sin embargo, se llega a un grado mayor de complejidad. Las «graciosas respuestas», demostrativas de una crianza, serán los rasgos diferenciales de los antiguos linajes. Ellos también demuestran su valentía, pero poseen cualidades inherentes a su prosapia y su crianza: la conversación, los diálogos corteses.

Las palabras del prólogo, la glosa y el desarrollo del IV libro nos proporcionan ciertos indicios para adivinar la labor de Montalvo. El estilo conveniente a la caballería deberá ser «polido». El medinés, casi con toda seguridad, ha tratado de refundir unos materiales preexistentes, adaptándolos a su propia ideología. Los personajes manifestarán su linaje y educación a través de unas conversaciones, *planctus*, cartas, arengas elaboradas con las técnicas retóricas al alcance del refundidor; la caballería cumplirá su función en una guerra colectiva; los episodios individua-

---

26. N. Porro, art. cit., p. 339, señala cómo Medina del Campo padeció los abusos de la época. «En 1476 los procuradores de los pecheros de la ciudad obtuvieron la promesa de los Reyes Católicos que no confirmarían en Medina del Campo ninguna de las hidalguías dadas a los pecheros de la villa.» *Cortes de Madrigal*, pet. 7. No olvido que hidalguías y caballerías eran las formas más comunes de pasar a las filas de los privilegiados.

les pasan a un segundo plano; la novela, a través de
Nasciano o de las glosas del autor, contiene ejemplos
y doctrinas aprovechables para todos. En su intervención se ensalza por su conversación, como caballero
de «generosa y limpia sangre». De rechazo, el autor,
responsable de sus palabras, se manifiesta como persona de similares características. El relato ensalza la
ilustre y no contaminada sangre del «virtuoso y honrado caballero» Rodríguez de Montalvo, hidalgo y regidor de Medina del Campo [27].

27. Según L. SUÁREZ FERNÁNDEZ, ob. cit., p. 259, «muchos libros circulan todavía que presentan a los Reyes Católicos
como enemigos de la nobleza; esta idea, que tiene su raíz en
el oculto resquemor de algún cronista, fue alimentada profundamente por los historiadores liberales que imaginaban a Fernando e Isabel como los cumplidores de ideales burgueses
que ellos poseían. Pero, como se demuestra con la rebelión de
Segovia, la extensión del régimen de corregidores y las propias declaratorias de juros de las Cortes de Toledo, los Reyes
Católicos no tenían nada de inclinación favorable a las ciudades. Después de 1480 las Cortes se extinguen y los munici-
pios pierden la poca autonomía que aún conservaban. En cambio, los nobles se estabilizan en sus tres escalas de grandes,
medianos e hidalgos y se incorporan al nuevo régimen al que
alimentan en la diplomacia, la guerra, el pensamiento y el
arte.» Véase también A. DOMÍNGUEZ ORTIZ, *El Antiguo Régimen: Los Reyes Católicos y los Austrias*, Madrid, Alianza Editorial, 1973, pp. 13 y ss.

XIX. LAS CONTRADICCIONES DEL PRÓLOGO Y EL LIBRO IV

LA MUERTE DEL HÉROE

La poesía de Pedro Ferruz y las palabras del propio Montalvo en su prólogo indican la existencia de una versión del *Amadís* en tres libros. En el último, el héroe moría a manos de su hijo, episodio relatado en *Las Sergas de Esplandián*. Según M. R. Lida de Malkiel, «la muerte del héroe debía de ocurrir forzosamente al final del Libro III. Montalvo separó el episodio de su contexto intercalando las nuevas aventuras que siguen a la victoria de Amadís sobre Roma y la Gran Bretaña, de igual modo que separó esta victoria del asalto a la flota que lleva a Oriana, y este asalto, de la partida de Amadís de la corte de Lisuarte» [1]. Si ordenamos sus razonamientos de acuerdo con el hilo argumental de la novela, los resultados son sorprendentes. Según su hipótesis, Amadís, tras marcharse de la corte, asaltó la flota de los romanos venciendo a Lisuarte y a Patín, para morir después a manos de su hijo.

Sus argumentaciones llevadas hasta el último extremo suponen que:

   a) Montalvo ha añadido casi todo el Libro III del texto de 1508.

1. M. R. LIDA DE MALKIEL, «El desenlace del *Amadís* primitivo», art. cit., p. 151.

b) Una parte de los materiales del Libro IV pertenecían a una redacción anterior.
c) Los episodios finales de la novela son invención
del medinés.
d) La muerte de Amadís es fortuita.

Las estructuras narrativas del Libro III convergen
en el IV, y tienen sus antecedentes en el II. Esto implica o bien que se han reelaborado profundamente
o inventado los episodios de los últimos libros o sólo
se han modificado. No hay posibilidad de fórmulas
intermedias por la trabazón de todas las aventuras.
La notable investigadora argentina se inclinó por la
primera hipótesis, sin que desarrollara con extensión
sus razonamientos, casi siempre acertados. Sin embargo, los fragmentos de 1420 atestiguan el combate
entre Amadís y un caballero de Grasinda[2], episodio
situado een tierras de Grecia y perteneciente al Libro III. La aventura es anterior a la redacción de
Montalvo y, por tanto, no ha podido ser creación
suya.
Por otra parte, resultaría extraño que el medinés no
asumiera la paternidad de los cambios realizados en
la novela. Nos inclinamos a pensar que el último refundidor sólo ha reelaborado unos materiales, preexistentes a él en casi su totalidad. A su vez, la disposición en libros ha debido ser alterada. Y en este
sentido J. Amezcúa[3] se pregunta por las razones del
refundidor para trasladar la muerte de Amadís a *Las
Sergas*. A nuestro juicio, la supremacía de Esplandián
en el combate con su progenitor representa el final
de una cadena de acontecimientos iniciados ya en el
Amadís: a) la espada encantada, b) el castigo de Arcaláus, c) la liberación del abuelo. La pelea serviría
psicológicamente para que Esplandián se pudiera
emancipar, tanto del mundo materno como del paterno, a causa de la muerte de ambos. Podría proseguir una vida distinta, al separar el yo de sus oríge-

2.   Véase A. RODRÍGUEZ MOÑINO, art. cit., p. 33.
3.   J. AMEZCÚA, art. cit., p. 325.

nes. Y en este caso sí que podemos operar con los dos niveles de la novela: la muerte hipotética y la derrota inserta en el texto.

La muerte del padre a manos del hijo no deja de ser un recurso folklórico, como ya señaló María Rosa Lida. Este desenlace trágico corresponde a multitud de mitos heroicos: «Esos mitos de héroe varían mucho en detalle, pero cuanto más de cerca se los examina, más se ve que son muy similares estructuralmente. Es decir, tienen un modelo universal aunque hayan sido desarrollados por grupos o individuos sin ningún contacto cultural directo mutuo, como por ejemplo, tribus africanas, indios de Norteamérica, griegos, incas del Perú. Una y otra vez se escucha un relato que cuenta el nacimiento milagroso, pero humilde, de un héroe, sus primeras muestras de fuerza sobrehumana, su rápido encumbramiento a la prominencia o el poder, sus luchas triunfales contra las fuerzas del mal, su debilidad ante el pecado de orgullo (hybris) y su caída a traición o el sacrificio "heroico" que desemboca en la muerte»[4].

El héroe paga su orgullo con la derrota o la muerte. En ambas situaciones cumple la misma función, aunque tenga distinto significado. Con la derrota se busca un castigo parcial para Amadís. Ha desempeñado unas tareas necesarias para poder reinstaurar un orden armónico, aunque ideológicamente no fueran para el refundidor las más ortodoxas. Hubiera sido un destino cruel que el texto de 1508 terminará con la muerte del héroe. Él se había comportado dentro de unas normas caballerescas que, si bien no eran las más adecuadas, tampoco eran dignas de menosprecio. La caballería arquetípica no podía ser condenada por su orgullo, cuando otros personajes con el mismo defecto se habían logrado salvar, como don Quadragante. Quizás el mundo axiológico de Amadís no

4. J. L. HENDERSON, «Los mitos antiguos y el hombre moderno», recogido en *El hombre y sus símbolos*, ob. cit., p. 110. S. THOMPSON, *Motif-Index* lo señala como el J 675.I.

era el más perfecto [5]; carecía de elementos más cris-
tianizados —la idea de cruzada—, pero invalidarlo
equivaldría a rechazar la novela.

Un segundo aspecto estaría relacionado con el propio sistema de valores de Esplandián. No podía representar un héroe mítico, cristianizado y perfecto,
tras haber matado a su padre. Estos hechos explican
la posible variación de la muerte de Amadís transformada en derrota. La razón seguida por el refundidor
para dejar el episodio en *Las Sergas de Esplandián*,
nos parece también evidente. El *Amadís* termina de la
forma mejor que podría concluir; los consejos de
Urganda advierten al héroe, como a todos los caballeros, que su hora ha llegado y debe alterar sus actividades vitales. Ya había demostrado su declinar en
las tres aventuras últimas. Con las recomendaciones
de la maga puede retirarse a la vida de gobernante.
Ha sufrido su correspondiente transformación y ha
llegado a lo más alto dentro de su carrera como caballero. Con un mínimo de nostalgia será superado
por su hijo, si bien esto mismo puede servirle de
consuelo. Esplandián ha sido engendrado por él y
por Oriana. Su amor ha logrado la perfección suma.
Sería impropio que la novela concluyera con la derrota del padre, porque se destruiría la ilusión de felicidad. Amadís es el caballero casi perfecto y como tal
debe terminar en los cuatro primeros libros. Con este
desenlace, el héroe ve alcanzada su meta, y el lector
queda impaciente por los resultados de la búsqueda
de Lisuarte, por la huida de Arcaláus, y por el misterio de la Peña Encantadora.

5. Por supuesto, lo argumentamos desde el punto de vista
del refundidor. Por otra parte, la crítica de algunos moralistas atestigua su rechazo. Véase W. KRAUS, «Die Kritik des Siglo de Oro am Ritter-und Schäferroman», en *Homenatge a
Rubió i Lluch*, Barcelona, 1936, pp. 225-246; E. GLASSER, «Nuevos datos sobre la crítica de los libros de caballerías en los
siglos XVI y XVII», *A E M*, 3 (1966), pp. 393-410. M. BATAILLON,
Erasmo y España..., México, *F C E*, 1966, pp. 622 y ss.; K. KO-
HUT, ob. cit., p. 12, etc.

Se ha llegado a una solución aceptable para todos: Amadís ha cumplido su destino y en el final del libro han quedado suficientes aventuras inacabadas para que el lector espere su continuación, reiteradamente anunciada. Se nos hace difícil pensar en una muerte fortuita, a pesar de las opiniones de M. R. Lida. En la novela hay un sistema de valores implícito en cada una de las aventuras. Los elementos folklóricos conforman buena parte de la obra, pero están siempre reelaborados artísticamente. El azar puro y trágico es casi inexistente; la anagnórisis es producto de la casualidad y de la intervención de Oriana; el anillo, la espada y los celos ya hacían coherente el episodio. Además, el desenlace implacable cobraría una proyección política. Amadís, caballero andante, vence a Lisuarte y Patín. Su muerte la deberíamos considerar como un castigo. ¿Qué infracciones ha cometido Amadís? Ningún caballero muere en la obra de forma gratuita. Por el contrario, la muerte o derrota del héroe tiene en la redacción actual un sentido coherente. Montalvo bien pudo modificar algún aspecto de los episodios precedentes, pero no creemos que alterara el sentido de la narración.

La misma M. R. Lida señala cómo en la *Queste del Saint Graal*, Galaad combate con su padre. La aventura nos parece significativa. Galaad, lo mismo que Esplandián, representa una caballería más cristianizada. Ambos héroes han conquistado sus espadas tras aventuras destinadas a ellos solos. Sin embargo, en todo este ciclo son abundantes las peleas entre amigos o familiares que no se reconocen. En el *Amadís* no sucede nada semejante.

La novela reitera en múltiples ocasiones los mismos motivos. El combate entre padre e hijo es equivalente al de Galaor y Amadís, y al de Florestán y Galaor. El primero está motivado por un «don contraignant»; en el segundo, Florestán no quiere decir su nombre hasta hacerse con una fama. La casualidad siempre suele tener alguna justificación. Los herma-

nos no se conocían [6]. Amadís, por el contrario, lucha
conscientemente con su hijo. Ahora bien, nuestra
hipótesis implica que Montalvo sólo refundió unos
originales preexistentes, incluso en partes de *Las Sergas*, y Place, con argumentaciones distintas, apunta
esta posibilidad: «al dar muerte a su padre, Esplandián ya no era niño sino adulto, capaz de llevar armas [...] y por consiguiente este episodio ha de colo-
carse dentro de aquella parte del relato que corresponde a los capítulos XXVIII y XXIX del *Esplandián*,
necesariamente dejando la acción anterior de esta
obra y la del Libro IV como parte putativa de X³, pues
lo más de ella es esencial a la trama...» [7].

PRÓLOGO Y RETÓRICA

El Libro IV se ha atribuido a Montalvo por sus propias palabras del prólogo, por lo que de nuevo lo
analizaremos con detalle: «desseando que de mí alguna sombra de memoria quedasse, no me atreuiendo
a poner el mi flaco ingenio en aquello que los más
cuerdos sabios se ocuparon, quísele juntar con estos
postrimeros que las cosas más livianas y de menor
substancia escriueron, por ser a él según su flaqueza
más conformes, corrigiendo estos tres libros de *Amadís*, que por falta de los malos escriptores, o componedores, muy corruptos y viciosos se leýan, y trasladando enmendando el libro quarto con las *Sergas de
Esplandián* su hijo, que hasta aquí no es memoria de
ninguno ser visto, que por gran dicha paresció en
vna tumba de piedra, que debaxo de la tierra en vna
hermita, cerca de Constantinopla fue hallada, y tray-
do por un vngaro mercadero a estar partes de España,
en letra y pargamino tan antiguo que con mucho tra-

6. La variación del motivo es la lucha entre caballeros que
desconocen su identidad, ligeramente distinto del combate
entre contrincantes que no se *reconocen*.
7. E. PLACE, «¿Montalvo autor o refundidor del *Amadís* IV
y V», art. cit., p. 78. Con X³ se refiere a la redacción anterior
a Montalvo, diferente de la primitiva.

bajo se pudo leer por aquellos que la lengua sabían, *en los quales cinco libros* como quiera que hasta aquí más por patrañas que por crónicas eran tenidos, son con las tales emiendas acompañados de tales enxemplos y doctrinas, que con justa causa se podrán comparar a os liuianos y febles saleros de corcho, que con tiras de oro y de plata son encarcelados y guarnescidos...» (I, 9, 81). El autor en este prólogo general se guarda la última sorpresa, siguiendo también una técnica del exordio. «Si el asunto reviste a los ojos del público un carácter intrascendente *(genus humile)*, entonces hay que echar mano de un golpe efectista que despierte su atención» [8]. De todos son sabidos los versos de Horacio «carmina non prius / audita [...] canto», idéntico al recurso de Montalvo: traducirá un libro que hasta entonces «no es memoria de ninguno ser visto».

La narración se encontraba en un manuscrito perdido, como también sucede en el *Cavallero Zifar* [9]. Para Henry Thomas estas alusiones pretendían proporcionar autoridad a la novela, antes de que ésta gozara de prestigio [10]. La misma declaración se encuentra a menudo en libros de caballerías españoles, y se remonta cuando menos a aquellos historiadores tan populares en la Edad Media, Dares el Frigio y Dictis de Creta.

«Según se lee en los preliminares la *Historia de la caída de Troya* de Dares el Frigio fue encontrada en Atenas por Cornelio Nepote, quien la tradujo al latín, dedicando su traducción a Salustio. Más cerca de nuestra línea, se halla, sin embargo, el relato del descubrimiento de la *Guerra de Troya* de Dictis de Creta.

8. H. LAUSBERG, ob. cit., I, p. 244. Según la traducción de A. de Cartagena, ed. cit., p. 56, «Actentos faremos los oyentes, si demostráremos que las cosas que travemos de dezir son grandes o nuevas o incredibiles...»
9. R. WALKER, ob. cit., argumenta que es una auténtica traducción.
10. Para el desarrollo del tema, véase D. EISEMBERG, «The Pseudo-Historicity of the Romances of Chivalry», *Q I A*, 45-46 (1974-75) fi pp. 253-259.

Dictis escribió sus memorias de la guerra en caracteres fenicios, en rollos de hojas de palmera que por
orden suya fueron puestos en un cofre de metal y
enterrados con él. La verdad acerca de Troya perma-
neció oculta hasta que en el año XIII del reinado de
Nerón tuvo lugar un terremoto en Gnosos. Ello fue
causa de que la tumba de Dictis, entre otras, se abrie-
ra, y algunos pastores que pasaban se dieron cuenta
de la caja. Defraudados con el contenido, llevaron los
desconcertantes rollos a Eupráxides, el señor del lugar, el cual reconoció su valor y los mostró a Rutilio
Rufo, gobernador de la isla. Este envió a Eupráxides
con rollos a Nerón, por cuya orden la historia fue
descifrada y traducida al griego, del cual fue vertida
al latín por Lucio Séptimo. Eupráxides fue debida-
mente recompensado, aunque no se dice si lo fueron
los pastores.» «Este es el tipo de relato que sirvió
regularmente de introducción a los libros de caballerías del siglo XVI» [11].

El manuscrito encontrado no supone más que el
desarrollo ficticio de una de las técnicas utilizadas
en la narración: el rey Tafinor escribió un libro sobre
las hazañas del héroe, Gandalín jura sobre los Evangelios, la historia del Endriago se encuentra en un
libro, etc. [12]. El procedimiento se desarrolla a partir

---

11. H. THOMAS, ob. cit., pp. 15-16, nota 15.
12. A nuestro juicio, se superponen distintos motivos. En
primer lugar, la importancia del texto en la pedagogía y mentalidad medieval. Véase F. RICO, *Alfonso el Sabio y la «General
Estoria»*, Barcelona, Ariel, 1972, pp. 167 y ss., y los otros artículos citados de E. R. Curtius, L. Spitzer, M. García Pelayo,
J. A. Maravall sobre problemas parecidos. En este mismo sentido, Berceo sería el primer traductor fiel y ficticio de sus
narraciones. En segundo lugar, la posible influencia de obras
historiográficas con las que pretenden relacionarse estos
textos. Finalmente, la existencia del mismo procedimiento en
obras del ciclo artúrico. Por ejemplo, en *La Queste...*, ed. cit.,
página 279-280, se dice: «Et quant Boorz ot contees les aventu-
res del seint Graal telles come il les avoit veues, si furent
mises en escrit et gardees en l'almiere de Salebieres, dont
MESTRE GAUTIER MAP les trest a fere son livre del Seint
Graal por l'amor del roi Henri son seignor, qui fist l'estoire
translater de *latin* en *françois*.»

del viaje de Amadís a «tierras extrañas». Esta es la última consecuencia que adquiere de nuevo, un doble plano de profundidad. Mediante los originales encontrados, el autor contará hazañas nunca oídas. Ayudará a divulgar la fama de unos héroes, Amadís y Esplandián, sobre todo. A su vez, Montalvo no oculta su nombre ni su intervención. Ha mejorado el estilo de la obra y le ha dado un carácter moralizante. En todo este camino de transmisiones, se siente mínimamente orgulloso. Ha llegado la hora de que la novela saliera de su anonimato. Hay que tener en cuenta que «la eternidad del pensamiento fijado por escrito, el prestigio casi divino del libro, explican el orgullo de la clerecía, por su papel casi exclusivo de autor, precisamente a partir del siglo XII, de febril actividad literaria. Por eso, contra la argumentación expresa de San Agustín y Santo Tomás, el letrado medieval acaba por admitir como fin valioso en sí el ser "metido en escripto", esto es, pasa a reconocer el deseo de fama como móvil de la acción virtuosa, y la veneración judeocristiana al libro viene a sumarse, por distintas vías, a la fama poética que, para el griego y el romano, aseguraba la inmortalidad» [13]. El tema tiene una larga andadura en la Edad Media, aunque los presupuestos mencionados no son válidos para todos los autores, y se acentúan conforme van pasando los siglos. En el XV, la problemática de la fama es mucho más compleja. Los escritores se enfrentan ante un ideal ascético propugnado por la Iglesia, y sus continuos deseos de fama. En este contexto, el medinés al desear que su nombre no permanezca en el olvido se sitúa en los albores del Renacimiento, tras una larga trayectoria medieval. Frente a los malos escritores, se alza el libro terminado por el regidor, según él, mucho más pulido y mejor escrito.

Sin embargo, los autores de estos relatos utilizaban estos recursos por diferentes motivos: no existía la idea de originalidad, los textos ficticiamente

---

13. M. R. Lida de Malkiel, *La idea de la fama...*, pp. 157-158.

traducidos estaban escritos en una lengua superior
a la vulgar, las novelas eran condenadas por los moralistas, y carecían de prestigio en las preceptivas [14].

Por el contrario, Montalvo es consciente de su labor creativa y contaba con unos textos anteriores de
la misma materia. Su deseo de pasar a la fama se contradice con los manuscritos utilizados.

Por otra parte, si el medinés es el autor del cuarto
libro, ¿por qué dice *trasladando enmendando* los dos
últimos libros y señala que *Las Sergas de Esplandián*
nadie las ha visto? Después el mismo autor indica lo
contrario. Considera los cinco libros como «hasta
aquí tenidos más por patrañas que por crónicas».
¿Quién tenía el quinto libro por patrañas más que
por crónicas, si nadie lo conocía? ¿Por qué lo engloba
con los anteriores, si se supone que la redacción es
diferente? Los dos últimos se diferencian de los tres
primeros, según sus propias palabras. Puede ser una
simple confusión, pero este tipo de errores no se
suelen producir cuando se argumentan hechos tan decisivos para hacer hincapié en su propia autoría.

Las contradicciones son constantes y deben tener
alguna explicación. Montalvo, a nuestro juicio, retomó unos antiguos originales enmendándolos en los
sentidos que él mismo explica y hemos analizado.
Pudo abreviar unos materiales, aligerando algunos
pormenores y quizás más de un episodio. En el Libro IV su labor quizás haya sido más metódica. Posiblemente lo ha reelaborado, ampliando la gran batalla entre Lisuarte y Amadís con todo tipo de alardes
retóricos. El sentido didáctico de los episodios se
hace más palpable, así como sus glosas ideológicas.
Por ello se siente satisfecho de su quehacer y pretende pasar a la fama. Él no es el creador directo, pero
tampoco un refundidor cualquiera. Algunas hazañas
de Esplandián son originales, si bien hay aventuras
que antes de su refundición se tuvieron «por patra-

---

14. Véase A. BLECUA, prólogo a la ed. de *Libros de Caballería...*, Barcelona, Juventud, 1969, pp. 7-8.

ñas» más que por crónicas. Con su trabajo ha dado
un gran paso, según él, para que su historia sea verdadera ficticiamente. El camino hacia la teoría de la
novela moderna estaba trazado, aunque la labor creadora del medinés fuera mediocre.

Somos conscientes del carácter hipotético de todas
nuestras argumentaciones, pero tampoco nos ha parecido conveniente orillar los problemas. Hemos con-
frontado las afirmaciones de Montalvo en el prólogo
con el desarrollo de la obra y determinadas glosas del
narrador, cuya paternidad hay que atribuírsela al
medinés. Pero nos movemos en un terreno excesivamente resbaladizo, porque carecemos de unos textos
anteriores extensos para corroborar nuestras conclusiones. No obstante, hay una serie de hechos perfectamente comprobables:

a) El orgullo de Rodríguez de Montalvo por su re-
    fundición.
b) Sus propias contradicciones en el prólogo.
c) La existencia de unos originales atribuidos a una
    pluralidad de escritores, hasta el Libro III in-
    cluido.
d) La coherencia narrativa de las estructuras no-
    velescas desde mediados del Libro II hasta las
    propias *Sergas*.
e) La persistencia de abundantes arcaísmos en el
    Libro IV.
g) La segura muerte de Amadís y Oriana trasladada
    a *Las Sergas*.

Excepto el primer punto, los restantes contradicen
la creación de Montalvo del cuarto libro. ¿Por qué
unos malos escritores han intervenido hasta el Libro III y reaparecen distintas versiones en el Libro IV
y *Las Sergas*? En el aspecto lingüístico se podría pensar que el regidor desea rehacer su obra con un carácter arcaizante para darle cierta verosimilitud. Sin embargo, con carácter provisional, podemos adelantar
que casi todos los arcaísmos desaparecen en la última

parte de *Las Sergas* [15]. A su vez, la división en libros
revela el empleo de un mismo sistema de terminación: al finalizar cada uno de los libros el héroe se
encuentra ante unas dificultades que deberá resolver
en la continuación. En el Libro I el conflicto está planteado por los celos de Oriana; en el II por la enemistad entre Amadís y Lisuarte; en el III por el rapto de
Oriana; en el IV por las hazañas destinadas a Esplandián. El Libro III de la versión de finales del XIV rela-
taba la muerte de Amadís. El final del Libro III de la
redacción de 1508 no puede terminar con el rapto de
Oriana. La fragmentación de la novela en libros ha
sido alterada. Si Montalvo ha cambiado la división en
libros, todas las contradicciones quedan aclaradas.
Los Libros IV y V, inexistentes en la antigua segmen-
tación externa de la trama argumental, nunca habían
sido vistos en su división y redacción actual. Por el
contrario, buena parte de los materiales son idénticos y dejarán de ser tenidos como patrañas, gracias
a la refundición de Montalvo.

---

15.   Esperamos demostrarlo en otra ocasión. Creemos que la
auténtica labor de Montalvo en *Las Sergas* comienza después
de su famoso sueño y visión de los personajes de la obra.

XX. LA UNIDAD DE LA NOVELA

Hemos señalado la contradicción entre las divergencias existentes en la novela y el carácter unitario de los aconteceres. La explicación de este fenómeno obedece a una razón fundamental: la novela se ha ido ampliando a base de repetir unas mismas estructuras narrativas.

RELATO GENEALÓGICO

Las preceptivas medievales distinguían dos diferentes formas de comenzar el relato: según un orden natural o de acuerdo con el orden artificial. Se solía preferir esta segunda manera de inicio por considerarla más artística [1]. Estas posibilidades respondían a las recomendadas por la retórica clásica: *more homérico*, o *more cíclico*, con la característica dada en la definición de Quintiliano, *ab initis incipiendum* [2]. En nuestra novela el comienzo está subordinado a la narración del nacimiento del héroe, como en tantos relatos folklóricos. El autor empieza la obra *more cíclico* y retrotrae su narración a un tiempo previo a la existencia de Amadís.

1. E. FARAL, *Les arts poétiques...*, ed. cit., pp. 55 y ss.
2. F. LÁZARO CARRETER, «*Lazarillo de Tormes*» *en la picaresca*, ob. cit., p. 71.

Edmond Faral distinguió un tipo de novelas que podrían denominarse genealógicas. En ellas, la historia amorosa de los dos protagonistas está precedida por la de sus padres como sucede en el *Tristán*, en el *Cligés*, en *l'Escoufle*, etc.[3]. El *Amadís* sigue el mismo esquema. Incluye en sus primeras frases la etopeya de Garinter, futuro abuelo del pequeño, para proseguir después con los amores de Perión y Elisena. Este principio puede relacionarse con el esquema seguido por el autor, para la *dispositio* de toda la novela. Al iniciar su relato con el nacimiento de Amadís, el futuro de la obra se proyecta sobre el personaje. La trama está subordinada a los acontecimientos que tienen alguna incidencia, directa o indirecta, en la vida de Amadís, punto de convergencia necesario para dar unidad a las distintas aventuras y los numerosos agentes narrativos. Incluso el libro, desde su comienzo, parece señalar otra determinación sobre los episodios futuros. Los amores de los padres señalan unos claros indicios de la fabulación posterior. El relato estará presidido por un héroe, hilo conductor de las diferentes secuencias. Su destino se relacionará con un amor cortés, como había sucedido con sus progenitores.

El Doncel del Mar comenzará su vida heroica e individualizada al conocer a Oriana y sus relaciones con ella servían de núcleo estructurante de todo el libro. Cuando Amadís se casa públicamente con Oriana llega a la culminación de su existencia. Su ciclo vital ha terminado. La unión definitiva con la amada supone el agostamiento de los episodios caballerescos. Se ha producido una reiteración de estructuras narrativas. El matrimonio público implica la postergación de Elisena y Perión como protagonistas de los aconteceres, y, en cierto modo, los hijos conllevan la anulación de los padres. A su vez, las cualidades y relaciones paternas representan la predeterminación del futuro de los hijos.

---

3. E. FARAL, *Les arts poétiques*, p. 60.

Si nos fijamos en los personajes cuya vida se ha relatado mediante la técnica del orden natural veremos cómo a través de ellos se ha estructurado la obra. Amadís, Galaor y Esplandián son los únicos héroes cuya existencia se narra según dicho procedimiento. Las aventuras de Amadís y Galaor vertebran casi todas las secuencias del primer libro. Esplandián pondrá fin a las aventuras de su padre, en una continuación del ciclo, al paso que Galaor sirve de contrapunto amoroso para Amadís y su comportamiento encarece el de su hermano. En cambio, la función de Esplandián significa todo lo contrario. Su nacimiento, como el del propio Amadís, y las consiguientes aventuras acarrearán la postración de sus padres.

En la redacción anterior a Montalvo su actuación pondría el punto final trágico a los amores de Amadís y Oriana. El suicidio de ésta, como el posterior de Melibea, sería la prueba de su pasión amorosa y muestra de su extrema fidelidad. Si a un nivel verbal la ausencia del amado equivalía a la muerte, en este desenlace se plasmaría como estructura dramática. La lealtad amorosa, el amor más allá de la muerte, serviría de motivo estructurador de la obra. El ciclo se había cerrado. El amor iniciaba a Amadís en la vida y el suicidio amoroso sería la culminación. En el texto de Montalvo, los motivos iniciales del libro se reiteran de forma menos dramática. El casamiento público de Amadís y Oriana conduce a su casi postergación como personajes principales. Sus aventuras no tendrán importancia por ellas mismas, sino por su relación con Esplandián. A su vez éste estará condicionado por las cualidades positivas de sus ascendientes, previas a su existencia.

La técnica del orden natural ordena la novela en ciclos correspondientes a héroes determinados por sus antepasados. La disposición seguida corresponde al desarrollo cronológico de su existencia, cuyo final en todos los casos viene señalado por un cambio importante: casamiento o muerte.

También, el comienzo *ab initio* adquiere un carácter ideológico muy claro. Los orígenes delimitan los acontecimientos futuros. Saber la genealogía de un personaje es conocer la naturaleza a la que deberá hacerse acreedor [4]. En último término, las acciones de los héroes sirven para atestiguar y consolidar su pertenencia a un estrato social cuyas funciones son sublimadas mediante la creación artística.

CLÍMAX Y ANTICLÍMAX

Las principales técnicas narrativas son similares a las utilizadas para la descripción del amor. El relato siempre progresa a base de continuas antítesis, desde el pripicipio hasta el final del *Amadís*. Infracción-castigo, virtud-vicio, reunión de la caballería-separación, fama-deshonor, amor-desamor, amistad-enemistad, constituyen los resortes primordiales empleados con mayor o menor maestría por los distintos autores. Amadís no luchará sólo contra los mejores caballeros, sino contra representantes o encarnaciones de vicios. Al pelear con este tipo de enemigos, de rechazo manifiesta la virtud antagónica al pecado combatido. Por ello llega a ser dechado de perfecciones. Sólo en alguna ocasión se muestra indiscreto, orgulloso, como, por ejemplo, cuando pretende averiguar el contenido de la carreta donde transportaban la efigie del padre de Briolanja. Su defecto es necesario para la aventura. Ésta sólo la podía llevar a cabo la persona que averiguase el misterio del carro. La dialéctica entre la virtud y el vicio se convierten en gérmen principal de las empresas heroicas. A su vez, la actividad se opone a la inactividad y está relacionada con

---

4. J. L. ROMERO, «Sobre la biografía española del siglo xv y los ideales de vida», *C H Esp.*, I y II (1944), p. 118, indica cómo «aun antes que el mero retrato físico y moral, parece fundamental para el biográfico señalar con precisión el linaje del individuo como si fuera necesario justificar su elección como tema de reflexión histórica, el linaje, en efecto, determina y precisa la condición social y parece una exigencia subyacente en el espíritu del biógrafo español del siglo xv el dar razón, con ella de la dimensión histórica del personaje.»

el amor y los celos, la amistad y la enemistad, la reunión y la disgregación de los caballeros. El fenómeno se repite como núcleo de la amplificación del relato. Los celos de Oriana llevan a la postración de la Peña Pobre y la separación de los caballeros. Nuevas aventuras son necesarias para la rehabilitación de Amadís. La enemistad con el rey, y el ocio del héroe en Gaula inciden en la misma estructura. En consecuencia, aparte de unos contenidos idénticos —amor y aventuras—, los distintos refundidores han aplicado la misma técnica en la novela. A una situación climática siempre le sucede una anticlimática, en una continua sucesión, casi ininterrumpida.

El eje estructurante de la obra, la realización de una tarea difícil por el héroe, se desarrolla en tres ocasiones. Amadís impedirá el matrimonio de Oriana con Barsinán, Bagasante y Patín, en las aventuras más significativas del Libro I, II y IV. Una aparente unidad subyace en toda la novela. La diferencia para nosotros radica en que en los dos primeros casos hay una progresión en el amor, motivada por la propia dinámica cortés de la obra: los celos. En la segunda redacción, con el desenlace trágico, la coherencia se mantendría: la lealtad amorosa de Amadís anunciada por Urganda y probada en la Ínsola Firme, conducía al suicidio de Oriana. El ciclo, a pesar de las divergencias en cuanto a técnica y temas, era perfecto. La ideología implícita serviría de contraste acusado con la redacción primitiva.

La muerte de ambos amantes supondría, como en la *Mort du roi Artus* [5], como en *La Celestina*, la con-

---

5. Señalamos esta obra porque en ella se da un motivo muy parecido al del *Amadís:* la lucha entre padre e hijo; Mordret es hijo del rey Arturo: «Je te le dirai pour chou que tu feras encore plus de mal que tous les hommes du monde, quar par toi sera mis a destruction la gran hautesce de la table Ronde, et par toi morra li plus preudoms que on sache, que li peres est; et tu morras par sa main. Ensi sera mors li peres par le fil et li fils par le pere...» Cfr. J. FRAPPIER, *Étude sur la Mort*..., ob. cit., p. 34. La variante de nuestra novela consiste en la muerte sólo del padre.

dena del amor cortés mixto, y la caballería mundana. Casi nos atreveríamos a decir que ni siquiera una parte del *Esplandián* es creación de Montalvo. Con ello no intentamos menospreciar su trabajo. La división en libros, y la cosmovisión de sus glosas y de algunos personajes contribuyen a que la novela externamente conserve cierta cohesión.

CONCLUSIONES

Los graves problemas planteados por las distintas redacciones del *Amadís* no se aclaran de forma satisfactoria con los datos que en la actualidad poseemos. Sin embargo, las divergencias narrativas, ideológicas, lingüísticas de la novela, a nuestro juicio, pueden quedar reducidas si pensamos en tres o cuatro diferentes versiones de la obra.

Nuestras conjeturas actuales apuntan a:

a) Una redacción primitiva compuesta a principios del XIV. Su trama argumental sería casi idéntica al texto de 1508, hasta la batalla contra Cildadán. La canción de Leonoreta es una interpolación innecesaria, ajena al carácter de amor cortés de Amadís, y paralela a la intervención de Alfonso de Portugal, posiblemente realizada en España entre 1304 y 1312. La obra tendría un carácter cerrado, muy coherente y simétrico. Terminaría con las pruebas de Oriana en la Ínsola Firme, refundidas y trasladadas al Libro IV. Seguramente algún episodio fue abreviado, refundido, o quizás eliminado.

b) Una segunda versión, dividida en principio en tres libros y realizada a partir de la segunda mitad del siglo XIV. La disensión entre la caballería y la realeza del Libro II, quizás trasunto ficticio de enfrentamientos históricos durante la dinastía Trastámara, constituiría el germen de

su relato. La redacción sería más extensa que la
conocida sólo en algunos aspectos, y el desarrollo de los aconteceres muy semejante al del
Amadís de 1508 y parte de *Las Sergas*. En esta
refundición Amadís moriría a manos de su hijo
y Oriana se suicidaría. Por las mismas fechas
Vasco de Lobeira compuso o tradujo una redac-
ció del *Amadís*, desconocida.

c) La última refundición de Montalvo, realizada
entre 1492 y 1506. El medinés distribuyó los materiales preexistentes en cuatro libros, de acuerdo con una disposición muy meditada. Quizás
manejara dos versiones distintas, alguna incluso posterior a la redacción *b)*. Su labor principal consistiría en la eliminación o abreviación
de algunos episodios. Casi con total seguridad
amplió toda la última batalla de Amadís y Lisuarte, mediante la utilización de procedimientos retóricos, base del Libro IV. A su vez, la mayoría de las glosas de la novela son suyas. El
carácter moralizante e ideológico de la redacción anterior, ya existente, se acentuaría con
su intervención [1].

Por otra parte, una de las máximas aportaciones
de la novela consiste, a nuestro juicio, en haber sabido recrear, hasta los mínimos detalles, casi todas
las aventuras mediante unas reglas amorosas. No se
trata de un repertorio de clichés estereotipados y repetidos. El autor ha sabido utilizar a la perfección
unos códigos corteses puestos al servicio de la narración. La pasión de Amadís por Oriana constituye uno
de los principales ejes sobre los que se vertebran los

1. H. WEDDIGE, en *Die «Historien vom Amadís auss Frankreich»*, Wiesbaden, Franz Steiner Verlag, 1975, pp. 1-9, ofrece
un actualizado estado del problema. Retoma, en parte, algunas
conclusiones de E. B. Place. Aparentemente, nuestras recapitu-
laciones son semejantes en varios aspectos, pero las divergencias son también notorias, en cuanto que nos apartamos de los
estudios de E. B. Place, sobre todo por la distinta metodología utilizada.

episodios más importantes. Pero, también la obra presenta distintos modelos de comportamiento amoroso que le confieren cierta unidad temática, tratada con una pluralidad de puntos de vista. Las relaciones entre Perión y Elisena se subliman y hacen más extensas con Amadís y Oriana, dentro de los moldes corteses más depurados. A pesar del casamiento secreto, motivo ideológico antes que narrativo, el relato en casi todas las ocasiones describe los amores de una pareja fuera del matrimonio. Pero las actitudes varían según los personajes y los contextos. Las todopoderosas magas, Urganda, la Doncella Encantadora, se muestran impotentes ante el amor de sus caballeros. La concepción del amor como placer físico tendrá su máximo representante en Galaor. Las relaciones adúlteras, tratadas con cierta ortodoxia, pueden ser detectadas en don Guilán el Cuidador. El desdén de la dama por su enamorado está presente en la conducta primera de Grovenesa hacia Angriote. La actitud negativa ante este tipo de relaciones corteses la asume el ermitaño Andaloc, y el narrador en algunas glosas. La unión incestuosa entre padre e hija tendrá como consecuencia la negación del amor y la procreación del Endriago, antítesis de lo caballeresco. Cada personaje asume su propia peculiaridad y sirve para exaltar los amores de la pareja central.

Si lo comparamos con *La Celestina*, el amor se tratará desde numerosas ópticas mucho menos vitales. Sin embargo, algunos caracteres están anunciados en el *Amadís*, aunque la temática de éste sea más monocorde, sin los contrastes tan dramáticos de la tragicomedia. La novela sentimental también heredará alguna de las características del *Amadís*, si bien la dialéctica entre amor y aventuras es menos patente. «En la mayoría de sus creaciones, la novela sentimental se nos presenta como una novela de caballerías en la que se han alterado proporciones y sentidos. En la caballeresca, la dama es un pretexto o acicate para el ejercicio de las armas; en la sentimental, la amada se merece, aunque no se consiga, por el servicio amoroso, y las armas son un pretexto para mostrar la pureza y fortaleza de ese sentimiento amoroso»[2]. Admitiendo la distinción de J. L. Varela en sus líneas generales, en el *Amadís* también las aventuras bélicas en su transfondo último son la demostración de la pureza amorosa, sobre todo del protagonista principal. En el *Lazarillo*, las relaciones amorosas de los padres y las del propio protagonista representan la inversión completa de nuestra novela. En el *Quijote*, el amor se convertirá en sublimación y recreación del principal modelo proporcionado especialmente por Amadís. La literatura ha impregnado la vida del hidalgo manchego. En la sublimación de los paradigmas a través del pensamiento de Don Quijote y el contraste con una realidad vital, no heroica, radica una de las principales aportaciones cervantinas. En último término, el *Amadís* supone un jalón importantísimo dentro de las letras españolas como recreación narrativa de una temática, sin duda cortesana, pero variada en sus distintas modulaciones.

Por otra parte, las técnicas empleadas en la obra revelan una concepción muy coherente en los dos primeros libros. La superposición de las aventuras, sobre todo en estos dos libros citados, obedece a un dseño mmuy trabado. Los paralelismos, las simetrías, las antítesis, la ironía, los adelantamientos narrativos, etc., crean un espacio novelesco adecuado para el desarrollo de los aconteceres, que se intentan motivar bajo un sistema concatenado de causas y efectos mínimos, sin la perfección de *La Celestina*, o el *Quijote*. A pesar de esto, en su realización se atisban unos logros asumidos por las obras posteriores. Amadís en su mínima evolución como amante se adapta a los diversos contextos. No es un personaje totalmente estático, sin ningún progreso en su actuación, pero está determinado por su genealogía, como sucede de forma inversa en el *Lazarillo*. Este aspecto delimita narrativa e ideológicamente su futuro. No obstante, deberá hacerse acreedor al legado de sus as-

2   J L. VARELA, art. cit., p. 39.

cendientes y de su amor por medio de unas aventuras. Y quizás en este aspecto radique uno de los principales méritos de la novela. Sus empresas heroicas están en función de los hilos conductores de la obra, y los hechos no suceden gratuitamente en el espacio narrativo donde están insertos, porque detrás de cada episodio pueden detectarse diversos niveles de significado. Desde un punto de vista narrativo las hazañas pueden juzgarse como sistema amplificatorio del relato. Entre la realización de cualquier deseo —adquisición de un nombre, reconocimiento de su hermano, culminación amorosa, etc.—, y su cumplimiento se desarrollan siempre un número determinado de episodios. Este recurso, base fundamental de la arquitectura de la obra, no está utilizado sólo como pretexto de relatos amplificados *ad infinitum*.

Las aventuras insertas difieren el cumplimiento de los deseos y crean un clímax de expectación por la demora en la realización de sus objetivos primordiales. Pero, aparte de estas consecuencias artísticas, en cada una de las secuencias subyace temáticamente una conexión con las pretensiones del héroe en dos aspectos diferentes. Éticamente corroboran la perfección del protagonista que se hace digno y merecedor de sus anhelos. La adquisición de un nombre para Amadís no es gratuita, ni está dada de antemano, de la misma manera que su culminación amorosa. Las aventuras previas demostrarán la virtud del protagonista, al solucionar los obstáculos que se le interponen. Son auténticas pruebas de capacitación. Pero, además, la ideología implícita en cada uno de los episodios destaca alguna condición del héroe relacionada siempre con sus aspiraciones. Antes de ser reconocido por su padre luchará contra la deslealtad y soberbia de enemigos suyos. Al incorporarse a la casa de Lisuarte mostrará sus virtudes cortesanas. Previamente a la unión física con su amada revelará su lealtad, etc. Incluso, la reiteración o inversión de temas, motivos y situaciones a lo largo de la obra señala la disposición artística de la novela y su total coherencia. De nuevo se amplifica el relato, pero las repeticio-

nes dejan de ser elementos gratuitos. El personaje y
el tema o motivo de cualquier aventura elaborada de
forma semejante a cualquier otra crean un doble
espacio artístico. El episodio adquiere la significación
de su propio contexto, y se asocia inmediatamente
con una experiencia anterior semejante o inversa. La
Doncella de Dinamarca lleva la carta de Amadís donde se indica su nombre antes de ser reconocido. La
misma persona entrega la misiva de Oriana que le
salvará de su postración en la Peña Pobre. Un mismo
personaje cumple funciones idénticas evocadoras de
actuaciones anteriores.

La lealtad amorosa de Amadís se contrapone dramáticamente con los celos de Oriana. Personajes que
intentan vengar a sus parientes, de rechazo, sugieren
aventuras anteriores. Además, la venganza no se realiza en cualquier momento de la obra, sino en el espacio narrativo oportuno. Los familiares de Dardán
siempre intentarán apartar al héroe de la corte, como
la dueña de Gantasí, o desearán vengarse contra los
vasallos de Lisuarte. En ambos casos, Amadís dará
muestras de su inserción total en casa del padre de
Oriana. Las inversiones, paralelismos e ironías estructurales confieren a la novela un diseño artístico
y manifiestan una concepción elaborada de la obra.
Los personajes e incluso los lugares adquieren unas
connotaciones adaptadas a los diferentes espacios.
A partir de la primera aventura de Arcaláus, su persona o sus familiares desprenden un halo de magia
o de engaño. Por esto, siempre aparecerán cuando
los episodios de la obra sugieren el mismo tema.

La Ínsola Firme, ámbito exaltadod de la felicidad,
aparece como negación de los celos —episodio de
Briolanja—, como contraste del ascetismo —Peña Pobre— y como consumación del amor. Los propios objetos simbólicos —espada, anillo— evocan y propician
distintas variantes de situaciones similares. Hasta en
los mínimos detalles el autor ha sabido manejar con
suma habilidad sus materiales novelescos. A partir de
la segunda mitad del Libro II, algunas de estas características desaparecen, aunque, de vez en vez, el posi-

ble refundidor utilice técnicas semejantes, algunas con evidente acierto.

Las bases de la novela moderna se intuyen en la elaboración de los primeros libros. No obstante, aún estamos lejos de ello por la utilización de algunos procedimientos claramente medievales. Cuando los propios personajes, objetos, situaciones, lugares, dejen de estar al servicio de una trama previamente delimitada y sean ellos quienes ficticia y verosímilmente la impongan, la novelística habrá entrado por los cauces modernos. Lázaro como negación de Amadís y Don Quijote como superación constituyen dos hitos inexplicables sin nuestra novela.

Las técnicas narrativas no se emplean de forma mecánica. El narrador maneja con cierta versatilidad distintos puntos de vista adaptados a la propia trama argumental. La omnisciencia del autor viene limitada en múltiples ocasiones por la visión de los propios personajes. Numerosas acciones están contadas no desde la óptica todopoderosa del narrador, sino de los personajes, testigos mudos de aventuras desconocidas. La realidad ficticia es fija e inmutable, pero suele narrarse desde la perspectiva de los propios protagonistas, cuya visión puede matizarse conforme se amplían sus conocimientos sobre el fenómeno observado. A ello contribuye, quizás, una de las aportaciones principales del *Amadís:* el sentido del «suspenso». La división en libros y en capítulos, la utilización de la alternancia fragmentan los aconteceres en el momento climático de su desarrollo. El lector quedará expectante por saber cómo se soluciona la situación conflictiva que el autor ha detenido en el momento de mayor tensión. El *entrelacement* en la narrativa posterior perderá importancia en aras a la unidad de la obra. Sin embargo, la disposición de unos acontecimientos cuya resolución permanece enigmática representa una de las máximas novedades del *Amadís*, que asume y recrea una larga tradición anterior.

En este sentido, también nos parece importante el silencio del narrador sobre la disposición de la obra.

aunque las últimas refundiciones, sobre todo, aclaren el carácter narrativo o ético de las acciones. Sin embargo, en los primeros libros, el propio lector será quien deba descubrir todo el sistema profético, las simetrías, inversiones, etc., de los episodios. La novela queda abierta sin que se interponga ninguna voz aclaratoria. El receptor, a través de la lectura, será un elemento más en este juego de adivinanzas. Pero no se trata de relacionar sentidos literales y alegóricos, como sucede en la *Queste del Graal*. En el *Amadís* es un aspecto no exclusivamente didáctico de la obra.

Por otra parte, algunos diálogos, especialmente, de la hipotética redacción primitiva, se adaptan a las distintas situaciones narrativas. Las frases breves, en parlamentos de conversaciones rápidas y vibrantes, no captan una realidad vital como en el *Corbacho* o la *Celestina*, pero revelan procedimientos artísticos, pauta de posteriores relatos.

A su vez, la novela se ha conformado con unos materiales folklóricos, de larga tradición literaria. Se podrán hallar restos de estos sustratos mítico-literarios en unas y otras obras del ciclo artúrico, troyano, pero han quedado totalmente transformados en el *Amadís*. Hasta los hechos más insignificantes cobran un valor distinto por el mero hecho de insertarse en la novela. Los motivos folklóricos, de la misma manera que los amorosos, están al servicio de una trama artísticamente reelaborada. Antes del *Lazarillo*, el *Amadís* representa uno de los hitos más importantes en esta elaboración de temas del folklore. Éstos se trascienden mediante el arte, pero no por ello carecen de algunas connotaciones más primigenias, sobre todo, de los ritos iniciáticos. El paso del cuento a la novela en España se ha realizado. Nuestra obra retomará las experiencias precedentes, sobre todo francesas. En la narrativa española supone uno de los eslabones imprescindibles para comprender cómo se ha producido este cambio. Si a todo ello añadimos la incidencia sociológica del libro, traducido y editado incesantemente, considerado como manual de cortesanía en Francia, rechazado por moralistas, leído por conquistadores españoles en América, imitado como modelo festivo, la novela adquiere una importancia decisiva en el contexto cultural europeo [3].

Como creación artística, el *Amadís* representa una de las aportaciones más originales de las letras medievales hispánicas. Hasta la segunda mitad del Libro II, por la coherencia interna de su mundo nos parece una pequeña obra maestra. En su conjunto, constituye un jalón decisivo en el nacimiento de la novela moderna española.

3. La bibliografía más detallada que conocemos puede encontrarse en H. WEDDIGE, ob. cit. Sólo añadiremos algunos artículos o libros que no menciona. M. HERNÁNDEZ Y SÁNCHEZ BARBA, «La influencia de los libros de caballerías sobre el conquistador», *E Am*, XIX (1960), pp. 235-256; el artículo de E. Glasser, ya cit.; M. CHEVALIER, «*Sur le public du roman de chevalerie*», Bordeaux, Equipe de Recherches de Sociologie du Roman de Langue Espagnole, 1968, renovado en *Lectura y lectores en la España del siglo XVI y XVII*, Madrid, Turner, 1976; D. DEVOTO, «Amadís de Galia», *B Hi*, LXXIV (1972), pp. 406-435, del mismo autor, «Política y folklore en el castillo Tenebroso», art. cit.; A. GONZÁLEZ PALENCIA, «El curandero morisco del siglo XVI, Román Ramírez», recogido en *Historias y Leyendas*, Madrid, C.S.I.C., 1942, pp. 217-284; D. EISEMBERG, «Más datos bibliográficos sobre libros de caballería españoles», *R Lit*, XXXIV (1968), pp. 5-14, y del mismo autor, «Who read the Romances of Chivalry?», *K R Q*, XX (1973), pp. 209-233. Del precioso libro de H. VAGANAY, *Amadís en Français. Essai de bibliographie*, Florence, 1906, hay una reimpresión en Genève, Slatkine Reprints, 1970.

BIBLIOGRAFÍA

ALDA TESÁN, J. M.: JORGE MANRIQUE. *Poesía*, ed. de ——.

ALFONSO X: *General Estoria*, Primera parte, ed. de SOLALIN-
DE, A. G., Madrid, 1930.

——: *Las Partidas*, en *Los códigos españoles concordados y
anotados*, glosa de LÓPEZ, G., Imprenta de la Publicidad,
1848.

——: *Primera Crónica General de España*, ed. de MENÉNDEZ
PIDAL, R., Madrid, Gredos, 1955, 2 vols.

ALIN, J. M.: *El cancionero español de tipo tradicional*, Madrid,
Taurus, 1968.

ALONSO, D., y BLECUA, J. M.: *Antología de la poesía española.
Lírica de tipo tradicional*, Madrid, Gredos, 1964.

ALONSO, D.: «*Tirant-lo-Blanc*, novela moderna», en *Primavera
temprana de la literatura europea*, Madrid, Guadarrama,
1961, pp. 201-253.

ALONSO CORTÉS, N.: «Montalvo, el del *Amadís*», *RHi*, LXXXI,
primera parte (1933), pp. 434-42.

ÁLVAREZ MIRANDA, A.: *La metáfora y el mito*, Madrid, Taurus,
1963.

ÁLVAREZ PELLITERO, A.: *La obra lingüística y literaria de Fray
Ambrosio Montesino*, Valladolid, Depto. de Lengua y Literatura españolas, 1976.

ÁLVARO PELAYO: *Collyrium fidei adversus haereses*, ed. latina
y texto portugués de PINTO DE MENESES, M., Lisboa, 1954.

——: *Speculum regum*, texto y traducción portuguesa de
PINTO DE MENESES, M., Lisboa, Instituto de Alta Cultura,
1955, vol. I.

ALVERNY, M. T., D': «Comment les théologiens et les philosophes voient la femme», recogido en *La femme dans les
civilisations des Xe-XIIIe siècles*, Poitiers, Université de
Poitiers, 1977, pp. 15-39.

Amadís de Gaula, Edición y anotación por PLACE, E. B., Madrid, C.S.I.C., Instituto Miguel de Cervantes, vol. I, 1959; vol. II, 1962; vol. III, 1965 y vol. IV, 1969.

«Amadís de Gaula» (reseña sin firma a la edición de Place). *Revista de Aeronáutica y Astronáutica,* 311 (1966), pp. 885-890.

AMEZCÚA, J.: *Libros de caballerías hispánicos. Castilla, Cataluña y Portugal.* Estudio, antología y argumentos de... Madrid, Ediciones Alcalá, 1973.

——: «La oposición de Montalvo al mundo del *Amadís de Gaula», N R F H,* XXI (1972), pp. 320-337.

ANTONIO, N.: *Bibliotheca Hispana Vetus,* Roma, Antonius de Rubén, 1696, 2 vols.

ARIBAU, B.: «Libros de Caballerías. Amadís de Gaula», *Revista crítica de historia y literatura españolas, portuguesas e hispano-americanas,* IV (1899), pp. 129-145 y 326-344.

ARTILES, J.: *Paisaje y poesía en la Edad Media,* La Laguna, J. Régulo, 1960.

ASENSIO, E.: *Poética y realidad en el cancionero peninsular de la Edad Media,* Madrid, Gredos, 1970.

AUERBACH, E.: *Mímesis: la realidad en la literatura,* Méjico, F. C. E., 1975.

AVALLE-ARCE, J. B.: «El arco de los leales amadores en el *Amadís», N R F H,* VI (1952), pp. 149-156.

——: *Nuevos deslindes cervantinos,* Barcelona, Ariel, 1975.

——: *Don Quijote como forma de vida,* Madrid, March-Castalia, 1976.

——: «Para las fuentes de *Tirant lo Blanc»,* en *Temas hispánicos...,* pp. 233-261.

——: «El Poema de *Fernán González:* Clerecía y Juglaría», en *Temas hispánicos...,* pp. 64-82.

——: *Temas hispánicos medievales. Literatura e Historia,* Madrid, Gredos, 1974.

AZÁCETA, J. M.: *Cancionero de Juan Alfonso de Baeza,* Ed. de..., Madrid, C.S.I.C., «Clásicos Hispánicos», 1966, 3 vols.

BACHELARD, G.: *El aire y los sueños. Ensayo sobre la imaginación del movimiento,* México, F. C. E., 1958.

——: *La poética del espacio,* México, F. C. E., 1965.

——: *Psicoanálisis del fuego,* Madrid, Alianza Editorial, 1966.

BÁEZ, Y. DE: *Lírica cortesana y lírica popular actual,* México, El Colegio de México, 1971.

Baladro del sabio Merlín (El), N. B. A. E., 6, Madrid, 1907.

Baladro del sabio Merlín (El). Según el texto de la edición de Burgos de 1498. Ed. y notas de BOHIGAS, P., Barcelona, Selecciones Bibliófilas. Segunda Serie, 1957.

BAQUERO GOYANES, M.: *Estructuras de la novela actual*, Barcelona, Planeta, 1970.

BARET, E.: *De l'Amadís de Gaula, et de son influence sur les moeurs et sur la littérature au XVIe et au XVIIe siécle*, París, 1873. (Genève, Slatkine Reprints, 1970.)

BATAILLON, M.: *Erasmo y España. Estudios sobre la historia espiritual del siglo XVI*. México, F.C.E., 1966.

BERGSON, H.: *La Risa. Ensayo sobre la significación de lo cómico*, Buenos Aires, Losada, 1962.

BERNÁLDEZ, A.: *Historia de los Reyes Católicos don Fernando y doña Isabel*, en B. A. E. LXX, 1923, pp. 567-773.

BERNDT, E. R.: *Amor, Muerte y Fortuna en «La Celestina»*, Madrid, Gredos, 1963.

Bestiaris: Edición de PANUNZIO, S., Barcelona, Barcino, 1963, 2 vols.

BEZZOLA, R. R.: *Le sens de l'aventure et de l'amour (Chrétien de Troyes)*, Paris, Librairie Honoré Champion, 1968.

BLANCO AMOR, E.: «El idioma gallego hoy», *Triunfo*, 611 (1974).

BLECUA, A.: *Libros de caballería. Historia de los nobles caballeros Oliveros de Castilla y Artús d'Algarbe y la espantosa y maravillosa vida de Roberto el Diablo*. Edición, prólogo y notas por ——, Barcelona, Juventud, 1969.

BLOCH, M.: *La sociedad feudal. Las clases y el gobierno de los hombres*, México, UTEHA, 1958.

BOGAR, R. R.: «Hero or Antihero? The Genesis and Development of the Miles Cristianus», en BURN, T. D. y REAGAN, CH.: *Concepts of the Hero in the Middle Ages and the Renaissance*, London, Hodder and Stoughton, 1976, páginas 120-146.

BOHIGAS, P.: *Baladro del sabio Merlín*, edición y notas de ——.

BOHIGAS BALAGUER, P.: «La novela caballeresca, sentimental y de aventuras», recogido en *Historia General de las Literaturas Hispánicas*, t. II, Barcelona, Vergara, 1968, pp. 187-236.

——: *Tractats de caualleria*, Barcelona, Ed. Barcino, 1937.

BONILLA, L.: *Los mitos de la humanidad*, Madrid, Prensa Española, 1971.

BONILLA y SAN MARTÍN, A.: *Libros de caballerías. Primera parte. Ciclo artúrico. Ciclo carolingio*, Madrid, N. B. A. E., 6, 1907, Edición de ——.

——: «Notas sobre dos leyes del Fuero de Navarra en relación con el *Amadís de Gaula*», en *Homenaje a D. Carmelo de Echegaray*, San Sebastián, Imprenta de la Diputación de Guipúzcoa, 1928, pp. 672-675.

BOUSOÑO, C.: *El irracionalismo poético (El símbolo)*, Madrid, Gredos, 1977.

BRAET, H.: «Fonction et importance du sogne dans la chanson de geste», *M A*, LXXVII (1971), 405-416.

BRIEL, H. DE, y HERRMANN, M.: *King Arthur's Knights and the Myths of the Round Table*, París, Klinksieck, 1972.

BREMOND, C.: *Logique du récit*, Paris, Editions du Seuil, 1973.

BRUYNE, E. DE: *Estudios de estética medieval*, Madrid, Gredos, 1959, 3 vols.

BUENDÍA, F.: *Libros de caballerías españoles. El Caballero Zifar. Amadís de Gaula. Tirante el Blanco*, Madrid, Aguilar, 1954.

BURGESS, G. SH.: *Contribution à l'étude du vocabulaire pré-courtois*, Genève, Droz, 1970.

BURIDAN, C.: André le Chapelain, *Traité de l'amour courtois*, intr. trad. y notas de ——.

BURNS, N. T., y REAGAN, CH.: *Concepts of the Hero in the Middle Ages and the Renaissance*, ed. por ——, London, Hodder and Stoughton, 1976.

BUYSSENS, E.: *La communication et l'articulation linguistique*, Bruxelles, Université Libre de Bruxelles, Travaux de la Faculté de Philosophie et Lettres, Tome XXXI, 1967.

CAMPBELL, J.: *El héroe de las mil caras. Psicoanálisis del mito*, México, F.C.E., 1972.

CANALEJAS, F.º DE PAULA: *Los poemas caballerescos y los libros de caballerías*, Madrid, 1878.

Cancionero de Baena: Edición de AZÁCETA, J. M., Madrid, C.S.I.C., 1966, 3 vols.

Cancionero castellano del siglo XV, ordenado por R. FOULCHÉ-DELBOSC, R., N.B.A.E., 19 y 22, Madrid, 1912-15.

Cancionero de Palacio, El. (Manuscrito núm. 594), ed. de VENDRELL DE MILLÁS, F., Barcelona, C.S.I.C., 1945.

CAPELLANUS, A.: *De Amore Libri tres.* Text llatí amb la traducció catalana del segle XIV — Introducció i notes per Amadeu Págès, Castelló de la Plana, Societat Castellonenca de Cultura, 1930.

——: *Traité de l'amour courtois*, introducción, traduc. y notas de BURIDAN, C., Paris, Klinksieck, 1974.

CARMODY, J.: *Brunetto Latini. Li libres dou tresor.* Edition critique par ——.

CARO BAROJA, J.: *Las brujas y su mundo*, Madrid, Alianza Ed., 1968.

CARRIAZO, J. DE MATA: *Crónicas de los Reyes Católicos.* Edición y estudio por ——.

CARTAGENA, A. DE: *La retórica de M. Tullio Cicerón*, ed. de MASCAGNA, R., Liguori-Napoli, 1969.

CASSIRER, E.: *Mito y lenguaje*, Buenos Aires, Ediciones Nueva Visión, 1973.

CASTIGLIONI, A.: *Encantamiento y magia*, México, F.C.E., 1972.

Castigos y documentos para bien vivir ordenados por el rey don Sancho IV, ed. de REY, A., Bloomington, Indiana University, 1957.

CASTRO, A.: *De la edad conflictiva*, Madrid, Taurus, 1961.

——: *Hacia Cervantes*, Madrid, Taurus, 1967.

——: *El pensamiento de Cervantes*, Barcelona, Noguer, 1972.

CATALÁN, D.: *Gran Crónica de Alfonso XI*, Edición de ——.

CAZENEUVE, J.: *La mentalidad arcaica*, Buenos Aires, Ed. Siglo XX, 1967.

——: *Sociología del rito*, Buenos Aires, Amorrortu Editores, 1972.

CEJADOR Y FRAUCA, J.: *La Celestina*. Edición, introducción y notas de ——.

CERVANTES, M.: *El ingenioso hidalgo don Quijote de la Mancha*, Edición de RIQUER, M. DE, Barcelona, Juventud, 1971, 2 vols.

CIRLOT, J. E.: *Diccionario de símbolos*, Barcelona, Labor, 1969.

CIRUELO, P.: *Reprobación de las supersticiones y hechicerías*, Madrid, Joyas Bibliográficas VII, 1952.

COHEN, G.: *Chrétien de Troyes et son oeuvre*, Paris, Bolvin-Cie, 1931.

——: *Historie de la chévaliere en France au moyen âge*, Paris, Éditions Richard Masse, 1949.

COROMINAS, P.: *Obra completa en castellano*, Madrid, Gredos, 1975.

——: «El sentimiento de la realidad en los libros de caballerías», recogido en *Obra completa en castellano*, pp. 509-527.

——: «El sentimiento de la riqueza en Castilla», en *Obra completa en castellano*, pp. 531-591.

COVARRUVIAS y OROZCO, S. DE: *Tesoro de la lengua castellana*, Madrid, Luis Sánchez, 1611.

CRUZ HERNÁNDEZ, M.: *El pensamiento de Ramón Llull*, Madrid, Fundación March-Castalia, 1977.

CUENCA, L. A. de: *Floresta española de varia caballería. Raimundo Lilio, Alfonso X, Don Juan Manuel*, Madrid, Editora Nacional, 1975.

——: *María de Francia. Lais*. Edición bilingüe y prólogo de ——.

Cuento del emperador Carlos Maynes e de la emperatris Sevilla, ed. de BONILLA y SAN MARTÍN, A., en *Libros de Caballerías*, pp. 503-533.

CURTIUS, E.: *Literatura europea y edad media latina*, México, F.C.E., 1976, 2 vols.

CURTO HERRERO, F.: *Estructura de las novelas españolas de caballerías (1500-1600)*, 2 vols. Beca inédita de la Fundación March aprobada el 5 de mayo de 1974.

——: *Estructura de los libros de caballerías en el siglo XVI*, 3 vols. Tesis inédita defendida en Madrid el 25 de junio de 1976. Resumen explicativo con el mismo título en Madrid, Fundación March, Serie Universitaria, núm. 12, 1976.

CVITANOVIC, D.: *La novela sentimental española*, Madrid, Prensa española, 1973.

CHAMPEAUX, G. DE, y STERCKX, O. S. B., D. S.: *Introduction au monde des symboles*, Yonne, Zodiaque, 1973.

CHEVALIER, M.: *Lectura y lectores en la España del siglo XVI y XVII*, Madrid, Turner, 1976.

——: *Sur le public du roman de chevalerie*, Bordeaux, Équipe de Recherches de Sociologie du Roman de Langue Espagnole, 1968.

Demanda del Santo Grial (La), con los maravillosos fechos de Lançarote y de Galaz su hijo, Madrid, N.B.A.E., 6, 1907.

DESSAU, A.: «L'idée de la trahison au moyen âge et son rôle dans la motivation de quelques chansons de geste», *C C M*, III (1960), pp. 23-26.

DEVOTO, D.: «Amadís de alia», *B Hi*, LXXIV (1972), pp. 406-435.

——: «Folklore et politique au Château Ténnébreux», en *Fêtes et cérémonies au temps de Charles Quint*, Paris, Éditions du C.N.R.S., 1960, pp. 311-328, recogido y traducido en *Textos y contextos...* pp. 202-241.

——: «Un no aprehendido canto.» Sobre el estudio del romancero tradicional y el llamado «método geográfico», *Abaco*, 1 (1969), pp. 11-44.

——: «Pisó yerba enconada», recogido en *Textos y contextos...* pp. 11-46.

——: *Textos y contextos. Estudios sobre la tradición*, Madrid, Gredos, 1974.

DEYERMOND, A. D.: *Historia de la literatura española. La Edad Media*, Barcelona, Ariel, 1974.

——: «El hombre salvaje en la novela sentimental», *Actas del Segundo Congreso Internacional de Hispanistas*, Nimega, Instituto de la Universidad de Nimega, 1967, pp. 265-272.

——: «The Lost Genre of Medieval Spanish Literature», *H R*, 43 (1975), pp. 231-259.

——: «Motivos folklóricos y técnica estructural en el *Libro de Apolonio*», *Fil*, XIII (1968-69), pp. 121-148.

DOMÍNGUEZ ORTIZ, A.: *El antiguo Régimen: Los Reyes Católicos y los Austrias*, Madrid, Alianza Editorial, 1973.

DRONKE, P.: *Medieval Latin and the Rise of European Lovelyric*, Oxford, Clarendon Press (University Press), 1965, 2 vols.

DUBY, G.: «Les origines de la chevalerie», en *Ordinamenti militari in Occidente nell'Alto Medioevo*, Spoleto, 1968, páginas 739-761; recogido y traducido en *Terra e nobiltà...*, página 194-210.

——: «Structure de parenté et noblesse. France du Nord, XIe. et XIIIe. siècle», en *Miscellanea mediaevalia in memoriam Jan Frederik Niermeyer*, Groningen, 1967, pp. 149-165; traducido y recogido en *Terra e nobiltà nel Medio Evo*, pp. 163-181.

——: *Terra e nobiltà nel Medio Evo*, Torino, Società Editrice Internazionale, 1974.

DUNDES, A.: *The Study of Folklore*, Prentice-Hall, Englewood Cliffs, N.J., 1965.

DUPIN, H.: *La courtoisie au moyen âge (d'aprés les textes du XIIe et du XIIIe siècle)*, Paris, Éditions A. Picard, 1931.

DUQUE Y MERINO, D.: *El argumento de «Amadís de Gaula»*, Madrid, Biblioteca Universal, vol. LXXII, 1918.

DURÁN, A.: *Estructura y técnicas de la novela sentimental y caballeresca*, Madrid, Gredos, 1973.

DURAND, G.: *La imaginación simbólica*, Buenos Aires, Amorrortu Editores, 1971.

EISEMBERG, D.: «Un barbarismo: libros de caballería», *Th*, XXX (1975).

——: «Más datos bibliográficos sobre libros de caballerías españoles», *R Lit*, XXXIV (1968-1970), pp. 5-14.

——: «*Don Quijote* and the Romances of Chivalry: The Need for a Reexamination», *H R*, 41, 3 (1973), pp. 511-523.

——: «The Pseudo-Historicity of the Romances of Chivalry», *Q I A*, pp. 45-46 (1974-75), pp. 253-259.

——: «Who Read the Romance of Chivalry?», *K R Q*, 20 (1973), páginas 340-341.

——: *Iniciaciones místicas*, Madrid, Taurus, 1975.

ELIADE, M.: *El mito del eterno retorno*, Madrid, Alianza, 1972.

——: *Tratado de historia de las religiones*, Madrid, Ediciones Cristiandad, 1974, 2 vols.

ENTWISTLE, J.: *A lenda arturiana nas Literaturas da Península Ibérica* (tradução do ingles de António Alvaro Doria), Lisboa, Imprensa Nacional, 1942.

ESCARPIT, R.: *Escritura y comunicación*, Madrid, Castalia, 1975.

FARAL, E.: *Les arts poétiques du XIIᵉ et du XIIIᵉ siècle. Recherches et documents sur la technique littéraire du moyen âge*, Paris, Honoré Champion, 1958.

——: *La légende arthurienne. Études et documents*, Paris, Honoré Champion, 1969, 3 vols.

——: *Recherches sur les sources latines des contes et romans courtois du moyen âge*, Paris, Honoré Champion, 1967.

FAULHABER, CH.: *Latin Rhetorical Theory in Thirtheen and Fourteen Century Castile*, Berkeley — Los Angeles, Univ. of California Press, 1972.

——: «Retóricas clásicas y medievales en bibliotecas castellanas», *Abaco* 4, Madrid, Castalia, 1973.

FERGUSON, G.: *Signos y símbolos en el arte cristiano*, Buenos Aires, Emecé, 1956.

FERNÁNDEZ y GONZÁLEZ, A. R.: «De la imagen y el símbolo en la creación literaria. Símbolos y Literatura III», *T B*, 4 (1974), pp. 103-109.

FERRANDO ROIG, J.: *Simbología cristiana*, Barcelona, Juan Flors, 1958.

FILGUEIRA VALVERDE, J.: «El planto en la historia y en la literatura gallega», en *Sobre lírica medieval...*, pp. 9-115.

——: *Sobre lírica medieval y sus perduraciones*, Valencia, Bello, 1977.

FJELSTAD, R. N.: *Archaism in Amadís de Gaula*. Tesis inédita de la Universidad de Iowa, agosto 1963.

FOIX, J. C.: *¿Qué es lo cómico?*, Buenos Aires, Columbia, 1966.

FOULCHÉ-DELBOSC, R.: *Cancionero castellano del siglo XV*, ordenado por ——.

——: «La plus ancienne mention d'Amadís», *RHi*, XV (1906), página 815.

——: «Sergas», *R Hi*, XXIII (1910), pp. 591-593.

FRANZ, M. L. VON: «El proceso de individuación», recogido en JUNG, C. G., *El hombre y sus símbolos...* pp. 158-229.

FRAPPIER, J.: *Amour courtois et Table Ronde*, Genève, Librairie Droz, 1973.

——: «Le concept de l'amour dans les romans arthuriens», *BBSIA*, XXII (1970), pp. 119-136; recogido en *Amour courtois...*, pp. 43-56.

——: *Chrètien de Troyes et le mythe du graal*, Paris, SEDES, 1972.

——: *Étude sur la mort le roi Artu. Roman du XIIIᵉ siècle*, Genève, Droz, 1972.

——: «Le motif du "don contrainant" dans la littérature du Moyen Âge», *Travaux de linguistique et de littérature publiés par le Centre de philologie et des littératures romanes de l'Université de Strasbourg*, VII, 2, 1969, pp. 7-46; recogido en *Amour courtois...*, pp. 225-264.

——: «Le personnage de Gauvain dans la Première Continuation de Perceval», *R Phil*, XI (1958), pp. 331-344.

——: «Sur un procès fait à l'amour courtois», *Ro*, 93 (1972), páginas 145-193; recogido en *Amour courtois...*, pp. 61-96.

——: «Vues sur les conceptions courtoises dans les littératures d'oc et d'oïl au XIIᵉ siècle», *C C M* (1959), pp. 135-156; recogido en *Amour courtois...*, pp. 1-31.

FRAZER, J. G.: *La rama dorada. Magia y religión*, México, F.C.E., 1974.

GALLAIS, P.: *Perceval et l'initiation*, Paris, L'Agrafe d'Or, 1972.

GANSHOF, F. L.: *El feudalismo*, Barcelona, Ariel, 1975.

GARCÍA DE DIEGO, V.: *Marqués de Santillana. Canciones y decires*. Edición de ——.

GARCÍA GUAL, C.: *Primeras novelas europeas*, Madrid, Itsmo, 1974.

GARCÍA PELAYO, M.: «Las culturas del libro», *R Occ*, 24 (1965), páginas 257-273; 25, pp. 45-70.

GARCÍA DE LA RIEGA, C.: *Literatura galaica. El Amadís de Gaula*, Madrid, Imprenta de Eduardo Arias, 1909.

GARIANO, C.: *Análisis estilístico de los «Milagros de Nuestra Señora» de Berceo*, Madrid, Gredos, 1971.

——: *El enfoque estilístico y estructural de las obras medievales*, Madrid, Aula Magna, 1968.

GASTER, H.: *Mito, leyenda y costumbres en el Libro del Génesis*, Barcelona, Barral, 1973.

GAUTIER, L.: *La Chevalerie*, Paris, Arthaud, 1959.

GAYANGOS, P. DE: *Libros de caballerías I*. Edición de ——.

GEOFFROI DE VINSAUF: *Documentum de arte versificandi*, Edición de FARAL, E., París, Honoré Champion, 1958.

GERHARDT, M. I.: *Don Quijote. La vie et les livres*, Amsterdam, N.V. Noord-Hollandsche Uitgevers Maatschappij, 1955.

GIL VÁZQUEZ, J. M.: *¿Un precedente del «Amadís de Gaula»?*, Cádiz, Escuela de Artes y Oficios, 1936.

GILI GAYA, S.: *Amadís de Gaula*, Universidad de Barcelona, 1956.

——: «Un recuerdo del *Amadís de Gaula*», *Ilerda* (1953), páginas 113-117.

——: *«Las Sergas de Esplandián* como crítica de la caballería bretona», *B B M P*, XXIII (1947), pp. 103-111.

——: *Tesoro lexicográfico 1492-1726*, Edición de ——.

GILMAN, S.: «Bernal Díaz del Castillo and *Amadís de Gaula*», *Homenaje a Dámaso Alonso*, Madrid, Gredos, 1961, vol. I, páginas 99-114.

GILLET, J. E.: *Torres Naharro and the Drama of the Renaissance*, Philadelfia, University of Pensilvania Press, 1961, 4 vols.

GIMENO, R.: *Juan del Enzina. Teatro (segunda producción dramática)*. Edición de ——.

GIMENO CASALDUERO, J.: «La profecía medieval en la literatura castellana y su relación con las corrientes proféticas europeas», en *Estructura y diseño en la literatura castellana medieval*, Madrid, José Porrúa Turanzas, 1975, pp. 103-141.

GLASER, E.: «Nuevos datos sobre la crítica de los libros de caballerías en los siglos XVI y XVII», *AEM*, 3 (1966), páginas 393-410.

GONZÁLEZ MUELA, J., y MARTÍNEZ DE TOLEDO, A.: *Arcipreste de Talavera o Corbacho*, Edición de ——.

GONZÁLEZ PALENCIA, A.: «El curandero morisco del siglo XVI, Román Ramírez», *BRAE*, XVI (1929-1930), pp. 199-222 y XVII (1930), pp. 247-274; recogido en *Historias y Leyendas. Estudios* (1930), pp. 247-274; recogido en *Historias y Leyendas. Estudios literarios*, Madrid, C.S.I.C., 1942, pp. 217-284. *literarios*, Madrid, C.S.I.C., 1942, pp. 217-284.

Gran Crónica de Alfonso XI, La, ed. de CATALÁN, D., Madrid, Gredos, 1977, 2 vols.

GREEN, O. H.: *España y la tradición occidental*, Madrid, Gredos, 1969, 4 vols.

GULLÓN, G., y A.: *Teoría de la novela (Aproximaciones hispánicas)*, recogido por ——, Madrid, Taurus, 1974.

GYÖRY, J.: «Le temps dans *le Chevalier au lion*», *Mélanges E. R. Labande*, Poitiers, C.E.S.C.M., s.a., pp. 385-393.

HENDERSON, J. L.: «Los mitos antiguos y el hombre moderno», en *El hombre y sus símbolos*, Madrid, Aguilar, 1966, pp. 104-157.

HERNÁNDEZ Y SÁNCHEZ-BARBA, M.: «La influencia de los libros de caballerías sobre el conquistador», *E Am*, XIX (1960), páginas 235-256.

Historia troyana en prosa y verso, ed. de MENÉNDEZ PIDAL, R., y VARÓN VALLEJO, E., Madrid, Anejos de la *R F E*, 1934.

HOCART, A. M.: *Mito, ritual y costumbre. Ensayos heterodoxos*, Madrid, Siglo XXI, 1975.

HUBERT, H.: *Les Celtes depuis l'époque de La Tène et la civilisation celtique*, Paris, Ed. Albin Michel, 1974.

HUIZINGA, J.: *El otoño de la Edad Media. Estudios sobre las formas de la vida y del espíritu durante los siglos XIV y XV en Francia y en los Países Bajos*, Madrid, Revista de Occidente, 1967.

IVARS, J. F.: *A. Vilanova. De la interpretación de los sueños*, selección y traducción de ——.

JAEGER, W.: *Paideia*, México, F.C.E., 1971.

JAMESON, A. K.: «Was there a French Original of the *Amadís de Gaula*», *M L R*, XXVIII (1933), pp. 176-193.

JEANROY, A.: *La poésie lyrique des troubadours*, Toulouse, E. Privat, 1934, 2 vols.

JONES, R. O.: «Isabel la Católica y el amor cortés», *R Lit*, XXI (1962), pp. 52-64.

JONIN, P.: «Le songe d'Iseut dans la forêt Morois», *MA*, LXIV (1958), pp. 103-113.

JOSET, J.: *Juan Ruiz. Libro de Buen Amor*. Edición de ——.

JUAN DEL ENCINA: *Teatro (Segunda producción dramática)*, edición de GIMENO, R., Madrid, Alhambra, 1977.

JUAN MANUEL: *Libro de los Estados*, ed. de TATE, R. B., y MACPHERSON, J. R., Oxford, Clarendon Press, 1974.

JUAN RUIZ: *Libro de Buen Amor*, ed. de JOSET, J., Madrid, Espasa-Calpe, 1974.

JUNG, C. G. (y otros autores): *El hombre y sus símbolos*, Madrid, Aguilar, 1966.

JUNG, C. H., y KERENYI, CH.: *Introduction à l'essence de la mythologie. L'enfant divin. La jeune fille divine*, Paris, Payot, 1953.

JUNG, C. G.: *Simbología del espíritu. Estudios sobre fenomenología psíquica*, México, F.C.E., 1962.

KELLER, J. P.: «El misterioso origen de Fernán González», *NRFH*, X (1956), pp. 41-44.

KENISTON, H.: *The Syntax of Castilian Prose. The Sixteenth Century*, Chicago-Illinois, The University of Chicago Press, 1937.

KÖHLER, E.: *L'aventure chevaleresque. Idéal et réalité dans le roman courtois. Etudes sur la forme des plus anciens poèmes d'Arthur et du Graal*, Paris, Gallimard, 1974.

——: «Observations historiques et sociologiques sur la poésie des troubadours», *CCM*, VII (1964), pp. 27-51.

——: «Les troubadours et la jalousie», en *Mélanges de langue et de littérature du moyen âge et de la renaissance offerts à Jean Frappier*, Genève, Droz, 1970, 2 vols., I, pp. 543-559.

——: «Sobre las posibilidades de una interpretación histórico-sociológica (mostradas en obras de varias épocas de la literatura francesa)», en *La actual ciencia literaria alemana*, Madrid, Anaya, 1971, pp. 135-162.

KOHUT, K.: *Las teorías literarias en España y Portugal durante los siglos XV y XVI. Estado de la investigación y problemática*, Madrid, C.S.I.C., 1973.

KÖNIG, B.: «Amadís und seine Bibliographen. Untersuchungen zu frühen Ausgaben des *Amadís de Gaula*», *R J*, XIV (1963), páginas 294-309.

KOOYMAN, J. C.: «Temps réel et temps romanesque: Le problème de la chronologie relative d'*Yvain* et de *Lancelot*», *M A*, LXXXIII (1977), pp. 225-237.

KRAUSS, W.: «Die Kritik des Siglo de Oro am Ritter — und Schäferroman», *Homenatge a Rubió i Lluch*, Barcelona, 1936, pp. 225-246.

LAFITTE-HOUSSAT, J.: *Trovadores y cortes de amor*, Buenos Aires, Eudeba, 1966.

LAPESA, R.: «El lenguaje del *"Amadís"* manuscrito», *B R A E*, XXXVI (1956), pp. 219-225.

——: *La obra literaria del Marqués de Santillana*, Madrid, Ínsula, 1957.

LATINI, B.: *Li livres dou tresor*. Édition critique par CARMODY, F. J., Berkeley-Los Angeles, 1948, (Genève, Slatkine Reprints, 1975).

LAUSBERG, H.: *Manual de retórica literaria*, Madrid, Gredos, 1975, 3 vols.

LAZAR, M.: *Amour Courtois et «Fin Amors» dans la littérature du XIIe siècle*, Paris, Klincksieck, 1964.

LÁZARO CARRETER, F.: «Consideraciones sobre la lengua literaria», en *Doce Ensayos sobre el lenguaje*, Madrid, Publicaciones de la Fundación Juan March, pp. 33-49.

——: *Estudios de poética (La obra en sí)*, Madrid, Taurus, 1976.

——: «*Lazarillo de Tormes*», *en la picaresca*, Barcelona, Ariel, 1972.

LE GENTIL, P.: *La poésie lyrique espagnole et portugaise a la fin du moyen âge*, Rennes, Plihon, t. I, 1949; t. II, 1953.

——: «Pour l'interprétation de l'*Amadís*», *Mélanges a la memoire de Jean Sarrailh*, Paris, 1966, II, pp. 47-54.

LEONARD, I. A.: *Los libros del Conquistador* México, F.C.E., 1953.

LEVRON, J.: *Le diable dans l'art*, Paris, Picard, 1935.

LEWIS, C. S.: *La alegoría del amor-Estudio de la tradición medieval*, Buenos Aires, Eudeba, 1969.

——: *The Discarded Image. An Introduction to Medieval and Renaissance Literature*, Cambridge, University Press, 1964.

Leyenda del Cauallero del Cisne, La, ed. de MAZORRIAGA, E., Madrid, Librería General de Victoriano Suárez, 1914.

Libro de Alexandre, El, ed. de WILLIS, R. S., jr., Princeton, 1934 (New York, Kraus Reprint, 1965).

Libro del Cauallero Zifar (El) Ann Arbor, University of Michigan, 1929, ed. de WAGNER, CH. PH.

Libro del consejo de los consejeros, ed. de REY, A., Zaragoza, Librería General, 1962.

Libro de esforçado cauallero don Tristan de Leonís y de sus grandes hechos en armas, Madrid, *N.B.A.E.*, 6, 1907, edición de BONILLA y SAN MARTÍN, A.

LIDA DE MALKIEL, M. R.: «Arthurian Literature in Spain and Portugal», recogido en *Arthurian Literature...*, ed. de LOOMIS, R. S., pp. 406-418; traducido y recogido en *Estudios de Literatura española...* pp. 134-148.

——: *El cuento popular hispanoamericano y la literatura*, Buenos Aires, Facultad de Fil. y L., Instituto de Cultura Latino-Americana, 1941; recogido en *El cuento popular...*, páginas 15-80.

——: *El cuento popular y otros ensayos*, Buenos Aires, Losada, 1976.

——: «El desenlace del *Amadís* primitivo, *R Phil*, VI (1953), páginas 283-289; recogido en *Estudios de Literatura española...*, pp. 149-156.

——: *Dido en la literatura española. Su retrato y su defensa*, London, Támesis, 1974.

——: «Dos huellas del *Esplandián* en el *Quijote* y en el *Persiles*», *R Phil*, IX (1955), pp. 157-162.

——: «Función del cuento popular en el *Lazarillo de Tormes*», en *Actas del Primer Congreso Internacional de Hispanistas*, Oxford, 1964, pp. 349-359; recogido en el *Cuento popular...*, páginas 107-122.

——: *Estudios de Literatura española y comparada*, Buenos Aires, Eudeba, 1969.

——: «La hipérbole sagrada en la poesía castellana del siglo x», *R F H*, VIII (1949), pp. 121-130.

——: *Juan de Mena, poeta del prerrenacimiento español.* México, F.C.E., 1950.

——: *La idea de la fama en la Edad Media castellana,* México, F.C.E., 1952.

——: *La originalidad artística de «La Celestina»,* Buenos Aires, Eudeba, 1962.

——: «Para la toponimia argentina: *Patagonia», H R,* XX (1952), pp. 321-323; recogido en *El cuento popular...,* pp. 91-97.

——: «La visión de trasmundo en las literaturas hispánicas», en PATCH, H., pp. 371-443.

LIVINGSTONE LOWES, J.: «The Loveres Maladye of Hereos», *M Phil,* X (1913-1914), 491-546.

LODS, J.: «Le thème de l'infance dans l'épopée française», *CCM,* III (1960), pp. 58-62.

LOPE DE AYALA, P.: *Rimado de Palacio,* selec. y ed. de LÓPEZ YEPES, G., *Obra poética del canciller Ayala,* Vitoria, 1974.

——: *Rimado de Palacio,* Madrid, B.A.E., LVII, 1966.

LOPE BLANCH, J. M.: *Juan de Valdés. Diálogo de la lengua.* Edición, introducción y notas de ——.

LÓPEZ, G.: *Los códigos españoles anotados,* glosa de ——, Madrid, 1848.

LÓPEZ ESTRADA, F.: *Introducción a la literatura medieval,* Madrid, Gredos, 1966.

LÓPEZ YEPES, G., *Obra poética del canciller Ayala,* selección y edición de ——.

LOOMIS, R. S.: «Arthurian Influence on Sport and Spectacle», recogido en *Arthurian Literature...,* ed. de LOOMIS, R. S., páginas 553-559.

LOOMIS, R. S., y LOOMIS, L. H.: *Arthurian Legens in Medieval Art,* New York, Modern Language Association of America, 1938 (New York, Kraus Reprint, 1975).

LOOMIS, R. S.: *Arthurian Literature in the Middle Ages. A Collaborative History,* ed. por ——, Oxford, Clarendon Press, 1974.

MACPHERSON, J. R.: *Juan Manuel. Libro de los estados.* Edición de ——.

MANRIQUE, JORGE: *Poesía,* ed. de ALDA TESÁN, J. M., Madrid, Cátedra, 1976.

MARAVALL, J. A.: *Antiguos y Modernos. La idea de progreso en el desarrollo inicial de una sociedad,* Madrid, Sociedad de Estudios y Publicaciones, 1966.

——: *Estudios de historia del pensamiento español,* Madrid, Ediciones Cultura Hispánica, 1966.

——: *El humanismo de las armas en «Don Quijote»*, Madrid, Instituto de Estudios Políticos, 1948.

María de Francia, *Lais*, ed. bilingüe y prólogo de Cuenca, L. A., Madrid, Ed. Nacional, 1975.

Markale, J.: *La epopeya celta en Irlanda*, Madrid, Júcar, 1975.

Martín, G. C.: «Don Quijote imitador de *Amadís*», *E I*, 1 (1975), pp. 139-147.

Martin, J. H.: *Love's Fools: Aucassin, Troilus, Calisto and the Parody of the Courtly Lover*, London, Tmesis, 1972.

Martínez Arancón, A.: *La profecía*, Madrid, Editora Nacional, 1975.

Martínez Ruiz, B.: «La investidura de armas en Castilla», *CH Esp*, I, II (1944), pp. 190-221.

Martínez de Toledo, A.: *Arcipreste de Talavera o Corbacho*, edición de González Muela, 3., Madrid, Castalia, 1970.

Martins, M.: «O elemento religioso en *Amadís de Gaula*», *Bro*, LXVIII (1959), pp. 639-650.

Martorell, J., y Galba, J., de: *Tirante el Blanco*. Versión castellana impresa en Valladolid en 1511 de la obra de ......, edición de Riquer, M. de, Madrid, Espasa-Calpe, 1974.

Marx, J.: *La légende arthurienne et le Graal*, Paris, P.U.F., 1952 (Genève, Slatkine Reprints, 1974).

Mascagna, R.: *La retórica de M. Tullio Cicerón*, ed. de ——.

Mata Carriazo, J. de: *Crónicas de los Reyes Católicos*. Edición y estudio por ——.

Matulka, B.: *The Novels of Juan de Flores and Their European Diffusion. A Study in Comparative Literature*, New York, 1931 (Genève, Slatkine Reprints, 1974).

——: «On the Beltenebros Episode in The *Amadís*», *H R*, III (1953), pp. 338-340.

Mazorriaga, E.: *Leyenda del Cauallero del Cisne*, edición de ——.

Ménard, Ph.: *Le rire et le sourire dans le roman courtois en France au moyen âge (1150-1250)*, Genève, Librairie Droz, 1969.

——: «Le thème comique du "nice" dans la Chanson de Geste et le roman arthurien», *B R A B L*, XXI (1965-1966), páginas 177-193.

Mendoza Negrillo, J. de D.: *Fortuna y Providencia en la literatura castellana del siglo XV*, Madrid, Anejos B R A E, 1973.

Menéndez Pelayo, M.: *Orígenes de la novela*, Madrid, C.S.I.C., 1962, 4 vols.

Menéndez Pidal, R.: *Los godos y la epopeya española. «Chansons de geste» y baladas nórdicas*, Madrid, Espasa-Calpe, 1956.

——: *Historia troyana en prosa y verso*. Edición de ——.

——: *Poesía árabe y poesía europea*, Madrid, Espasa-Calpe, 1963.

——: *Primera crónica general*. Edición de ——.

MICHA, A.: *Cligés*, publié par ——

——: *De la chanson de geste au roman*, Genève, Droz, 1976.

——: «L'épreuve de l'épée dans la littérature française du moyen âge», *Ro*, LXX (1948), pp. 37-50; recogido en *De la Chanson de geste...*, pp. 433-446.

——: «L'esprit du *Lancelot-Graal*», *Ro*, LXXXII (1961), páginas 357-378; recogido en *De la chanson de geste...*, pp. 251-272.

——: «Le mari jaloux dans la littérature romanesque des XIIᵉ et XIIIᵉ siècles», *Studi Medievali*, XVI (1951), pp. 303-320; recogido en *De la chanson de geste au roman*, Genève, Droz, 1976, pp. 447-474.

——: «Le pays inconnu dans l'oeuvre de Chrétien de Troyes», en *Studi in onore di Italo Siciliano*, Florence, Leo Olschki, 1966, t. II, pp. 785-792; recogido en *De la chanson de geste...*, páginas 107-114.

MICHAËLIS DE VASCONCELOS, C.: *Affonso Lopes Vieira. O Romance de Amadis; Composto sobre o Amadís de Gaula de Lobeira*, Prólogo de ——. Lisboa, L. da Silva, 1922.

MICHELS, R. J.: «Deux traces du *Chevalier de la Charrette* observées dans *l'Amadís de Gaula*», *B H*, XXXVII (1935), páginas 478-480.

MILLARES CARLO, A.: «Nota paleográfica sobre el manuscrito del *'Amadís'*», *B R A E*, XXXVI (1956), pp. 217-218.

MÍNGUEZ SENDER, J.: «Algunos aspectos inéditos de la versión alemana del *Amadís de Gaula*», *Humboldt*, 38 (1969), páginas 72-73.

MOLHO, M.: *Cervantes: raíces folklóricas*, Madrid, Gredos, 1976.

MÖLK, V.: «Reconoistre au parler: à propos d'un motif dans les chansons de geste et les prémiers romans courtois», *B R A B L*, XXXI (1965-1966), pp. 227-231.

MOTTOLA, A. C.: *The Amadís de Gaula in Spain and in France*, Fordham University, Ph. D., 1962. Tesis doctoral inédita.

MOXÓ, S. DE: «La nobleza castellana en el siglo XIV», *AEM*, 7 (1970-1971), pp. 493-511.

——: «De la nobleza vieja a la nobleza nueva. La transformación nobiliaria castellana en la baja Edad Media», *C H*, 3 (1969), pp. 1-210.

——: «La sociedad política castellana bajo Alfonso XI», *C H*, 6 (1975), pp. 187-236.

MURILLO, L. A.: «The Summer of Mith: *Don Quijote de la Mancha* and *Amadís de Gaula*», *Ph Q*, 51 (1972), pp. 145-157.

NAVARRO TOMÁS, T.: *Métrica española. Reseña histórica y descriptiva*, New York, Las Américas, 1966.

NORTON, F. J., y WILSON, M.: *Two Spanish Verse Chap-books: Romance de Amadís c. 1515-19. Juyzio hallado y trobado c. 1510*, Cambridge, University Press, 1969.

NYKL, A. R.: *Hispano-arabic Poetry and its Relations with the Old Provençal Troubadours*, Baltimore, 1946 (Genève, Slatkine Reprints, 1974).

OLMEDO, F. G.: *El Amadís y el Quijote*, Madrid, Editora Nacional, 1947.

OLRIK, A.: «Epics Laws of Folk Narrative», recogido en DUNDES, A. *The Study of Folklore*, pp. 129-141.

OROZCO, E.: *Paisaje y sentimiento de la Naturaleza en la poesía española*, Madrid, Ed. de Centro, 1976.

PASCUAL, A.: *Amadís*, Madrid, Espasa-Calpe, 1943.

PATCH, H.: *El otro mundo en la literatura medieval*, México, F.C.E., 1956.

PAUPHILET, A.: *La Queste del Saint Grial. Roman du XIIIᵉ siècle*. Édité par ——.

PAXECO, F.: «O Poema do *Amadís de Gaula*», *Biblos*, IX (1933), páginas 168-179; pp. 397-417; pp. 570-590.

PAYEN, J. CH.: *Le motif du repentir dans la littérature française médiévale (Des origines à 1230)*, Genève, Droz, 1967.

PERCAS DE PONSETI, H.: *Cervantes y su concepto del arte. Estudio crítico de algunos aspectos y episodios del «Quijote»*, Madrid, Gredos, 1975, 2 vols.

PIERCE, F.: *Amadís de Gaula*, Boston, Twayne, 1976.

PIETSCH, K.: *Spanish Grail Fragments. El libro de Josep Abarimatia —La Estoria de Merlín— Lançarote*, Chicago-Illinois, The University of Chicago Press, Modern Philologie Monographe of the University of Chicago, 1924-1925, 2 vols.

PINTO DE MENESES, M.: *Álvaro Pelayo. Collyrium fidei adversis haereses*. Edición latina y texto portugués de ——.

——: *Álvaro Pelayo. Speculum regum*. Texto latino y traducción portuguesa de ——.

PLACE, E. B.: *Amadís de Gaula*. Edición y anotación por ——.

——: «Amadís of Gaul, Wales, or what?», *H R*, XXIII (1955), 99-107.

——: «El *Amadís* de Montalvo como manual de cortesanía en Francia», *R F E*, XXXVIII (1954), pp. 151-169.

——: «The Amadís Question», *Spec*, XXXV (1950), pp. 357-366.
——: «Cervantes and the *Amadís*», *Hispanic Studies in Honor of Nicholson B. Adams*, Chapel Hill, N. C., 1966.
——: «The Edition of the 'Amadís' of Saragossa, 1521», *H R*, XXI (1953), pp. 40-2.
——: «Fictional Evolution: The Old French Romances and the Primitive *Amadís* Reworked by Montalvo», *PMLA*, LXXI (1956), pp. 521-529.
——: «¿Montalvo autor o refundidor del *Amadís* IV y V?», *Homenaje a Rodríguez Moñino*, Madrid, Castalia, 1966, II, páginas 77-80.
——: «Montalvo's Outrageus Recantation», *H R*, 37 (1969), páginas 192-198.
Porro, N. R.: «La investidura de armas en el *Amadís de Gaula*», *C H Esp.*, LVII-LVIII (1973), pp. 331-408.
Poyatos, F.: «Del paralenguaje a la comunicación total», en: *Doce ensayos sobre el lenguaje*, Madrid, Publicaciones de la Fundación Juan March, 1974, pp. 157-173.
——: «Paralenguaje y kinésica del personaje novelesco», *R Occ*, XXXVIII (1972), pp. 148-170.
Pressmar, E.: «Notas sobre el significado de los anillos», *T B*, 6 (1976), pp. 73-87.
Prieto, A.: *Morfología de la novela*, Madrid, Planeta, 1975.
——: *Juan Rodríguez del Padrón — Siervo libre de amor*, edición de ——.
Propp, V.: *Morfología del cuento*, Madrid, Fundamentos, 1971.
——: *Las raíces históricas del cuento*, Madrid, Fundamentos, 1974.
Pulgar, H. de: *Crónicas de los Reyes Católicos*, Edición y estudio por Mata Carrizo, Juan de, Madrid, Espasa-Calpe, 1943, 2 vols.
——: *Crónica de los señores Reyes Católicos Don Fernando y Doña Isabel de Castilla y de Aragón*, colección ordenada por Rosell, C., Madrid, B.A.E., LXX, 1923.

Queste del Saint Graal-Roman du XIIIᵉ siècle (La), Édité par Pauphilet, A., Paris, Honoré Champion, 1972.

Raglan (Laord): «The Hero of Tradition», recogido en Dundes, A., *The Study of Folklore*, pp. 142-157.
Ramón Llull: *Libro de la orden de Caballería*, recogido en *Obras literarias*, ed. de Batllori, M. Caldentéy, Madrid, BAC, 1958.
Rank, O.: *El mito del nacimiento del héroe*, Buenos Aires Paidos, 1971.

REALI, E.: «Leonoreta / fin roseta nel problema dell'*Amadís de Gaula*», *AIOU*, VII (1965), pp. 237-254.

REAU, L.: *Iconographie de L'Art Chrétien*, Paris, P.U.F., 1955.

RENARDET, E.: *Vie et croyances des Gaulois avant la conquête romaine*, Paris, Picard, 1975.

REY, A.: *Castigos y documentos para bien vivir ordenados por el rey don Sancho IV*, edición de ——.

REY, A.: *Castigos y documentos para bien vivir y ordenados de las leyendas troyanas en la literatura española*, Bloomington, Indiana University, 1942.

REY, A.: *Libro del consejo y de los consejeros*, edición de ——.

RICO, F.: *Alfonso el Sabio y la «General estoria»*, Barcelona, Ariel, 1972.

——: «Brujería y literatura», en *Brujología. Congreso de San Sebastián, Ponencias y Comunicaciones*, Madrid, Seminarios y Ediciones, 1975.

——: *La novela picaresca y el punto de vista*, Barcelona, Seix Barral, 1969.

——: *El pequeño mundo del hombre. Varia fortuna de una idea en las letras españolas*, Madrid, Castalia, 1970.

RILEY, E. C.: *Teoría de la novela en Cervantes*, Madrid, Taurus, 1971.

RIQUER, M. DE: *Caballeros andantes españoles*, Madrid, Espasa-Calpe, 1967.

RIQUER, M. DE: *El ingenioso hidalgo Don Quijote de la Mancha*, edición de ——.

——: *Lletres de batalla*, Barcelona. Ed. Barcino, 1963-1968, 3 vols.

——: *Joanot Martorell. Tirante el Blanco*. Edición de ——.

——: *Los trovadores*, Barcelona, Planeta, 1975, 3 vols.

——: *Vida caballeresca en la España del siglo XV*, Madrid, R.A.E., 1965.

RIQUER, M. DE, VARGAS LLOSA, M.: *El combate imaginario. Las cartas de batalla de Joanot Martorell*, Barcelona, Barral, 1972.

RIU, M.: *La vida, las costumbres y el amor en la Edad Media*, Barcelona, Editores de Gassó Hnos., 1959.

ROCAMORA, P.: «Entre el *Amadís* y el *Quijote*. (Notas para una interpretación literaria de la psicología peninsular)», *Arb*, 44 (1959), pp. 169-185.

RODRIGUES LAPA, M.: «A quesao do 'Amadís de Gaula' no contexto peninsular», *Grial*, XXVII (1970), pp. 14-28.

——: *Liçoes de Literatura Portuguesa. Época medieval*, Lisboa, Centro de Estudos Filológicos, 1934.

RODRÍGUEZ DE LENA, P.: *Libro del passo honroso defendido por el excelente cavallero Suero de Quiñones*, Madrid, Espasa-Calpe, 1970.

RODRÍGUEZ-MOÑINO, A.: «El primer manuscrito del *Amadís de Gaula*», en *Relieves de erudición (Del Amadís a Goya)*, Madrid, Castalia, 1959, pp. 17-38.

RODRÍGUEZ DEL PADRÓN, J.: *Siervo libre de amor*, ed. de PRIETO, A., Madrid, Castalia, 1976.

ROJAS, F. DE: *La Celestina*. Edición, introducción y notas de CEJADOR Y FRAUCA, J., Madrid, Espasa-Calpe, 1968, 2 vols.

ROSELL, C.: *Crónicas de los Reyes de Castilla*, Colección ordenada por ——, Madrid, *BAE*, LXX, 1923.

ROUBAUD, S.: «Encore sur le *Regimiento* et *L'Amadís*», *MCV*, VI (1970), pp. 435-438.

——: «Les manuscrits du ''Regimiento de Príncipes» et *l'Amadís*», *MCV*, V (1969), pp. 207-222.

ROUSSET, P.: «L'ideal chevaleresque dans deux Vitae clunisiennes», en *Mélanges... E. R. Lamande*, Poitiers, C.E.S.C.M., s.a., pp. 623-633.

RUBIÓ y BALAGUER, J.: *Vida española en la época gótica. Ensayo de interpretación de textos y documentos literarios*, Barcelona, Editorial Alberto Martín, 1943.

RUIZ DE CONDE, J.: *El amor y el matrimonio secreto en los libros de caballerías*, Madrid, M. Aguilar-Editor, 1948.

RUSSINOVICH DE SOLÉ, Y.: «El elemento mítico-simbólico en el *Amadís de Gaula*. Interpretación de su significado», *Th*, XXIX, enero-abril (1974), núm. 1, pp. 129-168.

RYDING, W. W.: *Structure in Medieval Narrative*, The Hague, Mouton, 1971.

SALINAS, P.: *Ensayos de literatura hispánica (Del Cantar del Mío Cid a García Lorca)*, Madrid, Aguilar, 1966.

SAMONA, C.: «*L'Amadís* primitivo e il romanzo d'amore quatrocentesco», en *Romania Scritti offerti a Francesco Piccolo*, Napoli, 1962, pp. 451-466.

SAN PEDRO, DIEGO DE: *Obras Completas II. Cárcel de amor*, edición de WHINNOM, K., Madrid, Castalia, 1972.

SANTILLANA, MARQUÉS DE: *Canciones y decires*, ed. de GARCÍA DE DIEGO, V., Madrid, Espasa-Calpe, 1964.

SCUDIERI RUGGIERI, J.: «Due note di letteratura spagnola del s. XIV. 1) La cultura francese nel *Cavallero Zifar* e nell'*Amadís*; versioni spagnole del *Tristano* in prosa; 2) De 'ribaldo'», *C N*, XXVI (1966), pp. 233-252.

——: «Per un studio della tradizione cavalleresca nella vita e nella cultura spagnola», en *Studi di letteratura spagnola*,

Roma, Fac. di Magisterio e Fac. di Lettere dell'Università di Roma, 1964, pp. 11-60.

——: «A propósito del Amadís-sin-tiempo», *C N*, XXVIII (1968), pp. 261-263.

SCHMITT, J. C.: «Le suicide au Moyen Âge», *An*, 31 (1976), páginas 3-19.

SEGRE, C.: «Entre estructuralismo y semiología», *Pro*, I.1, abril (1970), pp. 71-97.

Sergas de Esplandián (Las), Madrid, B.A.E., XL, 1963, edición de GAYANGOS, P.

SERRANO PONCELA, S.: «El mito, la caballería andante y las novelas populares», *P S A*, LIII (1960), pp. 121-156.

SIMÓN DÍAZ, J.: «Nuevos datos bibliográficos sobre libros de caballerías», *R Lit*, VIII (1955), pp. 255-70.

SOLALINDE, A. G.: *Alfonso X. General Estoria*. Edición de——.

SPITZER, L.: *Lingüística e historia literaria*, Madrid, Gredos, 1968.

STEFANO, L. DE: *La sociedad estamental de la baja Edad Media a la luz de la literatura de la época*, Caracas, Universidad Central de Venezuela, 1966.

STEGNANO PICCHIO, L.: «Fortuna iberica di un topos letterario: La corte di Constantinopoli del *Cligés* al *Palmerín de Olivia*», recogido en *Studi sul Palmerín de Olivia. III. Saggi e ricerche*, Pisa, Università di Pisa, 1966, pp. 99-136.

STEVENS, J.: *Medieval Romance. Themes and Approaches*, London, Hutchinson University Library, 1973.

SUÁREZ FERNÁNDEZ, L.: *Nobleza y monarquía. Puntos de vista sobre la Historia política castellana del siglo XV*, Valladolid, Departamento de Historia Medieval, 1975.

TATE, R. B.: *Don Juan Manuel. Libro de los estados*, Edición de ——.

Tesoro lexicográfico, 1492-1726, Edición de GILI GAYA, S., Fascículo 1, Letra A, Madrid, C.S.I.C., 1957.

THOMAS, H.: *Las novelas de caballerías españolas y portuguesas*, Madrid, C.S.I.C., 1952.

THOMPSON, S.: *El cuento folklórico*, Caracas, Universidad Central de Venezuela, 1972.

——: *Motif-Index of Folk-Literature. A Classification of Narrative Elements in Folk-Tales, Ballads, Myths, Fables, Mediaeval Romances, Excempla, Fabliaux, Jest-Books and Local Legendes*, Bloomington-London, Indiana University Press, 1966, 6 vols.

TODOROV, T.: *Literatura y significación*, Barcelona, Planeta, 1971.

TOYNBEE, P.: «Gay on the Origen and Date of *Amadís de Gaul*», *M L R*, XXVII (1932), pp. 60-61.

TRÍAS, E.: *Metodología del pensamiento mágico*, Madrid, E D H A S A, 1970.

VAGANAY, H.: *Amadís en Français. Essai de bibliographie*, Florence, 1906 (Genève, Slatkine Reprints, 1970).

VALDEAVELLANO, L. G. DE: *Curso de Historia de las Instituciones españolas*, Madrid, Revista de Occidente, 1975.

VALDEÓN BARUQUE, J.: *Enrique II de Castilla: La guerra civil y la consolidación del régimen (1366-1571)*, Valladolid, Facultad de Filosofía y Letras, 1965.

VALDÉS, J. DE: *Diálogo de la lengua*, Madrid, Castalia, 1969, edición de LOPE BLANCH, J. M.

VALERA, J.: «Sobre el *Amadís de Gaula*», recogido en *Obras Completas*, Madrid, Aguilar, 1961, t. II, pp. 480-495.

VARELA, J. L.: «La novela sentimental y el idealismo cortesano», *R F E*, XLVIII (1965), pp. 351-382; recogido en *La transfiguración literaria*, Madrid, Prensa Española, 1970, pp. 3-51.

VENDRELL DE MILLÁS, S.: *Cancionero de palacio*, edición de ——.

VIERNE, S.: *Rite, roman, initiation*. Grenoble, Presses Universitaires de Grenoble, 1973.

VILANOVA, A.: *De la interpretación de los sueños*, Sel. y traducción de IVARS, J. F., Barcelona, Labor, 1975.

VILLANUEVA, L. T.: «Memoria sobre la orden de caballería de la Banda de Castilla», *BRAH*, LXXII (1918), pp. 436-465 y 552-574.

VILLEGAS, J.: *La estructura mítica del héroe en la novela del siglo XX*, Barcelona, Planeta, 1973.

VINAVER, E.: *A la recherche d'une poétique médiéval*, Paris, Librairie Nizet, 1970.

——: *The Rise of Romance*, Oxford, Clarendon Press, 1971.

WAGNER, CH. PH.: *El libro del cavallero Zifar*, edición de ——.

WALKER, R. H.: *Tradition and Technique in «El libro del Cavallero Zifar»*, London, Támesis Books, 1974.

WALSH, J. K.: «The Chivalric Dragon: Hagiographic Parallels in Early Spanish Romances», *BHS*, LIV (1977), pp. 189-198.

WEBER DE KURLAT, F.: «Estructura novelesca del *Amadís de Gaula*», *R L M*, 5 (1967), pp. 29-54.

WEDDIGE, H.: *Die «Historien vom Amadís auss Frankreich»*, Wiesbaden, Franz Steiner Verlag, 1975.

WHINNOM, K.: *Diego de San Pedro. Obras Completas, II. Cárcel de amor*, Edición de ——.

——: «Diego de San Pedro's Stylistic Reform» *BSS*, XXXVII (1960), pp. 1-15.

WILLIAMS, G. S.: «The *Amadís* Question», *R Hi*, XXI (1909), páginas 1-167.

WILLIS, R. S.: *El Libro de Alexandre*. Edición de ——.

WRIGHT, L. O.: *The -RA Verb Form in Spain. The Latin Pluperfect Indicative Form in Its Successive Functions in Castilian, With a Table of Ratios of These Functions Compared With Those of Parallel Forms*, Berkeley (Calif.), University of California Press, 1932.

YNDURAIN, F.: «La novela desde la segunda persona. Análisis estructural», en: *Teoría de la novela (Aproximaciones hispánicas)*, recogido por GULLÓN, A., y G., Madrid, Taurus, 1974, pp. 199-227.

ZANIAII: *Diccionario esotérico*, Buenos Aires, Ed. Kier, 1974.

ZUMTHOR, P.: *Essai de poétique médiévale*, Paris, Éditions du Seuil, 1972.

ÍNDICE DE SIGLAS

A E M	=	Anuario de Estudios Medievales.
A I U O	=	Annali dell'Instituto Universitario Orientale.
An	=	Annales.
Arb	=	Arbor.
B B M P	=	Boletín de la Biblioteca Menéndez Pelayo.
B B S I A	=	Bulletin Bibliographique de la Societé Internationale Arthurienne.
B H	=	Bulletin Hispanique.
B H S	=	Bulletin of Hispanic Studies.
B R A B L	=	Boletín de la Real Academia de Buenas Letras.
B R A E	=	Boletín de la Real Academia Española.
B R A H	=	Boletín de la Real Academia de la Historia.
Bro	=	Brotéria.
C C M	=	Cahiers de Civilisation Médiévale.
C H	=	Cuadernos de Historia (anexos de la Revista *Hispania*).
C H Esp	=	Cuadernos de Historia de España.
C N	=	Cultura Neolatina.
E Am	=	Estudios Americanos.
E I A	=	Estudios Ibero-Americanos.
Fil	=	Filología.
H R	=	Hispanic Review.
K R Q	=	Kentucky Romance Quarterly.
M A	=	Le Moyen Age.
M C V	=	Mélanges de la Casa de Velázquez.
M L R	=	The Modern Language Review.
M Phil	=	Modern Philology.
N R F H	=	Nueva Revista de Filología Hispánica.
Ph Q	=	Philological Quarterly.
Pro	=	Prohemio.
P S A	=	Papeles de Son Armadans.
Q I A	=	Quaderni Ibero-Americani.
R F E	=	Revista de Filología Española.
R F H	=	Revista de Filología Hispánica.
R Hi	=	Revue Hispanique.
R J	=	Romanistiches Jahrbuch.
R Lit	=	Revista de Literatura.
R L M	=	Revista de Literaturas Modernas.
Ro	=	Romania.
R Occ	=	Revista de Occidente.
R Phil	=	Romance Philology.
Spec	=	Speculum.
T B	=	Traza y Baza.
Th	=	Thesaurus.

cupsa universidad

1. María del Carmen Bobes (Universidad de Santiago):
Gramática de «Cántico» (2.ª edición)

2. Manuel Alvar (Universidad Complutense de Madrid):
Teoría lingüística de las regiones

3. Joaquín González Muela (Bryn Mawr College):
Gramática de la poesía

4. María del Pilar Palomo (Universidad de Málaga):
La novela cortesana (Forma y estructura)

5. María Grazia Profeti (Universidad de Padua):
Paradigma y desviación

6. David Bary (Universidad Complutense):
Larrea: Poesía y transfiguración

7. Carlos Feal Deibe (Universidad de Buffalo. Nueva York):
Unamuno: El Otro y Don Juan

8. María Jesús Fernández Leborans (Curso superior de Filología. Málaga):
Campo semántico y connotación

9. María Casas de Fauce (Universidad de Puerto Rico):
La novela picaresca latinoamericana

10. Juan Manuel Cacho Blecua (Universidad de Zaragoza):
Amadís: Heroísmo mítico literario

11. Carlos Alvar (Academia de Buenas Letras. Barcelona):
La poesía trovadoresca en España y Portugal

12. Hernán Urrutia Cárdenas (Universidad de Deusto):
Lengua y discurso en la creación léxica

13. Vicente Granados (Curso superior de Filología. Málaga):
La poesía de Vicente Aleixandre

14. Joaquina Canoa (Universidad de Oviedo):
Semiología de las «Comedias bárbaras»

15. Agustín Vera Luján (Universidad de Málaga):
    Análisis semiológico de «Muertes de perro»

16. María Jesús Fernández Leborans (Curso superior de Filología. Málaga):
    Luz y oscuridad en la mística española

17. Ignacio Elizalde (Universidad de Deusto):
    Temas y tendencias del teatro actual

18. AA. VV. (Universidad de Arkansas):
    La narrativa de C. A. Montaner

19. Carlos Alvar (Academia de Buenas Letras. Barcelona):
    Textos trovadorescos sobre España y Portugal

20. Robert C. Spires (Universidad de Kansas):
    La novela española de posguerra

21. Carmen de Fez (Universidad de Málaga):
    La estructura barroca de «El siglo pitagórico»

22. María del Carmen Bobes (Universidad de Oviedo):
    Comentario de textos literarios

23. Ramón Maciá (Universidad de Oviedo):
    Universidad y democracia

24. Leda Schiavo (Universidad de Illinois en Chicago):
    Para leer «El ruedo ibérico»

25. Esther Lacadena (Universidad de Zaragoza):
    Nacionalismo y alegoría en la épica española del XVI: «La Angélica» de Barahona de Soto

26. Mariano de Andrés (Curso superior de Filología. Málaga):
    Función y motivo en el cuento maravilloso

1X21 E

S-42

1284-8
5-42

1946
3-62